P9-EMC-351

The Unconsoled

无可慰藉

石黑一雄作品
Kazuo Ishiguro

郭国良 李杨 译

上海译文出版社

RICHMOND HILL PUBLIC LIBRARY
32972001135963 RH
Wu ke wei jie = The unconsoled
Oct. 27, 2018

献给罗娜和内奥米

第　一　部

第一章

发现没有任何人——甚至服务台后也没有一个职员——在迎候我，出租车司机似乎有些尴尬。他穿过空无一人的大厅，或许是以为能在高大的植物或扶手椅后面找到一位员工。最后，他只得把我的行李箱放在电梯门口，咕哝着找了个借口，转身离开。

大厅着实宽敞，几张咖啡桌散置摆放，并不显拥挤。天花板很低，还有点凹陷，感觉有些幽闭恐怖。外面虽然阳光明媚，里面却阴沉得很。只有一缕阳光照射在服务台桌子附近的墙壁上，照亮了一块深色木质壁板及一摞德文、法文和英文杂志。我看到服务台上有个小银铃，正想过去摇一下，就在这时，身后的门开了，一个身穿制服的男人走了进来。

“下午好，先生。”他说，一副很累的样子，走到服务台桌子后面，开始登记手续。他小声道了歉，但态度显然仍甚为简慢。然而，一听到我的名字，他大吃一惊，马上挺直了身子。

“瑞德先生，抱歉没认出是您。霍夫曼经理本想亲自来迎接您，但很不凑巧，他得去参加一个很重要的会议。”

“没关系，我期待日后与他见面。”

这位接待员一边快速填好登记表，一边轻声嘀咕经理没能来迎接我会多么懊恼。他两次提到准备“周四之夜”让经理倍感压力，使得他没法儿抽更多时间处理酒店事宜。我只是点头，无力多问“周四之夜”究竟是什么。

“哦，布罗茨基先生今天表现得相当不错。”接待员来了精神，说道。“真的很好，今早他和交响乐队排练了整整四个小时，一刻都没停过。听！ 他现在自个儿还在用功练呢。”

他指了指大厅的后面，这时，我才听到一阵钢琴演奏声在整幢楼里回荡，刚好盖过外面嘈杂的车流声。我仰起头仔细听，有人在反复弹奏一小段乐句——那是穆勒里《垂直》第二乐章里的片段——悠缓而专注。

“当然，若经理在，”他说，“很可能就会带布罗茨基先生出来见您，但我不确定……”他笑了笑，“我不知道该不该打断他，毕竟他正全神贯注……”

“当然，当然，还是另找时间吧。”

“如果经理在就好了……”他声音渐渐低下去，又笑了笑，然后身体前倾，压低声音说：“您知道吗，先生？ 我们每到布罗茨基要求钢琴独奏的时候就像这样关闭休息室，而有些客人竟敢投诉！ 某些人的想法还真是匪夷所思！ 昨天还有两个人分别向经理投诉呢。不用说，很快就有人叫他们识相点。”

“我想他们会的。你说的那个布罗茨基，”我想着这个名字，脑中却一片空白。我瞥见接待员诧异地盯着我，就很快说道：“嗯，嗯，我非常期待不日能与布罗茨基先生见面。”

“若经理在就好了，先生。”

“请别担心。如果没别的事，我会非常感谢……”

“当然，先生。长途跋涉，您一定累了。这是房门钥匙。那边的古斯塔夫会带您到房间去。”

我扭头一瞧，看到一位上了年纪的迎宾员在大厅一侧等候着。他站在敞开的电梯门口，专注地看着电梯里面。我走向他时，他吓了一跳，然后拎起我的行李，紧跟我进了电梯。

电梯起升，年迈的迎宾员仍旧提着两只行李箱，看得出，他因为用力脸涨得通红。两只行李箱非常重，我担心他会在我面前晕倒，便说道：

“您真该把行李放下。”

“谢谢您的提醒，先生。”他说，声音出奇的平静，丝毫没有透出他的体力不支。“多年前，我刚开始干这行的时候，我会把行李放在地上，只是绝对必要的时候才拎起来。说白了，就是走路的时候。其实，在这里干的头十五年，我得说我就一直那样。如今，这座城市里的很多年轻迎宾员仍然这样做，但我却不了。再说，先生，我们很快就到了。”

我们沉默，电梯继续上行。突然，我问道：

“这么说，您在这酒店工作很长时间了。”

“已经二十七年了，先生。这二十七年中，我在这儿算是见得多了。当然啰，这酒店在我来之前早就有了。据说，十八世纪的时候，腓特烈大帝曾在这里住了一夜。那时人们就说这是个久负盛名的酒店了。哦，对了，这些年来，这儿发生了许多历史性的事件。等您不太累的时候，先生，我很乐意为您介绍几件。”

“可是您还没跟我讲，”我说，“为什么您觉得把行李放在地上的行为不妥呢。”

“哦，是的，”迎宾员说，“这个说来就有趣了。您看，先生，您可以想见，像这种城镇有很多酒店，所以城里有很多人都曾干过迎宾员这活儿。这儿很多人似乎觉得只要穿上制服就行，就能胜任了。这种臆想在我们市镇尤其流行。姑且就叫地方传说吧。坦白说，从前我自己也曾盲目地相信这种说法。直到有一次——那是很多年前的事了——我和妻子一起休了几天假。我们去了瑞士，到了卢塞恩。如今，我妻子已经过世了，先生，但只要一想到她，我就会想到那次短暂的休假。那里临湖，景色优美。您肯定知道那儿。我们一吃完早饭就划船散心。哦，言归正传。在那次度假中，我发现那个地方的人们对迎宾员的看法和我们这儿完全不同。我怎么说呢，先生？他们非常尊重迎宾员。大酒店还为了争抢小有名气的顶尖迎宾员而大打出手呢。我得说，我真是大开眼界。但在我们这里，人们却对迎宾行业有根深蒂固的误解。实际上，有时候我真怀疑这种误解能不能消除呢。我不是说这里的人们对我们行李员都很粗鲁无礼。恰恰相反，这里的人对我都很礼貌，很体贴。但是，先生，这里的人都认为，只要你愿意，只要你想，谁都可以做这份工作。我猜是因为这儿的人多少都有拿着行李走来走去的经历。有了这个经验，他们就觉得酒店迎宾员的工作不过就是类似这样的一种延伸而已。这些年，就在这部电梯里，不断有人对我说：‘哪天等我辞了现在的工作，也去当迎宾员。’哦，是的。呃，先生，有一天，就在我们从卢塞恩度假回来后不久，一位颇有名望的市议员也对我讲过类似的话。‘哪天我也想干干这个，’他指着行李对我说，‘这才是我想要的生活，两耳不闻窗外事。’我猜想他是善意的，想暗示多么羡慕我。先生，我那时还年轻，还没有手提行李的习惯，只是把行李放地上，就在这架电梯里，回想那时还真是像那位绅士所说的，无忧无虑啊。但是，跟您说吧，先生，那绅士的话对我真是当头棒喝。并不是说我很气他那么说，可是，他的话确实令我幡然醒悟，令我想起一直藏于心底、耿耿于怀的那个念头。我刚才讲过，先生，我那时刚刚从卢塞恩度假回来，那次度假确实对我启发不小。我自己就在想，嗨，本地的迎宾员们是不是该行动起来改变一下人们的错误观念了。您看，先生，我在卢塞恩看到了新事物，我觉得，唉，这里的人做得真的不够好。于是，我就拼命想出一些身体力行的方法。当然，那时我就知道'改变'是件多么艰难的事，而且，在许多年前我就意识到，从我这代才做出改变，恐怕已经太晚了。观念已经深入人心了啦。但是我想，唉，哪怕我只能尽绵薄之力做出小小改变也好，至少可以方便后来人嘛。于是，自那日市议员对我说了那番话之后，我就用自己的方法坚持了下去。而且，令我感到很自豪的是，本市有其他几个迎宾员也开始效仿我的做法了，倒不是说他们完全照搬了我的方法，但是他们自己的法子，呃，也还算可行吧。"

"我明白了。您其中一个办法就是一直提着行李不放下。"

"正是，先生。您已经非常明白我的意思了。当然，我必须承认，我刚开始实施这些新办法的时候年轻力壮，真没料想到年纪越大身体越差。很可笑，先生，但真的没料想到。其他的迎宾员也都这样说过。不管怎样，我们都决定履行我们的誓言。这么多年下来，我们已经结成了一个相当牢固的团体，一共 12 个人，这些年来一直坚持下来的，就我们这些人了。如果我现在反悔的话，先生，我会觉得辜负了他人。如果他们任何一人偏要走回头路，我同样会觉得失望。论其原因，毫无疑问，是多年的努力才有了小小的成绩。但路还很长，没错。我们时常交流——每周日下午，在老城区的匈牙利咖啡馆聚会，您可以来参加，您一定是最受欢迎的客人，先生——呃，我们经常讨论这些事情，大家一致认为，这城里的人对待我们的态度，无疑已经有了极大的改观。当然，年轻一辈自然都觉得本该如此，理所当然，但是我们这帮在匈牙利咖啡馆聚会的人，都觉得自己做出了成绩，即便不是很显著。非常欢迎您来加入我们，先生。希望我能荣幸地把您介绍给他们。现在已经不似以前那么正式了，我们都明白，在特殊情况下，允许介绍新人加入我们，这也有段日子了。每年这个时节，沐浴在午后的阳光下令人心旷神怡。我们坐在露天凉篷下，看着对面的老广场。非常美，先生。您肯定会喜欢的。呃，刚才我说到哪儿了？我们在咖啡馆一直讨论的都是这个问题，讨论我们这些年来所做的决定。您看，我们从没想过老了之后会怎么样，大概是因为我们过于专注于工作，考虑问题都是过一天是一天吧。也有可能我们低估了改变这些根深蒂固的看法需要花费的时间。您知道，先生，我现在这个年纪，要坚持下去是一年比一年难了。”

迎宾员停顿了一下，虽然身体负担很重，但他仍然陷入了沉思，然后继续说道：

“老实说，先生，只有这样才公平。那时年轻，起先给自己定下规矩，不管多大多沉，都要拎着三件行李。如果客人有第四件行李，才放地上。但是三件是一定能保证的。呃，但事实上，四年前我病了一段时间，发现体力不支了，我们就在匈牙利咖啡馆商量怎么解决。呃，最后呢，同事们一致认为我没必要对自己那么严格。他们说，毕竟呐，我们原意是要给顾客留下好印象，让他们了解我们工作真实的一面。两件行李也好，三件行李也罢，效果都是一样的。我应该把我的能力范围缩减到两件行李，这没什么大碍。我同意他们的说法，先生，但我知道实际情况并非如此。我知道那会给顾客留下不同的印象。必须得承认，哪怕在最不老练的人看来，拿着两件行李和拿着三件行李效果也是大大不同的。这我都知道。先生，不怕告诉您，要我接受这个事实真是痛苦啊。接着刚才的说，我意思就是，希望您能明白我为什么不放下您的行李。您只有两件，至少未来几年，两件都是我力所能及的。”

“这样啊，真是值得称许，”我说。“您绝对给我留下了您所期望的印象。”

“我想让您了解，先生，我不是唯一一个非改变不可的人。我们总在匈牙利咖啡馆讨论这事。我们每个人都得做出某些改变，可我不想让您觉得，我们允许彼此改变的标准有所降低。一旦降低，我们这些年所付出的努力就全部付诸东流了。我们很快就会成为笑柄。路人看见我们每周日下午聚在咖啡馆就都会嘲笑我们。哦，不，先生，我们历来对自己要求非常严格，希尔德小姐肯定可以为我们作证，整个社区对我们的周日聚会都很尊重。先生，刚才我也说了，您来参加，肯定最受欢迎。不管是咖啡馆还是广场，周日下午都热闹非常。咖啡馆老板有时还会安排吉卜赛小提琴手在广场演奏。先生，老板本人最尊重我们啦。咖啡馆不大，但他总有办法保证我们一桌人舒舒服服地坐下。哪怕店里异常繁忙，老板也能确保我们不觉拥挤或被打扰。即使在最忙的下午，我们一桌人坐齐，同时伸直胳膊旋转，也不会相互碰到。您看店老板多么尊重我们，先生。我肯定希尔德小姐能证明我说的一切。”

“不好意思，”我说，“请问您一直说的那位希尔德小姐是谁？”

刚说到这儿，我发现迎宾员的视线正越过我肩膀，看向我身后。我转过身，吃惊地发现原来电梯里还有人。一位个头矮小、身着整洁职业装的女子正站在我身后靠近角落的地方。知道我终于看到了她，她笑了笑，上前一步。

“很抱歉，”她说，“希望您别误会我在偷听，可你们说的话不停地钻进我耳朵里。我听到了古斯塔夫的话，但我必须指出，他这么说我们市镇上的人可一点都不公平。他说我们不尊重酒店的迎宾员，事实上，我们很尊重他们，尤其最尊重古斯塔夫。人人都爱他。您也看得出他说的话其实前后矛盾。如果我们不尊重他们，那他怎么解释他们在匈牙利咖啡馆受到的礼待？ 真的，古斯塔夫，你让瑞德先生误解我们可不好。”

她说这话的时候，语气明显和善温柔，但古斯塔夫看起来却很懊悔。他摆正了姿势，稍稍挪步远离我们，沉重的行李箱撞到他腿上，他窘迫地移开了自己的目光。

“看看，不好意思了。”这位年轻女子笑着说。“他可是最棒的，我们都爱他。他特别谦虚，所以不会告诉别人，市里的其他迎宾员都以他为榜样呢。其实，说他们敬畏他都不为过。有时候可以看到，他们周日下午围坐一桌，只要是古斯塔夫还没来，他们就不肯开口说话。您瞧，他们感觉如果不等他就开始商谈甚是无礼。经常看到他们，十个或者十一个人，静静地坐在那喝咖啡，等着他。最多小声耳语几句，就像在教堂那样。只有等古斯塔夫来了，他们才会放松，才会开始大声交谈。亲自前去匈牙利咖啡馆，但只是看看古斯塔夫到来的盛况也是非常值得的。我得说，他到来前后的情景对比，真的令人印象深刻。前一刻大家还满脸沉闷，无声地喝着咖啡，古斯塔夫一出现，马上就开始欢呼大笑。高兴地拳来拳往，互拍后背。有时甚至还跳舞，是的，站在桌子上！ 他们还会跳一种别具一格的‘迎宾员舞’，是不是，古斯塔夫？ 哦，真的，他们真的很开心。但只有古斯塔夫来了才会这样。当然，他本人可不会告诉您这些，他很谦虚。这里每个人都爱他。”

年轻女子说话的时候，古斯塔夫肯定已扭转身体背对我们，因为下一刻我再看他时，他正面对着电梯另一侧角落，背对着我们。沉重的行李让他不堪重负，双腿弯曲，双肩微颤。他埋首颈间，有意躲着站在后面的我们，但至于是因为羞怯还是因为体力不支就很难说了。

“很抱歉，瑞德先生，”年轻女子说。“还没自我介绍呢，我叫希尔德·斯达特曼。我负责您逗留期间的一切活动事宜，还要保证一切顺利，万无一失。很高兴您终于成行，如约莅临。我们之前都有点担心会事出有变。今早本来大家都在悉心等待，但很多人因为有重要约会，不得不一个个都走了。所以才轮到我这个市艺术馆的低级职员来告诉您，您的到来令我们倍感荣幸。”

“我很乐意来，不过提起今早，您刚才说……”

“哦，别担心，瑞德先生，没人感到一丝不快，重要的是您来了。瑞德先生，我同意古斯塔夫说的一点，就是老城区。真的是很迷人，我一向建议游客们去那儿看看。环境优美，到处都是露天咖啡馆、工艺品商店和饭店。从这步行一小段就到，如果行程安排允许，您应该抽空去看看。”

“我非常想去看看。正好，斯达特曼小姐，说到行程表……”我故意停顿了一下，期望这位年轻小姐惊呼一声，说她怎么就忘了呢，或者随手伸到她携带的公文包里，拿出一张纸或者一个文件夹。可是，虽然她的确很快插了嘴，但脱口而出的却是：

“行程确实是很紧，没错。但我衷心希望这样安排没有不妥之处。我们尽量严格围绕主要活动做出安排。无可避免的是，很多社团，本地媒体，几乎人人都联系我们做安排。这里您的琴迷可真多啊，瑞德先生。很多人都认为，您不仅是在世的国际最顶尖的钢琴家，而且是本世纪最伟大的钢琴家。我们最后成功缩减到了只安排主要活动，相信您应该不会对我们的安排有什么特别不满意的地方。”

此时，电梯门开了。年迈的迎宾员走出电梯，进了走廊。行李很重，他不得不拖着脚在地毯上走。我和斯达特曼小姐紧随其后，小心踱着步子，生怕超过他。

“我希望不会冒犯到谁。”我边走边说。“我意思是，按照行程表，有些人我可能没法见了。”

“哦，不，您不用担心。我们都了解您此行的目的，没人会想担上干扰您行程的罪责。事实上，瑞德先生，除了两个相当重要的社会活动，其他一切活动都或多或少与‘周四之夜’有关。当然，您事先已经熟悉过行程表了吧。”

她说最后这句话的语气让我很难如实相告。我只能说：“是的。”

“行程的确很满，我们的安排都以尽量满足您的要求为先。可以说是相当体贴用心的安排。”

迎宾员已经在我们前头站在了房门前。他终于放下行李箱，打开了门锁。我们刚走上前，古斯塔夫又重新拿起行李，步履蹒跚地走进房间，说道：“请跟我来，先生。”我正要进门，斯达特曼小姐轻轻拉住了我。

“我不会打扰您太久，”她说。“但是我目前想了解您对行程表是否有不满意的地方。”

门径自关上了。我们仍站在走廊里。

“呃，斯达特曼小姐，”我说，“总体来讲，我感觉……行程安排非常周到。”

“正是按照您的要求，我们才安排了您与市民互助组的会面。互助组成员都是来自各行各业的普通人，当前危机的困扰让他们走到了一起。您会得到他们对各种生活困境描述的第一手资料。”

“哦，好的。肯定会非常有用。”

“您一定也留意到，我们同样尊重您想见克里斯托弗先生本人的愿望。鉴于目前的情况，我们非常理解您要求这次会面的原因。您肯定想象得到，克里斯托弗先生也很高兴。他自然也有充分的理由想与您见面。我是说，他和他的朋友会尽全力解答您想了解的问题。自然，他们都是胡说八道，但是我肯定这对您了解我们这里的大致情况会很有帮助。瑞德先生，您看起来很累，我就不打扰您了。这是我的名片。有任何问题或要求，请尽管直接打电话给我。”

一番感谢之后，我看着她转身离开，消失在走廊尽头。我进了门，仍在消化这段谈话中涉及的信息，过了一会才注意到古斯塔夫正站在床头。

“哦，到了，先生。”

看惯了这幢楼里清一色的深色木质壁板，我很惊奇地发现：这个房间的装饰如此“微现代”。我对面的那面墙从天花板到地板几乎都是玻璃，阳光从垂直悬挂的百叶窗暖暖地照射进来。我的行李箱齐齐地放在壁橱边。

“现在，先生，请给我一点时间，”古斯塔夫说，“我带您参观一下房间各处。这样，能确保您的入住无比舒适。”

我跟着古斯塔夫在房间里转悠，看着他将开关电器一一指示给我。过了一会儿，他领我进了卫生间，继续讲解着。我很想打断他，以前其他引领员介绍酒店房间的时候，我常做这事。但或许是他对自己工作勤奋的态度，或许是他为了让每天重复的工作更富个性所做的努力，使我被他感动了，便没有打断他。于是，他继续介绍着，挥手指着房间各处。我突然发觉，尽管他非常专业，尽管他真诚地希望我住得舒适，但一整天来困扰他的那件事还是不由自主地又浮现在了他脑中。也就是说，他又一次担心起了他的女儿和小外孙。

几个月前，得知如此安排，古斯塔夫认为这不过是件简单快乐的任务，不会带来什么困扰。每周抽出一个下午，和小外孙一起在老城区散步一两个小时，这样女儿索菲就可以出去享受美好的私人时光。而且，这安排相当成功。几周来，外公和外孙已经摸索出一条两人都惬意无比的路线。晴朗午后，他们就从秋千公园开始走，鲍里斯在那儿可以展示他新学的锻炼胆量的技艺。雨日午后，他们就从船舶博物馆开始走。一路漫步，走过老城区的条条小路，逛逛礼品店，或许到老广场停停，看看哑剧表演或者杂技表演。这位年迈的迎宾员在本区很有名，走不了多远就会有人打招呼，古斯塔夫能听到无数对外孙的赞美之辞。然后，他们走上老桥，看看船只从桥下驶过。最后，他们前往最中意的咖啡馆，点个蛋糕或冰淇淋，等着索菲回来。

起初，这小小的户外游给古斯塔夫带来了极大的满足感。

但越是频繁地与女儿和外孙接触，他就越发注意到过去不曾留心的问题，再也不能装作一切安好了。首先是女儿索菲的整体情绪问题。早几个星期，她会高高兴兴地跟他们道别，然后匆忙赶往市中心购物或者约见朋友。但最近她老是无精打采，好像无所事事。更有甚者，先不论索菲遇到的是何等麻烦，这些麻烦已明显开始影响到了鲍里斯。诚然，外孙大多时候仍兴致勃勃，自娱自乐。可是，古斯塔夫留意到，时不时地，尤其是提到其家庭生活时，小孩子的脸上会掠过一丝愁云。而两周前发生的事在年迈的迎宾员脑袋里着实挥之不去。

他和鲍里斯路过老城区众多咖啡馆中的一间，突然看到女儿坐在里面。门口的凉篷遮挡了玻璃的反光，从外面可以清楚地一直看到室内后排座位，看到索菲孤单地坐在那儿，身前的桌上摆着杯咖啡，一脸沮丧。她无意离开老城区，更遑论她脸上落寞的表情，这个事实让古斯塔夫着实吃惊——老半天，他才反应过来想要引开鲍里斯的注意力。可是太晚了：鲍里斯顺着他的目光真真切切地瞧见了他母亲。孩子立即挪开眼，两人继续散步，谁也没提起这事。没多久，鲍里斯就恢复了兴致。但这一幕还是令迎宾员大为困扰，此后他多次在脑中盘算。其实，正是回忆起这件事才让古斯塔夫刚才在大厅里现出一副专注的神情。而此刻，他领我参观房间，这事儿又再次勾起了他的惶惑。

我很是喜欢这老人，又有些同情他。显然，他忧虑这件事已经有一段时日了，现在这忧虑又有失控的危险。我想就此话题与他好好谈谈，但此时古斯塔夫已例行完公事，而且，自下飞机之后断断续续的疲惫感再次向我袭来。我决定，还是以后找机会和他谈吧，于是便给了他不少小费，让他离开了。

看到他将身后的门带上后，我和衣瘫倒在床上，直望着天花板发呆。起初，我脑袋里一直想着古斯塔夫和他遇到的各种烦恼。后来又想到和斯达特曼小姐的对话。很明显，这座城市对我的预期要求不仅仅限于一场演奏会。我试图回忆有关这次行程安排的细节，但什么也没想起来。我意识到自己没有和斯达特曼小姐坦白是多么愚蠢。假如我没收到过行程表的副本，那是她的责任，而不是我的过错，否则我的自辩就会显得非常不合情理。

我又想起了布罗茨基这名字，这次，我肯定自己听说过或者读到过这个名字，而且就在不久前。然后我又突然想起这次长途飞行。我坐在黑暗的客舱里，周围的乘客都已入睡，我借着昏暗的灯光浏览这次的行程表。旁边的男人曾一度醒过来，几分钟后说了句戏谑的话。事实上，我记得他曾倾身问了我一个测试题，好像是关于足球世界杯的。我不想中断研读我的行程表，就冷冷地打发了他。现在我清晰地记得当时的情景。没错，我能想起印有行程安排的厚厚灰色纸张的质地，头灯映射在纸上暗黄色的光斑，飞机引擎的嗡鸣声——但是无论我怎么努力，就是想不起纸上写了什么。

过了一会儿，我觉得疲劳吞噬了我，便决定与其无意义地再想下去，不如先小睡片刻。况且，经验告诉我，休息过后，一切都会清晰得多。然后，我就可去找斯达特曼小姐，向她解释中间的误会，再拿一张行程表，请她对行程安排做必要的解释。

刚要睡着，我突然想起了一件事情。我睁开眼睛，盯着天花板，细细地打量着，然后坐起身，环顾四周。熟悉感越来越强，我意识到，现在的这个房间正是当时家人和我借宿姨妈家时的卧室。姨妈家住在英格兰与威尔士边境，我们曾借住了两年。我再一次环顾房间，重新躺下，又一次盯着天花板。墙壁最近新刷过漆，空间扩大了，房檐移动过，灯具周围的装饰全部变了。但天花板还是当年那个我常在咯吱作响的小床上盯着看的天花板。

翻身侧躺，俯视着床边的地板。酒店在下床落脚的地方放了块深色地毯。我仍记得这个地方曾放了块破旧的绿色垫子。我曾一周数次在这垫子上玩行兵布阵的游戏，都是些塑料玩具士兵——一共有一百个呢——都保存在两个饼干桶里。我伸手摸了摸酒店铺的垫子，这当儿，我又忆起了某日下午的情景：当时，我正沉浸在塑料玩具士兵的世界中，激烈的争吵声突然从楼下传来。那愤怒的声音，即便是一个六七岁的小孩子，也知道这不是场普通的争吵。我安慰自己说这没什么，把脸埋在绿垫子上，继续玩打仗游戏。绿垫子靠中心的地方有块破损，时常引起我的怏怏不快。可是，那天下午，听到楼下愤怒的争吵声，我突然第一次想到：这块破损可以作为丛林障碍地形让士兵们越过。这一发现——一直威胁着要破坏我幻想世界的这块瑕疵，其实是可以融入其中的——令我兴奋不已，而这一“丛林障碍”则随之成为我之后所策划的众多战斗中的一大要素。

我继续盯着天花板回忆着。我当然非常清楚房间整个动过或者说翻新过，尽管如此，久别之后，重返儿时的记忆圣堂，还是给我一种深邃的宁静感。我闭上眼，不一会仿佛又置身于那些旧家具中。右手边远远的角落里，是那个门把手已坏掉的高高的白色壁橱。我姨妈画的那幅索尔兹伯里教堂挂在我床头墙上。床边橱柜的两个小抽屉里塞满我的小宝贝和小秘密。一天下来的全部紧张——长途飞行的疲惫，行程安排的困惑，古斯塔夫的问题——仿佛都抛在了脑后。我感觉筋疲力尽，渐渐沉沉地睡着了。

第二章

我被床边的电话铃吵醒，感觉响了很久。我拿起听筒，对方说道：

“喂？ 瑞德先生吗？”

“是的，您好。”

“您好，瑞德先生。我是霍夫曼。酒店经理。”

“哦，您好。”

“瑞德先生，很高兴您终于到了。非常欢迎您的到来。”

“谢谢。”

“真的欢迎您，先生。飞机晚点的事请别介意。斯达特曼小姐应该都告诉您了吧，我们现场的所有人都完全理解。毕竟，您要赶赴世界各地的预约，还要跋山涉水地飞到这儿，哈哈，这种事情很难避免。”

“但是……”

“真的没关系，先生。您不需要做任何解释。我刚也说了，所有人都很理解。这事就算过去了，重要的是您来了。单单这一点，瑞德先生，我们就无比感激。”

“哦，谢谢，霍夫曼先生。”

“呃，先生，您现在要是不忙的话，我很想跟您见个面，当面表达我的敬意，对您到本市下榻我们的酒店表示个人感谢。”

“您真是太客气了，”我说，“但我刚刚小憩了一下……”

“小憩？”声音里瞬间闪过一丝恼怒，但马上恢复了和蔼亲切，听不出丝毫差别。“是吗，当然，当然，您一定很累了，路途遥远。那这样吧，不管什么时候，我随时恭候。”

“我非常期待与您见面，霍夫曼先生。我马上就下来。”

“一定等您方便了再下来。我呢，我就一直在这儿等着，就在楼下大厅里，不管多久。请您一定不要着急。”

我思量了一阵，然后说道：“但是，霍夫曼先生，您一定还有许多其他的事情要忙乎吧。”

“没错，这会儿是一天里最忙的时候，但为了您，瑞德先生，要我等多久都行，毫无怨言。”

“霍夫曼先生，请别因为我浪费您宝贵的时间。我马上下来找您。”

“瑞德先生，一点都不麻烦。其实，能在这儿等您，我很荣幸。按我说的，一定慢慢来。我保证，我会一直在这儿等您来。”

我再次谢了他，放下电话，起身环顾一周，看看光景，猜测大概快傍晚了。先前的疲惫感有增无减，但好像没得选，只有下楼去大厅。我起身，走到行李箱边拿出一件不太皱的外套，至少比我身上这件平整。换衣服的时候，我突然特别想喝咖啡。穿好衣服后，我疾步离开房间。

从电梯出来，我发现大厅里比先前热闹了许多。四周的客人们或懒懒地倚坐在椅子上，或翻着报纸，或点杯咖啡闲聊。接待柜台边，几位日本客人正愉快地相互寒暄。我对这种变化感到些许困惑，并没有注意到酒店经理已经走了过来。

他大概五十多岁，形象比我从电话里听声音想象的要高大威猛许多。他伸出手，笑容可掬，这时我发现他上气不接下气，额头微微冒汗。

我们握了握手，他不停地重复我的到来多么令这个城镇生辉，尤其是下榻他们酒店。然后他倚近我，推心置腹地说："我向您保证，先生，'周四之夜'所有安排都已就绪，真没什么好担心的。"

我等他接着说，但他只是笑了笑。于是我说："嗯，那很好。"

"不，先生，真的没什么好担心的。"

一阵尴尬无语。过了一会儿，霍夫曼好像想要说些别的什么，却又突然打住，大笑一声，轻轻拍了拍我的肩膀——这一举动让我感觉过于冒失。终于，他说道："瑞德先生，为了您此行舒适愉快，有什么需要我效劳的地方，请您即刻告诉我。"

"您太客气了。"

又是一阵无语。之后他又大笑一声，轻轻摇头，再一次拍了拍我肩膀。

"霍夫曼先生，"我说，"您是不是有什么特别的事要对我说？"

"哦，没什么特别的，瑞德先生。我只是想跟您打个招呼，看您对一切安排是否满意。"然后他忽然一声感叹。"当然，既然您提起，是的，我是有事要对您说，不过只是件小事。”然后，他又摇了摇头，大笑起来。接着他说：“这跟我妻子制作的剪报册有关。”

“您妻子的剪报册？”

“瑞德先生，我妻子是个非常有文化的女性。她自然也是您的琴迷。其实，她一直饶有兴致地追随您的钢琴生涯，这些年四处收集您的剪报。”

“真的吗？ 她可真是太好了。”

“实际上，她编了两本剪报册，全都是关于您的。条目都按照时间顺序编排，而且可以追溯到很多年前。言归正传，我妻子非常期望有一天您能亲自翻读这些剪报册。您到来的消息无疑重新燃起了她的期望。然而，她知道您此行必定无暇，所以坚持不应因为她而打搅到您。但我看得出她在偷偷地期盼着，所以答应她至少跟您提及此事。您如果能抽出即便一分钟瞧瞧这两本册子，您都想象不到这对她有多么重要。”

“请您一定转达我对您妻子的感谢。霍夫曼先生，我非常乐意看看她的剪报册。”

“瑞德先生，您真是太好了！ 真是个大好人！ 事实上，我把剪报册带来酒店了，随时准备供您翻阅。但我能猜到您一定非常忙。”

“我行程的确很满。但是，我肯定能抽出时间看看您妻子的剪报册。”

“您真是太好了，瑞德先生！ 但我还是要说，我最不愿给你增添额外的负担。我提个建议吧，您什么时间有空翻看剪报册就告知我一下，我等着您。在此之前，我不会打扰您。不管什么时候，白天还是晚上，只要您觉得时间合适，请来找我。一般很容易就能找到我，我很晚才会离开酒店。我会立即停下手边的事情，去取剪报册。这样安排我是再乐意不过了。真的，一想到给您的行程增添额外的负担，我简直受不了啊。”

“您真是太体贴了，霍夫曼先生。”

“瑞德先生，我刚想到，过几天我可能会异常忙碌，但我想跟您说，做这件事我永远不会没空，所以即便我看起来很忙，请您也一定不要推延。”

“好的，我会记着的。”

“或许我们该定个暗号什么的。我这样说是因为您来找我的时候，可能会看到我正在拥挤房间的另一头，您要穿过闹哄哄的人群过来恐怕很困难。而且，还有可能就是，等您到达第一眼看到我的地方时，我自己又走到别处去了。所以有个暗号就很明智。一个简单易辨、高过人群头顶就能看到的暗号。”

“确实，这个主意倒不错。”

“很好。瑞德先生，您这么友好和善真是让我很感激。我们这儿接待过不少名人，像您这么平易近人的可真没几个。那么，就只要定个暗号就行了。我先说一个……呃，比如像这样。”

他举起手，手掌向外，五指分开，比划了个像是擦玻璃的动作。

“就打个比方，”他说，把手快速放到背后。“当然，也许您更喜欢其他的暗号。”

“不，这个暗号就不错。等我准备好看您夫人的剪报册的时候，我会给您暗号的。她能费力做这些东西真是太客气了。”

“我知道做这个给了她极大的满足感。当然，如果日后您想出其他您中意的暗号，请用房间电话打给我，或者让其他员工转告我。”

“您真是太客气了，您提议的这个暗号非常巧妙。但现在，霍夫曼先生，请问您能否告诉我，哪里可以喝到香醇的咖啡？我感觉现在能喝下好几杯呢。”

经理夸张地大笑。“我非常了解这感觉。我带您去中庭。请跟我来。”

他带我走到大厅一角，穿过几道厚重的旋转门，走进一条昏暗的长廊，两边墙上都是深色木质壁板。走廊里自然光很少，甚至在白天这个时间，一排幽暗的壁灯还亮着。霍夫曼继续在我前头轻快地走着，走几步就转头对我笑笑。大概走了一半，我们路过了一扇巨大的房门，霍夫曼一定是留意到我在看，就说：

“啊，是的。休息室一般都供应咖啡。那休息室非常棒，瑞德先生，非常舒适，最近又配上了手工打的桌子，是我最近一次到意大利佛罗伦萨旅行时发现并购置的。我相信您一定会赞不绝口。不过，您应该也知道，我们刚刚关闭了休息室给布罗茨基用。”

“哦，是的。我到之前他就已经在那儿了。”

“他现在还在，先生。我本应带您进去，相互介绍您二位，但是，呃，我觉得现在时机不太合适。布罗茨基先生可能……呃，这样说吧，现在还没到时候。哈哈！但别担心，您二位先生见面了解的机会多着呢。”

“布罗茨基先生现在在里面？”

我回头望了一眼门口，可能走得稍慢了些。不知怎地，经理抓着我的胳膊，坚持带我离开。

“他确实在，先生。没错，他此时静静地坐在那儿，但我肯定，他随时可能开始。今天早上，您知道，他跟乐团排练了整整四个小时。大家都说，一切都进行得非常顺利。所以，请别担心，没什么好担心的。”

终于到了走廊拐弯处，然后光线就亮了许多。其实，这部分建筑的一侧全是窗户，所以才有大片阳光倾洒满地。又沿着这边走了一会儿，霍夫曼才放开了我。我们放慢脚步，悠闲地走着，经理大笑了一声，以掩盖刚才的尴尬。

“中庭到了，先生。实际上这是个酒吧，但这里很舒服，您可以点咖啡或者其他想要的饮品。请这边走。”

我们从长廊拐出来，到了一个拱门下面。

“这座别馆，”霍夫曼边说着边领我进去，“是三年前竣工的，我们管它叫中庭，我们对这里相当自豪满意，它是由安东尼奥·查那多为我们设计的。”

我们走进了一间宽敞明亮的大厅，由于头顶上的玻璃天花板，感觉像进了庭院。地面用许多大块的白色瓷砖铺成。中间最突出的是一座喷泉——几个纠缠在一起的仙女大理石雕喷出水来。让我吃惊的是，喷泉的水压极大，不透过空中弥漫的水雾，几乎就看不到中庭的其他部分。即便如此，我还是很快就搞清楚了中庭的每个角都有个酒吧，周围是散开放置的高脚椅、安乐椅和桌子。身穿白色制服的服务生来来往往，不少客人散坐四周——虽说这里的空间感让人很难察觉到他们的存在。

我看到经理得意地看着我，等我赞美这里的环境。可是那会儿，对咖啡的渴望占据了上风，我转身走进最近的酒吧。

我刚坐上一只高脚椅，将胳膊放在吧台上，经理便赶了过来。他冲酒吧间招待打了个响指示意，其实即使不这样，酒吧间招待本来也是要过来招呼我的。他说道："瑞德先生想点壶咖啡，肯尼亚！"然后转身对我说，"我本想在这儿陪您，没有比这更开心的了，瑞德先生。和您一起闲聊音乐艺术。不巧的是，很多事情必须等我处理，不能再拖了。我想，先生，您不介意我离开吧？"

虽然我坚持他用不着这么客气，他仍逗留了几分钟跟我道别。最后，他看了眼手表，惊呼一声，匆匆离去。

剩下我一人，很快便意识游离，陷入沉思，连酒吧间招待回来过我都没意识到。然而，他必定是回来过的，因为很快，我便喝上了咖啡，盯着吧台后的镜壁——我不仅看到了自己的影子，还看到了我身后房间的大部分。过了一会儿，不知什么原因，我发现自己脑海中在重放我早年看过的一场足球赛的几个关键时刻——当时是德国队与荷兰队对决。高脚椅上，我调整了坐姿——看到了自己使劲弓着身子——试着回忆当时荷兰队球员的名字。瑞普、库罗、哈恩、尼斯坚斯。几分钟之后，除了两人，其他所有人的名字都记起来了，但最后这两个名字就是想不起来，就差一点点。在我刻意回忆的时候，身后喷泉的潺潺之声——起初我觉得挺舒服悦人的——开始令我心烦意乱。好像只要那声音停下，我的记忆之锁就能解开，我就能最终想起他们的名字。

我仍在努力回忆，这时身后一个声音响起：

"打扰了，是瑞德先生，对吗？"

我转过身，看到一个稚气未脱的年轻人，大概二十来岁。我打了声招呼，他急切地走到了吧台。

"希望没有打扰到您，"他说，"但我刚才看到您，就只想过来跟您说，在这看到您让我倍感激动。您看，我也是个钢琴演奏者。我的意思是，就仅仅是业余水平而已。还有，呃，我一直以来都特别仰慕您。父亲告诉我您要来的时候，我真是兴奋极了。”

“父亲？”

“抱歉。我叫斯蒂芬·霍夫曼。经理的儿子。”

“哦，这样啊，我知道了。你好。”

“您不介意我坐几分钟吧？”年轻人坐上了我旁边的高脚椅。“您知道，先生，父亲就算没有比我更兴奋，至少也跟我一样。我知道父亲一定不会告诉您他有多兴奋。但请相信我，这对他的意义非同一般。”

“真的吗？”

“是的，真的，我一点没有夸张。我记得那时父亲还在等待您的回复，一提到您的名字，父亲就会异常宁静一阵。后来，压力真的太大时，他就开始成天低声咕哝：‘还要等多久？还得多久他才回复？他要回绝我们了。我能感觉到。’然后我就得想办法让他开心起来。不管怎么说，先生，您应该能想象到您的到来对他意味着什么。他就是个完美主义者！他组织安排‘周四之夜’这样的活动，一切，一切的一切，必须万无一失。他在脑袋里思考过每个细节，一遍又一遍地想。他这股一根筋的专注劲儿，有时候会有点太过了。但我又想，要是没这股劲儿的话，那就不是父亲了，他也不会有今天一半的成就了。”

“没错。他看起来像是个令人钦佩的人。”

“说实话，瑞德先生，”年轻人说，“我确实有些事情想跟您讲，实际上是个请求。如果没可能的话，请您直接告诉我，我不会生气的。”

斯蒂芬·霍夫曼停顿了一下，好像在给自己鼓劲儿。我又喝了点咖啡，看着我们两个并肩而坐的身影。

“其实，也是关于‘周四之夜’的事，”他接着说，“您看，父亲要我在这次活动上演奏钢琴。我一直在练习，已经做好准备，倒不是说我担心这个或别的什么……”说到这儿，他那自信的语气霎时顿了一下，我瞧见了一位心神不安的少年。但是他立即恢复了自信，若无其事地耸了耸肩。“只是‘周四之夜’太重要了，我不想让他失望。开门见山地说吧，我在想，您能否抽出几分钟时间听听我弹整首曲子。我决定弹奏让·路易斯·拉罗什的《大丽花》。我只是业余水平，您一定得多多包涵。但我想弹一遍，请您给我些建议，润色改进一下。”

我想了一会儿。“这么说，”我停了一会儿说，“你准备在‘周四之夜’演出。”

“当然了，跟那晚其他活动相比，呃，”他笑了笑。“这只是个很小的部分。尽管如此，我仍希望我弹奏的部分尽可能完美。”

“好的。我很理解。呃，我非常乐意帮忙。”

年轻人的脸瞬时亮了起来。“瑞德先生，我真不知道该说什么了！这正是我需要的……”

“但现在确有一个问题。你应该能猜到，我在这儿的时间非常有限，我必须找时间看看能不能抽出几分钟。”

“当然，您方便的时候，随时都行，瑞德先生。天哪，我太受宠若惊了。老实讲，我原以为您会断然拒绝我呢。”

传呼机的声音在年轻人身上的衣服里响起，斯蒂芬愣了一下，把手伸进夹克口袋。

“很抱歉，”他说，“这是个急呼。我本应老早就到一个地方的，但是我看见您坐在这儿，就忍不住走过来。希望不久之后能继续我们的谈话。但现在，不好意思我得失陪一下。”

他下了高脚椅，然后有一秒钟，像是要重开话题。然后传呼机又响了，他尴尬地微笑了一下，匆匆离开。

我转过身，继续看着吧台后自己的倒影，又开始轻呷了一口咖啡。然而，我已无法重新捕捉那位年轻人来之前的轻松享受的思绪。恰恰相反，想起这里的人对我的满心期待，而目前的情况却远非令人满意，困扰的感觉就再次袭上心头。实际上，除了找到斯达特曼小姐，彻底澄清某些疑点，好像再没其他方法，我决定喝完这杯咖啡就去找她。见面也没必要觉得尴尬，只要解释清楚上次的事情就好了。“斯达特曼小姐，”我或许会说，“我之前很累，所以您问我关于行程安排的时候，我有点误会了。我以为您在问我，假如您当场提供给我一份行程表复印件，我是否有时间马上看看。”或者我可以冒犯一点，甚至以责备的口吻说：“斯达特曼小姐，我得说我有点担心，是的，甚至有些失望。考虑到您和您的市民朋友想要施加在我肩上的责任，我认为我有权利要求一定标准的后勤支持。”

我听到身边有动静，抬头看到了古斯塔夫，那个年长的迎宾员站在我的高脚椅旁边。我转身朝向他，他微微一笑，说道：

“您好，先生。正好在这儿碰见您。我真心希望您此行愉快。”

“哦，我挺愉快的。不过遗憾的是，我还没机会参观您推荐的老城区。”

“那真可惜，先生。那是我们市里非常美的一个地方，而且很近。现在的天儿也不错。空气中有些许凉意，但阳光明媚。温度刚好适合户外活动，不过我得说您得穿个夹克或薄外套。这种天气最适合逛逛老城区。”

“您知道，”我说，“我也许正需要点新鲜空气呢。”

“我真的推荐您去，先生。要是到您离开之时，还没哪怕粗略地逛一逛老城区，那就太可惜了。”

“好的，我想我会的。我现在就去。”

“您要是有时间到老广场的匈牙利咖啡馆坐坐，我保证您肯定不会后悔。我建议您点壶咖啡，点个苹果馅酥饼。顺便问您一句，我刚刚在想……”迎宾员停顿了一下，然后继续道，“我刚刚在想您能否帮我个小忙。我一般不向客人要求帮忙，但是您的话，我觉得我们已经非常熟了。”

“如果可能的话，我非常乐意帮您的忙。”我说。

过了一阵，老迎宾员仍然静静地站在那儿。

“是件小事情，”他终于说道，“您看，我知道我女儿这会儿在匈牙利咖啡馆。她会带小鲍里斯一起去。她是个非常友善的女人，先生。你们俩肯定合得来，很多人都跟她合得来。她算不上漂亮，但外表却很吸引人。她心地非常善良。但我觉得她一直以来都有一个小弱点。或许她从小接受的教育即是如此，谁知道呢？她可一直是这样的。也就是说，她有时候会因有些事而不知所措，即便这些事情都在她能力范围内。小问题出现了，她不会采取一些必要而简单的方法加以解决，而是自己憋在心里考虑。这样的话，您知道的，先生，小问题就会酿成大问题。用不了多久，她就会心思重重，陷入绝望。真的没必要这样。我不知道眼下到底是什么事情在困扰她，但我肯定，并不是什么跨不过的坎。我之前很多次都看到她这样。但现在，您看，鲍里斯已经开始注意到她的情绪了。事实上，先生，索菲如果不能很快把持事态，恐怕孩子会非常焦虑的。他现在还很开心，心胸开阔，信心满满。我知道他不可能一生都保持这样，而且这样甚至都不一定对他好，但现在这个年纪，我想他应该再多过几年相信世界充满阳光和欢笑的日子。”他又沉默了，好像陷入了一阵沉思，然后抬头接着说：“只要索菲能看清楚发生了什么，我相信她是能掌控局势的。她有一颗非常负责任的心，非常渴望为她最关心的人付出最大的努力。可是，索菲呢，呃，一旦她陷入这样的状态，她的确需要一些帮助以恢复她的洞察力。倾诉交谈，这是她真正需要的。需要有人坐下来和她聊上一会儿，让她看清楚事情，帮她找出真正的问题，告诉她应该采取什么方法克服。这就是她所需要的，先生，好好谈谈，让她的洞察力恢复起来。剩下的她自己就能解决。只要她想，她就可以非常理智。这就要说到我的重点了，先生。您要是正巧现在去老城区，不知您是否介意和索菲谈几句。当然，我知道这可能给您带来不便，但既然您反正都要去，我想我还是得来问问您。您不用和她谈很久，短短地聊几句就行，找出什么问题在困扰她，帮她恢复理性。”

老迎宾员停下来，哀求地看着我。过了一会儿，我叹了口气，说：

“我挺想帮您的，真的挺想。但是听您所说，我觉得索菲的担忧，不管是什么，很可能事关家庭问题。你知道，这种问题好像都纠结很深。像我这种外人，可能经过一番恳谈，追根究底挖掘一个问题的原委之后，发现又牵扯到另一个问题上去，然后又一个问题，循环不断。坦白讲，我的意见是，要谈清楚整个家庭复杂纠缠的各种问题，我认为您才是最适合的人选。毕竟，您是索菲的父亲，孩子的外祖父，您有我不具备的与生俱来的权威。”

老迎宾员好似立刻感受到了我这话的分量，我差点后悔说了这些话。显然我说到了他的痛处。他稍稍转身，目光空洞，越过中庭久久地看向喷泉。最后说：

“很感激您告诉我，先生。从权利上讲，是的，确实应该我去跟她谈，我知道。但是，老实说——我真不知道该怎么跟您讲——跟您说实话吧，真实的情况是，我和索菲已经好几年未曾讲话了。从她还是孩子起，就不怎么讲了。所以您能理解，对我来说，完成所讲的这件事有点困难。”

老迎宾员低下头看自己的脚，等着我的回应，好似在等宣判一样。

“很抱歉，”我随后说，“我不太明白您的意思。您是说这段时间您一直没见过您女儿？”

“不，不。您知道，每次去带鲍里斯的时候，我经常看到她。我的意思是，我们不说话。我给您举个例子，也许您就能理解了。比如我和鲍里斯在老城区散完步之后等她，比如说我们坐在克兰科尔先生的咖啡店里。鲍里斯兴致昂扬，大声说话，什么事情都笑呵呵的。但一看到母亲进门，他马上就安静了。这倒不是说他看到母亲有什么不开心的，他只是会控制自己。他尊重这规矩，您明白吗？ 然后索菲会走到我们桌边直接问他：我们过得愉快吗？ 我们去了哪儿？ 外祖父会不会太冷？ 哦，是的，她总是询问我的健康状况，担心我在这地方四处闲逛会生病。但就像我说的，我们，我和索菲，不直接说话。‘和外公说再见。’她在道别时会这样对鲍里斯说，然后他们就径直离开了。这就是我们之间多年以来相处的方式，似乎暂时真的无须改变呢。可是，您看，遇到这种情况，我就发觉自己有些迷茫了，我确实认为有必要好好谈谈，觉得像您这样的人是理想的人选。就几句，先生，就帮她确定问题到底在哪里就行。如果您能这样做，接下来就全靠她自己了，我向您保证。”

“好吧，”我考虑了一下说。“好吧，我看看我能做些什么。但我必须强调我之前讲过的话。这些事情对外人来说往往是很复杂的。但我会看看我能做些什么。”

“我欠您个人情，先生。她这个时候会在匈牙利咖啡馆。您很容易就能认出她。她长着一头长长的黑发，模样挺像我的。您要是拿不准，尽管问老板，或叫店员指给您。”

“好吧，我现在就去。”

“真是太感谢您了，先生。即便出于某些原因您没法跟她谈，我知道在那地方散散步您也会很开心的。”

我弯腰下了高脚椅。“那么，好吧，”我说，“我会告知您进展如何的。”

“非常感谢您，先生。”

第三章

从酒店走到老城区——大概十五分钟的路程——简直无聊至极。此时正值傍晚，街道嘈杂，交通繁忙，一路上玻璃办公大楼笼罩头顶。但走到河边，开始穿过通向老城区的拱桥时，我就感觉到将要进入一个迥然不同的世界。河对岸彩色的凉篷和咖啡馆的太阳伞清晰可见，我瞧见来回穿梭的服务员，还有绕着圈跑动的孩童。一只小狗大概是发现了我的到来，在码头边兴奋地吠着。

几分钟后，我走进了老城区。窄窄的鹅卵石街道上到处是人，都在闲庭信步。我漫无目的地走了一会儿，经过了多家纪念品店、糖果店、面包店，还有几家咖啡店。我还在想，不知道老迎宾员说的那家咖啡馆是否难寻。但是一走到这区中心的一个大广场，匈牙利咖啡馆就近在眼前了。散乱摆放的桌子占领了广场远角的整块地方，桌子一路延伸，通向一个条纹凉篷下的小门。

我稍稍停顿，喘了口气，观察了一下周围环境。广场上空太阳西沉。正如古斯塔夫之前提醒过的，凉风阵阵，咖啡馆四周的太阳伞不时随风颤动。尽管如此，大部分的桌子后都有人在座。很多顾客看起来像是游客，但看得出来，还是有相当一部分像是本地人，早早下班后，到这儿喝杯咖啡，读会儿报纸偷闲。确实，我穿过广场的时候，走过了很多办公室职员身边，他们站在一起，都拎着公文包，相谈甚欢。

我走近散置的桌台，花了会儿工夫在中间逛了一圈，找着哪个可能是老迎宾员的女儿。两个学生在争论一部电影；一位游客正在读《新闻周刊》；一位老太太边撒着面包屑边喂着脚边围聚过来的鸽子。但我没看到有深色长发、带着个小男孩的年轻女人。我走进咖啡馆，发现这里又小又暗，只有五六张桌子。我明白了，老迎宾员提到的过度拥挤的问题，在天冷的时候倒是确有其事。但这会儿，只有一个头戴贝雷帽的老人，坐在靠近后排的位置。我决定放弃，回到外面，准备找个服务员点杯咖啡，这时，我忽然听到有人叫我的名字。

我转过身，看到一个女人和一个小男孩坐在附近的桌子边，正向我挥手。两人明显符合老迎宾员描述的特征，我不明白刚刚怎么就没有注意到他们。而且更让我惊讶的是，他们竟然是在等我。迟疑了几秒钟后，我才向他们挥了挥手，朝他们走了过去。

虽说老迎宾员称她是“年轻女子”，然而索菲已近中年，估摸四十岁上下吧。尽管如此，不知怎么，她还是比我想象中迷人些。她个子高挑，身材苗条，长长的黑头发让她看起来有几分吉卜赛女郎的韵味。她身边的男孩个头小小，矮矮胖胖，这会儿正气呼呼地注视着母亲。

“怎么？”索菲抬头微笑着对我说，“您不打算坐下吗？”

“当然，当然。”我说，才意识到自己一直犹豫地站在那儿，“那个，如果你们不介意的话。”我冲男孩笑了笑，但是他回绝地瞪着我。

“我们当然不介意。是吗，鲍里斯？ 鲍里斯，跟瑞德先生问声好。”

“你好，鲍里斯。”我边坐下边说。

男孩继续不以为然地瞪着我，然后对妈妈说：“你干吗让他坐下？ 我正在跟你说事情呢。”

“这是瑞德先生，鲍里斯。”索菲说，“他是个特殊的朋友。只要他愿意，当然就可以和我们坐在一起。”

“但我正跟你解释旅行者号是怎么飞行的。我就知道你刚才没在听，你应该学学怎么集中注意力。”

“很抱歉，鲍里斯，”索菲说，她和我迅速交换了个笑容。“我刚刚非常努力地听，但科学这东西我理解不了。跟瑞德先生问个好吧？”

鲍里斯看了我一会儿，生气地说：“你好。”边说着，目光边从我身上移开。

“可别因为我闹得你们不愉快。”我说。“鲍里斯，继续你刚才说的吧。事实上，我本人非常有兴趣听听这架飞机的事儿。”

“不是飞机，”鲍里斯厌烦地说。“是穿越星系的载人飞船。你也不比我母亲懂多少。”

“哦？ 你怎么知道我不懂？ 我可能很有科学头脑呢。你不应该这么快对一个人下结论，鲍里斯。”

他重重地叹了口气，目光继续背着我。“你就像我母亲一样，”他说。“缺乏注意力。”

“喂，鲍里斯，”索菲说，“你应该随和一点。瑞德先生是个非常特殊的朋友。”

“不只那样，”我说，“我还是你外公的朋友呢。”

一听这话，鲍里斯才头一次兴致勃勃地看着我。

“哦，是的，”我说，“我们是好朋友，我和你外公。我住在他工作的酒店。”

鲍里斯继续仔细地看着我。

“鲍里斯，”索菲说，“为什么不友好地跟瑞德先生问好呢？你还没有对他表现你的礼貌呢。你不想让他走了之后觉得你是个没礼貌的年轻人吧，对吗？”

鲍里斯继续盯着我好一会儿。然后突然扑到桌子上，双臂抱着头。与此同时，双脚在桌子下来回摇晃，我能听到他的鞋撞击金属桌腿的声音。

“很抱歉，”索菲说，“他今天心情很不好。”

“实际上，”我悄悄地对她说，“我想和您谈点事。但是，呃……”我双眼示意了一下鲍里斯，索菲看了看我，扭头对小男孩说：“鲍里斯，我要和瑞德先生聊会儿。你去瞧瞧天鹅吧，就一会儿。”

鲍里斯继续埋着头，好像睡着了，但双脚还是有节奏地叩击着。索菲轻轻摇了摇他的肩膀。

“喂，别这样，”她说，“那边还有只黑天鹅呢。去站在扶手边上，就是那些修女站的地方。你肯定能看见的，过会儿你回来告诉我们你都看到了什么。”

有那么几秒钟，鲍里斯还是没反应。然后他起身，疲惫地叹息一声，滑下椅子。不知何故（也许只有他自己最清楚），他假装一副喝得烂醉的模样，摇摇晃晃地离开了。

等男孩儿走得足够远了，我扭头面对索菲。心中闪过一丝不确定感，不知如何开口，坐在那儿犹豫了一阵。然而，索菲笑了笑，先开口说道：

“好消息。迈尔先生之前打过电话，提到一幢房子。今天刚刚挂牌的，听起来真的非常不错。我一整天都在想这事，感觉可能就是这个了，一直以来我们找寻的。我告诉他明天一早就去那儿好好看看。真的，听上去好得不得了。离村子大概半小时的路程，独自坐落在山脊上，有三层。迈尔先生说从那儿看出去，整片森林的景色是他这些年看过最好的。我知道你现在很忙，假如真的像他说的那么好的话，我打电话给你，你或许能去看看。鲍里斯也去。这可能正是我们一直寻找的房子，我知道已经花了不少时间，但最后可能还是找到了。”

“哦，是的。好啊。”

“我会坐明早第一班车去。我们动作得快点，房子不会在市场上留很久的。”

她开始给我介绍更多房子的详细情况。我一直沉默无语，部分原因是我不知道该怎么回答她。然而，事实是，我们一直坐在一起，索菲的脸好像感觉越来越熟悉，直到这会儿，我才模糊地想起，早先什么时候讨论过在树林里买房子的事。这时，我的表情可能看起来越来越忧虑，最后她停下来，口气与先前不同，更犹疑地说道：

“上次电话，我很抱歉。希望你没在生气了。”

“生气？ 哦，没有。”

“我一直在想，我不该那样说。希望你别往心里去。毕竟，这时候怎么能期望你呆在家里？ 那算个什么家？ 厨房还那个样子！ 我找了这么长时间，为我们找个合适的地方。我现在对明天看的房子充满希望。”

她又开始说房子。这当儿，我试图回忆她刚才提到的关于电话里的对话。过了一会儿，我感觉好像有些隐隐的记忆重回脑海，仿佛听到了就在不远的过去，同样的声音——或者说是这个声音的生气强硬版——在电话的那头。最后我想起自己对着电话筒喊：“你生活的世界太狭窄！”她继续辩驳，我就一直轻蔑地重复：“狭窄的世界！ 你生活的世界太狭窄！”然而，令人沮丧的是，不管如何努力，就是想不起这句话以外的事。

可能是盯着她试图召回回忆之故，她非常局促不安地问我：

“你是不是觉得我胖了？”

“不，不。”我扭过头笑道。“你看上去好得很呐。”

我意识到还没提起她父亲交代的事，又试着找个合适的方法说及那个话题。这时，什么东西从背后敲了一下我的椅子，我意识到鲍里斯回来了。

其实，小男孩一直在不远处绕圈跑，像踢足球一样踢着一个废弃的纸盒。发现我正盯着他看，他便杂耍般把纸盒从一只脚传到另一只，然后从我椅子下面狠狠地踢过去。

“九号！”他喊着，高举双臂。“九号，超级好球。”

“鲍里斯，”我说。“你不能把那纸盒扔进垃圾桶吗？”

“我们什么时候走？”他扭头问我。“我们要迟到了。天很快就黑了。”

我看向他身后，发现太阳确实开始西下，没入广场上方。很多桌子已经空了。

“很抱歉，鲍里斯。你想干什么去？”

“快点！”小男孩用力拉了拉我的胳膊。“要不就到不了了！”

“鲍里斯想去哪儿？”我悄悄地问他母亲。

“当然是秋千公园了。”索菲叹了口气，起身。“他想给你看看他最近的进步。”

我好像没有选择，只能也起身，然后我们三个就动身穿过广场。

“那，”我对鲍里斯说，我们并排走着。“你是想给我展示点什么喽。”

“我们之前去的时候，”他说，一边拉着我的胳膊。“有个男孩，比我个头大，还不会玩鱼雷式单杠翻筋斗！ 妈妈说他至少比我大两岁。我示范了五次给他看，但他太害怕了。他只是不停地爬到高处，就是不敢做。”

“是吗？ 当然了，你不害怕做这个鱼雷式单杠翻筋斗。”

“我当然不怕！ 太简单了！ 非常简单！”

“很好。”

“他太害怕了！ 真好笑！”

我们离开广场，穿过本街区里的狭窄鹅卵石街道。鲍里斯好像非常熟悉路线，总是不耐烦地跑在我们前面几步，然后又停下来，跟我并肩走，问：

“你认识外公？”

“是的，我已经告诉你了。我们是好朋友。”

“外公很厉害，他是我们这儿最厉害的人之一。”

“是吗？”

“他是个好战士，曾经当过兵。现在虽然老了，但还是比大多数人都勇猛。有时候，街上的流氓不知道他的厉害，结果就得到了个狠狠的教训。”鲍里斯走着，突然做了个前刺的动作。“还没反应过来，外公就把他们打倒在地了。”

“真的吗？ 太有意思了，鲍里斯。”

我们继续走在鹅卵石小路上。就在那时候，我想起了和索菲争吵的更多内容。大概是一周之前吧，我在某个地方的酒店房间，听到电话那头她在大喊：

“他们还希望你这样继续多久？ 我们两个已经不再年轻了！ 你已经做了应该做的！ 现在应该让别人去做了！”

“听着，”我对她说着，声音依然很冷静，“事实上，人们需要我。我一到某个地方，就会发现很多严重的问题，根深蒂固的、看似很难对付的问题。人们非常感激我的到来。”

“你要这样为人们继续做多久？ 想想我们，我，你，还有鲍里斯，时光如流水啊。不知不觉，鲍里斯就长大了。没人有权期望你继续这样。这些人，为什么他们不能自己解决自己的问题？ 这样也许对他们自己有好处！”

“你不懂！”我生气地打断她。“你都不知道自己在说些什么！ 我到过的这些地方，人们很无知。他们对现代音乐一问三不知。如果放任不管，很明显，他们的问题会越来越严重。你怎么就不明白？ 他们需要我！ 他们那里需要我！ 你都不知道自己在说什么！”这回是我对她大叫：“狭窄的世界！ 你生活的世界太狭窄！”

我们走到了一个栏杆围成的小游乐场。里面空无一人，我感觉这里的气氛有点忧伤。但鲍里斯兴奋地领着我们穿过小门。

“瞧，很简单！”他说，朝着攀爬架跑开去。

好一阵子，我和索菲站在愈渐昏暗的光线下，看着那小小的身影越爬越高。然后，她轻轻说：

“你知道，可笑的是，我在听迈尔先生讲那所房子的客厅的时候，脑海中一直浮现出小时候住过的公寓的画面。他说了多久，我就想了多久。我们以前的客厅。母亲，爸爸，他们那时候的样子。也许毫无相似之处，我倒也不是真的希望有。明天一看就知道完全不同了。但它让我充满希望，你知道的，就像一种预兆。”她小声笑了笑，然后碰了碰我的肩膀。“你看起来闷闷不乐。”

“是吗？很抱歉，可能是因为旅途劳顿吧。”

鲍里斯已经爬到了攀爬架的顶端，但是光线太暗，只能看到他映衬在空中的轮廓。他冲我们大喊，然后抓住最高的一根梯蹬，翻起了筋斗。

“能做那个，他很自豪，”索菲说。然后她大叫：“鲍里斯，天太黑了，快下来。”

“很简单。天黑更简单。”

“现在就下来。”

“都是旅行之故，”我说。“一间酒店又一间酒店，见不到认识的人，太累人了。甚至现在，就在这座城市，我也感到了很多压力。这儿的人们，他们显然对我的期望很高。我的意思是，很明显……”

“听着，”索菲轻轻打断我，一只手放在我的胳膊上。“我们何不暂时忘记一切？以后还有很多时间可以好好谈谈。我们都累了。跟我们一起回公寓吧。离这儿就几分钟的路，过了那个中世纪小教堂就是。我们可以吃顿丰盛的晚餐，也有机会歇歇脚。”

她温柔地说着，嘴巴靠近我的耳边，我甚至能感觉到她的呼吸。先前的疲惫感再次袭来，能在她暖和的房间里休息——或者跟鲍里斯一起躺在地毯上，索菲去帮我们准备晚餐——这主意忽然变得极其诱人，我甚至一度闭上了双眼，站在那儿微笑地做起梦来。然而，鲍里斯一回来，我的美梦就醒了。

“晚上做这个很简单。”他说。

鲍里斯看起来很冷，还有些发抖。之前的活力消失殆尽。我想可能是刚刚的表演耗费了他不少体力。

“我们现在都回公寓，”我说。“回去吃点好东西。”

“走吧，”索菲说着，开始动身。“时间不早了。”

天空开始下起了毛毛细雨，太阳已经完全落下，空气更清冷了。鲍里斯又牵起我的手，我们跟着索菲走出秋千公园，走进了一条人烟稀少的后街。

第四章

显然，我们已经离开了老城区。路两边高高垒起的砖墙一片污浊，没有窗户，看起来像是仓库的后面。我们沿街前行，索菲刻意保持一定速度，不一会儿，我看出鲍里斯行走吃力，很难跟上。可是当我问他：“我们是不是走得太快了？”他却怒气冲冲地看着我。

“我可以走得更快！”他大喊，拽着我的手，一路小跑。但速度不一会就又慢了下来，脸上一副受伤的表情。过了一会，我故意缓步前进，然而仍能听到他不停地喘着粗气。然后就开始自言自语。起初，我并没在意，以为他只是给自己鼓劲儿。后来就听到他小声嘟囔：

“九号……就是九号……”

我好奇地看了他一眼。他浑身湿漉漉的，而且全身发抖。我觉得应该继续和他说话。

“这个九号，”我说，“是足球运动员吗？”

“是世界上最棒的球员。”

“九号。是的，当然了。”

我们前头，索菲的身影在拐角处消失了，鲍里斯紧紧地抓着我的手。我这会儿才意识到让他母亲走得太快太远了，然而，尽管我们加快脚步，要走到拐角处却仍好像遥遥无期。好不容易到了转弯处，讨厌的是，索菲已经走得更远了。

我们走过更多污黑的砖墙，有些还有大块的霉斑。脚下的路面并不平坦，能看见前面的水坑在路灯下闪闪烁烁。

“别担心，”我对鲍里斯说，“我们已经快到了。”

鲍里斯继续自言自语，上气不接下气地重复着：“九号……九号……”

鲍里斯头一次提到“九号”时，我遥远的记忆之钟就敲响了。现在听到他小声嘀咕，我想起“九号”其实并不是真人球员，而是他桌面足球游戏的一个微型模型球员。这些球员由雪花膏石做成，重心位于底部，轻弹指尖就可以控制他们带球、过球或者射门，而足球是个很小的塑料球。这游戏原本设计由两人各控制一个球队，但鲍里斯都是自己一个人玩。他能花上好几个小时沉浸在自己精心设计的比赛阵线当中，比赛里充满了激动人心的反击溃败和束手无策的卷土重来。他拥有整整六支球队，有迷你的球门和真正的球网，还有块绿色毛毡布，铺开来就是球场。生产商觉得假装那些是真实球队，比如阿贾克斯·阿姆斯特丹队或是AC米兰队会更好玩，对此，鲍里斯嗤之以鼻，所以他自己命名了这些球队。而每个球队队员——尽管私下里他非常清楚他们的优缺点——他从不起名，更愿意按照球衣的编号称呼他们。可能因为他还不清楚球衣号在球队的意义——或者可能是他想象力中又一任性的怪癖——球员号跟其在鲍里斯设计的球队阵形的场上位置毫无关系。因此，一队的十号可能是著名的中后卫，二号可能是前途无限的年轻边锋。

“九号”隶属鲍里斯最喜爱的球队，而且是目前为止最有天赋的球员。然而，尽管球技非凡，九号却是个极度情绪化的人物。他在球队的位置是中场，但他常常会长时间在赛场某处自怨自艾，显然忘记了自己球队正面临惨败的事实。有时候，九号这种没精打采的样子能持续一个多小时，球队因此落后四个、五个、六个球，解说员——确实有个解说员——就会困惑地说："九号还没进入状态，我真不知道他怎么了。"而后，可能只剩下二十分钟的时候，九号终于发挥出了自己的真实水平，以高超的球技为自己队扳回一球。"这才像话嘛！"解说员惊呼，"他终于出手了！"此后，九号就一路高歌，不一会儿，进了一球又一球，对方只能倾尽全力不惜一切防守，谨防九号接到球。然而，不管他和球门之间有多少对手，他都有办法进球，赢是迟早的事。对结局如此笃定，他一拿到球，解说员就会大喊："进球！"一副顺应天命和无限崇拜的腔调，这并不是发生在球真真切切落入球网的那一刻，而是在九号掌握主动权的那一刻——尽管他还远远地驰骋在自己球队的那个半场。观众——确实有观众——也开始雀跃欢呼，他们一看到九号拿球，欢呼声就一波盖过一波，直到九号优雅地绕过对手，避开守门员射门进球，转身接受感激涕零的队员的奉承。

想起这些，一道模糊的记忆在脑中闪现，好像这个九号最近出了点问题，我打断鲍里斯的喃喃自语，问他：

"最近九号怎么样？ 状态还好吗？"

鲍里斯默不作声地走了几步，说："我们忘记拿盒子了。"

"盒子？"

"九号底座坏了，分家了，还有几个也是。原本很容易就能修好。我把九号放在一个特别的盒子里，等母亲弄到合适的胶水，就把他修好。我把他放在盒子里，一个特别的盒子，这样我就不会忘记他在哪儿了。但我们还是把他给忘了。”

“我明白了。你是说，你们把他忘在你们原来住的地方了。”

“母亲打包的时候忘了带上他。但她说她很快就会回去拿。去旧公寓那里，他在那里。我能修好他，我们已经搞到合适的胶水了，我存了一点儿。”

“明白了。”

“母亲说没关系，她会处理好一切。保证新搬来的人不会无意中把他给扔了。她说我们会尽快回去拿。”

我清楚地感觉到鲍里斯在暗示什么。等他说完了，我说：

“鲍里斯，如果你愿意，我可以带你回去拿。是的，我们可以一起去拿回来，我们两个。回到旧公寓，拿回九号。我们很快就可以，我要是能抽出时间，要不就明天吧。还有呢，你说的，你已搞到了胶水。他很快就会恢复以往的雄风。别担心。我们很快就去拿。”

索菲的身影再次从我们视线中消失了，这次有些突然，我以为她定是走进大门了。鲍里斯拖着我的手，我们急急忙忙向她消失的地方赶去。

我们很快发现索菲实际上是拐进了一条小巷，入口处不比墙上的裂缝大多少。小巷陡然下坡，而且非常窄，双臂想不蹭到两边粗糙的墙壁都不可能。黑暗中只有两盏路灯，一盏在半中间，一盏在远远的尽头。

鲍里斯紧紧抓着我的手，我们开始下坡，他的呼吸很快又急促起来。一会儿，我发现索菲已经走到了小巷尽头。她好像终于明白我们的窘境，站在较矮的路灯下面，回头仰望着我们，脸上隐隐挂着关切的神情。我们最后赶上了她，我生气地说：

“瞧瞧，你看不见我们跟你跟得很吃力吗？都累了一天了，我和鲍里斯都是。”

索菲幽幽地一笑。然后，她圈上鲍里斯的肩膀，把小男孩拉近自己。“别担心，”她轻柔地对他说，“我知道这地方让人有点不舒服，又冷，还下雨。但没关系，我们很快就到公寓了。会暖和起来的，都会好的，到时候，只要你想，只穿T恤都行。还有几张又新又大的扶手椅，你可以蜷在里面，就是那种，你这么大的孩子坐上去都会陷在里面的。而且，你可以看书，或看录像。你要是喜欢，我们还可以拿出柜子里的棋盘游戏玩；我可以为你把它们通通都拿出来，你和瑞德先生想玩哪个就可以玩哪个。你们可以把红靠垫放在地毯上，把游戏棋盘铺在地上。而我呢，就去准备晚餐，在角落的餐桌上摆好餐具。其实我在想，与其准备大餐，不如来点小食。小肉丸，小芝士馅饼，几块小蛋糕。别担心，我记得你爱吃的，我会都摆在桌上。然后我们可以坐下享用。之后，我们三个一起玩棋盘游戏。当然，你要是不想玩了，我们就不玩。也许你想跟瑞德先生聊聊足球。然后，等你真的疲累了，就可以上床睡觉了。我知道你的新房间很小，但你自己也说了，房间非常舒适。今晚保证你会一夜好觉，到时你就会把这段又冷又难受的路程忘个精光。说实在的，一踏进屋门，感受到美好温暖的气息，你就会把这一切全忘了。所以别泄气，就剩一点路了。”

她边抱着鲍里斯边说着。但这会儿，她又忽然放开他，转过身，继续赶路。这忽变令我感到无比诧异——我自己也被她刚才的话语一点点地蛊惑了，还一度闭上了双眼。鲍里斯看起来也一脸困惑，等我再牵起他的手时，他母亲已经再次先我们几步走了。

我有意不想让她再走得太远，但就在那时，我注意到身后走近的脚步声，不由地停留了片刻，回头凝望小巷。与此同时，那人走进了较矮的街灯所投下的光线中，我看清了此人，是个我认识的人。他叫杰弗里·桑德斯，是我在英格兰上学时的同学。离开学校后我就没再见过他，现在看到他这么苍老，我不禁为之一惊。就算考虑到灯光和冷雨的效果，他看起来还是极度穷困潦倒。他穿着件雨衣，不过好像系不上扣了，他边走边紧抓着前胸。我不确定想不想认他，随后，鲍里斯和我再次迈开步子时，杰弗里·桑德斯已经和我们并肩齐行了。

“你好，老朋友，”他说，“想着就是你。今晚天气太糟糕了。”

“是的，可糟透了，”我说，“之前还晴朗怡人呢。”

走出小巷，我们拐进了一条又黑又荒凉的小路。强风阵阵，城市好像离我们已经很远了。

“你的孩子？”杰弗里·桑德斯问，朝鲍里斯点点头。我还没回答，他就继续说：“乖孩子。你真行。看起来挺聪明的。我自己没结婚。总以为会结的，但时光飞逝啊，现在看来应该是不可能了。老实说，这根本不算什么，但我不想说这些年的倒霉事来烦你。我也有些好事呢。不过，你真行。孩子不错。”

杰弗里·桑德斯身体前倾，向鲍里斯敬了个礼。鲍里斯呢，不知是太焦虑还是太专注，没有任何反应。

走着走着，开始下坡。我们在一片漆黑中走着，我想起杰弗里·桑德斯小时候在学校是个天之骄子，不管是学业上还是运动场上都是那么耀眼。人们总是以他为榜样，指责我们其余这些小孩不用功，大家一致认为他不久就会当选校队队长。但我记得，由于某些危机变故，他五年级的时候不得不突然辍学，队长也就没当成。

“我在报纸上看到你要来，”他对我说。“就一直期待听到你的消息。你知道的，期待你告诉我什么时候过来坐坐。我去蛋糕店买了糕点，等你来的时候好配着茶一起招待你。毕竟，因为一直单身，我家有点乱糟糟的，我仍希望有人偶尔能来看看我，而且我觉得自己也能招待好客人。所以听说你要来，我立刻冲出去买了些茶点。那是前天的事了。昨天，我觉得那东西还算拿得出手，但糖皮已经有点硬了。而今天呢，你也没来电话，我就全给扔了。因为自尊吧，我想。我是说，你那么成功，我不想让你离开时觉得我现在过得这么凄惨，住在一间出租房里，只能拿出点变味儿的糕点招待客人。于是，我又去了蛋糕店，买了新鲜糕点。我还整理了下房间。但你没来电话。呃，我想，这也不能怪你。”他又前倾身体，看着鲍里斯。“你还好吧？ 你听起来像快要背过气儿去了。”

鲍里斯好像什么也没听见，他这会儿确实又喘不上气来了。

“还是慢慢走，迁就迁就这个小慢人吧。”杰弗里·桑德斯说，“我只是一度情事不太顺罢了。只因为我一个人住在出租小屋里，这儿很多人就觉得我是同性恋。我起初很介意，但后来不了。好吧，他们误当我是同性恋，那又怎样？ 有时候，我找女人发泄欲望。你知道的，付钱的那种。对我来说足够了，我得说有几个人还挺不错的。尽管如此，过不了多久，你就会开始鄙视她们，她们也开始鄙视你。没办法啊。这儿的大部分妓女我都认识。我不是说我和她们都睡过。绝对不是！但她们知道我，我也知道她们。大部分都是点头之交。你可能认为我过得很惨。其实不是的，这只是一个你怎样看待事情的问题。朋友偶尔来看看我，招呼他们一杯茶，这个我很在行。我这方面做得相当不错，之后他们总说来拜访我多么愉快。”

下了一阵陡坡，我们现在走在平路上，走到了一处废弃的农家宅院。月光下，我们在四周的黑暗中隐约能看到仓房和外屋的影子。索菲继续在前面带路，她现在离我们有一段距离了，我每每刚能瞥见她的身影，她就消失在了某栋破败建筑物的边缘后面。

还好杰弗里·桑德斯好像路很熟，不假思索地在黑暗中引路。我紧紧地跟着他，儿时学校的记忆浮现在脑海中：英格兰干冷的冬日清晨，天空多云，地面凝霜。那时候我只有十四五岁，和杰弗里·桑德斯站在伍斯特郡乡下某地的酒吧外面，一起搭档为越野跑标记，我们的任务就是给那些冲出晨雾的参赛者指路，告诉他们穿越附近乡野的正确方向。我那天早上特别烦，和他一起在那儿站了大概十五分钟，静静地凝望着大雾，不管我如何努力控制，突然开始大哭起来。我那时还不很了解杰弗里·桑德斯，然而，像其他人一样，我非常想给他留个好印象。我羞愧难当，等我终于控制好了情绪，第一感觉就是他肯定极度轻鄙我的存在。但没过多久，杰弗里·桑德斯开始说话，起初没看着我，最后转向我。我现在想不起那个雾蒙蒙的早晨他都说了什么，但我清楚记得他的话对我的影响。一则，我虽正自顾自怜，但仍能感受到他对我格外的宽容，因而对他很是感激。也就是那个时候，我才第一次认识到，这个学校的天之骄子还有其另一面——极度脆弱的一面，也正是这一面决定了他没法儿完成大家的期望，这个认识还让我打了个冷战。我们继续在黑暗里走着，我再次尝试回忆他那天早晨说了些什么，但还是没想起来。

地面变得平坦起来，鲍里斯好像恢复了些气力，又开始喃喃自语。这会儿，可能感觉到快到目的地了，他精神大振，竟然有力气踢起路上的石子，边踢边大声喊：“九号！”石子蹦跳着，落进黑暗中某处水坑里。

“这样才对嘛，”杰弗里·桑德斯对鲍里斯说，“是你的位置吗？ 九号？”

鲍里斯还没回答，我很快接上：“哦，不，是他最喜欢的球员。”

“哦，是吗？ 我看过不少球赛。在电视里。”他前倾身体对着鲍里斯说，“九号是谁？”

“哦，就是他最喜欢的球员。”我又说。

“就目前的中锋来讲，”杰弗里·桑德斯继续道，“我比较喜欢那个荷兰人，效力米兰队的。他踢得不错。”

我打算继续解释九号，但那会儿，我们停了下来。我发现我们站在一片广阔草地的边缘。我没法确定这片草地到底有多广阔，但我猜它远远延伸过月光能照亮的地方。我们站在那儿，一阵疾风扫过草地，没入黑暗。

“我们好像迷路了。”我对杰弗里·桑德斯说，“你认识这儿的路吗？”

“哦，是的，我住的离这儿不远。不巧的是，我现在不能邀请你去，我很累，想睡觉了。但明天我会准备好，欢迎你来。九点以后都行。”

我看向草地，只瞧见一望无际的黑暗。

“坦白讲，我们现在有点麻烦，”我说，“你看，我们之前一路跟着那个女人到她公寓去，但现在迷路了，我不知道她的地址。她说过住在中世纪小教堂附近。”

“中世纪小教堂？ 在市中心啊。”

“哈。我们穿过这儿能到吗？”我指着这片草地。

“哦，不行，那边什么都没有，什么都没。住在那边的人只有那个叫布罗茨基的家伙。”

“布罗茨基，”我说，“嗯，我今天在酒店听到他排练。这儿的人好像都知道这个布罗茨基。”

杰弗里·桑德斯瞥了我一眼，不禁令我怀疑我是不是说了什么愚蠢的话。

“他已经在这儿住了很多很多年了，我们认识他不是很正常吗？”

“是的，是的，当然。”

“很难相信那个疯老头竟然会指挥交响乐队。我准备等着瞧。再坏也坏不到哪儿去了吧。假如你非要说布罗茨基了不起，那么，我算哪根葱跟人家辩驳呢？”

这话我不知道该怎么接下去。这时，杰弗里·桑德斯突然从草地方向转过身来，说：

“不，不，市中心在那个方向。如果你们愿意的话，我可以给你们指指路。”

“太感谢你了。”我说。一阵寒风吹来。

“那么现在，”杰弗里·桑德斯沉思了一会儿，说道，“老实讲，你们最好搭巴士过去。从这儿走到那儿起码要半个小时左右。可能那个女人叫你相信她就住在附近，她们常这么干。这是她们的一个小伎俩，永远不要相信她们。不过，搭巴士的话就没问题了。我带你过去看看，哪里可以乘车。”

“太感谢你了。”我重复道，“鲍里斯很冷，希望公交站不远。”

“哦，很近。跟我来吧，老伙计。”

杰弗里·桑德斯转身，领着我们又朝着废弃农庄的方向走回去。可是，我感觉我们并没有沿着来时的路返回；果然，没过多久，我们走上一条狭窄的街道，周围看起来像是不太富足的郊区。一座座小排屋矗立在街道两旁。时不时可以看到窗户里亮光点点，但大多数住户好像都已经关灯睡觉了。

“没事的，”我悄悄对鲍里斯说，感到他几近精疲力竭。“我们很快就会回到公寓了。等我们到了，你母亲就什么都准备好了。”

我们走了一会儿，过了更多排房子。然后鲍里斯又开始低语：

“九号……是九号……”

“那个，你说的这个九号是哪个？”杰弗里·桑德斯转身对他说，“你是说那个荷兰人，对吗？”

“九号是目前史上最优秀的球员。”鲍里斯说。

“是的，但你说的是哪个九号？”杰弗里·桑德斯的声音开始显得有些不耐烦了。“他叫什么？ 哪个队的？”

“鲍里斯就是喜欢叫他……”

“有一次他在最后十分钟进了十七个球！”鲍里斯说。

“嗨，胡说。”杰弗里·桑德斯似乎真的发火了。“我还以为你是认真的呢，你在胡说八道。”

“他就是进了！”鲍里斯大喊。“是世界纪录！”

“就是嘛！”我也加入进来。“世界纪录！”然后，我恢复了点冷静，大笑一声。“也就是说，定会是世界纪录，是吧。”我恳切地微笑着看着杰弗里·桑德斯，但他连看都没看我。

“但你们在说谁？是那个荷兰人吗？无论如何，年轻人，你得明白，进球得分不是一切。后卫也很重要。真正好的球员常常是后卫。”

“九号是目前史上最优秀的球员！”鲍里斯重复道，“他状态好的时候，没人能拦住他！”

“没错，”我说，“九号无疑是世上最棒的。中场，前锋，什么都行。他什么都行。真的。”

“你在胡说，老伙计。你们两个都不知道自己在说什么。”

“我们清楚得很。”这会儿，我对杰弗里·桑德斯已经有些气恼了。“实际上，我们在说的是世界公认的事情。九号状态好的时候，真好的时候，他一拿到球，评论员就会大喊‘进球’，不管他在球场的哪个位置……”

“哦，老天。”杰弗里·桑德斯厌恶地背过脸去。“这就是你给你的孩子灌输的垃圾，老天可怜可怜他吧。”

“听着……”我凑近他耳朵，愤怒地小声说道。“听着，难道你不明白……”

“垃圾，老伙计。你这是在给小孩子灌输垃圾……”

“他还小，还是个小孩子。你难道不明白……”

“小也不是你给他灌输这些垃圾的借口。而且他看起来可不像你说的那么小。依我看，他这个年纪的小男孩，是时候干点正经事了。开始要出点力了。比如说，他应该学习贴墙纸，或者贴瓷砖，而不是胡思乱想这些荒谬的足球运动员……”

“听着，你个笨蛋！ 小点声！ 小点声！”

“他这个年纪，正是出力的时候……”

“他是我的孩子，由我决定他什么时候……”

“贴墙纸，贴瓷砖，这样的活计。我认为，这样的事情才……”

“得了，你知道什么？ 你个可怜、孤独的单身汉，你懂什么呀？ 你知道什么？”

我粗暴地推搡他的肩膀。杰弗里·桑德斯突然间垂头丧气起来，拖着步子走在了我们前面，微微垂首，手仍然紧紧抓着身前的雨衣。

“没事的，”我轻轻对鲍里斯说。“我们马上就到了。”

鲍里斯没回答，我看到他盯着前面杰弗里·桑德斯恍惚的身影发呆。

我们继续走着，我对这个老同学的愤怒渐渐退去。况且，我没忘记还要指望他带我们到公交站呢。过了一会儿，我靠近他，想看他是否愿意跟我说话。令我吃惊的是，我听到杰弗里·桑德斯在轻轻地自言自语：

“没错，没错，等你来喝茶的时候我们再谈。谈谈所有事情，花上一两个小时怀念我们在学校的日子，还有那些老同学。我会打扫好房间，我们可以坐在扶手椅上，坐在壁炉两边。没错，的确很像英国人常租的那种房间。至少早几年前是这样。这就是我租下这里的原因，可以让我想起家乡。总之，我们可以坐在壁炉两边，好好聊聊。老师们，同学们，交流一下我们仍在联络的朋友的近况。啊，我们到了。”

我们走进了一个貌似小村广场的地方。有几间小小的商店——可能是这区居民购买杂货的地方——已入夜，全部关门上锁了。广场中心是一片绿地，不比交通转盘大多少。杰弗里·桑德斯指着商店前面一盏孤寂的路灯。

"你跟孩子在那里等就行了。我知道没有标记，但是别担心，这里是公认的公交站。现在，不好意思我得走了。"

我和鲍里斯瞪着对面他指的地方。雨已经停了，但是薄雾还在灯柱底座缭绕。我们周遭悄无声息。

"你确定公交车会来？"我问。

"哦，是的。晚上这个时候自然要多等一会儿，但最后肯定会来的。你们耐心点就行了。你们站那儿可能会有点冷，但相信我，值得的。黑夜中它的到来会点亮一切。等你一上车，就知道会很暖和舒适。车上总有一群最开心快活的乘客。他们打诨插科，分发热饮和点心。他们会非常欢迎你跟孩子。告诉司机你们在中世纪小教堂站下车。乘公交的话，路程很短。"

杰弗里·桑德斯向我们道了声晚安，转身离去。我和鲍里斯看着他消失在两幢房子中间的小巷中，然后朝着公交站的方向走去。

第五章

我们站在路灯下等了几分钟，周围寂静一片。后来我搂着鲍里斯说："你一定很冷了吧。"

他紧紧地靠着我，什么也没说，我低头看他，发现他若有所思地盯着漆黑的街道。很远的地方，有只狗在叫，然后没声了。我们就一直那样站着，等了一会儿，我说：

"鲍里斯，很抱歉。我本该安排得好一些。很抱歉。"

小男孩沉默了一阵。然后说："没事，公交车很快就来了。"

我能看到雨后薄雾仍萦绕在小广场对面那一小排商店门前。

"我不知道车会不会来，鲍里斯。"我终于说了出来。

"没事，你得耐心点。"

我们继续等了一会儿。我接着又说道：

"鲍里斯，我一点儿也不确定车会来。"

小男孩扭头看着我，疲惫地叹了口气。"别担心，"他说，"你没听到那个人说的吗？ 我们等着就行了。"

"鲍里斯。有时候事情不总是按照你想的那样。即便有人告诉你会那样。"

鲍里斯又叹了口气。“听着，那人说了，是不是？ 无论如何，母亲会等我们的。”

我正努力想着接下来该说什么，突然间的咳嗽声吓了我们一跳。我转过身，看到路灯光影外，有个人从一辆停着的车里探出身来。

“晚上好，瑞德先生。很抱歉，我路过正好看见您。一切还好吧？”

我上前几步走到车前，认出是斯蒂芬，酒店经理的儿子。

“哦，是的，”我说，“一切都好，谢谢。我们……呃，我们在等公交车。”

“我或许能载你们一程。我正要去个地方。父亲信任我，交代我一件相当棘手的任务。我说啊，外面很冷。要不你们上车来吧？”

年轻人下车，打开前后车门。我道过谢，安置鲍里斯坐上后座，自己坐在副驾驶座。然后，车开动了。

“这个是您的孩子吧，”斯蒂芬说着，车子疾驰在荒凉的街道上。“非常高兴见到他，不过他现在看起来有点累啊。哦，让他休息一下吧。下次再跟他握手。”

我向后瞥了一眼，看见鲍里斯头靠在扶手的垫子上，正打瞌睡。

“瑞德先生，”斯蒂芬继续说道，“我猜你们是想回酒店吧。”

“实际上，我和鲍里斯正要去某人的公寓。在市中心，中世纪小教堂附近。”

“中世纪小教堂？ 嗯。”

“有问题吗？”

“哦，没有。没问题。”斯蒂芬转了个急弯，驶进另一条狭小黑暗的街道。“只是，那个，我之前说过，我正要去个地方，赴约，让我想想……”

“约会很紧急吗？”

“是的，瑞德先生，相当紧急。是关于布罗茨基先生的，您知道吧。实际上，是很重要的一个会面。嗯，我在想，您和鲍里斯能否宽容一下，等我几分钟，等我处理好之后，就送你们到任何你们想去的地方。”

“你当然应该先处理好自己的事情。但是希望你不要太迟，我会非常感激的。你也看到了，鲍里斯还没吃晚饭呢。”

“我尽量快点，瑞德先生。我真希望能立刻送你们过去，但您看，我不敢迟到。我说过的，这个任务相当棘手……”

“当然，你应该先处理这个。我们非常乐意等你。”

“我尽量快点吧。但坦白说，我感觉自己也走不了多少捷径。其实，这种事本由父亲亲自处理的，或者其他什么先生来处理，只是柯林斯小姐总是对我温柔以待……”年轻人话音一顿，突然尴尬起来。接着他说道：“我会尽量快点。”

我们现在行驶在一个环境更宜人的街区，我猜这里离市中心该更近些。路灯光线亮了许多，我看到有轨电车轨道与我们并列伸延。偶尔看到有咖啡馆，餐馆都已关门打烊，但这区最多的还是富丽堂皇的公寓建筑。一扇扇窗户笼罩在沉沉的漆黑中，方圆数英里，似乎只有我们这辆车在打破这一片静谧。斯蒂芬·霍夫曼默默地开了一会儿。然后仿佛内心挣扎了很久似的突然说道：

“您瞧，这样说可能很无礼，但您确定您不想回宾馆吗？我是说，有很多记者在那儿等着您什么的。”

"记者？"我望着窗外的黑夜。"啊，是的。记者。"

"天哪，希望您别觉得我很放肆。只是我离开的时候恰巧看到他们。都坐在大厅，膝盖上放着文件夹、公文包，想到能见到您，看起来都很激动。不过我刚才也说了，这都不关我的事，您肯定都处理好了。"

"是啊，是啊。"我小声地说，继续看着窗外。

斯蒂芬沉默了。不用说，他决定不再继续这个让人倍感压力的话题，而我自己却在想记者的事。过了一会儿，我觉得自己好像想起了有这么个预约。无疑，年轻人提到的这一图景——人们坐着，膝上放着文件夹和公文包——提醒了我。然而，我最终还是无法明确忆起行程表上有这么一项，便决定忽略此事。

"啊，我们到了。"坐在旁边的斯蒂芬说，"不好意思我离开一会儿。请您自便，舒服就好。我会尽快回来。"

我们停在一幢伟岸的白色公寓楼前，楼有几层高，每层上的黑色锻铁管露台给其平添了几分西班牙风味。

斯蒂芬下了车，我看着他走向大门入口。他站在一排公寓门铃按钮前，按下一个，等着，从他的站姿看得出，他很紧张。过了一会儿，入口大厅亮起一道光线。

一个上了年纪、满头银发的老太太打开门，她看起来又瘦又弱，但举止间却有种优雅，她微笑着引斯蒂芬进门。他进门后，门关上了。我坐在座位上向后靠，发现仍能清楚地看见他们俩的身影映照在前门窄小的窗格玻璃上。斯蒂芬双脚蹭着门垫，说：

"很抱歉这次仓促来访。"

"我告诉过你多少次了，斯蒂芬，"老太太说道，"你什么时候需要聊聊，我都会在这儿的。”

“嗨，实际上，柯林斯小姐，并不是……呃，这次跟平时不一样。我想和您谈谈别的事情，一件很重要的事情。父亲本应自己前来，但是，呃，他太忙……”

“啊，”老太太微笑着打断，“是你父亲吩咐的事，苦差他还是留给你啊。”

她的言语间有些调侃，但斯蒂芬好像并没有留意。

“不是的，”他认真地反驳道，“相反，这项任务特别棘手难办。父亲信任我，我也乐意接受……”

“那么我现在成了任务！还是一个棘手难办的任务！”

“呃，不是的。我是说……”斯蒂芬困惑地住了口。

可能觉得已经调侃够了斯蒂芬，老太太说道：“好吧，”她说，“我们最好进去，喝杯雪利酒，好好谈谈这件事。”

“您太好了，柯林斯小姐。但其实，我不能呆太久。有人在车里等我。”他指了指我们的方向，但老太太已经打开了自己公寓的大门。

我看到她领着斯蒂芬穿过一间小小的整洁的前厅，走过第二道房门，沿着一条幽暗的过道走下去，过道两侧挂满了裱好的水彩画。过道尽头是柯林斯小姐的起居室——后面是一个巨大的L型附室。这儿的光线柔和舒适，第一眼看，似奢华精致，而且很复古。但仔细审视一番，我却发现很多家具都已经极度破旧，第一眼认为是古董的东西其实比垃圾没好多少。曾经奢华的沙发和椅子已年久失修，散落在房间各处，长及地面的天鹅绒窗帘斑斑点点，破破烂烂。斯蒂芬随意地坐下，说明他很熟悉周围的摆设，但看起来仍然很紧张，而柯林斯小姐正在茶水间忙活。过了一会，她递给他一杯饮料，就近坐在他旁边，这时候，年轻人突然大声说："是关于布罗茨基先生的。"

"噢，"柯林斯小姐说，"和我猜的差不多。"

"柯林斯小姐，其实，我们想问问您能否考虑帮帮我们。或者说，帮帮他……"斯蒂芬突然大笑一声，看向一旁。

柯林斯小姐若有所思地斜了斜头。然后她问："你们让我帮里奥？"

"哦，我们不是要您做您觉得恶心的事……呃，或者说痛苦的事。父亲完全理解您的感受。"他又大笑了一小会儿。"只是您的帮助在这个阶段至关重要，对布罗茨基先生的……恢复。"

"啊。"柯林斯小姐点头，好像在思考这件事，然后说："我能不能这样理解，斯蒂芬，你父亲在里奥身上只取得了有限的成功？"

她语气里的调侃在我看来比之先前更甚，但斯蒂芬还是没能留意到。

"不是的！"他生气道，"相反，父亲简直是化腐朽为神奇，取得了巨大的进步！这并不容易，但父亲的坚持让人惊叹非凡，甚至对我们这些习惯父亲处事方法的人来说也是。"

"或许他还是坚持得不够。"

"您不知道啊，柯林斯小姐！您不知道！有时他结束酒店紧张繁忙的一天，疲惫地回到家，累得直接就上楼睡觉了。母亲下楼来抱怨，我自己也上楼去他们房间看过，看到父亲平躺在那儿，横瘫在床上，鼾声如雷。您知道，多年来，他们之间有个很重要的约定，就是他一直侧身睡觉，从不平躺，否则，他会鼾声如雷。所以您能想象母亲发现他这个样子有多厌恶。通常，在我看来，叫醒他是上帝的职责，但这时，我却不得不叫他，否则的话，我之前也说过，否则的话，母亲拒绝回房睡觉。她会一直在走廊里走来走去，怒气冲冲，直到我叫醒他，帮他宽衣，帮他换上睡衣，领他去洗漱间，她才会进房。但我想说的是，唉，即使那么疲惫，但有时电话一响，某个员工对他说布罗茨基先生快崩溃了，一个劲地非要喝一杯，然后，您知道吗，父亲就会不知又从哪儿来了气力，重新振作，眼神犀利，整装出发，没入夜色，一去就是好几个小时。他说他会帮布罗茨基先生重拾健康，他会付出一切，毫无保留地帮他，以完成他许诺要达到的目标。”

“他的行为非常令人钦佩，但到底他进行得怎么样了？”

“我向您保证，柯林斯小姐，他的进展令人震惊。最近见到布罗茨基先生的所有人都这么说。那些眼睛的背后是许多不为人知的付出。还有他的话，一天比一天有意义。但最重要的是，他的才华，布罗茨基先生伟大的才华，毫无疑问正在渐渐恢复。大家都说，排练非常乐观。整个交响乐团都完全被他折服了。他不在演奏大厅排练的时候，就忙着自己练习。现在在酒店里，经常能碰巧听到一两段他演奏的钢琴。父亲一听到他弹琴，就振奋非常，你就能明白他已经准备好牺牲一切睡眠。”

年轻人停下来，看着柯林斯小姐。好一阵儿，她的思绪好似飘向远方，头靠着一边，好像也能捕捉到远方钢琴弹奏的丝丝音符。然后，脸上漾了一抹轻柔的微笑，又看向斯蒂芬。

“可我听到的是，”她说，“你父亲让他端坐在酒店休息室里，像模型一样端坐在钢琴前，而里奥呆在那儿几个小时，只是在凳子上轻摇，碰都不碰一下琴键。”

“柯林斯小姐，这样说太不公平了！ 可能早些天有时候会这样，但现在已经完全不同了。不管怎样，即便他有时确实只是安静地坐在那儿，您一定知道，那并不意味着什么进展都没有。沉默很可能意味着最深远思想的形成，最深处能量的召唤。实际上，不久前，一阵特别长的沉默之后，父亲确实进了休息室，而布罗茨基先生正低头盯着琴键。过了一会，他抬头看着父亲说：‘小提琴声应该强烈点。声音应该强烈点。’这是他说的。他可能沉默，但在他脑袋里，一直有一个音乐的世界。想想他‘周四之夜’将展示给我们的是多么令人激动啊。只要他现在不崩溃。”

“但斯蒂芬，你刚才说想让我帮帮他。”

这个年轻人，刚刚还愈发喜形于色，这会儿回过神来了。

“呃，是的，”他说，“我今晚来就是跟您商量这个的。我说过，布罗茨基先生正神速般恢复他昔日的力量。而且，呃，随着他伟大才华的恢复，其他各种特征也在重现。对我们这些之前不太了解他的人来说，算是一种爆料。最近几日，他常常口齿清晰，彬彬有礼。总之，我的意思是，除了这些之外，他开始回忆起过去。呃，坦白讲，他提起了您。一直不停地想念您，谈到您。给您举个例子吧，昨晚——有点尴尬，但我要告诉您——昨晚他开始恸哭流涕，而且欲罢不能。他不停地哭，把对您的感情全部宣泄出来。他已经是第三还是第四次这样了，然而，昨晚是最厉害的一次。大概快午夜了，布罗茨基先生还没从休息室出来，父亲就趴在门上听了听，听到他在抽泣。然后父亲进去，发现室内一片漆黑，布罗茨基先生俯在钢琴上恸哭。呃，楼上有间空的套房，父亲就扶他上楼，还让厨房送来布罗茨基先生最爱的汤——他一般只喝汤——还拿了些橙汁和饮料给他，但老实说，昨晚真是情势危急，一触即发啊。很显然，几加仑果汁，他三下五除二就灌下去了。要不是父亲在的话，他很可能当场就崩溃了，就算已经到了这最后的阶段。而且这期间他一直在念叨您。呃，我想说——哦，天哪，我不应该呆这么久，还有人在车上等我呢——我的意思是，考虑到整个城市的未来都系在他身上，我们必须竭尽所能保证他闯过这最后一关。考夫曼医生和父亲意见一致，认为我们现在接近最后一栏了。但您知道，结果如何，仍然成败难辨，悬而未定。”

柯林斯小姐继续看着斯蒂芬，仍恍惚地似笑非笑着，还是什么都没说。过了一会儿，年轻人说道：

“柯林斯小姐，我知道我说的事情可能揭开了您过去的伤疤。我也理解您和布罗茨基先生已经多年未讲话……”

“哦，这样说可不太准确。今年早些时候，我在人民公园散步的时候，他还冲我喊过脏话呢。”

斯蒂芬尴尬地笑了笑，不知道怎样捕捉柯林斯小姐话里的意思。然后，他继续恳切地说道：“柯林斯小姐，我们并没说要您和他有过多的联系。天哪，不。您想放下过去。父亲，每个人，他们都理解。我们请您做的，就一件小事，可能会对他会有所不同，可能会鼓励到他，对他来讲意义重大。希望您至少不要介意我们直言相告。”

“我已经同意参加宴会了。”

“是的，是的，当然。父亲告诉我了，我们非常感激……”

“当然前提是绝对不会有直接接触……”

“当然，我们完全理解。是的，宴会。但其实，柯林斯小姐，我们还有件事想请您帮忙，您能不能考虑考虑。您看，一群先生——冯·温特斯坦先生也在其中——明天要带布罗茨基先生去动物园。他显然已经多年未去过了。他的狗自然是不允许入内的，但布罗茨基先生最后还是同意找个可靠的人帮他照顾几个小时。大家都觉得这种出门散心活动能帮助他平静下来。尤其是长颈鹿，我们认为能让他放松。呃，我还是说重点吧。诸位先生想问您有没有可能愿意参加这次动物园之行。哪怕只对他说一两句话就好。您不需要和大家一起出发，您可以在那儿跟他们会合，几分钟就够，跟他愉快地寒暄几句，或许说几句鼓励的话，一切就会完全不同。求您了，柯林斯小姐，请您考虑一下。事关重大啊。”

斯蒂芬在说着，柯林斯小姐起身，慢慢移步至壁炉边。她静静地站立了几秒钟，一只手搭在壁炉台上，好似在让自己站稳。然而终究，她还是回身对着斯蒂芬，我看到她双眼已经湿润。

“你知道我的难处，斯蒂芬，”她说，“我以前是嫁过他一次，但那都是很久以前的事了，这么多次见到他，他都是不停地冲我辱骂大叫。所以你看，很难猜到他到底想聊什么。”

“柯林斯小姐，我向您发誓他现在已经完全不同了。这些天他都彬彬有礼，温文尔雅……您肯定还记得。请您至少考虑一下。这事关系重大。”

柯林斯小姐抿了口雪利酒，若有所思。她正想回答，就在这时，我听到鲍里斯在车后面挪到了我身后。我扭头看去，觉得小男孩肯定已经醒了好一会儿了。他正望着窗外静谧空荡的街道发呆，我能感觉到他的忧伤。我正要说话，他应该是意识到我在注意他，没动身就悄悄地问我：

“你会贴卫生间的瓷砖吗？”

“我会贴卫生间的瓷砖吗？”

鲍里斯重重地叹了口气，继续盯着窗外的黑夜。然后他说：“我以前一片也没贴过。所以老是做错。如果有人教我，我就会了。”

“是的，我肯定你会的。是你们新公寓的卫生间吗？”

“如果有人教我，我就会做得很好。那母亲就会对卫生间很满意。她就会很喜欢卫生间的。”

“啊，那她现在不满意喽？”

鲍里斯看着我，好像我说了什么非常愚蠢的话。然后他狠狠地对我嘲讽道：“她要是喜欢卫生间的话为什么哭呢？”

“真的，为什么呢？ 这么说她因为卫生间而哭，我也好奇她为什么这样。”

鲍里斯转身对着他那面窗，借着透过车窗混合的光线，我能看到他强忍着眼泪。最后，他打了个哈欠伪装，握拳揉了揉脸。

“我们会办好这些事的。”我说，“你看着吧。”

“如果有人教我，我就会做得很好，这样母亲就不会哭了。”

“是的，我肯定你会干得非常好。我们很快就会办好的。”

我在座位上直了直身，透过挡风玻璃向外望。街上几乎看不到亮着的窗户。过了一会儿，我说：“鲍里斯，我们现在得好好想想，你在听吗？”

车后座一片沉默。

“鲍里斯，”我继续，“我们得做个决定。我知道我们原本是要跟你母亲汇合的。但现在已经很晚了。鲍里斯，你在听吗？”

我侧过肩膀看了他一眼，发现他仍然眼神空洞地望着窗外的黑夜。我们继续默默地坐着，过了好一阵，然后我说：

“事实是，现在很晚了。如果我们回酒店，就能见到你外公。他见到你会很开心的。你可以自己一间房，或者，你愿意的话，我们可以叫他们在我房间给你多加张床。我们可以叫他们送些好吃的，然后你就可以睡觉了。明早我们起床一起吃早点，然后决定接下来做什么。”

身后仍然是沉默。

“我应该安排得更好的，”我说，“我很抱歉。我……我只是今晚没有考虑清楚。之前太忙了。但，听着，我保证明天补偿你。我们明天可以做想做的所有事情。你喜欢的话，我们回旧公寓，取回九号。怎么样？”

鲍里斯还是什么都没说。

“我们这几天都很累。鲍里斯，你觉得呢？”

“我们还是去酒店吧。”

“我觉得这主意再好不过了。那就这么定了。等那位先生回来，我们就告诉他我们的新决定。”

第六章

正在这时，那边的动静吸引了我的注意。我朝公寓楼回望过去，看到前门开了，柯林斯小姐正引着斯蒂芬出来，尽管他们彼此友好地道别，但从双方的仪态上能看出，他们的会面并未有愉快的结果。过会儿，门关上了，斯蒂芬急忙回到车里。

“很抱歉耽误了这么久，”他说着，爬上座位。“鲍里斯还好吧。”他双手放在方向盘上，发出一声不安的叹息，然后挤出点微笑，说：“那么，我们走吧。”

“其实，”我说，“我和鲍里斯在你离开的时候好好谈了谈。我们觉得还是回酒店吧。”

“瑞德先生，请允许我这样说，这个决定颇好。那么是回酒店了。太好了。”他看了一眼手表。“我们很快就到。记者们就不会有理由抱怨了。一点理由都没。”

斯蒂芬发动引擎，我们再次出发。我们开过荒凉的街道时，雨又开始下了，斯蒂芬打开了雨刷。过了一会儿，他说：

“瑞德先生，我想问问您是否还记得我们之前谈过的事，希望您不要介意我的无礼。您知道的，就是今天下午在中庭跟您谈的事情。”

“啊，是的，”我说，“是的，我们讨论了你‘周四之夜’的独奏。”

“您真好，说可能会抽时间听听。听我弹奏拉罗什的曲子。当然，也许这完全不可能，但，呃，我想您不会介意我问问的。那个，今天晚上，等我们回到酒店，我会练习一会儿。我在想，等您和这些记者见完面，我知道很是叨扰，但请问您能否来听听我弹奏，哪怕就几分钟，告诉我您的意见……”他的声音越来越小，最后笑了一声。

我明白这事对这个年轻人意义重大，有意想随了他的请求。但是，经过一番思量后，我说：

“抱歉，今晚我太累了，迫切需要尽快上床睡觉。但别担心，以后一定有机会。听着，要不这样吧，我不确定我什么时候能抽出时间，但只要我有几分钟可以忙里偷闲，我就打电话到前台，让他们去找你。你要是不在酒店，我就等有时间的时候再试试，如此往复。这样，用不了多久我们肯定能找到彼此都方便的时间。但今晚，真的，你要不介意的话，我真的必须好好地睡上一觉。”

“当然，瑞德先生，我非常理解。我们一定按照您的办法做。您真是太好了。那我就等着您的消息了。”

斯蒂芬说得很客气，但看起来却十分失望，甚至可能误会我的回答是婉言拒绝。显然他对即将到来的演出很是焦虑，一点点挫折，不管多小，可能都会引起他一身的惊慌冷颤。我觉得有些同情他，又安慰他说：

“别担心，我们定会很快找到机会的。”

我们行驶在夜间的街道上，雨继续下着，没有停的意思。年轻人好久都没说话，我怀疑他是不是生我气了。但在变幻的灯光下，我瞧见了他的侧面，意识到他脑子里正思索着几年前的一次特别事件。那个小插曲他已经反复思量过多次了——经常是醒着躺在床上或独自开车的时候——这会儿因为怕我拒绝帮他，他再次想起了这件事。

那天是他母亲的生日。那晚，他把车停在熟悉的车道——那会儿他还在德国上大学——他刚刚撑过痛苦的几个小时。父亲开门迎接他时，兴奋地低语："她心情很好，非常好。"然后转身，朝屋里大喊："斯蒂芬回来了，亲爱的。有点迟，但还是回来了。"然后又是低语："心情很好。很久都没这么好了。"

年轻人走进客厅，发现他母亲斜靠在沙发上，手里拿着一只鸡尾酒杯，身着一条新裙。斯蒂芬眼前一亮，再一次感觉到母亲是个多么优雅的女性。她没起身迎接他，所以他只能弯腰亲吻她的脸颊，然而，母亲热情地邀请他坐在对面，让他颇为吃惊。身后，他父亲看到此夜开局良好，不觉轻声低笑，然后指指身上的围裙，急忙赶回厨房。

只剩下母亲和他两人，斯蒂芬第一感觉纯粹是惧怕——怕他的言行兴许会破坏母亲的好心情，因而毁了几个小时以来，或者几天来，父亲煞费苦心的努力。于是，他就开始简短又生硬地回答她关于他大学生活的询问，但发现她的态度依然和蔼，就开始答得越来越长。还曾一度形容他的一位大学教授像"我们外交部长的正常心智版"——他对这个比方颇为得意，已经在同学面前使用了无数次，而且相当成功。如若不是早先与母亲的交谈极为顺利，他也不敢冒险在她面前再重复一次。但他如此做了，而且看到此番逗乐后，母亲的脸上瞬间绽放出笑容，他的心怦怦直跳。尽管如此，父亲回来宣布开饭还是让他着实松了口气。

他们走进餐厅，酒店经理已经摆上了第一道菜。静静地开饭，然后，让斯蒂芬有点意外的是，他父亲开始讲述一群意大利客人在酒店的搞笑趣事。讲完之后，酒店经理敦促斯蒂芬也讲述一个自己经历的故事，斯蒂芬有些迟疑地开讲，他父亲继续夸张地大笑着配合他。如此循环往复，斯蒂芬和父亲轮流讲搞笑的故事，并全心全意地相互配合回应。这招似乎很管用，因为最后，他母亲也开始大笑了很长一段时间，这简直让斯蒂芬觉得难以置信。还有，这顿晚餐，这顿令人刮目、赞不绝口的美味佳肴，可是酒店经理费尽心思准备的，照顾到了每个细节，这倒也符合他的风格。酒显然也很特别，他们主菜吃到一半时——一道鹅肉与野草莓酱美妙绝伦的搭配——当晚的气氛已经真的非常愉快。然后，酒店经理，因为酒的缘故，加上笑声不断，面色微红，侧着身子说道：

“斯蒂芬，再跟我们说说你住过的那个青年旅馆。你知道的，在勃艮第树林的那个。”

一时间，斯蒂芬被吓到了。他父亲怎么能——目前为止一切都处理得毫无差错——做出这么明显错误的判断？他所说的那个故事要频频涉及旅馆厕所的安排，显然不适合在母亲面前提起啊。但他犹疑的时候，父亲冲他眨了眨眼，好像在说：“是的，是的，相信我，没问题的。她会喜欢这个故事的，肯定会成功的。”尽管极度怀疑，但因为信任父亲，斯蒂芬开始讲这件趣闻。然而，还没讲多少，他脑海中便闪过一个念头：到目前为止都奇迹般成功的夜晚，将会被打碎成一片一片。但是，在父亲狂笑的怂恿下，他继续讲了下去，令他吃惊的是，他听到了母亲的开怀大笑。抬眼看过桌子的另一边，他看到她不停地摇头大笑。然后，故事快到结尾的时候，在阵阵大笑当中，斯蒂芬无意中瞧见母亲爱慕地看了父亲一眼。只是短短的一眼，但不会错。酒店经理，尽管笑得双眼流泪，也将这一眼尽收眼底，转头又冲儿子眨了眨眼，这次，带了几分胜利的喜悦之情。那时候，年轻人觉得一股强大的力量自胸中油然而生。但还没等他确定那是什么感觉，他父亲就说：

“现在，斯蒂芬，上甜品之前我们必须休息一下。要不你趁母亲生日弹奏点什么吧？”酒店经理边说着，边挥手指着墙边立着的钢琴。

那个动作——竖起手指朝餐厅随意挥摆的动作——斯蒂芬这些年来不止一次地回忆起。每次想起，当时那种冷飕飕的恶心感觉就会再度袭来。起初，他难以置信地看着父亲，但后者只是继续满足地微笑着，伸出手指着钢琴。

“来吧，斯蒂芬。弹点你母亲喜欢的。要不弹点巴赫的曲子，或者当代的。比如卡赞，或者穆莱利的。”

年轻人强迫自己环顾一周，同时看看母亲，看见她的脸大笑着，随着一道道不常见的皱纹柔和下来，她微笑着看着他。然后，她又转向酒店经理，说：“是的，亲爱的，我觉得穆莱利不错，应该会很棒。”

“来吧，斯蒂芬，”酒店经理开心地说道，“毕竟今天是你母亲生日，别让她失望。”

一个念头闪过斯蒂芬的脑海——但下一刻就否决了——他觉得父母在合伙整他。当然，从他们看他的眼光中——充满骄傲的期望——好像他们完全不记得围绕着他钢琴弹奏的痛苦过去。不知怎地，他开始酝酿的抗议也没说出口。他起身，就好像站起来的是别人一样。

钢琴靠着墙摆放着，斯蒂芬坐下的时候，能透过眼角的余光看到父母的身影。他们双肘都放在桌上，彼此稍稍靠近。过了一会，他转身直直地望向他们，意识到他这样做是想最后一次看看他们这样——坐在一起，仿佛被一种单纯的幸福绑在一起。然后，他回身对着钢琴，肯定今夜就要这样被毁掉了，这感觉让他窒息。但奇怪的是，他意识到，自己不再因事情的最新变化而感到一点的惊奇，其实他一直以来都在等着这一刻，这想法让他顿觉轻松。

有那么几秒钟，斯蒂芬就这样坐在那儿，没有弹琴，拼命想摆脱酒精的影响，在脑中过一遍他要弹的曲子。在那令人眩晕的一瞬间，他看到了一种可能性——这毕竟是个不平凡之夜——他也许不知怎么可以超常发挥，演奏结束能看到父母微笑，鼓掌，彼此的目光交换着深深的爱意。但一开始演奏穆莱利《外摆线》第一小节时，他就意识到想象的情景根本不可能发生。

然而，他还是继续弹着。有相当长的一段时间——持续整个第一乐章——眼角的余光看到父母二人都静静不动。然后他看到母亲轻轻地靠在椅背上，一只手托着下巴。几小节之后，他父亲的眼光从斯蒂芬身上挪开，双手放在膝盖上，向前垂首，看起来像是在端详面前桌上的一个小点。

与此同时，他继续不停地弹奏着。年轻人好几次都想放弃了，但不知怎地，完全放弃好像是最令人惧怕的选择。所以他继续弹奏，最后曲子终了，斯蒂芬坐在那儿，盯着琴键好一会儿才鼓起勇气面对等待他的场景。

父母两人都没看他。父亲低着头，前额已经快贴着桌面了。母亲则看着房间另一侧，脸上冷若冰霜，这副表情斯蒂芬再熟悉不过了。但令他惊讶的是，那晚直至那一刻，她脸上才挂上了这副神情。

斯蒂芬只需一秒钟就能估想到这场景意味着什么。他起身，快速回到餐桌旁，仿佛这样做的话，他离开后的那几分钟就能被抹杀掉。有那么一会儿，他们三个就这样静静地坐着。最后他母亲起身，说：

"今晚非常愉快。谢谢你们两个。但我现在感觉非常累，我该上床休息了。"

起先，酒店经理好像没有听见。但当斯蒂芬母亲向门口走去时，他抬起头，轻声地说："蛋糕，亲爱的。蛋糕。是……是非常特别的蛋糕。"

"你太好了，但真的，我已经吃很多了，现在得睡会了。"

"当然，当然。"酒店经理目光重新落在桌子上面，一副无可奈何的样子。但之后，当斯蒂芬母亲正要穿过房门的时候，酒店经理突然直起身子，大声说道："亲爱的，至少过来看看吧，就看看。我说过的，这个蛋糕非常特别。"

他母亲犹豫了，然后说："好吧，快点给我看看。然后我得睡觉了。可能是喝了酒的缘故，现在感觉特别累。"

闻此，酒店经理站起身，随即便引着妻子走出餐厅。

年轻人听到父母的脚步声走向厨房，然后，不到一分钟，沿着走廊返回，上了楼。之后，斯蒂芬仍然在桌边坐了许久。各种细小的杂声从楼上传来，但听不见他们讲话的声音。最后，他突然想到最好的办法就是连夜开车回寓所。毫无疑问，就算他在早餐时出现，对父亲完成帮母亲重拾好心情这项缓慢而艰巨的任务也于事无补。

他离开餐厅，意欲悄悄离开家。但一走到过道，正撞见父亲下楼。酒店经理手指放在嘴唇上，说：

“我们得小声说话。你母亲刚刚睡下。”

斯蒂芬告诉父亲，他想回海德堡。父亲听完就说：“太可惜了。我和你母亲以为你会呆得久一点。但你说你早上还有课。我会跟你母亲解释的。她肯定会理解。”

“还有，”斯蒂芬说，“希望母亲今晚过得非常愉快。”

父亲笑了笑，但在笑之前短短的一瞬间，斯蒂芬看到他脸上掠过一道深深的惨淡表情。

“哦，是的。我知道她很愉快。哦，是的。你学习那么忙，还能抽空回来，她挺开心的。我知道她希望您能多呆几天，但别担心。我会跟她解释的。”

那晚，行驶在荒寂的高速路上，斯蒂芬把当晚所有的事情、每个细节都前思后想了几遍——正如他之后这几年反反复复做的一样。每次回忆起那日那时的情景，所带来的伤痛，本已随着时间渐渐消逝，但如今“周四之夜”日日临近，昔日的惊惧再次浮上心头。此刻雨夜疾驶，仿佛重新带他回到了几年前那痛苦的夜晚。

我为这个年轻人感到难过，便打破沉静，说道：

“我知道这不关我的事，希望这样说不会太无礼，但我确实认为在你弹钢琴这件事上，你父母这样对待你很不公平。我的建议是，尽量享受弹钢琴的乐趣吧，只要你能从中得到满足和真谛，就不必管他们嘛。”

年轻人沉思片刻。然后说道：

“非常感谢您，瑞德先生，能站在我的角度考虑。但其实——呃，坦率地讲——我觉得您其实还是不明白。我理解，对一个外人来讲，我母亲那晚的行为可能有些，呃，有些不顾及他人的感受。但这样说对她就有失公正了，我真的非常不愿看着您带着这样的印象离开。您看，您得了解这背后的整件事才行啊。首先，您看，我四岁时，我的钢琴老师是提科夫斯基夫人。我料想您肯定不觉得这有什么，但是，瑞德先生，您得明白，提科夫斯基夫人在城里是个非常受人崇敬的人，可不是个普普通通的钢琴教师。她的劳务不是以常规的方式出售的——当然，像其他人一样，她也收取学费。也就是说，对自己做的事情，她非常严肃认真，只接收城里有艺术和知识修养的精英的孩子。比如，保罗·罗泽瑞尔，超现实主义画家，在这儿住过一段时间，提科夫斯基夫人教过他的两个女儿。迪盖尔曼教授的孩子们，还有伯爵夫人的侄女们。她会非常谨慎地选择学生，所以能当她的学生，我是很幸运的，特别是那时候父亲还没有今日的社会地位。但我猜父母那时对艺术的热衷不亚于今日。整个童年时光，我记得他们都在谈论艺术家和音乐家，还有得到大家的支持对这些人来讲多么重要。母亲现在大多时候都呆在家里，但那时候却很喜欢外出。比如说，有个音乐家，或者一个交响乐团来到城里，她都坚持给予支持。她不仅去看演出，而且总要在演出后到化妆间亲自送上她的嘉言。即便某位表演者表现很差，她仍然会去化妆间给他小小鼓励和一些善意的提示。事实上，她还经常邀请音乐家到我们家来，或者提议带他们去市区周边游览。一般来说，他们行程很满，无法接受她的邀请，但毫无疑问，这样的邀请对任何表演者来说都是令人振奋的，您自己肯定也深有体会。至于我父亲，他非常忙，但我记得他也经常努力做得尽善尽美。当然，为了向某位来访的名流表示敬意，只要有招待会，不管多忙，他都坚持陪母亲参加，这样他就能亲自对来访者表示欢迎。所以您看，瑞德先生，从我记事起，父母就是非常有修养的人，而且非常理解艺术在我们这个社会的重要性，我肯定这就是提科夫斯基夫人最后选上我做她学生的原因。我现在明白父母那时一定真的非常欣喜，尤其是我母亲，因为这事儿全是她安排的。我呢，就跟着罗泽瑞尔先生还有迪盖尔曼教授的孩子们一起上提科夫斯基夫人的课！ 他们一定很骄傲。开头几年，我练得还真不错，真的，非常好，所以提科夫斯基夫人曾称我是她教过的最有前途的学生之一。一切都非常顺利，直到……呃，直到我十岁的时候。”

年轻人突然沉默了，可能是后悔这么畅所欲言。但我清楚，他心中另外一面迫切想继续倾诉，所以我问道：

“十岁的时候发生了什么？”

“呃，瑞德先生，偏偏向您承认这点，我真是羞愧难当。但我十岁时，呃，我就停止不练了。我去提科夫斯基夫人那里，但根本就不练习曲子。她问我为什么不练，我就不说话。真是太尴尬了，就像在说另一个人一样，我真希望有奇迹发生能变成另一个人。但是真的，就是这样，当初我就是这样干的。这样几周之后，提科夫斯基夫人别无选择，只好告诉我父母，我要是没有改观，她就不再教我了。我后来发现母亲发了点脾气，冲提科夫斯基夫人大喊大叫。总之，结局非常糟糕。”

“之后你又跟了另一个老师？”

“是的，一个叫亨齐的老师，她其实一点也不差。但还是远远不及提科夫斯基夫人。我仍旧不练习，但亨齐小姐没那么严格。然后我十二岁的时候，一切都改变了。很难解释到底发生了什么，听起来也许有点奇怪。一天下午，天气晴朗，我坐在家中的客厅里；我记得我正读着足球杂志，父亲踱步进了房间。我记得他穿了件灰色西装背心，衬衣袖子卷起，站在房间中心，盯着窗外的花园。我知道母亲在外面，坐在过去我们家那颗果树下的长椅上，我等着父亲出去，和她坐在一起。但他只是一味地站在那儿。他背对着我，我看不见他的脸，但我每次抬头，都能看到他正紧盯着窗外花园母亲坐着的地方。呃，当我第三或第四次抬头时，父亲还是没有出去，我突然意识到了什么。我是说，我突然意识到母亲和父亲已经好几个月没说过什么话了。很奇怪，我那会儿才意识到他们根本就没怎么说过话。很奇怪我先前怎么没有留意到，但直到那一刻，我是真没有。但我看得非常清楚。仓皇间，我想起了一大堆例子——先前，父母彼此会说些什么，但其实却什么也没说的时候。我不是说他们完全沉默。但，您知道，他们之间变得冷漠，我直到那一刻才注意到。跟您说吧，瑞德先生，突然意识到这一点，那种感觉非常奇怪。几乎同时，我想起了另外一件可怕的事情——这变化是从我失去提科夫斯基夫人那时开始的。我不敢肯定，毕竟已过去这么久了，但仔细一回想，我肯定就是那时开始的。我现在不记得父亲是否去了花园。我什么都没说，只是装作在读足球杂志，然后过了一会儿，我起身回房，躺在床上，仔细反复地想了想。从那之后，我又开始努力练琴。我真的开始非常勤奋地练习，我一定有了很大的进步，因为几个月之后，母亲去找提科夫斯基夫人，问她是否考虑重新接收我。现在我明白了，回去求人家对母亲来说，肯定是个不小的羞辱，尤其是她上次对人家那么大喊大叫，而且她一定在提科夫斯基夫人身上下了不少工夫。总之，结果是，提科夫斯基夫人同意重新接收我，这次我就一直刻苦练习，练习，再练习。

但您看，我浪费了关键的两年。十岁到十二岁这两年有多么关键，您肯定再清楚不过了。相信我，瑞德先生，我试图弥补浪费的那两年，能做的我都做了，但真的是太晚了。甚至现在，我经常会停下来问自己：‘我到底在想什么？’哦，只要能补回那两年，叫我做什么都行！ 但您看，我觉得我父母并没有真的理解失去的那两年造成了多大的损失。我觉得他们认为只要提科夫斯基夫人重新接收我，只要我勤奋练习，这两年就没什么关系。我知道提科夫斯基夫人曾不止一次想向他们解释，但我想他们对我充满了爱和骄傲，根本不接受现实。好几年，他们一直觉得我有了不错的进步，觉得我确实有天赋。就在我十七岁那年，现实给了他们沉重一击。那时有个钢琴比赛，尤尔根·弗莱明大奖，是由市艺术馆组织筹办的，旨在发掘城里有潜力的年轻人。那时候这个奖项颇有名气，但现在因为缺少资金已经停办了。我十七岁时，父母有了让我参赛的想法，而我母亲真的四处奔走，筹备所有的报名、初赛事宜。就在那个时候，他们第一次认识到我有多么差劲。他们认真地听我演奏——可能是第一次真正听我演奏——他们意识到，我参加比赛简直是在羞辱自己，羞辱整个家族。其实无论如何，我本还想试试，但父母认为这会严重打击我的自信。我说过的，那是他们第一次注意到我演奏得多么差劲。那以前，他们对我过高的期望，而且估计还有他们对我的爱，妨碍了他们客观地倾听。那是他们第一次承认那浪费了的两年对我造成了难以弥补的损失。呃，之后呢，自然啰，父母对我相当失望。尤其是我母亲，好像一副听天由命的样子，觉得一切都是徒劳，她所做的所有努力，这些年在提科夫斯基夫人身上下的全部工夫，还有那时去哀求她重新接收我，这一切的一切，她似乎觉得这一切辛劳统统付诸东流了。于是，她变得非常泄气，不大再出门，也不去参加音乐会和社交活动。不过，父亲呢，他总是对我抱有些许希望，他这人就是这样，总是会坚持抱着希望直到最后一刻。时不时地，每隔一两年，他就要听我弹奏，每次他这样做，我都明白他对我充满希望。我明白他在想：'这次，这次一定不同。'然而，到目前为止，每次弹奏完抬头，我都能看到他再一次垂头丧气。当然，他想竭力隐藏，但我看得清清楚楚。可他从未放弃希望，那对我意义重大啊。"

我们疾速行驶在一条宽敞的大街上，街道两旁矗立着高高的办公大楼。虽然不时地经过一排排整齐停泊的车辆，但数英里之内好像就只有我们这一辆车在动。

"你得在'周四之夜'表演，"我问，"这是你父亲的主意吗？"

"是的。千真万确！ 他第一次提出，是在六个月以前。他几乎已经两年没听我弹奏了，但他真的非常信任我。当然他给了我机会拒绝，但我非常感动，觉得经过这么多次失望之后，他还对我信任有加。所以我说好的，我会表演的。"

"你真有勇气。我真希望这个决定最后证明是正确的。"

"其实，瑞德先生，我之所以答应，是因为，呃，虽然我是对自己这样说，我觉得自己最近有了些突破。或许您会明白我说的意思，真的很难解释。就好像有东西在我脑袋里，有东西一直阻碍我前进，像个水坝或者什么东西，好像一下子爆裂开来，一股全新的灵魂流淌出来。我也解释不清楚，但事实是，我觉得比起上次父亲听我弹奏，我现在有了重大进步。所以您看，当他问我是否想在'周四之夜'表演，尽管很紧张，我还是答应了。如果我不答应，对他就不公平，毕竟他多年来对我施以信任。但这并不是说我不担心‘周四之夜’。我一直刻苦练习曲子，我得承认，我确实有点担心。但我知道这是给我父母惊喜的好机会。不管怎样，您看，我一直都有这么个幻想。即便是在我的演奏极度令人沮丧之时。我总是幻想着花几个月时间，把自己锁在什么地方，练习，练习，再练习。我父母几个月几个月地看不见我。然后，有一天我突然回家。可能是个周日下午。反正是父亲也在家的某个时间。我进门，一句话不说，直接走到钢琴边，掀开盖子，开始弹奏。我甚至外套都不脱，只是不停地弹呀弹。巴赫、肖邦、贝多芬。然后是现代乐曲，格雷贝尔、卡赞、穆莱利。只是不停地弹。我父母跟着我走进餐厅，吃惊地看着我。他们做梦都想不到这种场景。但之后，让他们震惊的是，他们意识到就在我弹奏的过程中，我的水平越来越高超。壮丽的、细腻的慢板。惊人的、强烈的华美乐段。演奏技艺越来越高。他们就站在屋子中间，父亲依然一脸茫然地拿着正在看的报纸，两个人都完全惊呆了。我会以出色的终曲结束，最后转身对着他们……呃，我也不确定之后会发生什么。但从我十三四岁开始就一直有这样的幻想。‘周四之夜’可能不会出现这样的结果，但可能会很接近。我说过，情况改变了，我肯定现在差不多达到那个水平了。啊，瑞德先生，我们到了。我肯定，对您的那些记者来说时间刚刚好。”

市中心是如此的静谧。没有繁忙交通的干扰。我很难认出这就是市中心。但是，果不其然，我们正驶向酒店大门入口。

“如果您不介意，”斯蒂芬继续道，“我在这里放下您和鲍里斯。我得绕到后面去停车。”

后座上，鲍里斯看起来很累了，但还醒着。我们下车，我让小男孩道了谢之后，领着他走进酒店。

第七章

大厅里光线昏暗，整座酒店仿佛都陷入了沉寂。我刚到时见到的那位接待员又当班了，他这会儿在接待台后面的座位上，看上去睡得正香。我们走近时，他抬起头，认出了我，努力让自己清醒过来。

“晚上好，先生。”他开心地说，但紧接着疲倦似乎再次袭来。

“晚上好。我需要再开一间房。给鲍里斯。”我手放在小男孩肩膀上。“离我尽量近些。”

“我帮您看看，瑞德先生。”

“其实，您的迎宾员古斯塔夫，他正好是鲍里斯的外公。我在想他是否碰巧还在酒店。”

“哦，是的。古斯塔夫住在这儿。他在阁楼上有个小房间。但这会儿，我想他睡了吧。”

“或许他不介意被叫醒呢，我知道他会立刻想见到鲍里斯的。”

接待员不安地看了眼手表。“呃，只要您吩咐的，先生，”他迟疑地说道，拿起电话。停了一小会儿，我听到他接通了。

“古斯塔夫？古斯塔夫，很抱歉。我是瓦特。是的，是的，很抱歉叫醒你。是的，我知道，非常抱歉。但请听着，瑞德先生刚刚回来，他带着你的外孙。”

随后，接待员听着，点了几次头。然后他放下听筒，微笑地看着我。

“他马上就来。他说他会安排好一切的。”

“太好了。”

“瑞德先生，您现在一定很累了。”

“是的，很累。今天真是筋疲力尽。但我还有一个约会，应该有些记者在这儿等我吧。”

“啊，后来，大概一个小时前他们走了。他们说会另行安排时间。当时我提议他们直接联系斯达特曼小姐，这样您就不会被他们打扰了。真的，先生，您看起来很累。您别担心这种事情了，上床休息吧。”

“好的。我也这么想。嗬。这么说他们走了。他们先是早到，现在又走了。”

“是的，先生，很烦人呐。但我得说，瑞德先生，您现在得上床睡会儿。您真的别担心。我肯定一切都会处理好的。”

我很感激年轻的接待员说了这番安慰的话，几个小时以来第一次感到一阵轻松。我把胳膊肘放在接待台上，没多大会儿，就站着开始打起瞌睡来了。不过，我并没有真的睡着，一直都清醒着，感觉到鲍里斯把头重重地靠在我身上，还能听到我面前接待员的声音，继续安慰地说着。

“古斯塔夫不会太久的，”他说道，“他会把您的小孩照顾得很舒服的。真的，先生，没什么好担心的。还有斯达特曼小姐，我们酒店的人认识她很久了。她做事可麻利啦。她以前处理过很多重要访客的事情，对她的印象百分之百的好。她从不出错。所以您那些记者就交给她去操心吧，不会有问题的。至于鲍里斯，我们会在您对面给他安排一间房。早上的风景很好，他一定会喜欢。所以，瑞德先生，我真的觉得您应该上床休息了。可以想象，今天也干不了什么事了。事实上，请允许我大胆建议，您一上楼就把鲍里斯交给他外公。古斯塔夫马上就到，他这会儿正在穿制服，会耽误他一会儿。他会很快下来，穿戴整齐，这就是古斯塔夫，整洁无瑕的制服，没有一点不得体的地方。他一来，您就把所有事情交给他处理。他随时都有可能下来。这会儿，他正坐在床边，绑系鞋带呢。马上就会准备好，会一跳而起，但他得注意，不要撞到屋椽上。迅速梳下头，然后出门走上过道。是的，他随时都可能过来，您可以直接上楼回房，放松一下，然后睡个好觉。我建议您来一杯睡前酒，您的小冰柜里有一种已经调好的特别的鸡尾酒，非常不错。或者您更中意送点热饮上来？ 您可以听点收音机里舒缓的音乐。广播里有个频道，晚上这个时间正在播放斯德哥尔摩之声，安静的午夜爵士乐，非常舒缓，我经常听它来放松。或者若您需要真正放松的话，我可以建议您去看场电影？ 我们很多客人这会儿都在看电影呢。”

他最后的话——说起电影——让我睡意全无。我直起身，说道：

“抱歉，你刚刚说什么？很多客人都去看电影了？”

“是的，街角有家电影院在放夜场电影。很多客人觉得辛苦一天之后，去那里看场电影能帮他们放松。您可以不喝鸡尾酒或者热饮，完全可以换一种方式嘛。”

接待员手边的电话响起，他说了声不好意思，拿起话筒。

我注意到他一边听一边尴尬地朝我看了好几次。然后他说："他在这儿，女士。"然后把听筒给了我。

"您好。"我说。

对方好一阵沉默。然后一个声音响起："是我。"

过了好一会儿，我才听出是索菲。但我一听出是她，一种对她强烈的愤怒感就向我袭来，只是碍于鲍里斯在场，我才没对着电话狂怒大叫。最后我冷冷地说道："是你啊。"

又一阵短暂的沉默，她说："我在外面给你打电话。在街上。我看到你和鲍里斯进去了。他现在看不到我可能更好些。现在已经远远过了他的就寝时间。千万不要让他知道你在和我说话。"

我低头看了眼鲍里斯，他正靠着我站着打瞌睡。

"那你到底想干什么？"我问。

我听到她重重地叹了口气，然后她说：

"你生我气也是应该的。我……我不知道怎么回事。我明白自己现在有多愚蠢……"

"听着，"我打断她，担心自己可能没法压住火气，"你到底在哪儿？"

"在街的另一头。拱门下面，一排古董店门前。"

"我马上过来。呆在那儿别动。"

我把话筒递回给接待员，看到鲍里斯整个通话过程都睡着，我松了一口气。而这时，电梯门开了，古斯塔夫走了出来，踏上地毯。

他的制服看起来确实整洁无瑕。他稀疏的白发湿漉漉的，而且梳理整齐。双眼红肿，步伐有点僵硬，这可以说是唯一证明他几分钟前还在熟睡的迹象了。

“啊，晚上好，先生。”他边说边走近。

“晚上好。”

“您带着鲍里斯呢，这样麻烦您真过意不去。您真太好了。”古斯塔夫走近了几步，轻柔地微笑着看着他的外孙。“天哪，先生，看看他。睡得这么沉。”

“是的，他很累了。”我说。

“他这样睡着，看起来仍很小。”迎宾员继续温柔地看着他好一会儿。然后他抬头看着我，说：“我在想，先生，不知您有没有跟索菲谈过。我下午一直在想你们谈得怎么样。”

“呃，我确实跟她说话了，是的。”

“啊，您有没有发现什么端倪？”

“端倪？”

“什么困扰着她？”

“啊。呃，她倒是说了一些事情……老实讲，我之前跟你说过的，像我这样的外人很难明辨就里。自然啰，对于可能困扰她的事情我倒也略知一二，但真的，我真觉得你亲自跟她谈谈最好。”

“但您看，先生，我相信我之前跟您解释过……”

“是的，是的，你和索菲不直接交谈，我记得。”我突然不耐烦地说道，“但是，可以肯定的是，如果这对你重要的话……”

“这事对我来说至关重要。哦，是的，先生，至关重要。您知道的，是为了鲍里斯。如果我们不快点把这件事弄清楚，他心里会很焦虑的，我知道他现在已经这样了。已经有明显的迹象了。您只要看看他，他现在的样子，先生，就知道他真的还很小。我们欠他的，应让他的世界远离这些烦恼，哪怕只能短短地再维持一段时间，您不这样想吗，先生？其实，说这件事对我来说至关重要算是轻描淡写了。最近，我日日夜夜都在担心啊。但您看……”他停了下来，眼神空洞地望着面前的地板，然后轻轻摇了摇头，叹了口气。“您说我该自己和索菲谈谈。不是那么简单的，先生。您得了解这背后的故事。您看，我们有这个……这个默契多年了。从她小时候起。当然，她非常非常小的时候，事情不是现在这样的。大概到了她八九岁时，哦，我和索菲，我们经常聊天。我给她讲故事，我们绕着老城区散步，手牵手，就我们两个，不停地讲，不停地说。您千万别误会，先生。我那时非常爱索菲，到现在还是。哦，是的，先生。她小的时候，我们很亲近。这默契是从她八岁起开始的。是的，那时她八岁。顺便说一句，先生，我们之间的这一默契，我原本以为不会持续太长时间。我当时觉得也就是个几天的事。就是这样，先生，我就是这样想的。第一天，我记得我下班，想给我妻子在厨房搭个搁板。索菲一直跟着我转，问问这，主动要求取这取那，一心想帮我。我一直沉默着，先生，我完全沉默。当然，她很快就惶惑不宁了，我看得出的。但我决心已定，必须坚守。对我来说，这可不容易啊，先生。哦，天哪，一点不容易。我爱我的小姑娘胜过世上的一切，但我告诉自己非坚强不可。三天，我对自己说，三天就够了，三天就结束了。就三天，然后我就能下班进门，再抱起她，紧紧搂着她，告诉彼此一切。也就是说，把这几天没说的话全补上。那时候，我在阿尔巴酒店工作，到第三天快结束的时候，您能想象，我渴望着当班结束，再回到家，看看我的小索菲。所以您也就能理解那天我回到公寓，叫索菲，她却拒绝来迎接我的时候，我有多失望。而且我过去找她时，她故意撇开我，一句话都没说就离开了屋子。您能想象，我很受伤，而且还有点生气——我刚刚也说过了，我度过了艰难的一天，特别希望见到她。我对自己说，她要想这样，我就要看看结果会怎样。于是，我和妻子吃完晚饭，没对索菲说一句话就上床睡觉了。我猜就是那时候开始的。一天天过去了，不知不觉地，这就成了我们两人之间的默契了。我不想您误会我，先生，我们不经常吵架，我们之间很快就没有敌意了。实际上，不管是那时候还是现在，我和索菲彼此一直都互相体谅。我们只是不说话。我承认，先生，我那时可没料到事情会持续这么久。我想，我的本意应该是在某个适当的时间——一个特殊的日子，比如她生日——我们摒弃前嫌，回到往日的时光。但之后她生日来临，然后圣诞节过去，一来一去，先生，我们就是再也回不到从前去了。然后，她十一岁的时候，发生了一件难过的小事。那时候，索菲养了一只白色小仓鼠，起名叫乌利希，她非常喜欢它。她能连续几个小时不停地跟它讲话，放在手心里带着它在公寓里转悠。然后有一天这小东西不见了。索菲把所有地方都找遍了。她母亲和我也找遍了整个公寓，我们还问了邻居，但都没有结果。我妻子尽力安慰索菲说乌利希很安全——它只不过去度个小假，用不了多久就会回来。然后，一天晚上，我妻子出去了，剩下我和索菲在家。我在卧室听收音机，声音开得很大——正在广播一场演奏会——这时，我听到索菲在客厅里难以自抑地哭泣。我马上就猜到她终于找到了乌利希，或者说它的尸体——它已经失踪了几周了。唉，卧室和客厅之间的门关着，而且，我说过，收音机声音很大，所以完全能想到我可能听不到她的声音。所以我一直呆在卧室，耳朵贴着门，身后继续放着音乐。我当然好几次想过出去看看她，但我站在门边时间越长，突然冲出去就会显得越发奇怪。因为，先生，她其实没有大声抽泣。过了一会儿，我甚至又坐下了，想要假装从没听见。但是，当然了，听到她那样哭泣我感觉自己心都快被撕裂了；我很快发现自己又站在了门边，趴在门上，想透过音乐听听索菲的声音。我告诉自己，如果她叫我，如果她敲门或者叫我，那我就出去。我当初是这样决定的。如果她喊：'爸爸！'我就冲进去。我会解释说因为音乐声太大了，刚才没听到她哭。我等啊等，但她没有叫我也没有敲门。心神狂乱地哭了一阵后，她做的唯一一件事——先生，跟您说，那哭声可是直达心底啊——她仿佛自言自语地大叫道——我强调一下，先生，自言自语——她大叫：'我把乌利希忘在盒子里了！是我的错！我忘记了！是我的错！'我后来知道，原来索菲把乌利希放在一个小礼品盒里了。她本想带它去什么地方，她总是带它出去，给它看各种各样的东西。她把它放在这个小礼品盒里，正准备出去，但发生了点事情，她就分神了，根本就没出去，同时忘了乌利希还在小礼品盒里。我刚刚说的那天晚上是几周后了。她在公寓里做什么事情，然后突然想起来了。您能想象那一刻对我的小女儿来说多么可怕吗！突然想起这样的事，或许抱有一线希望，希望自己记错了，冲到盒子那里。当然，乌利希还在那里，静静地躺在里面。侧耳倾听，我那时当然不确定发生了什么，但她大叫的那一刻，我差不多猜得出来了。'我把乌利希忘在盒子里了！是我的错！'但我想让您明白，先生，她似乎是在自言自语。如果她说：'爸爸！求你出来……'但没有。即便这样，我其实想着：'如果她再那样大叫，我就出去。'但她没有。她只是继续哭泣。我能想象出她双手捧着乌利希的样子，或许希望它还有救……哦，这对我不容易啊，先生，我一直呆在卧室，身后的音乐继续响着。好一会儿之后，我听到我妻子进门，两人在说话，索菲又哭了。然后，我妻子走进卧室，告诉我发生了什么。‘你什么都没听见吗？’她问，而我说：‘哦，天哪，没有听见呀，我在听音乐会。’第二天早上，早餐的时候，索菲什么都没对我说，我也什么都没对她说。换句话说，我们只是坚守着我们的默契。但我意识到，毫无疑问索菲知道我听到了。而且，她没有因此而记恨我。像平常一样，她递给我奶罐、黄油，她甚至帮我收拾了盘子——一点额外的小服务。我说的是，先生，索菲明白我们的约定，而且尊重这一约定。之后，您能想象，整个事情就这样了。您看，我们既然没有因为乌利希的事情而结束这一默契，如果没有什么，至少说意义同等重大的事情发生的话，结束这一默契仿佛就不合时宜了。真的，先生，如果没有特殊原因，某天突然就打破了这个默契，这不仅怪怪的，而且还贬低了整个乌利希事件给我女儿带来的悲剧。我真的希望您能明白，先生。不管怎样，我说过，这之后，我们的默契变得，呃，十分牢固，而即便在现在的情况下，我突然打破这长久以来的约定好像也不合适。我敢说，索菲也深有同感。这就是我请您帮我这个特殊小忙的原因，尤其是因为今天下午您碰巧走那条路……”

“是的，是的，是的，”我打断他，又感到一阵不耐烦。然后我更加柔声地说：“我理解您和女儿之间的立场。但我在想，难道没有可能，这件事——你们的默契——难道这件事本身就不可能在她心底困扰她吗？ 您上次看到她沮丧地坐在咖啡馆，难道就没有可能是她在想你们的默契这个事情呢？”

这一问好似吓了古斯塔夫一跳。许久，他都保持沉默。最后他说："我从没这样想过，先生，您刚跟我说的，我得好好想想。我得说，我之前从没想过。"他又沉默了一会儿，脸上一副迷惑的表情。然后他抬头，说道："但为什么她现在这么关心默契的问题？都过了这么久了？"他慢慢摇了摇头。"我能问问您吗，先生，您是在和她谈过之后想到这个问题的吗？"

我突然感觉很累，希望了断整件事。"我不知道，我不知道，"我说，"我说过很多次了，这种家庭事务……我只是个外人。我怎么能判断？我只是说有这种可能性。"

"这事我肯定得好好考虑考虑。为了鲍里斯好，我得考察每一个可能性。是的，我要好好想想。"他又沉默了，脸上的表情越来越困惑。"我在想，先生，"他最后说，"我想再请您帮个忙。下次见到索菲，或许您不妨特别注意一下这个可能性。我知道您会很巧妙地处理此事。我一般不会提这样的要求，但是，您看，我是在为鲍里斯着想。我会非常感谢您的。"

他哀求地看着我。最后我叹了口气，说："好吧。我会尽力帮助鲍里斯的。但我只能在此声明，像我这么个外人……"

可能是提到了他的名字的缘故，鲍里斯那时醒了过来。

"外公！"他惊呼一声，松开我，兴奋地奔向古斯塔夫，显然意欲拥抱他。但最后一刻，小男孩好似想起了什么，只是伸出了手。

"晚上好，外公。"他平静而持重地说。

"晚上好，鲍里斯。"古斯塔夫轻轻地拍了拍他的头。"很高兴再见到你。今天过得怎么样？"

鲍里斯随意地耸了耸肩。"有点累。很平常的一天。"

“等一下，”古斯塔夫说，“我会处理好一切。”

迎宾员走向接待台，搂着外孙的双肩。接下来一会儿，他和接待员低声用酒店行话交流了几句。然后两人点头，表示一致同意什么事情，接待员递过一把钥匙。

“请跟我来，先生。”古斯塔夫说，“我带您到鲍里斯的房间。”

“实际上，我还有个约会。”

“这个时辰？您真是太忙碌啦，先生。呃，那样的话，能允许我自己带鲍里斯上楼安顿好他吗？”

“能那样太好了，太感谢了。”

我和他们一起走到电梯前，临关门前最后一次挥手道别。然后，顷刻间，之前的沮丧和愤怒再也控制不住汹涌而出。我没对接待员再说一句话，径直穿过大厅，再次投入茫茫夜色。

第八章

街道荒凉又寂静。过了好一阵子，我才找到——就在街对面不远处——索菲电话里提到的石头拱门。我向石拱门走去的时候，有那么一刹那，我猜想她是不是惊慌失措逃掉了。可是，过了会，看到她的身形从阴影中冒出，我分明感到愤怒再次升腾。

她的表情并没有我想象中的那么温顺。她仔细地瞧着我，我走上前，她几近镇定地对我说道：

“你完全有权利生气。我也不知道我是怎么了，大概是糊涂了。你完全有权利生气，我知道。”

我无动于衷地看着她。“生气？ 哦，我明白了。你是在说今晚早些时候的事。嗯，是的，我得说，我真替鲍里斯失望。显然，他很烦乱。但就我自己来说，坦白讲，我可没花多大工夫想这事，我忙着呢。”

“我不知道为什么会这样。我知道你多依赖我……”

“我从没依赖过你。我觉得你应该冷静点。”我不在意地笑了笑，开始慢慢走起来。“就我而言，这不过是个小问题。不管有没有你的支持，我都能处理我的工作。我只是替鲍里斯失望，仅此而已。”

“我是很愚蠢，我现在明白了。”索菲和我并肩走着。“我不知道，我是以为你和鲍里斯——你得从我的角度看——你和鲍里斯慢吞吞地跟在后面，我以为也许你并不热衷于我计划的夜晚，我猜想可能你无论如何都会抽身离去……听着，如果你愿意，我会告诉你一切。你想知道的一切。每个细节……”

我停下脚步，转身面对她。“显然，我没表达清楚。对你说的，我一点也不感兴趣。我来这儿，只是想呼吸下新鲜空气，放松放松。今天很辛苦，实际上，我来这儿只是想在睡前看场电影。”

“电影？ 哪部电影？”

“我怎么知道哪部电影？ 午夜场电影吧。这儿下去有个电影院。我想去那儿随便看场电影。今天真的很累。”

我又开始走，这次更是故意为之。过了一会儿，令我心满意足的是，我听到她的脚步追上来。

“你真的不生气？”她赶上来问。

“我当然不生气。干吗要生气？”

“我能去吗？ 跟你一起看电影？”

我耸了耸肩，继续平稳地走着。“随便。非常欢迎。”

索菲抓着我的胳膊。“你想的话，我会和盘托出一切。我会告诉你一切。你想知道的所有事情……”

“听着，还要我说多少次？ 我一点也不感兴趣。我现在就是想放松放松。未来几天会压力重重啊。”

她继续抓着我胳膊，我们一起默默地走了一会儿。然后她悄悄地说：“你可真好，这么善解人意。”

我没搭话。过了一会儿，我们渐渐远离人行道，继续走在荒凉的街道中间。

“只要我找到合适我们的家，”她最后终于说，“一切就会好起来。一定会的。早上我要看的地方，我真的很期待。听起来是我们一直梦想的。”

“是的，希望如此。”

“你就不能更兴奋点吗？ 这可能是我们的转折点哟。”

我耸了耸肩，继续走着。电影院还有点距离，但作为照耀黑暗街道的唯一一点亮光，我们双眼一直紧盯着它。然后，我们走近时，索菲叹了口气，我们停了下来。

“或许，我还是不进去的好。”她说，松开了她的手。“我明天要花很多时间看房。得早起。我还是回去为好。”

不知何故，她的话让我颇为吃惊，一时间我无法决断如何回应。我朝电影院那边望了一眼，然后转头对着索菲。

“你刚才不是说你想……”我开始说，然后停下来，比较平和地说：“听着，这部电影不错。我肯定你会喜欢。”

“但你还不知道是哪部电影呀。”

我脑中闪过一个念头，觉得她是在玩什么花样。即便如此，一阵奇怪的惊慌感还是席卷而来，我禁不住开口求她：

“你知道我的意思。是那个接待员，他建议我来看。我知道他人很可靠。再说呢，这酒店也得考虑其名声吧。总不至于会推荐……”我的声音越来越小，索菲开始离我而去，这让我愈加惊惶恐慌。“听着，”我提高嗓门说，不再在意谁听见，“我知道这部电影不错。况且我们很久没一起看电影了。这是事实，对吗？ 我们上次一起看电影是什么时候的事了？”

索菲好像在思考这个问题，然后终于笑了笑，回身朝我走来。

“好吧，”她说，轻轻拉着我的胳膊。“好吧。很晚了，但我还是会和你一起看的。你说过的，我们已经好久好久没一起这样子了。我们真该好好玩玩。”

我重重地舒了一口气，进电影院的时候，我所能做的就是尽量不要紧紧地拉着她靠近我。索菲好像感觉到了什么，把头靠在我肩上。

“你真好，”她温柔地说，“不生我的气。”

“有什么可生气的？”我低声说，一边四下张望着大厅。

我们前面不远处，最后一队人拥挤着进入剧场。我四处查看什么地方买票，但售票处已经关闭了，我突然想到电影院和酒店之间可能存在什么特别的约定。不管怎样，我和索菲走到队尾，一个穿绿色套装的男人站在门口，冲我们笑了笑，引着我们和其他人一起进去了。

当真是座无虚席。灯光还没有暗下来，很多人四处走动着寻找座位。我还在找寻，看看我们能坐哪儿，这时，索菲兴奋地使劲掐我胳膊。

“哦，我们买点什么吧，”她说，“冰激凌，或者爆米花，或者别的什么。”

她指着远处，剧场前方。一个穿制服、拿着一托盘小吃的女人面前排起了小队。

“当然，”我说，“但我们得快点，不然就没位子了。这儿很挤。”

我们一路挤到前方，排着队。过了一会儿，我站在那儿，心中怒气又开始升腾，直到最后，被迫转身背对着索菲。然后我听到她在背后说：

“我得坦白。其实我今晚到酒店不是来找你的。我甚至不知道你们两个会出现在那儿。”

“哦？”我身体前倾，望着那一托盘小吃。

“经历了这些事之后，”索菲继续说，“我意思是，我一想到自己多傻，呃，我就不知道该怎么办了。然后我突然想起爸爸的冬大衣，想起我还没给他。”

我听到一阵窸窸窣窣的杂音，转过身，才头一次发现索菲一只胳膊下夹着一个软不拉儿的棕色纸包。她把它举到半空，又很快放了下来，显然那东西很重。

“太傻了，”她说，“没必要惊慌。但你看，我突然感觉到空气中冬天的味道。我想起这件大衣，想立刻拿给他。所以我包起来，就出门了。然后，我来到酒店，夜晚却很温暖。我明白自己在为无谓的事情惊慌，就不确定该不该进去，今晚就给他。所以我站在那儿，越来越晚，最后我意识到爸爸可能上床休息了。我想过把东西放在接待处，但又想亲自给他。我在想，呃，也可以几周后给他嘛，天气还很暖和呢。这时候，一辆车停下来，你和鲍里斯下车了。事情就是这样。”

“我知道了。”

“否则，我都不知道还有没有勇气面对你。但我就在那儿，就在你对面的街上，所以我深吸了口气，打了电话。”

“呃，很开心你这样做了。”我示意周围。“毕竟，我们很久没像这样，一起来看电影了。”

她没回答，我看她的时候，她正深情地盯着胳膊下的包裹，另一只手拍了拍它。

“还要好一阵儿才换季呢，”她低语，与其说是对着我，还不如说是对着大衣。“所以没必要这么着急。我可以几周后再给他。”

我们现在已经排到了队伍前方，索菲走到我前头，急切地瞄着穿制服的女人端着的托盘。

“您要点什么？”她问。“我想要一杯冰激凌。不，巧克力雪糕。一个这个。”

越过她肩膀，我看到托盘里有普通冰激凌和巧克力块。但奇怪的是，这些都被凌乱地推到托盘边上，而中间留了很大地方给一大本破烂书。我倾身翻看了一下。

“这是本很有用的手册，先生。”制服女人急切地说，“我诚心推荐。我知道我不该在这儿兜售这个。但经理不介意我们卖零散的个人物品，只要我们不经常那样就行了。”

封面上是一张照片，一个男人穿着工装裤微笑着，站在步梯的半中间，一只手拿着漆刷，胳膊下夹着一卷墙纸。我拿起它，感觉装订要散架了。

“实际上，这是我大儿子的，”制服女人继续说道，“但现在他长大了，去了瑞典，我上个星期终于开始整理他的物品。觉得有点意义的都留下来了，剩下的都扔了。但有一两样东西不好归类。这本旧手册，先生，我不能说它多有意义，但很有用，告诉你怎么整房子，装修，贴瓷砖，什么都有，一步一步的，还配有很清晰的示意图。我记得，我儿子在成长的过程中觉得这些很有用。我知道它有点破旧了，但它真的是最有用的书了。我不会要太多的，先生。”

“说不定鲍里斯会喜欢。”我对索菲说，随手翻着。

“哦，先生，您家要是有小男孩的话，真的就太好了。从我们自己的经验来说，我敢担保。我儿子那么大的时候，从这书里学到了不少。刷漆，贴瓷砖，什么都有。”

灯光开始暗下来了，我想起我们还没找到位子呢。

"很好，谢谢。"我说。

我付了钱，女人很感谢我。我们拿着书和冰激凌走开了。

"你能这样想着鲍里斯，真是太好了。"我们走在过道上时，索菲说。然后，她又举起包裹，抱在胸前，一阵沙沙作响。

"想到爸爸去年一冬天没有件像样的外套，感觉很奇怪。"她说，"但他就是自尊心太强，不肯穿那件旧的。去年很暖和，所以没什么关系。但他不能那样再过一冬了。"

"嗯，他当然不该。"

"我真是没眼力见儿。我知道爸爸年事渐高了，一直在考虑这些事。比如说，退休的事。他越来越老，迟早要面对。"然后她悄悄地补充说："我过几周再给他，应该没什么问题。"

灯光又暗了，观众安静了下来，殷切地期盼着。我意识到剧场比先前更拥挤了，在想是不是座位找得太晚了。我们眼前全黑时，引座员走下了过道，手里拿着手电筒，示意了一下近前方的两个座位。我和索菲沿这排慢慢走进去，低声道着歉，坐下，广告正好开始。

大部分广告都是宣传当地企业，似乎没完没了。最后主片终于开始时，我们已经坐了至少半个小时了，看到是部科幻经典，我松了口气，名字叫《2001：太空漫游》——我最中意的一部，百看不厌。那引人注目的史前世界的开头一出现在大银幕上，我就感到自己放松了，很快舒服地欣赏起电影。电影叙述快到一半——克林特·伊斯特伍德和尤·伯连纳登上太空飞船，驶往木星的时候——我听到索菲在我旁边说：

"但天气会变。就像那样。"

我以为她是指电影，小声回应她，表示同意。但几分钟后，她说：

"去年，秋天阳光明媚，跟今年一样，持续了很久。人们坐在户外喝着咖啡，一直到十一月。然后突然，几乎一夜间，变得很冷。今年很可能又是那样。这些事都说不准的，是不是？"

"是的，没错。"这时，我当然已经意识到她又在说外套的事了。

"但倒也没那么着急。"她小声说。

下一刻我再看她的时候，她好像又看起了电影。我也回头看着大银幕，但不一会儿，记忆的碎片蜂拥而至，在漆黑一片的电影院里，我的注意力再次从电影上转移开去。

我想起一个场面，非常生动。我坐在一张不舒服的、好像还脏兮兮的椅子上。可能是早上，阴天，灰沉沉的，我面前举着张报纸。鲍里斯趴在近旁的地毯上，用蜡笔在素描本上画着。从小男孩的年纪来看——他还很小——我猜这是六七年前的事了，但哪间屋、哪幢房，我记不起来了。隔壁房间的门半开着，能听到几个女人在聊天。

我坐在一张很不舒服的扶手椅上，继续读着报纸，好一会儿，直到鲍里斯的举止或者说姿势发生了点细微的变化，我才低头看了一眼。然后，我立即明白了眼前的状况。鲍里斯在本子上成功地画出了清晰可辨的"超人"形象。他已经试了几个星期了，但不论我们如何鼓励，他都画不出一个哪怕有一点点相似的形象。然而这会儿，可能是侥幸，再加上儿童时期常有的真正突破，他突然成功了。草稿还没画完——嘴巴和眼睛有待完善——但尽管如此，我立刻就能看出这幅画对他来说意味着巨大成功。其实，假如那一刻我没有注意到他正紧张地探着身子，蜡笔仍停留在纸的上方，我倒是要对他说点什么的。我意识到，他在犹豫是不是要再改进一下，但又怕会毁掉这幅杰作。我能强烈地感觉到他的两难处境，经不起心中的诱惑，差点就要脱口而出："鲍里斯，住手吧。行了。停下来吧，给大家看看你的杰作。给我看看，给你母亲看看，还有在隔壁屋聊天的所有人。就算没完成又怎么样？ 人人都会吃惊，为你骄傲的。停下来，不然就全毁了。"但我什么都没说，而是继续透过报纸的缝隙看着他。最后鲍里斯下定决心，开始小心翼翼地添上几笔，然后，他弓着身子，信心大增，开始还有些鲁莽地用起蜡笔。过了一会儿，他突然停下，静静地看着那张纸。然后——甚至现在我还能想起他当时心中翻涌的凄楚——我眼睁睁地看着他试图抢救他的画作，添了一笔又一笔。最后，他脸沉了下来，把蜡笔往纸上一扔，起身，一声没出就离开了房间。

整个事件对我影响之深，我自己都感到不可思议，我还在调整自己的情绪，这时候索菲的声音在身边骤然响起：

"你就是不明白，是吧？"

我惊异于她语气中的怨恨，便放下报纸，发现她站在房间里，瞪着我。然后她说：

"你都不知道，看着发生的一切，我心里什么感觉，而对你来说却永远不会有那种感觉。你看看你，就只会看报纸。"然后她压低声音，声音反而更有力量了。"这就是差别！ 他不是你生的。不管你怎么说，就是不同。你永远不会觉得自己是他亲生父亲。看看你！ 你根本不了解我刚刚的感受。"

说罢，她转身离开房间，消失了。

我想过跟着她进隔壁房间，不管有没有客人，都把她带出来好好谈谈。但最后，我决定最好坐在那儿等她自己回来。果然，几分钟后，索菲又回来了，但她的态度让我说不出口，然后她又出去了。实际上，在随后的半个小时中，虽然索菲又多次出入房间，虽说我决计要让她明白我的感受，但我愣是一直没说话。终于，过了某一时点，我意识到，要提起这个话题而不显得可笑的机会已一去不返了。带着强烈的受伤感和挫败感，我继续读我的报纸。

"抱歉。"我听到身后有个声音，有只手碰了碰我肩膀。我扭过头，看到后排的一个男人前倾着身子，仔细地打量着我。

"是瑞德先生，对吧？ 天哪，还真是。请原谅，我一直在这儿坐着，光线太暗，没认出您。我叫卡尔·佩德森。原本非常期待在今早的招待会上见到您。但当然，因意外的情况您没能出席。在这儿见到您多么凑巧啊。"

那男人头发花白，戴着眼镜，面相和善。我稍稍调整了下姿势。

"啊，是的，佩德森先生。很高兴认识您。如您所说，今早太可惜了。我本人也非常期待，呃，见到大家。"

"碰巧，瑞德先生，还有几位议员现在也在电影院，他们都很遗憾今早没见到您。"他在黑暗中环顾了一下。"如果能确定他们坐在哪儿，我想带您去见见他们，至少其中的一两位吧。" 他转过身，伸长脖子搜寻着身后几排。"不巧的是，现在一个也看不到……"

"我当然很高兴能见见您的同仁们。但现在太晚了，而且他们正在欣赏电影，要不再另找个时间吧。想必还有很多机会的。”

“我现在一个也看不到，”那人扭头对着我，说道，“太可惜了，我知道他们在电影院的某个地方。不管怎样，先生，作为市议会议员，请允许我对您的来访表示无限的欢迎和无上的荣幸！”

“您太客气了。”

“大家都说，布罗茨基先生今天下午在音乐厅表现得非常好，三四个小时不间断地排练。”

“是的，我听说了。很不错。”

“我想知道，先生，您今天是否去了音乐厅？”

“音乐厅？呃，没有。很不巧，我今天还没有机会……”

“当然。您长途跋涉来到这儿。呃，还有很多时间。我肯定您会对我们的音乐厅印象深刻的，瑞德先生。那真的是座美丽的古建筑，无论我们如何败坏这座城市，可没人敢说我们忽视了音乐大厅。很美的老建筑，而且坐落在景色怡人的地方。我是说，在利布曼公园。瑞德先生，您到时候就明白我什么意思了。步行穿过树林（这可是段愉快的路程），然后就会来到一小片空地，就是那儿！音乐厅！到时候，您自己看看就知道了，先生。那是个公众聚会的理想场所，远离街道的喧嚣。我记得小时候，这里还有个城市交响乐队，每月的第一个周日人们都会聚集在音乐厅门口的空地上。我还记得，每家都来，每个人穿得都很整齐漂亮，越来越多的人穿过树林来到这里，相互问候。我们这些小孩到处奔跑撒欢。秋天的时候，我们会做游戏，特别的游戏。我们东奔西跑，收集满目的落叶，送至园丁的屋棚，堆在一旁。在屋棚的墙上，有块特别的木板，大概这么高，上面有个污点。我们彼此相传，说我们得尽量收集树叶，堆积起来，达到那个污点的高度的时候，大人们就开始鱼贯而入进入音乐厅。如果没达到，整个城市就会炸成碎片，诸如此类的。于是我们就在那儿，来回奔跑，满怀抱的都是湿答答的树叶！ 我这个年纪的人很容易怀旧，瑞德先生，但曾几何时，这儿的人无疑都很开心，好似一家人，还有真正长久的友谊。人们互相温暖，温柔以待。这儿曾经是个美好的社区。好多好多年都是这样啊。我马上就76岁了，所以我以人格担保我所说的。”

佩德森沉默了一会儿。他仍前倾着，胳膊放在我座位的靠背上，我看他的时候，发现他的眼睛没盯着银幕，而是看向远方。同时，电影快演到了宇航员们第一次怀疑计算机哈尔的动机，这台计算机对太空飞船上生活的方方面面都至关重要。克林特·伊斯特伍德正潜行在幽闭恐怖的过道上，神情机警，手握长管枪。我正准备开始全神贯注看电影，佩德森又开始说话了：

“跟您说实话吧，我忍不住为他感到些许可惜。我是说，克里斯托弗先生。是的，您可能会觉得奇怪，但我真的为他感到可惜。我也这样对一些同仁讲过，他们只是觉得，哦，这老家伙心软了，谁会为那样一个骗子感到一丁点可惜？ 但您看，比起大多数人，我记得的事情多一点。我还记得克里斯托弗先生第一次到这座城市的情形。当然，我也和其他同仁一样愤怒。但是，您看，我非常清楚，一开始，刚刚开始的时候，不是克里斯托弗先生本人要极力表现的。不，不，是……呃，是我们。也就是说，像我这样的人，我不否认，我还是有点影响力的。是我们鼓励他的，我们赞颂他，奉承他，很明显，我们指望他给我们以启发和动力。至少，对发生的事情，有部分责任在我们。我年轻些的同仁们，早几年他们可能还没有参与太多。他们只知道克里斯托弗先生是个大人物，全世界都围着他转。他们忘了，他本人从没要求被放在这么一个位置上。哦，是的，我记得非常清楚，克里斯托弗先生刚到这座城市的情景，他那时相当年轻，自己一个人，没一点儿架子，甚至很谦虚。如果没人鼓励他，我肯定他会很愉快地融入环境，在某个私人聚会上表演他那怪异的独奏，别的就没什么了。但这都是时机问题，瑞德先生，时机不凑巧啊。克里斯托弗先生出现在我们城市那会儿，我们正经历着，呃，一个空档期。画家伯恩德先生，还有沃尔莫乐先生，一个非常出色的作曲家，长久以来两人都是我们这里文化生活的领军人物，他们在一个月内相继去世，于是这儿弥漫着某种情绪……呃，一种惴惴不安的情绪。两位如此出色的人物过世了，我们都很悲伤，但是我猜想，大家也都觉得现在终于有了变革的机会，一个接受新鲜事物的机会。虽说我们过去一直都很快乐，但是，在这两位先生坐镇中心把持一切这么多年后，人们的某些沮丧情绪有所积累也是难免的。所以您能想象，当人们相传那个寄居在罗斯夫人家的陌生人是个提琴演奏家，曾经和哥德堡交响乐队一起表演过，而且还有几次是在卡齐米日·杜绍基的指挥下，呃，人们的激动可不是一点半点啊。我记得亲自参加过克里斯托弗先生的欢迎会。您看，我记得当时的情形，还记得他起初多么不拿架子。现在，事后想想，甚至可以说他是缺乏自信。很可能是来这儿之前遇到了一些挫折。但我们事事都围着他转，非要他纵论一切，是的，这就是一切的开始。我记得亲自出马劝他举办那首场独奏会。他真的是不愿意。不管怎样，那首场独奏会原本只是个小型活动，就在伯爵夫人家里举办。可就在约定日子的前两天，确定参加人数后，伯爵夫人不得不将地点换到了霍特曼美术馆。自那之后，克里斯托弗先生的独奏会——我们要求至少六个月一次——就在音乐厅举行，而这些独奏会年复一年地便成了我们的谈论热点。但他起初并不愿意，并不光光是那第一次。开头几年，还得我们劝他。然后，很自然地，喝彩声、掌声和拍马声起作用了，很快克里斯托弗先生就忘乎所以了。‘我在这儿成功了，’那时候很多人听到他这样说。‘我一到这儿就成功了。’您看，先生，我的意思是说，是我们逼迫他的。我现在的确为他感到可惜——虽说我敢说，我也许是这城里唯一为他感到可惜的人。您也注意到了吧，现在很多人都挺生他气的。我是很现实的，瑞德先生。你得心狠手辣才行啊。我们的城市危在旦夕，凄惨一片。反正总得从某个地方开始拨乱反正，从中心开始也未尝不可。我们必须心狠手辣，尽管我为他感到可惜，但我明白舍此别无他途。他以及他所代表的一切，现在必须被抛入我们历史的某个黑暗角落。”

我仍稍侧着身子面对他而坐，这样就清楚表明我仍旧在听，但我的注意力已被电影引了回去。此刻，克林特·伊斯特伍德正对着微型电话与他在地球的妻子通话，眼泪顺着脸颊流淌下来。我知道快到最著名的场景了：尤·伯连纳进屋，在克林特·伊斯特伍德面前拍了拍手，测试他出手拔枪的速度。

“抱歉，”我说，“但克里斯托弗先生是多久前来到这城里的？”

我没多想就问出口，但至少一半的注意力还停留在大银幕上。事实上，我又继续盯着大银幕两三分钟后，才留意到身后的佩德森耷拉着脑袋，陷入深深的羞愧当中。感到我的目光重新停留在他身上后，他抬起头，说：

“您问得好极了，瑞德先生。对我们正好是个训诫。十七年又七个月。时间不短啊。这种错误估计也会发生在别的地方，但这么长时间都没有去纠正，这种情况估计就不多了。我明白我们必须得指望一个外人，一个像您这样的人，先生，请允许我这样说，我感到羞愧难当。我不会找借口的。光是承认错误，就要花很多时间。更别提，我敢说，真正明白错在哪里。但要承认它，甚至只是对自己，都很难，而且要花很久。您也知道，我们和克里斯托弗先生牵涉颇深。几乎每个议员都曾经邀请过他去家里。在每年的市宴会上，每次都安排他坐在冯·温特斯坦先生旁边。他的照片都登上了我们市年鉴的封面。他还为罗根坎普展览会项目作序。还有其他的牵涉，渊源太深了。比如，不幸的利伯里希先生的例子。啊，抱歉，我想我刚刚看到在那边的葛尔曼先生了”——他又伸长脖子，向电影院的后排望去——“是的，是葛尔曼先生，如果没错的话，这样的灯光下很难看清，和他在一起的是沙佛先生。这两位先生都参加了今早的欢迎招待会，我知道他们二位见到您会很高兴的。另外，我们刚刚谈论的这件事，我肯定这两位先生会有很多要说的。不知您是否介意去那边见见他们。”

“非常荣幸。但您刚刚正要告诉我……”

“啊，是的，当然。不幸的利伯里希先生的例子。您看，先生，在克里斯托弗先生到来之前的很多年中，利伯里希先生一直是我们这儿最受人敬重的小提琴教师之一。他教授来自最好家境的小孩，非常受人崇敬。话说克里斯托弗先生在第一次独奏后不久，被问及对利伯里希先生的看法，他告诉大家他根本没把利伯里希先生放在眼里，不管是他的演奏还是他的教授方法。几年前，利伯里希先生弥留之际，他几乎失去了一切。

学生、朋友、社会地位。这仅仅是我脑袋里蹦出的一个例子。要承认一直以来我们都错看了克里斯托弗先生——您能想象是多么残酷吗，先生？ 是的，我们曾经很软弱，我承认。不过话又说回来，我们当时也不知道事情会变成现在这样，会变成一种危机。总的来说，人们看起来仍然很开心。一年年过去了，就算有人有所质疑，也会守口如瓶。但我不是在为我们的疏忽而辩解，先生，一点都不是。以我那时在议会的地位，我知道，跟其他人一样，我也应该受到谴责。最后——承认这点，让我感到羞愧难当——最后是这城里的居民，是普普通通的老百姓，才迫使我们直面我们的责任。这些普普通通的老百姓，至少领先了我们一大步，那时候他们的生活已日渐凄惨。我还记得我头一次意识到这个事实的那一刻。那是三年前了，听完克里斯托弗先生最近一次独奏后，我走回家——我记得，当时他演奏的是卡赞的《大提琴和三支笛的怪诞》。我在漆黑的利布曼公园中急匆匆往家走，那天还挺冷的，我看见药师科勒先生走在我前面一点。我知道他也去了音乐会，于是我赶上他，我们开始聊天。起初，我还刻意将想法闷在心里，但后来，我终于问他是否喜欢克里斯托弗先生的独奏。是的，很喜欢，科勒先生说。但他说这话的样子肯定有点不对劲。我记得片刻之后我就再次问起他是否喜欢这场音乐会。这次，科勒先生说他很喜欢，但克里斯托弗先生的表演有点功利。是的，他用的是‘功利’这个词。您能想象吧。我在接下来开口之前仔细斟酌了一番。最后，我决定豁出去了，说道：‘科勒先生，我同意您的看法。有点单调无力。’科勒先生回答说他脑袋里蹦出的单词是‘冷漠’。那时，我们已到了公园大门口。我们互道晚安，就分开了。我记得那晚我几乎一夜未眠，瑞德先生。像科勒先生这样普普通通的老百姓、正派的市民都持这样的看法了。很明显，不能再继续装下去了。是时候该我们——我们这些有影响力的人——坦白我们的错误了，不管牵涉多深，影响多远。啊，请原谅，坐在葛尔曼先生旁边的确确实实是沙佛先生。我知道他们两位对发生的一切有些有趣的见解。他们比我小一辈，看问题肯定会稍稍不同。此外，我知道他们今早多么渴望见到您。我们过去吧，请。”

佩德森站起身，我看着他弯腰靠边穿过他那排座位，小声咕哝着抱歉。走到过道，他才直起身，向我示意。尽管很累，但没办法，只能随他去了，我也站起身，开始向过道挪去。这当儿，我发现电影院里几乎洋溢着喜庆的气氛。这里那里人们都在边看电影边相互逗乐，小声交谈，似乎根本没人介意我从中挤过。相反，人们都把双腿折向一边，或者急切地跳起身来。有几位甚至蜷缩靠在座位上，双脚腾空，一边开心地尖叫。

我一走到过道，佩德森就领着我走上铺着地毯的斜坡，走到后排座位的什么地方。他停下来，做了一个请的动作，说：

“您先请，瑞德先生。”

第九章

我再一次从一排人前面挤过去，这次，佩德森紧跟在我后面，代我小声道歉。不一会儿，我们看到有群人凑在一起，我花了好一会时间才确定他们在打牌，后排的向前倾着身体，前排的向后扭着身体。我们走近，他们抬头。佩德森向他们介绍了我，他们全部起身成半站立姿势。等我舒服地坐在他们中间之后，他们才又重新坐下。我发现自己握了无数只从黑暗中伸出的手。

离我最近的男人穿着一身商务西装，领扣大开，领带松散，满身威士忌的味道，而且我还发现他没办法集中注意力看我。从他肩头望过去，他的同伴瘦瘦的，长着一张古怪的满是雀斑的脸，看起来较清醒，但领带也是松散着。我还没来得及看清楚其他人，那个醉汉再次握了握我的手，说：

“希望你喜欢这部电影，先生。”

“很喜欢，其实，这碰巧是我一直以来都很喜欢的一部。”

“哦，幸好今晚放的是这部。是的。我也喜欢这部电影。经典之作啊。瑞德先生，您要不要接我这手牌？”他把手里的牌举到我面前。

“不，谢谢。请别因为我打断你们。”

“我刚刚告诉瑞德先生，”佩德森在我后面说，“这儿的生活大不如前，甚至对你们这些比我年轻的绅士来说也是，我肯定你们能证实……”

“啊，是的，过去的美好时光，”那醉汉迷迷糊糊地说，“啊，是的，过去美好的日子，一切都很美好。”

“西奥在想罗莎·卡莱纳了。”他身后的雀斑男人说，引起周围一阵哄笑。

“胡说，”醉汉抗议道，“别在我们尊贵的客人面前让我难堪了。”

“哦，好的，好的。”他朋友继续道，“西奥过去曾深深地爱上了罗莎·卡莱纳，就是现在的克里斯托弗夫人。”

“我从没爱过她。再说，我那个时候已经结婚了。”

“那就更可惜了，西奥。实在太可惜了。”

“胡说八道。”

“我记得，西奥，”后排传来一个陌生声音，“你过去没完没了，老是谈论罗莎·卡莱纳，简直烦死我们了。”

“我那时候不知道她的本性。”

“吸引你的正是她的真本性吧，”那个声音继续道，“你老是觊觎那些不肯多看你三秒的女人。”

“这话没错。”雀斑男人说。

“什么没错……”

“不，让我来解释给瑞德先生听。”雀斑男人把手放在他醉汉朋友肩上，斜着身子对我说，“现在的克里斯托弗夫人——我们还是愿意叫她罗莎·卡莱纳——她是本地姑娘，和我们一样，跟我们一起长大。她依旧是个美人胚，而那时候，呃，她迷住了我们所有人。她很美，也很难接近。她曾经在时力高画廊工作，现在已经关门了。她过去常常坐在桌子后面，其实不过就是个服务员。她经常周二和周四在那儿……”

“周二和周五。”醉汉打断他。

“周二和周五。抱歉。当然了，西奥记得。总之，他常去那画廊——就是间白色小屋子——他总是去，假装看展览。”

“胡说……”

“不只你一个，是不是，西奥？ 你还有很多情敌。尤尔根·哈泽。艾里奇·布鲁尔。甚至还有海因茨·沃达克。他们都是常客。”

“还有奥托·罗舍尔。”西奥怀念地说，“他常去。”

“真的吗？ 是的，罗莎有很多倾慕者。”

“我从没跟她说过话，”西奥说，“除了一次，我问她要本目录。”

“对罗莎来说，事情再明显不过了，”雀斑男人继续道，“自从十几岁开始，她就认为所有本地男子都配不上她。渐渐地，她因以几近无情的方式拒绝他人的追求而闻名。所以，像西奥这样的可怜虫，没怎么跟她说过话，还真是明智啊。但只要有什么名人、艺术家、音乐家、作家这样的人来往这里，她就会不顾廉耻追随他们。她总是加入这样那样的委员会，也就是说能接近几乎所有造访这里的名流。她会去赶所有的招待会，活动开始后的半个小时内，就把客人弄到一个角落，聊啊聊，聊啊聊，而且直勾勾地盯着他的双眼。当然，这引起了很多的揣测——我是说，关于她的性行为——但没人能证明什么。她总是很聪明。但你看看她那讨好来访名流的样子，不禁怀疑她至少和其中一些人有什么瓜葛。她非常迷人，肯定迷倒一大片。但对本地男人，她连看都不看一眼。”

“汉斯·荣鲍德老是声称和她有过一腿。”叫西奥的男子插话道，引起了很多笑声。不远处几个声音嘲讽地重复道：“汉斯·荣鲍德！”然而，佩德森不安地激动起来。

“先生们，”他开始说，“我和瑞德先生刚刚在讨论……”

“我从没跟她说过话。除了那一次问她要目录。”

“啊，西奥，没关系。”雀斑男人拍了拍朋友的后背，后者向前趴了趴。“没关系，瞧瞧她现在的窘境。”

西奥仿佛陷入了沉思。“她对待一切都是那样，”他说，“不仅仅是爱情。只有对艺术圈的人，只有对真正的名流，她才有时间。否则从她那儿得不到一点尊重。这儿人人都不喜欢她。她嫁给克里斯托弗很久之前，就没人喜欢她了。”

“要不是长得漂亮，”雀斑男人对我说，“人人都会厌恶她。但结果却是，总有像西奥这样的男人甘愿堕入她的魔咒。总之，后来克里斯托弗来到这里，他是个职业提琴演奏家，而且有着非凡的经历！ 罗莎死命追求他，一点也不害臊，好像根本不在乎我们任何人的想法。她知道自己想要什么，并毫不留情地追求得到。这倒也让人钦佩，不过就是有些骇人罢了。克里斯托弗被她迷住了，他到这儿之后的第一年，他们就结婚了。克里斯托弗正是她梦寐以求的人。呃，希望她的钱投资得有价值。做他老婆做了十六年，本来也没那么糟糕。但现在怎么样？ 他完蛋了。她现在该怎么办？”

“她现在甚至在画廊里也谋不到一份差事。”西奥说，“过去那么多年，她深深伤害了我们，伤害了我们的自尊。跟克里斯托弗一样，她跟这座城市已经彻底决裂了。”

“有一派人认为，”雀斑男人说，“罗莎会跟克里斯托弗离开这里，直到在其他什么地方安顿好了之后就甩了他。但德雷姆勒先生——”他示意了一下前排就座的某个人，“却坚信她会继续呆在这儿。”

刚提到他名字，前排的男人就扭过头来。显然，他一直都在听我们的谈话，现在开始权威式地发言：“要知道罗莎·卡莱纳还有胆怯的一面。我和她是同学，同一年级。她一直都有这一面，对她可是诅咒。对她来说，这座城市不够好，可是她太胆怯了，不敢离开。你们注意到了吗，尽管野心很大，她却从来没有想要离开。许多人没有注意到，但她这胆怯的一面，确实存在。所以我赌她留下。她会留下再碰碰运气。她可能会期望再钓一个过路的名流。毕竟，她这个年纪，风韵犹存啊。”

附近传来一个细尖的高嗓门：“她或许会追求布罗茨基。”

这话引起了一阵前所未有的哄笑。

“完全有可能。”那嗓音继续道，带了一种假装受伤的语气。“没错，他是老了，但她也不年轻了呀。这儿还有谁能入她的眼？”笑声更大，鼓励着他继续。“其实，布罗茨基对她来说是最合适的对象。我得向她推荐推荐。全城现在对克里斯托弗的憎恨还有其他一切都会祸及到她。但如果她成了布罗茨基的情妇，或者甚至是布罗茨基太太，啊，这可是撇清和克里斯托弗一切关系的最好办法了。而且这意味着她还可以继续保持她……她目前的地位。”

这会儿，周围已经是笑声一片了，甚至前面三排的人都扭过头来，开心大笑。而我身边，佩德森清了清嗓子。

“先生们，拜托，”他说，“我太失望了。瑞德先生现在对这一切会怎么想呢？ 你们还是把布罗茨基先生——布罗茨基先生，请这样称呼——你们还是拿老眼光看他。你们这样显得自己很蠢。布罗茨基先生已不再是说笑的对象了。不管人们怎么想施密特先生针对克里斯托弗太太的提议，布罗茨基先生无论如何绝不是逗乐的对象……”

“真高兴您能来到这儿，瑞德先生。”西奥插话进来，“但现在太晚了。事已至此，太晚了……”

“胡说八道，西奥。”佩德森说，“我们正处在转折点，一个很重要的转折点。瑞德先生就是来告诉我们这一点的，是不是，先生？”

“是的……”

“太晚了。我们已经失去它了。为什么我们不听天由命，就随它变成另一个冰冷的、孤独的城市呢？ 其他城市已经是这样了。至少我们还会顺应潮流。这座城市的灵魂，不是病了，瑞德先生，而是死了。现在太迟了。十年前，或许有可能。那时候还有机会。但现在不行了。佩德森先生，”醉汉无精打采地指着我的同伴，“你，先生。你，汤姆森先生，还有斯蒂卡先生。你们这些善良的先生。你们一个个都推诿搪塞……”

“又来了，西奥。”雀斑男人插嘴道，“佩德森先生说得对。现在还不到这样自暴自弃的时候呢。我们已经有了布罗茨基——布罗茨基先生——而且，说不定他或许……”

“布罗茨基，布罗茨基。太迟了。我们现在已经完蛋了。就让它成为一个冷漠的现代城市吧，就这样了结算了。”

我感觉佩德森把手放在我胳膊上。“瑞德先生，很抱歉……”

"你推诿搪塞，先生！十七年了。十七年了，就任凭克里斯托弗为所欲为，没有受到任何挑战。现在你们又要给我们什么？布罗茨基！瑞德先生，太迟了。"

"我真的很抱歉，"佩德森对我说，"让您听到这些言论。"

我们身后有个人说："西奥，你喝醉了，而且情绪消沉。明天一早你就得去找瑞德先生，向他道歉。"

"呃，"我说，"我很有兴趣听听各方面的意见……"

"但这根本不代表任何一方！"佩德森抗议道，"我向您保证，瑞德先生，西奥的观点根本不代表这儿人们的普遍想法。无论在哪儿，大街上还是电车里，我都有一种强烈的感觉，一种乐观向上的感觉。"

这一席话引来了一片赞同的低语声。

"别信他说的，瑞德先生，"西奥说，抓着我的衣袖。"您来这儿干的是傻子的差事。我们做个快速民意测试吧，就在这儿，电影院里。我们问问这里的一些人……"

"瑞德先生，"佩德森连忙说道，"我要回家睡觉了，电影是不错，但我已经看了很多次了。而您，先生，您一定很累了。"

"说实在的，我真的很累了。可以的话，我就跟您一起走吧。"然后，我转身对其他人说："抱歉，先生们，我想我现在该回酒店了。"

"但瑞德先生，"雀斑男人说，声音里透着担心，"请先别走。您得留下，最起码等宇航员拆除掉哈尔。"

"瑞德先生，"这排远处传来一个声音，"要不您接我的牌吧，今天晚上这游戏玩太多了。这光线，老是看不清楚牌。

我视力大不如前了。”

“您太客气了，但我真的要走了。”

我正要跟他们互道晚安，佩德森已经起身，开始往外挪了。我在后面跟着，边走边向后面的那群人挥了挥手。

佩德森对刚刚发生的事显然很焦虑，我们挪到过道时，他仍默默地走着，头低低的。离开放映厅的时候，我最后扫了一眼大银幕，看见克林特·伊斯特伍德准备拆除哈尔，正在仔细检查他那把巨大的螺丝刀。

外面的夜——一片死寂，寒风瑟瑟，迷雾重重——与温暖嘈杂的电影院构成如此强烈的对比，我们在人行道边停下，好似在重新找回各自的方向。

“瑞德先生，我不知道说什么，”佩德森说，“西奥一直是个很不错的人，但有时候，大餐之后……”他沮丧地摇了摇头。

“别担心。劳碌辛苦的人需要放松放松。今晚过得非常愉快。”

“我感到非常羞愧……”

“请不要这样。我们都忘了吧。真的，我很愉快。”

我们开始步行，脚步声在空荡荡的街道回响。好一会儿，佩德森继续缄默着。然后，他说：

“您得相信我，先生。我们从未低估向这儿的人推销这一主意的困难。我是说，关于布罗茨基先生的主意。我向您保证一切都处理得相当谨慎。”

“是的，我相信是的。”

“起初，我们非常小心选择向谁提起这个主意。在早期阶段，只有那些最可能有同情心的人才能听，这点至关重要。然后，通过这些人，我们才允许慢慢地向全部公众透露实情。那样，我们才能确保整个想法是以正面的形象呈现。同时，我们还采取了其他办法。比如，我们以布罗茨基先生的名义举办了一系列晚宴，从上层名流中间邀请了一些千挑万选的宾客。起先，宴会都是小型的，而且几乎是秘密进行的，但渐渐地，我们将挑选网络越扩越大，我们的情况也得到越来越多的支持。还有，所有重要的公众活动，我们都保证布罗茨基先生一定出现在显贵当中。比如说，北京芭蕾舞团来访的时候，我们安排他坐在魏斯夫妇的包厢。当然，在私人层面上，我们都强调提起他的时候，要用最崇敬的语气。到现在，我们已经努力了两年了，总体而言，我们都非常满意。他的总体形象有了明显的改观。所以我们判断是时候走出这关键的一步了。所以刚才才会那么令人扫兴。我是说里面的那些先生，本来他们应该树立榜样的。如果每次稍稍放松放松之后，连他们都老调重弹，我们又如何期望所有的人……”他声音越来越轻，又摇了摇头。“我太失望了。代表我自己，还有您，瑞德先生。”

他又陷入沉默。我们二人都没说话，过了一会儿，我叹了口气，说：

“公众观念难改变啊。”

佩德森走了几步，继续沉默，然后说：“您得想想我们的起点。您得这么想，考虑到我们的起点，您就会明白我们已经有了很大的进步。您得理解，先生，布罗茨基先生跟我们一起住在这里很长时间了，而这些年来，从未有人听他谈起，更不要说弹奏任何音乐了。是的，我们都隐约知道他在自己的祖国曾担任过乐队指挥。可是您看，由于我们从未见到他的那一面，我们也就从未认为他是那样的了。其实，坦率而言，直到最近，布罗茨基先生只有在喝得酩酊大醉，在城里踉踉跄跄，大喊大叫的时候才真正被大家留意。其余的时间，他就和他的狗住在北边的公路边上，过着隐居的生活。呃，也不完全正确，大家经常看到他出入图书馆。一个星期有两三个上午，他会去图书馆，坐在常坐的窗边位置，把狗拴在桌脚边。按规定是不许带狗进去的。但很早以前，管理员就认定了最简单的解决之道，莫过于让他带狗进去，这可远比跟布罗茨基先生大干上一架简单哩。所以，有时候能看到他在那儿，狗拴在脚边，翻阅着一摞摞的书——不外乎就是那一卷卷臃肿冗长的历史书。而且，只要有人在室内开始发出些许声响，哪怕是最简短的相互低语，甚至只是打个招呼，他就会忽地起身，冲那‘罪犯’大声咆哮。理论上，当然，他是对的。但我们从未严格坚持图书馆保持安静的规定。大家相遇的时候，都喜欢聊上一阵，毕竟，在其他公共场合都是这样的。而且，再想想，布罗茨基先生自己带狗进去也是违反规定的，这也难怪大家都会认为他不可理喻。但时不时地，某几日上午，一种莫名的情绪会笼罩着他。他会坐在桌边阅读，脸上一副凄惨无助的表情。你会发现他坐在那儿，神游太虚，泪眼汪汪。每当这个时候，人们就知道是时候可以说话了。通常会有人先试探一下。如果布罗茨基先生没反应的话，很快地，满屋子的人就会开始讲话了。有时候——人们故意对着干！——整个图书馆会比布罗茨基先生不在的任何时候都吵。我记得有天早晨我去还书，整个地方听起来就像个火车站。我几乎得扯开嗓门大喊，还书处才能听清我讲的是什么。而布罗茨基先生呢，置身其中却无动于衷，完全沉迷于自己的世界。我得说，他那样子还真是令人伤感。清晨的光线让他看起来那样虚弱无力。鼻尖上有一滴泪，眼神飘渺，他已经忘记自己翻到了哪一页。我突然意识到整个气氛有点残酷！ 好似他们在占他便宜，但也说不上来到底怎么占他便宜了。但您看，不日清晨，他就又能立刻让他们安静。唉，无论如何，瑞德先生，我想说的是，多年来，这就是布罗茨基先生给我们的印象。我想，在相对来说如此短的时间内，期望大家完全改变对他的看法是有点过了。我们已经取得相当大的进步了，但您刚刚看到了……”恼怒的情绪再一次占据了上风。“但他们应该更清楚的，”他自言自语道。

我们在十字路口停了下来。雾更浓了，我都找不到方向了。佩德森环视四周，然后又继续走，领着我沿着一条狭窄的街道前行，人行道上泊满了一排排的汽车。

“我会送您到酒店，瑞德先生。我走这条路也能回家。我相信酒店您还满意吧？”

“哦，是的，挺好的。”

“霍夫曼先生打理得很好。他是位出色的经理，也是个大好人。当然，如您所知，布罗茨基先生能恢复，全都得仰仗霍夫曼先生啊。”

“哦，是的，当然。”

有好一阵，人行道上的车辆迫使我们一前一后行走。之后，我们慢慢走出人行道，走到大街中间，我赶上佩德森和他并排走，发现他的心情轻松起来。他微笑着对我说：

“我知道您明天要去伯爵夫人家里听唱片。我们市长，冯·温特斯坦先生，我知道他也打算去。他非常想邀您到一边，和您谈些事情。当然，主要还是唱片的事。棒极了！”

“是的。我非常期待。”

“伯爵夫人是位非凡的女士。她一次又一次地证明了她的思维让我们其他人汗颜。我曾经不止一次问她，究竟是什么让她第一次有这样的想法。‘直觉。’她总是说，‘某一天，我醒来，就有了这直觉。’这是怎样的一位女士啊！ 弄到那么多留声机唱片可不是件容易的事，但她动用了一位在柏林的行家采购商，把这事儿办成了。当然我们其他人那时对此都一无所知，而且我敢说就算我们知道了，我们也只会笑话这整个想法。然后，一天晚上，她把我们召到她住处。就在两年前的上个月，一个非常愉快、晴朗的夜晚。我们全都到了，十一个人，在她的起居室集合，没人知道是什么事情。她招待我们用茶点，然后几乎立刻就开始对我们讲话。我们怨天尤人已经够久了，她说，是时候采取行动了。是时候承认我们曾经多么地误入歧途，是时候采取积极的措施，尽最大的努力弥补损失了。否则，我们的孙子，我们的曾孙，就永远不会原谅我们了。哎，这可不是什么新鲜事了，我们几个月来一直都在不停地彼此重复着如斯的态度想法，直至此刻，我们所有人只是点头附和，跟平时一样，制造点噪音。但接着伯爵夫人继续道，就克里斯托弗先生而言，她说，已经没必要跟他再耗下去了，他现在已被整个城市各行各业的人所唾弃。但此事本身不足以扭转整个社会中心的痛苦似螺旋上升愈渐愈猛的势头，我们得设法营造一种新的情绪，一个新的时代。对她说的这些，我们均点头称是，但瑞德先生，这些想法，我们之前已经相互交流过很多次了。我相信冯·温特斯坦先生甚至也这样说过，只不过他是用了最为谦恭有礼的方式罢了。这时候，伯爵夫人开始吐露她心中的想法。解决办法，她宣布，很可能一直都存在于我们中间。她继续解释道，但，呃，乍一听，自然地，我们都不能相信自己的耳朵。布罗茨基先生？ 那个图书馆的怪老头，醉醺醺步态蹒跚的老头？ 她真的是在说布罗茨基先生吗？ 要是换了其他任何人，我们肯定会放声大笑的。但伯爵夫人，我记得，依然自信满满。她建议我们大家放松自己，她要给我们放点音乐听听。要仔细听。然后她开始播放那些唱片，一张又一张。我们就坐在那儿听着，屋外，太阳渐渐西沉。音质很差，伯爵夫人的立体声音响设备，您明天就能看见，也有些陈旧了，但这一切都没关系。没几分钟，那音乐就开始对我们大施魔力，悠悠地将我们送入宁静清幽之中。有些人还眼含热泪。我们意识到，我们听到的正是这些年大家殷殷所盼的。我们居然赞颂像克里斯托弗这样的人，突然间，这显得更加不可理解了。此时此刻，我们又在聆听真正的音乐。这位指挥家不仅才华横溢，而且认同我们的价值观。然后，音乐停止了，我们起身，伸了伸腿——我们已经足足听了三个小时——然而，呃，想到布罗茨基先生——布罗茨基先生！ ——还是荒唐透顶。我们指出这些唱片很老了。而布罗茨基先生——只有他自己知道何故——已经在很久前就放弃音乐了。而且呢，他还有自己的……自己的问题。他已经跟从前判若两人了。我们很快纷纷摇起头来。可是，然后呢，伯爵夫人又说道，我们已到了危机边缘，我们要解放思想，我们必须找到布罗茨基先生，和他谈谈，确定他目前的能力。毫无疑问，不用提醒，我们也知道目前情况的紧迫性。我们每人都能详述十来个悲伤的案例：孤独寂寞的生活；好多家庭对曾经视为理所当然的幸福深感绝望。就在这时，霍夫曼先生，即您所在酒店的经理，突然间清了清喉咙，宣布他愿意负责布罗茨基先生的事。他会义无反顾——他一脸庄重地说着这话，而且他当时还站起来了呢——他会义无反顾地评估情势，而且，如果还有一点点希望令布罗茨基先生重振雄风，那么，他，霍夫曼先生，就会亲自负责处理。如果我们信任他承担这项任务，他发誓绝不会让整个社会失望。我说过的，那是两年前的事了。自那以后，我们吃惊地看到霍夫曼先生为了实践他的诺言而付出的努力。虽说进展不总是那么顺利，但总体说来，已经非常显著了。现在布罗茨基先生，呃，已经恢复到目前的状况了。进步如此之大，让我们感到过不了多久就可以迈出关键性的一步了。毕竟，我们能走到现在，不过是把布罗茨基先生好好包装推销了一番而已。总有一天，城里的人得用自己的眼睛看，用自己的耳朵听，才能做出判断。呃，到目前为止，种种迹象表明，我们没有过于雄心勃勃。布罗茨基先生一直都按常规排练。而且据大家说，已经完全赢得了整个乐团的尊重。虽说可能距他上次公演已有好多个年头了，但他貌似宝刀不老。那热情，那晚在伯爵夫人起居室意外经历的那美好的幻境，都在他心灵深处伺机候着，现在正在逐步苏醒过来呢。是的，我们非常有信心，在即将到来的'周四之夜'他会让所有人为之骄傲。同时，对我们来说，我们已经尽我们所能确保那晚成功。斯图加特·内格尔基金交响乐团，您知道，即便算不上最为顶级的交响乐团，也算非常受人尊敬的乐团啦。他们的演出费用可不便宜呢。尽管如此，对于我们雇佣他们参与这次最为重要的活动，人们几乎没有任何质疑之声，对排练时间也没什么异议。起初，我们拟定的是两周的排练时间，但最后，由于财政委员会的全力支持，我们延长到了三个星期。对于短暂来访的交响乐团，三个星期的盛情款待，再加上各种费用，您能想到，先生，是个不小的负担啊。但鲜有异议之声。每位议员现在都明白'周四之夜'的重要性。大家都明白应该给布罗茨基先生机会。尽管如此——”佩德森突然重重地叹了口气，“尽管如此，您今晚看到了，陈旧的根深蒂固的观念难改啊。这也正是您对我们的帮助，瑞德先生，您同意到鄙市，对我们来说至关重要。人们听您的话不会像听我们的话那样。实际上，先生，跟您说吧，一听说您要来，这座城市的情绪就完全改变了。人们对于您在‘周四之夜’要说的话充满最高的期待。电车上，咖啡馆里，人们几乎不谈别的。当然，我一点也不知道您为我们准备了什么。或许您会刻意不将未来刻画得太瑰丽美好，或许您会告诫我们每一个人，若想重拾以往的欢乐就必须付出辛苦努力。您这样的告诫是顺理成章的。但我也了解，在呼吁调动听众的积极性和公益心这方面，你的技巧是多么纯熟。不管怎样，有一点是肯定的。那就是等您发完言，这城市里没人会再像以前那样看待布罗茨基先生，继续把他当成衣衫褴褛的老酒鬼了。啊，看得出您很担心，瑞德先生。请别担心。我们这里也许看起来很闭塞，但在某些场合的表现还是很卓越的。特别是霍夫曼先生，一直在努力营造一个真正美好华丽的夜晚。请放心吧，先生，各个阶层的市民都会参加。至于布罗茨基先生本人，我说过，我肯定他不会让我们失望。我肯定他会大大出乎每个人的意料。”

其实，佩德森提到的我脸上的表情和“担心”没有一点关系，我是对自己感到越来越懊恼。真实的情况是，我不仅远远没有准备好即将到来的、针对这个城市的演讲，甚至连背景研究都没做好。回顾所有的经历，我不明白自己怎么会任事态发展到现在这种情势。我记得就在那天下午，在酒店精致的中庭，我一口口呷着浓烈的苦咖啡，反复提醒自己，精心筹划当日剩下的时光，充分利用有限的时间，这事是何等重要。我坐在那儿看着身后雾气腾腾的喷泉在镜中的倒影时，甚至想象着自己会遇到的情况，跟今天在电影院碰到的差不多，但我对本地一系列问题应对自如，给同伴留下深刻印象，轻轻松松，权威自然来，同时自然而然利用克里斯托弗至少制造一个笑料，简单易记，第二天就能传遍整个城市，随口道来。但我却让自己被其他事情左右，结果，在电影院的整个期间，我没能做出哪怕是一个卓尔不凡的评价，甚至有可能给人留下了不够彬彬有礼的印象。突然我又对索菲引起的混乱感到一阵强烈的不满，还因为她，我不得不彻底牺牲自己的行事标准。

我们又停了下来。我意识到我们正站在酒店门口。

“呃，今晚很开心，”佩德森说，他与我握手告别。“非常期待未来几日能再见到您。但现在您必须得休息了。”

我谢过他，道了晚安，走进大厅，他的脚步声也渐渐消失在夜色当中。

年轻的接待员还在当班。“希望您电影看得愉快，先生。”他边说着，边递给我钥匙。

“是的，非常愉快。谢谢你的建议。让我轻松不少。”

“是的，很多客人都觉得这是个圆满结束一天的好方法。哦，古斯塔夫说鲍里斯对他的房间很满意，很快就睡着了。”

“啊，很好。”

我向他道了晚安，急匆匆地穿过大厅走进电梯。

到房间以后，我感觉长长的一天下来，自己浑身脏兮兮的，便换上浴袍，准备洗澡。但就在我正研究浴室摆设的时候，一阵强烈的疲惫感袭来，所以我能做的就真的只是摇摇晃晃地走回床边，瘫倒在床上，立刻沉沉入睡了。

第十章

我还没睡多久，电话铃就在耳边响起。我由着它响了一会儿，然后终于坐起身，接起电话。

“哦，瑞德先生。是我，霍夫曼。”

我等着他解释为何扰我清梦，但酒店经理没有继续说下去。一阵尴尬的沉默之后，他又说道：

“是我，先生。霍夫曼。”又一阵停顿，然后他说：“我在下面大厅。”

“哦，是吗。”

“很抱歉，瑞德先生，或许您在忙乎什么吧。”

“事实上，我正在睡觉。”

这话好像让霍夫曼吃了一惊，因为之后又是一阵沉默。我很快笑了笑，说：

“我的意思是，刚刚躺下，可以说。自然不会睡得很沉，直到……直到今天的工作全部结束之前。”

“没错，没错。”霍夫曼听起来松了口气。“就是喘口气，这样而已。非常理解。呃，无论如何，我会在楼下大厅等您，先生。”

放下电话，我坐在床上想怎么办。我仍旧疲惫——才睡了那么几分钟——非常想忘记刚才这一切，继续睡觉。但最后我知道这是不可能的，就起了身。

我发现自己穿着浴袍就睡着了，正欲脱下更衣，突然觉得干脆就穿着它下楼去见霍夫曼吧。毕竟，晚上这个时候，除了霍夫曼和接待员，不可能再遇见别的人了，而且穿着这身装束下楼可以婉转而又明确地告诉他：时辰已太晚了，他在妨碍我睡觉。我出门进了走廊，向电梯走去，心里特别恼怒。

至少起初，浴袍好似发挥了预期的作用，因为我一进大厅，就听到了霍夫曼的开场白："很抱歉打扰您休息了，瑞德先生。这一路奔波，您一定很累了。"

我丝毫不想隐藏我的疲惫，一只手捋过头发，说道："没关系，霍夫曼先生。但我相信这不会太久吧。其实我现在挺累的。"

"哦，不会太久，绝不会。"

"好。"

我留意到霍夫曼穿着一件雨衣，雨衣下，一身晚装，系着宽腰带，打着蝴蝶领结。

"当然，您应该听说了，那个坏消息。"他说。

"坏消息？"

"是坏消息，不过请允许我这样说，先生，我有信心，非常有信心，这坏消息不会引起严重后果。我相信，到天亮之前，您同样会如此确信的，瑞德先生。"

"我肯定会的。"我说，安慰地点了点头。过了一会儿，我断定此番情形严重且无望，所以直截了当地问道："很抱歉，霍夫曼先生，您说的坏消息是指什么？最近有这么多坏消息。"

他警觉地看着我。“这么多坏消息？”

我大笑了一声。“我是说非洲的动乱，等等。到处都有坏消息。”我又大笑。

“哦，我明白了。我说的坏消息当然是指布罗茨基先生的那条狗。”

“啊，是吗。布罗茨基先生的狗。”

“您一定会赞同，先生，这可真是不幸。时机不好啊。我处处小心谨慎，却出了这么一档子事儿！”他恼怒地叹了口气。

“是的，太糟糕了。太糟糕了。”

“但我说过，我很有信心。是的，有信心这事不会引起任何重大挫折。但这会儿，要不我们立刻出发？其实，我现在想，您是非常正确的，瑞德先生。这会儿出发时机最好不过了。意味着我们不会到得太早或者太晚。非常正确，应该冷静地处理这些事。千万不要惊慌。先生，那么我们出发吧。”

“呃……霍夫曼先生。我好像判断失误了，这种场合我却穿了这身衣裳。您不介意给我几分钟上楼换件衣服吧。”

“哦。”霍夫曼飞快地扫了我一眼。“您看上去好极了，瑞德先生。请别担心。呃，”他焦急地看了看手表，“我们还是出发吧。是的，这会儿时机刚好。请。”

外面漆黑一片，雨水连绵。我跟着霍夫曼绕过酒店大楼，沿着一条小径，走进了室外的一个小停车场，那里停着五六辆汽车。一盏孤寂的路灯紧紧地固定在一个栅栏柱上面，借着灯光，我能分辨出路前面地面上的一个个大水坑。

霍夫曼朝着一辆黑色的大轿车跑过去，打开了客门。我一路走过去的时候，能感觉到雨水不停地渗进拖鞋。我正要上车，一只脚却踩进了一个深深的水坑，完全湿透了。我惊呼了一声，但霍夫曼已经急急忙忙绕到驾驶座一侧了。

霍夫曼载着我开出停车场，我则使劲地在柔软的车地板上弄干双脚。我抬起头，发现车已经开出了停车场，行驶在主干道上了，我吃惊地看到交通变得异常繁忙。此外，许多商店和饭店现在都苏醒过来，成群的顾客在亮闪闪的窗户里面转悠。我们继续开着，交通逐渐拥挤起来，直到市中心附近某处，我们夹在三车道的车辆中间，完全停滞了下来。霍夫曼看了看手表，绝望地猛捶方向盘。

“太倒霉了。”我同情地说道，“不久前我刚出来的时候，整座城市好像睡着了一样。”

他正出神，心不在焉地说道：“这座城市的交通越来越糟糕了。我不知道有什么解决办法。”他又猛捶了一下方向盘。

接下来几分钟，车慢慢往前挪动，我们默默地坐在车里。然后霍夫曼轻轻地说道：

“瑞德先生一直在奔波。”

我以为我听错了，但他接着又说了一遍——这次有礼貌地轻轻地挥了挥手——我意识到，他是在排练，到目的地之后如何解释我们迟到的原因。

“瑞德先生一直在奔波。瑞德先生——一直在奔波。”

我们继续行驶，穿梭在夜间繁忙的交通中，霍夫曼继续时不时地低声嘟囔着什么，大部分我都没听清。他已然进入自己的世界，看起来越来越紧张。中间有一次，我们没能及时赶上绿灯，我听到他嘟囔道：“不，不，布罗茨基先生！他是个极好的、极好的一个人！”

最后转了个弯，我们驶出了城市。不久，高楼大厦消失了，我们行驶在一条长长的小路上，周围是一片漆黑的开阔地——可能是农场——两边都是。交通稀疏，可以让这辆大马力汽车加速行驶。我看到霍夫曼明显地放松下来，接下来他对我说话时，已基本恢复了以往的彬彬有礼。

“告诉我，瑞德先生。您对酒店的一切还满意吗？”

“哦，是的。一切都很好。谢谢。”

“您还满意您的房间？”

“哦，是的，是的。”

“床，舒服吗？”

“非常舒服。”

“我之所以这样问，是因为我们确以我们酒店的床而自豪。我们定期更换新床垫。这城里其他酒店没有一家像我们这样频繁地更换床垫。这一点我是了解的。据我们许多所谓的竞争对手说，我们淘汰掉的床垫，还能再多用上几年。您知道吗，瑞德先生，假如我们把五个财政年度中淘汰掉的所有旧床垫一个个立起来，头对头地纵向排列，我们就能沿着主干道，从市议会开始，顺着喷泉一路下去，绕过斯泰恩盖斯街街角，直达韦格尔先生药房，构成一条长线呢。”

“真的吗？ 真是了不起。”

“瑞德先生，请允许我直言相告。对您房间的安排我考虑了很多。在等您来的那些日子，自然地，我花了很长时间考虑为您安排哪个房间。大部分酒店会很简单地回答这个问题：‘店里哪个房间最好？’但在我的酒店却不是这样，瑞德先生。这些年来，这么多房间我都给予了足够的关注。有些时候我变得——哈哈！ ——像人们说的，着迷了，是的，对这个或者那个房间着迷了。一旦我看到某个房间的潜质，就会花几天时间深思熟虑，然后，我会细致地加以翻新，使之尽量符合我的想象。也不是每次都能成功，但很多情况下，经过一番努力之后，结果会很接近我脑中的想象；当然，这样是非常令人满足的。可是——或许是我性格上的某种缺陷使然吧——我一旦完成了一个房间的翻新，令我心满意足之后，我就会被另一个房间的潜质所吸引。不知不觉地，我发现自己把大量的时间和心思花费在了新的工程上。是的，有人称之为强迫症，但我觉得这没什么不妥。没什么比酒店按照一成不变的理念装饰一个个房间更沉闷不堪了。就我而言，每个房间都应按照其各自的特点加以考虑。总之，瑞德先生，我的意思是酒店里没有哪间房是我最喜欢的。所以考虑再三之后，我断定现在您使用的这个房间一定最令您满意。但见到您之后，我就不那么确定了。”

“哦，不，霍夫曼先生，”我插嘴道，“现在这房间很好。”

“但自从见到您之后，从早到晚我一直断断续续在考虑这个问题，先生。我觉得，在我脑海中，您在气质上更适合另一间房。要不明早我带您去看看吧。您肯定会更喜欢的。”

“不用了，霍夫曼先生，真的。现在的房间……”

“请允许我坦白相告，瑞德先生。您的莅临，可是让您现在的这个房间首次面临真正的考验。您看，自四年前对它进行概念重建后，这个房间第一次迎来了真正尊贵的客人入住。当然，我先前无法预计到有一天您会驾临我们这里。但事实是，设计那个房间的时候，我脑海中想象的是一个与您很相似的形象。我想说的是，您看，只有现在，只有您的到来，才正好让其发挥了其本身的意义。而且，呃，我能清晰地看出四年前做了几个关键性的错误判断。太难了，以我的经验判断。不，毋庸置疑，我非常不满意。您跟这房间不合。我有个提议，先生，我们想让您搬到343，我感觉那里更适合您。在那儿，您会感到更宁静，睡得更香甜。至于您现在的房间嘛，呃，我从早到晚时断时续地在考虑，按目前的情形看，我觉得把它拆掉得了。”

“霍夫曼先生，真的，不！”

我喊出这话的时候，霍夫曼眼睛从路上挪开，诧异地盯着我。我大笑，很快地又恢复原状，说道：

“我的意思是，不用因为我这么麻烦破费。”

“我是为了自己心安啊，我向您保证，瑞德先生。酒店是我毕生的心血。但在那个房间上，却犯了一个糟糕的错误。我觉得没有其他方法，只得把它拆了。”

“霍夫曼先生，那个房间……实际上，对它，我非常有感情。我真的很满意。”

“我不明白，先生。”他看起来真的很疑惑。“那房间明显不适合您。现在我见到您本人了，就更确定了。您不用这么客气。发现您特别迷恋它，我很吃惊。”

我突然大声笑了笑，可能是夸张地大声了点。“根本没有的事。特别迷恋？”我又大笑，“只是个房间而已，仅此而已。如果需要拆掉，那就得拆掉吧！ 我会开开心心地搬到另一个房间的。”

“啊。很高兴您这样看。对我来说，瑞德先生，不只是在接下来您逗留的期间，而且在未来的几年里，只要一想起您曾在我酒店下榻，却要被迫忍受如此不适的房间，我就会懊丧无比。我真的不知道四年前，当时脑子里是怎么想的。完全估计错误！”

我们在黑暗里已经疾驰了一段时间了，却没有遇到其他车辆。远处，我隐约看到几间房子，可能是农舍吧，但除此之外，没什么东西穿透道路两侧空旷的漆黑。我们继续默默开了一会儿，然后霍夫曼说道：

“真是背啊，瑞德先生。那只狗，呃，虽说不小了，但再活个两三年还是容易的。准备工作一直都很顺利。”他摇了摇头。“时机太糟糕了。”然后，他扭头对我微微一笑，继续说道：“但我有信心。是的。我有信心。他现在不会受影响的，甚至这样的事情也不会影响到他。”

“或许应该再送给布罗茨基先生一只狗，权当一件礼物呗。或许给他只小狗仔。”

说这话的时候，我没多加思索，但霍夫曼却做出一副慎重考虑的样子。

“这个不好说，瑞德先生。您一定注意到了，他特别喜欢布鲁诺，几乎就这么一个伴儿，他应该仍在哀悼。但也许您是对的，既然布鲁诺走了，我们必须要缓解他的孤寂。或许可以养其他的动物，能慰藉人的。比方说，一只笼中小鸟。然后，到时候，等他准备好了，再给他引荐一只狗。我也说不准。”

随后他沉默了几分钟，我猜他在想其他的事情。但突然，他盯着在我们面前延展的黑漆漆的小路时，大声嘟囔道：

“一头公牛！是的，一头公牛，一头公牛，一头公牛！”

但此时，我对布罗茨基先生的狗这整件事已心生厌烦，于是我一言未发，在座位上往后一靠，决定在行程剩下的时间里好好放松一下。过了一会儿，为了了解我们这次前去处理的一些事情，我对他说：“希望我们不会太晚。”

“不，不，正好。”霍夫曼回答，但他好像心不在焉。过了几分钟后，我听到他再次尖声嘟囔道：“一头公牛！ 一头公牛！”

过了一会儿，我们驶离了宽阔的马路，进入了一个舒适的住宅区。黑暗中我能看到一幢幢有独立庭院的大房子，四周往往围着高墙或者篱笆。霍夫曼小心翼翼地在林荫道上绕行着，我听到他又一次小声排练着他的台词。

我们穿过几道高高的铁门，驶入一个大公馆的庭院。已有很多车停在了庭院周围，酒店经理花了好一会儿才找到车位。然后他下车，急急忙忙地朝前门入口处奔去。

我又在座位上了待了一会儿，打量着这栋大房子，想找出一些我们将要出席的场合的线索。房子正面是长长一排几乎落地的大窗户。大部分拉着窗帘，都亮着灯，我看到屋子里的情况。

霍夫曼按响了门铃，示意我过去。我下车，大雨已经变成了毛毛细雨。我紧紧地裹着浴衣，向大房子走去，小心躲开水坑。

一位女仆打开大门，引导我们走进宽阔的门廊。门廊两边装饰着巨幅肖像。女仆似乎认识霍夫曼，她接过他的雨衣，他们快速交谈了几句。霍夫曼驻足片刻，对着镜子拉直领带，然后才带路向房子深处走去。

我们来到一个大房间，里面灯光熠熠，招待酒会正在如火如荼地进行。现场至少有一百人，个个身着时髦晚礼服，站着，举杯，相互交谈。我们站在门口，霍夫曼在我面前举起胳膊，好像要保护我，目光凝视，扫寻了一遍屋子。

“他还没到。”他终于低声道，然后扭头对我微微一笑，说："布罗茨基先生还没到呢。但我坚信，坚信他马上就到。"

霍夫曼转身背对着房间，一时间好似不知所措。然后他说："请您在这儿等一会儿，瑞德先生，我去找伯爵夫人过来。哦，如果您不介意，请靠后站一点——哈哈！——让别人看不到您。您还记得吧，您应是我们的大惊喜啊。请，我不会离开太久的。"

他走进房间，好一会儿，我看着他的身影在宾客中穿梭，他焦急的步态和周围欢乐的人群形成鲜明对比。我看到有几个人想跟他攀谈，但每次霍夫曼都是心不在焉地微笑一下，然后继续急忙前行。最后，他离开了我的视线，或许是想再次找到他，我向前移了几步。这时候我定是引起了人们的注意，因为我听到身边一个声音对我说："啊，瑞德先生，您到了。您终于来了，我们多么开心啊。"

一位约莫六十岁的胖女人把手放在我胳膊上。我笑了笑，低声客套着，她回答道："这儿每个人都急切地想见到您。"说着，她开始坚定地领着我往人群的中心走去。

我跟着她，挤过一个个宾客，胖女人开始问我问题。起先，是些有关我健康和行程的常规问题。但之后，我们绕着房间继续前行时，她极其详细地盘问起酒店的情况。没错，她问到如斯细节——我是否对肥皂满意？我对大厅里的地毯有什么看法？——我甚至开始怀疑她是不是霍夫曼的职业竞争对手，非常恼火我住在霍夫曼的酒店里。然而，她经过人群时频频点头微笑，当中表现出的态度和礼仪让人毫不怀疑她就是主持这些活动的女主人，我断定她就是伯爵夫人。

我以为她要么会带我去屋里某个特别的地方，要么是见某个特别的人，但不一会儿，我明白了我们正在慢慢绕圈。事实上有好几次，屋里某个地方，我肯定之前我们已经走过至少两次了。让我很好奇的另一件事是，尽管很多人扭头向女主人打招呼，但她却根本无意介绍我。此外，虽然一些人不时礼貌地冲我微笑，却似乎没人对我特别感兴趣。可以确定的是，没人因我从旁经过而中止交谈。这让我有点困惑，我本来都已经下决心好好应付那些寻常却又憋闷的问题和恭维了。

又过了一会儿，我发现这整个屋里的气氛有些怪——整个欢乐的气氛有一种被迫，甚至是戏剧性的感觉——虽然我也说不上来到底是什么。之后，我们终于停了下来——伯爵夫人与两个珠光宝气的女人攀谈了起来——而我也终于有机会环顾四周，了解情况。那时，我才意识到这场合根本不是鸡尾酒会，其实这些人正在等着入席；晚宴本该至少两小时前就开始的，但伯爵夫人和她的同仁们却不得不推迟开席时间，因为不只布罗茨基先生还没到场——他是官方贵宾——还有我亦未到——晚宴上的大惊喜。我继续环顾四周，渐渐明白了我们到之前发生了什么。

眼前是迄今为止为了向布罗茨基先生表达敬意而举办的规模最大的一次晚宴，亦是至关重要的'周四之夜'前的最后一次，这本来就不可能是件轻松的事，而布罗茨基的姗姗来迟更是让紧张气氛步步升级。不过，起初，宾客们——自诩社会精英，自视甚高——都还保持镇定，每个人都小心翼翼地避免发表一些会被理解为怀疑布罗茨基诚信度的言论。事实上，大部分人都根本不提布罗茨基，只是没完没了地猜测着何时开席，以缓解焦虑。

接着传来了有关布罗茨基先生那只狗的消息。这消息是怎样以偶然的方式散布的并不清楚。也许是一通电话打来，某位市里的官员不明智地想缓和一下气氛，所以将此事对某些客人脱口而出。不管怎样，因焦虑和饥饿，气氛本来就够紧张的了，此消息在宾客中口口相传，结果可想而知。很快，各种流言开始在整个房间传播。布罗茨基被人发现，喝得酩酊大醉，怀抱狗的尸体。布罗茨基被人发现正躺在外面街上的水坑里，满嘴胡言乱语。布罗茨基不敌悲痛，喝煤油想要自杀。最后一条有据可循，起因是几年前的一场事故，那次布罗茨基狂饮一通后，确实因喝下过量煤油被住在附近的一位农民发现，被急匆匆地送往医院——但他是自杀未遂，还是因酒醉不醒而无意为之的，从未定论。没多久，紧随谣言而来，泄气的言语四处而起。

“对他来说，那狗就是一切。他再也不会振作了。我们得面对现实，我们现在又回到原点了。”

“我们得取消‘周四之夜’。立即取消。现在，那只会是一场灾难。如果我们继续放任下去，这城里的民众就再也不会给我们机会了。”

“那家伙一直以来都不靠谱。我们就不该让事情发展到如此地步。可我们现在该怎么办？ 我们输了，输了个精光，毫无希望。”

此时，正当伯爵夫人和她的同僚们企图重新掌控场面的时候，屋子中心附近的地方爆发出一阵喊叫声。

许多人冲过去看，也有一些人惊慌地躲避。原来是一位年轻的议员把一个矮胖的秃顶压倒在地，过了一会儿，大家认出，被按在地上的是兽医凯勒。人们将年轻的议员拉起身，但他仍死死地抓着凯勒的衣领不放，所以兽医也顺带着被拉了起来。

“我尽力了！”凯勒大喊，面红耳赤：“我尽力了！ 我还能做什么？ 那畜生两天前还好好的。”

“骗子！”年轻议员咆哮着，想再次发起攻击。他又一次被人拉开，但这当儿，另外一帮人发现兽医刚好是个替罪羊，便也开始向他大声嚷嚷起来。一时间，各方指责纷至沓来，指责兽医的疏忽失职，危及到了整个社会的未来。这时，一声呼喊顺势而起：“那布鲁尔的小猫呢？ 你时间都花在玩桥牌上了，是你眼睁睁地让那些小猫一只只死去……”

“我每周只玩一次桥牌，即便如此……”兽医开始嘶吼着抗议，但顷刻间又被更多的声音淹没。突然间，房子里的每个人似乎都将长期忍受着的，有关他们至爱动物或其他什么委屈牢骚向凯勒发泄。之后有个人喊凯勒欠他钱，另一个说凯勒六年前借的园艺叉一直都没还。很快，这种集体声讨兽医的情绪达到了顶点，自然而然地，拉着年轻议员的那些人松开了手。之后，他即刻又一次冲身上前，但这次似是代表在场的大多数人。场面濒临失控，这时，房间另一头传来一个声音，最终将众人拉回理智。

整个房间迅速安静，似是更惊讶于说话者的身份，而非其自身的权威。众人回身注目，看到台子上那人，俯瞰一众，正是雅各布·克奈茨，他可是城里出了名的胆小鬼。雅各布·克奈茨已经四十七八岁了，在人们的记忆中，他一直在市政大厅做着呆板枯燥的文职工作。他鲜有冒险提出某种观点的做法，更别提反驳或者争辩了。他没有亲密的朋友，几年前就搬出了与其妻子和三个孩子合住的小房子，在同一条街稍远的地方租了一间阁楼。不论何时何人提起这话题，他都表示很快就会和家人团聚，但是几年过去了，情况还是没什么变化。同时，他常常自愿为一些文化活动做很多单调的组织工作，他已是城里艺术圈的一员，虽说这多多少少有点给他面子、可怜他的意思。

众人还没来得及从惊讶中反应过来，雅各布·克奈茨——也许意识到自己的勇气只能坚持这么久——就开始讲话了。

“其他城市！我指的不只是巴黎！或者斯图加特！我说的是小一点的城市，不比我们大多少的其他城市。把他们的精英公民聚集在一起，面对这样的危机，他们会怎么办？我保证他们会很冷静，他们知道做什么，怎么做。我想说的是，在座的都是我们这个城市的精英，事情还没到我们解决不了的地步。只要我们团结一心，就一定能度过这个危机。在斯图加特他们会互相争斗吗？！现在还不必惊慌失措呢。没必要放弃，或者内讧。没错，那只狗是个问题，但这并不意味着完蛋了，这还不能代表什么。不管布罗茨基先生此刻处于怎样的状况，我们都能再次将他拉回正道。只要今晚我们都扮演好自己的角色，我们就能做到。我肯定我们一定行，我们必须行。必须将他拉回正道。因为如果我们不行，如果我们不团结，今晚不能纠正一切，我告诉你们，除了痛苦我们别无所得。没错，深深的、孤独的痛苦。除了布罗茨基先生，我们没有其他人能指望，现如今舍他其谁？也许这会儿他正在前来的路上呢。我们得保持镇静。而我们现在在干什么，起内讧？在斯图加特他们会你争我斗吗？我们得想想清楚。如果我们是他，会是何感受？我们必须表现出与他共悲伤，整个城市与他共悲痛。除此之外，朋友们，好好想想，我们必须让他振作。哦，是的！我们不能整晚都沉浸在忧愁中，不能让他走的时候觉得什么都没了，他可能又回到……不，不！ 要权衡得恰到好处！ 我们也得振作高兴起来，让他明白生活大有希望，我们还要指望他，依靠他。是的，接下来这几个小时里，我们得拨乱反正。他现在可能在路上，上帝才知道他什么状况。这接下来几个小时，非常关键，关键。我们得好好把握。否则就只剩下痛苦了。我们必须……我们必须……”

这时，雅各布·克奈茨陷入一片迷茫中。他仍站在台上，又过了几秒，他一直沉默着，无比的尴尬渐渐将他吞噬。先前情绪的余威让他最后一次对人群怒目而视，而后羞答答地走下了台。

但这番蹩脚拙劣的吁求立刻有了效果。雅各布·克奈茨话还没说完，就开始有了一些低声的赞同之音，不止一人，略带责难似的推了推那年轻议员的肩膀——这会儿，他面带愧色，站立难安。紧随雅各布·克奈茨的离台而来的是一阵尴尬的沉默。之后，渐渐地，议论声陆续在屋子里传开，人们严肃而冷静地讨论着布罗茨基先生到了该怎么办。没过多久，大家达成了共识，大概是说，雅各布·克奈茨讲的或多或少有点道理。他们的任务就是在悲伤和快乐之间求得正确的平衡。在场的每一个人都要小心地密切关注现场氛围。一种坚定意志的情绪在房间里弥漫开来，然后，适时地，人们渐渐开始放松，直到最后开始微笑，聊天，亲切地、彬彬有礼地相互问安，仿佛半个小时前那不合时宜的一幕并未发生。大约就在这时候——就在雅各布·克奈茨讲完话不到二十分钟——我和霍夫曼到了。难怪那会儿我感觉这文雅的欢声笑语下藏着一丝怪异。

我还在辗转思量来之前到底发生了什么的时候，看到了屋子另一边的斯蒂芬，他正与一位年长的女士交谈。身边，伯爵夫人似乎仍专注地与两位珠光宝气的女士对话，所以，我轻声说了声失陪，就慢慢离开了。我朝他那边走的时候，斯蒂芬看到了我，朝我微微一笑。

“啊，瑞德先生。您已经到了。我在想能否把您介绍给柯林斯小姐呢。”

我随后认出了那个瘦瘦的年长女士，我们晚上早些时候还开车去过她公寓呢。她穿着朴素而高雅的黑色长裙。她微笑着伸出手，我们互相问好。我正打算继续与她礼貌地交谈，斯蒂芬倾身过来，轻轻地说：

“我真是个笨蛋，瑞德先生。坦白说，我不知道怎么做才好。柯林斯小姐还一如往常地和蔼，但我想听听您是怎么想的。”

“你是指……布罗茨基先生的狗？”

“哦，不，不，我知道，这事儿是挺糟的。但我们一直在讨论一些别的事。我真的会很感激您的建议。事实上，柯林斯小姐刚刚还建议我问问您呢，对吧，柯林斯小姐？您瞧，我真不想拿这事儿烦您，但情况有点节外生枝。我是指我‘周四之夜’的表演。天呐，我真是个笨蛋！我说过，瑞德先生，我一直在准备让·路易斯·拉罗什的《大丽花》，但没告诉父亲。当然，现在他知道了。我一直不想告诉他，就想给他个惊喜，因为他非常喜欢拉罗什。况且，父亲做梦也想不到我能驾驭这么难的曲子，所以，我以为，从这两方面讲，对他一定会是莫大的惊喜。然而，就在最近，随着这盛大日子日益临近，我在想，再保密下去已不再现实。一方面，正式的节目单上会全部印出来，每条餐巾旁都会搁一张节目单。父亲一直在纠结节目单的设计，还要决定浮雕花样以及背面的插图等。几天前，我觉得必须得告诉他，但仍想给他个惊喜，所以一直等着合适的时机。呃，早些时候，就在我送您和鲍里斯下车后，我去了他办公室还车钥匙，他正趴在地板上看一堆文件。他跪在地上，周围地毯上都是文件，这没什么大惊小怪的，父亲常常这么工作。他的办公室很小，单是书桌就占了很大的空间，所以我得踮脚绕过去归还钥匙。他问我一切进展如何，可还没等我回答，就又开始全神贯注于他的文件了。呃，不知怎的，我要离开的时候，看了一眼跪在地毯上的他，突然觉得这是个告诉他的好时机。就是一时冲动而已。于是，我很随意地告诉他：'顺便说一下，父亲，我打算在'周四之夜'弹奏拉罗什的《大丽花》，我想您可能想知道吧。'我并没用什么特别的口气，只是那么一说，然后等着看他的反应。嗨，他把正在阅读的文件往边上一放，但眼睛却一直盯着面前的地毯，然后一丝微笑在脸上荡漾开来，说了类似于'啊，是啊，《大丽花》'这样的话。一时间，他看起来非常开心。他没抬头，手膝着地，但看起来非常开心。然后他闭上眼，开始哼唱这慢板的开篇，就那样在地板上开始哼唱，随着音乐摆头。他看上去是那么快乐，那么平静，瑞德先生，那当儿，我都开始恭喜自己了。然后他睁开眼睛，做梦似的抬头朝我微笑着说：'是啊，真美。我真是不明白你母亲怎么那么讨厌它。'我刚刚还跟柯林斯小姐说呢，一开始我以为自己听错了。但之后他又重复了一遍。'你母亲特别讨厌它。是啊，你知道的，最近她强烈蔑视拉罗什后期的作品。她都不让我在家里放他的唱片，就算戴着耳机也不行。'这时，他一定是察觉到了我的惊愕与不安。因为——父亲历来如此！——他马上开始想让我好受些。'我早该问你的，'他接着说道。'全是我的错。'然后他突然拍了下脑门，好像记起了别的什么事，说：‘真的，斯蒂芬，我让你们两个都失望了。那时候我以为不干涉是对的，但现在我明白了，让你们两个都失望了。’我问他是什么意思，他解释道，母亲一直以来多么渴望听我弹奏卡赞的《玻璃激情》。很明显，她早前就向父亲透露过她想听这个，还有，呃，母亲以为父亲会全部安排妥当。但是您瞧，父亲明白我的立场。他对这些事很敏感。他明白对于一位音乐家——甚至是像我这样业余的——也想自己决定该在如此重要演出中演奏什么。所以他什么都没对我说，完完全全打算等有机会再向母亲解释一切。然而，当然——呃，我最好解释一下，瑞德先生。您瞧，我刚才说，母亲让父亲知道她想听卡赞时，我并不是说她真的亲口告诉他了。向外人解释有点困难。事情是这样的，母亲会以某种方式，您知道，以某种方式，不用直接提及，而让父亲自然而然地知道。她会暗示他，但对父亲来说却显而易见。我不确定她这次用了什么方法。也许他回到家时发现她正在听立体声音响里播放的《玻璃激情》。呃，因为她很少使用立体声音响，那么这个暗示就十分明显了。也可能是父亲洗完澡上床睡觉时，发现她正躺在床上读着一本有关卡赞的书。我不清楚，他们之间总是这样。呃，您应该也明白，父亲不会突然说：‘不，斯蒂芬应该有自己的选择。’他在等待，想找一个合适的方法回应。他当然不知道，那么多选段，我偏偏选择准备拉罗什的《大丽花》。天啊，我真是愚蠢！我之前竟然不知道母亲那么讨厌它！嗯，父亲告诉我事情原委后，我问他该怎么办，他考虑了一下说，我应该继续练习我准备的曲子，现在换已经太迟了。‘母亲不会怪你的，’他一个劲地说，‘她一点也不会怪你的。她会怪我，怪得对啊。’可怜的父亲啊，他那么努力地安慰我，但我看得出他对此是多么难过。过了一会，他盯着地毯上的一个污点——他还在地上，不过这会儿是蜷伏着，好像在做俯卧撑——他盯着地毯，我能听到他自言自语。‘我受得住，受得住。比这更糟的我都经历过。我受得住的。’他似乎已经忘了我在场，所以最后我就离开了，轻轻地关上门。自那以后——呃，瑞德先生，我整个晚上都没想什么其他事了。坦白讲，我有点困惑。没剩多少时间了。况且《玻璃激情》那么难，我怎么可能准备好？说实在的，我得说就算花一整年的时间去准备，这首曲子还是有些超出我的能力范围啊。”

年轻人停下嘴，烦恼地叹了口气。他和柯林斯小姐都没说话，过了一会儿，我料想他可能是在等我的意见。于是我说：

“当然，这不关我的事，你必须自己决定。但依我之见，目前阶段已经太迟了，你应该坚持自己准备的……”

“是啊，我猜您就会这么说，瑞德先生。”

倒是柯林斯小姐插了进来。她的语气中带了一种出乎意料的讥诮，让我不得不住口，不得不转向她。这位年长的女士正以一种了然于心、略带优越感的神情看着我。“毫无疑问，”她说，“您会把这叫做——什么来着？——啊，对了，‘艺术的完整性’。”

“也不尽然，柯林斯小姐，”我说，“只不过从实际角度出发，我倒觉得目前阶段已经太晚了……”

“但您怎么知道太晚了呢，瑞德先生？”她再一次打断我。“您对斯蒂芬的能力知之甚少，更别说了解他目前困境的更深层的意义了。您为什么这样贸然断言，就好像您得天独厚，拥有我们其他人所欠缺的第六感呢？”

从柯林斯小姐最初打断我开始，我就觉得越来越不舒服。她说这番话的时候，我发现自己转过身去，试图逃避她的目光。我想不出任何反驳她的话，过了一会儿，我觉得还是走为上策。于是我微微一笑，慢慢离开，走进人群中。

接下来的几分钟，我漫无目的地在屋子里转悠。跟之前一样，我经过的时候，人们有时会扭头，但好像没人认出我。突然间，我看到了佩德森，就是我在电影院见过的那个人，他正与其他客人谈笑着，于是我打算上前找他。正当我准备上前时，感到什么东西碰了下我的手肘，我一扭头，发现霍夫曼站在旁边。

“很抱歉，刚才我不得不离开了一会。他们没怠慢您吧。瞧瞧这都什么事儿啊！”

酒店经理气喘吁吁，满脸是汗。

“啊，当然，我很愉快。”

“真是抱歉，刚才不得不离开去接个电话。不过他们已经在路上了，一点没错，他们已经在路上了。布罗茨基先生随时会到。谢天谢地！”他四下看了看，向我靠近了一些，压低了嗓门。“这份宾客名单考虑不周，有欠妥当，我告诫过他们。这儿的某些人不该到场！”他摇摇头。“瞧瞧这都什么事儿啊！”

“不过，至少布罗茨基先生已经在路上了……”

“噢，是的，是的。我得说，瑞德先生，您今晚能在这儿，真是让我如释重负。正是我们需要您的时候。总体上，鉴于，呃，目前的事态，我觉得您没必要更改发言内容。可能简单提一两句这悲剧也不会出什么岔子，不过我们会安排其他人来说说这条狗的，所以呢，真的，您没必要偏离原先准备的内容。只是——哈哈——你的致辞不要太长。但是，当然啰，您是最后一位……”他笑了笑，然后没了声音。他又四下看了看屋子。“这里的某些人，”他又说道。“考虑不周，有欠妥当。我告诫过他们的。”

霍夫曼继续在屋里四下张望，而我刚好能暂时将思绪转到酒店经理提到的发言上。过了一会儿，我说道：

“霍夫曼先生，考虑到我们目前的处境，我不太确定到底该在什么时候站起来并……”

“啊，的确，的确。您太善解人意啦。一如您说的，如果在一个平常的时刻起身，人们无法知道会是什么……是啊，是啊，多么有远见啊。我会坐在布罗茨基先生旁边，所以要不您就让我来判断什么时候是最好的时机，等我的暗号。哎呀，瑞德先生，在这样的时刻，有您这样的人在我们身边真是令人欣慰啊。”

“能帮上忙我真的很高兴。”

房间另一头突然传来一阵噪声，霍夫曼转过脸去。他伸长脖子看向房间那头，但显然并没什么大不了的事。我轻轻地咳嗽了一声，以唤回他的注意力。

“霍夫曼先生，还有另一个小问题。我刚刚在想，”我指了指身上穿着的浴袍，“我想换身稍正式些的衣服。不知道能不能借一套，普普通通就行。”

霍夫曼心烦意乱地瞥了眼我的衣服，又立即转开眼神，心不在焉地说：“噢，不要担心，瑞德先生。我们这儿的人没那么呆板。”

他又一次伸长脖子看向屋子那端，我很清楚他根本没有把我的问题放在心上，正打算再次说起这个问题时，入口处附近一阵骚动。霍夫曼跳起身，转过来，脸色苍白，冲我微笑了一下。“他来了！”他悄声说道，拍了拍我肩膀，就匆匆离开了。

房间里一下子安静了下来，有那么几秒钟，每个人都看向门口。我也想看看究竟发生了什么，但我的视线完全被挡住了。突然间，好似记起了刚刚的约定，四周的人重新继续交谈，声音带着欢乐，却也透着压抑。

我挤出人群，终于看到了布罗茨基被人引着穿过房间。伯爵夫人扶着他的一条胳膊，霍夫曼扶着另一边，还有四五个人焦急地在附近走来走去。布罗茨基显然没注意到他的随行人员，阴沉地抬头盯着华丽的屋顶。他比我想象的要高，身形要更笔直，但这会儿他动作却异常僵硬——且以一个奇怪的角度倾斜着——远远看去，他的随行人员就像转着小脚轮推着他向前。他胡子拉碴，没有刮理，但也没那么离谱，而且他的晚礼服有点歪歪扭扭，像是别人给他穿上的。他的相貌，虽粗糙而老迈，却仍残留着一丝温文尔雅的痕迹。

有那么一刻，我以为他们正把他领向我，但接着就意识到他们正走向隔壁的餐厅。一个服务员站在门边，引领他和他的随行人员进门，他们消失在视线中时，屋里一下子又安静了下来。没多久，宾客们又继续交谈，但我能感到空气中弥散着一丝新的紧张感。

这时，我注意到靠着墙，有一张椅子孤零零地立在那里。我突然觉得那是个不错的视角，或许能帮我更好地判断目前的整体气氛，然后决定晚餐时何种讲演最为合适。因而我走了过去，欣然落座，观察着这屋子。

宾客们依然在谈笑风生，但毫无疑问，潜在的紧张感继续升温。鉴于此，同时考虑到另外有人会具体讲述那条狗，我的发言保持轻快似乎是明智的，只要不轻快得离谱就行了。最终，我决定最好是讲一些妙趣横生的幕后奇闻，讲一讲我上次意大利之行中的一系列不幸插曲。这些故事我在公众场合已经讲过很多次了，我深信它们能消除紧张气氛，同时，我也肯定在眼下这样的情形中必定会博得大家赞赏。

我还在试验几句可能的开场白呢，突然注意到人已经变得稀少。这时，我这才意识到大家正鱼贯走进餐厅，于是我也站起身来。

我加入到走进餐厅的队伍时，依稀有人对我一笑，但并没人跟我说话。我对此其实并不介意，因为这当儿我仍在绞尽脑汁思索一个真正引人入胜的开场白。走近餐厅门口时，我在两种开场白之间犹疑不定。第一种是："这些年来，我的名字往往同某些品格联系在了一起：孜孜关注细节，对表演精益求精，严格控制力度。"这一近乎自负的开头也许迅即就会被在罗马真实发生的让人哭笑不得的闹剧抢了风头。另一种选择是，一开始就抛出更为荒诞不经的话："幕帘滑轨坍塌。老鼠被下毒。乐谱被印错。我相信，你们几乎没人会将我的大名与这些现象挂钩。"这两种开场白各有利弊，最后我决定先好好地感受一下晚宴的气氛，然后再做最终选择。

我走进餐厅，周围的人们都在兴高采烈地交谈。我立刻就被餐厅的巨大震撼了。即便现在有这么多人——有一百多号人呢——我也能明白为什么只需点亮屋中一角。众多的圆桌上铺着白色桌布，摆着餐具，但好像还有很多桌子并没有摆设，也没有配座椅，一排排地隐没在远处的黑暗里。许多宾客已经入座，整个场景——女士们珠光宝气，侍应生的夹克白白净净，清清爽爽，黑色晚礼服映衬的背景，远处的漆黑——可谓富丽堂皇。我在门口观察着这一景象，趁机平整了一下我的浴袍，就在这时，伯爵夫人出现在了我身边。她拉着我的手臂引领我，就像她之前那样，边走边说道：

"瑞德先生，我们将您安排在了这桌，这样您就不会太引人注目。我们不想让人们发现您，毁了惊喜！ 不过别担心，一旦我们宣布您大驾光临，而您应声起立，大家就都能真真切切地看到您，听到您。"

虽然她领我去的桌子是在一个角落里，但我就是不明白，那一桌为何比别的席位尤为不惹眼招风。她安排我坐下，然后，又笑着说了些什么——在吵闹声中我听不清——然后就匆匆走开了。

我发现同桌的还有四人——一对中年夫妇，另一对略微年轻点——他们都循例冲我笑了笑，又继续交谈。年长一对的丈夫在解释他们的儿子为什么要继续呆在美国，然后话题逐渐转移到这对夫妻的其他孩子上。时不时地，他们中的一对会象征性地记得把我纳入其中——朝我这儿看看，或者，要是讲了个笑话，就冲我微笑。但并没人直接对我讲话，而我呢，也就很快放弃了跟随他们的谈话。

然后，就在侍者开始上汤时，我注意到他们话头少了起来，而且有些漫不经心。最后，在上主菜的什么时候，他们好像放下所有伪装，开始讨论真正关注的问题。他们毫不掩饰地瞥向布罗茨基就座的方向，压低声音，就这位老人的现状各抒己见。这时候，较为年轻的那个女人说道：

"当然，该有人过去告诉他我们感到多么遗憾。我们大家都该过去。好像还没有人跟他讲过一句话呢。瞧，他身边的人，几乎不和他说话。或许我们该过去，我们该来开这个头。然后其他人就会跟着去了。或许大家都像我们一样在等待呢。”

其他人忙不迭地安慰她，说主办人一切尽在掌握，说不管怎样，布罗茨基看起来很不错，但下一刻他们也忐忑不安地看向屋子那头。

我自然也趁机仔细地观察着布罗茨基。他那桌比其他桌子稍大。霍夫曼坐在他的一侧，伯爵夫人坐在另一侧。围坐着的一桌人都头发灰白，神情庄重。这帮人似乎一个劲地屏息商谈的样子，让一整桌都弥漫着一股阴谋的气息，对整体的气氛几乎毫无助益。至于布罗茨基，他并没有显露出酒醉迹象，而是不紧不慢地——还算没到狼吞虎咽的地步——吃着东西。然而，他好像是缩进了自己的世界中。在用主菜的大部分时间里，霍夫曼都把手搭在布罗茨基的背后，似乎时不时在他耳边嘀咕着什么，但老人依然阴郁地盯着空气，没有回应。伯爵夫人碰了碰他的胳膊，跟他说了些什么，他还是没有回应。

甜点快吃完时——食物虽算不上有多美味，但也还算令人满意——我看到霍夫曼走了过来，穿过忙碌的侍者，我意识到他正朝我而来。他走到我身边，弯下腰，对着我的耳朵说：

“布罗茨基先生似乎想说几句，不过坦率讲——哈哈！——我们在劝他不要这么做。我们觉得今晚不该再让他承受额外压力了。所以，瑞德先生，可能得劳烦您仔细观察我的暗号，我一给出暗号您就马上站起来。然后，您一结束讲话，伯爵夫人立即就会结束晚宴的正式部分。是的，真的，我们觉得最好不要再让布罗茨基先生承受额外的压力了。可怜的人，哈哈！这个宾客名单，真是——”他摇了摇头，叹了口气，

“谢天谢地，亏您在这儿，瑞德先生。”

我还没能开口，他就又一路躲闪着侍者们，匆匆忙忙地赶回他那桌去了。

接下来的几分钟，我观察着整个房间，思量着那两个可能的开场白哪个更合适。我还在支吾其辞，这时房间里的嘈杂声突然平息下来。我这才留意到，坐在伯爵夫人身边一个表情严肃的男人站起身来。

这位先生年事垂老，满头银发。他隐隐透出一股威严，房间里顿时鸦雀无声。好一会儿，这位一脸严峻的老者只是谴责般地看着这群宾客。接着他用既压抑又洪亮的声音说道：

“先生，这样一个美好、高尚的同伴离我们而去，任何，任何言语都会显得苍白。然而，我们不可能让今夜就此过去，而不代表这屋里的每个人正式对布罗茨基先生您说些什么，表达我们最深切的慰问。”房间里响起一阵低沉的附和之声，他停顿了一会儿，然后继续说道：“您的布鲁诺，先生，不仅仅被那些目睹它在我们城里兢兢业业完成自己职责的人所深爱。它所获得的地位在人类中都属罕有，更不用说在四足动物之中了。也就是说，它成了一种象征。是的，先生，它向我们垂范了某些至关重要的美德：忠心耿耿；对生活热情有加，无惧无畏；绝不被人睨视；坚持以自己特有的方式行事，哪管在高高在上的旁观者眼中这是多么怪异偏颇。也就是说，这么多年来，构筑我们这个独具一格而又引以为豪的社会的，正是这些美德。这些美德，先生，恕我冒昧地说，”他意味深长地放缓语速，“我们希望很快能在各行各业重放光彩。”

他打住话头，又朝四周看了看，继续冷冰冰地盯了观众半晌，最后终于说道：

“现在，让我们一起默哀一分钟，以悼念我们已逝的朋友。”

他垂下双眼，人们纷纷低头，沉默又一次莅临。刹那间，我抬起头，发现布罗茨基那桌的几位市里的官员——大概是急于做出表率——摆出了一种十分滑稽夸张的致哀姿态。譬如，其中有一位用双手扣住了额头。至于布罗茨基——整个演讲过程中他都一动不动，没有抬头看一眼演讲者或者整个房间——依然一动不动地坐着，而且跟之前一样，他整个姿势角度看起来都很别扭。他甚至有可能坐在椅子上睡着了，而霍夫曼放在他背后的手臂主要起着物理上的支撑作用。

一分钟结束的时候，那个满脸严肃的先生没再说什么就坐下了，导致活动安排的进程出现了尴尬的脱节。一些人又开始小心翼翼地攀谈起来，然而，另一桌有了动静，我看到一个皮肤上有斑的大个子光头男人站了起来。

“女士们，先生们，”他铿锵有力地说道。然后，他转向布罗茨基，微微弯下身轻声道：“先生。”他低头盯着自己的手看了一会儿，然后环视房间。“很多人也都知道了，是我在今晚的早些时候发现了我们亲爱的朋友的尸体。因而我希望你们能给我几分钟时间说……说说事情的来龙去脉。您看，先生，”他又看了一眼布罗茨基，“事实是，我必须请求您的原谅。请让我解释一下。”大个子男人停下来，咽了口唾沫。“今晚，一如往常，我在投递。那时我几乎快送完了，还剩两三家没送，我抄近道从铁轨和斯尔德斯特斯街之间的蜿蜒小巷走下去。我平时是不抄近道的，特别是天黑后，但今天比往日要早一些，而且您知道，还有美丽的日落，所以我就抄了近道。就在那儿，差不多走到巷子一半的地方，我看到了它。我们亲爱的朋友。它躲在一个不怎么显眼的地方，几乎隐藏在路灯柱和木篱笆之间。我在它身边跪下，确定它是真的去世了。这当儿，我脑中闪过了许许多多念头。我当然想到了您，先生。想到了它对您来说是多么好的一个朋友，它的去世是个多么沉痛的损失。我也想到了我们整个城市将多么想念布鲁诺，这个城市将和您一起共悲伤。请允许我这样说，先生，我感觉，在这令人悲伤的时刻，命运交给了我一项特权。是的，先生，一项特权。命中注定是我将我们亲爱朋友的尸体送到了兽医诊所。接着，先生，接下来发生的事，我……我没有任何借口。就在刚才冯·温特斯坦先生讲话的时候，我坐在这儿，内心在纠结该不该站起来说点什么？最终，您也看到了，我下定了决心说点什么。布罗茨基先生从我口中听到总比明早听到谣言要好得多。先生，我对接下来发生的事感到极其羞愧。我只能说我不是有意的，即使再过百年也绝不会……我现在只能祈求您的原谅。过去几小时里，我脑中思索过千百遍，现在我明白了我当时应该怎么做。我应该放下我的包裹。您知道的，我还拿着两个呢，最后两个。我应该放下它们啊。它们拢在篱笆边上，在小巷里应该很安全。而且，就算有人顺手牵羊，那又怎样？但是，出于某些愚蠢的原因，或许是由于某种白痴的职业本能，我没有这么做。我当时想都没想。也就是说，我抬起布鲁诺的尸体时，依然紧紧拿着包裹。我不知道我在期待什么。但事实是——您明天就会得知，因此我现在亲口告诉您——事实是，您的布鲁诺在那儿一定是有些时辰了，因为它的身体，虽然死了却仍不失俊伟，这时已变得冰冷冰冷，而且，呃，已经僵硬了。是的，先生，僵硬了。原谅我，我现在这么说可能会让您痛苦，但是……但是请让我继续。为了能拿住我的包裹——我是多么后悔，我已经为此后悔上千次了——为了能继续拿着我的包裹，我把布鲁诺高高地扛在肩上，完全没有考虑到它已经僵硬这一状况。直到我这样快走到小巷尽头时，我才听到不知从哪里传来了小孩的呼喊声，于是便停了下来。当然，这时我才发现自己犯了个多大的错误。女士们，先生们，布罗茨基先生，我是不是需要向您全盘托出？但我非说不可。事实就是这样的。由于我们的朋友身体僵硬，由于我愚蠢地选择将它扛在肩上走，也就是说，差不多是以直立的姿势……嗯，关键是，先生，从斯尔德斯特斯街上的任意一所房子里都能透过篱笆顶端看到它的上半身。事实上，更残忍的是，那会儿正是大部分人家聚在后屋里一起吃晚饭的时候。他们可能会一边吃饭一边盯着自家的花园，也许看到我们尊贵的朋友悄然而过，其双爪直插胸前——啊，对它来说真是羞辱啊！一户又一户人家！先生，这个场景一直在我脑中萦绕，想象着那是怎样的一幅情景。原谅我，先生，原谅我，不卸除这一……这一证明我这愚笨天性的包袱，我一刻也没法继续坐在这里啊。这样令人悲伤的特权降临到如我这种笨蛋身上是多么的不幸啊！布罗茨基先生，我为您那尊贵的伙伴在离世后不久即遭受侮辱而致歉。求您啦，求您接受我徒劳无望、不足挂齿的歉意。还有斯尔德斯特斯善良的人们，或许他们中有些人现在就在这儿，他们像其他人一样深深地喜爱布鲁诺。他们最后一次见布鲁诺，竟然是以这样一种方式……我请求您，先生，在座的每一个人，我请求您，请求您的原谅。”

大块头坐了下来，哀伤地摇着头。接着他旁边那桌的一位女士站了起来，用手帕擦拭着眼睛。

“毫无疑问，”她说。“它是这个时代最伟大的狗，毫无疑问。”

房间里响起了一片赞同之声。布罗茨基那一桌的市官员起劲地点头，但布罗茨基仍然没有抬头。

我们等着这位女士继续说下去，但她虽然还站着，却什么都没说，只是继续抽泣，轻轻地擦着眼睛。过了一会儿，她旁边一个穿着天鹅绒晚礼服的男士站起来，轻轻地把她扶回座位，而他自己则继续站着，用指责的眼神扫视了一下房间，然后说道：

“一尊塑像，一尊铜塑像。我提议为布鲁诺竖一尊铜塑像以永远纪念它。一尊巨大而庄重的塑像。要不就立在沃赛尔特拉斯吧。冯·温特斯坦先生。”他对那个一脸严肃的先生说，“我们现在就下定决心，就在今晚，为布鲁诺建造一尊塑像吧！”

有人在大叫“说得好极了，说得好极了”，喧哗声四下而起，表示赞同。不仅仅是那位一脸严峻的先生，还有坐在布罗茨基那一桌的所有市官员，都顿时显出困惑的神情。交换了几个慌乱的眼神后，满脸严肃的男人坐着说道：

“当然了，哈勒先生，这件事我们会慎重考虑的，当然还会考虑其他主意，看看怎样最好地纪念……”

“这实在太离谱了！”一个男人的声音突然从房间的另一头插了进来。“多么荒唐的主意。为那条狗建一座塑像？要是那畜生配立一座铜塑像，那我们的乌龟，佩特拉，她就配建一个五倍之大的塑像。她死得那么惨。这太荒唐了。而且那只狗今年早些时候还攻击过拉恩夫人……”

他其余的话被房间里四下响起的嚷嚷声淹没了。一时间，好像所有人都在同时大声喊叫。刚才说话的那个男人，还站在那儿，现在转过身对着自己桌上的某人，开始激烈地争论。在这不断升级的混乱中，我意识到霍夫曼正在朝我挥手。或者更确切地说，他正用手比划着一个奇怪的画圈动作——就好像在擦一块隐形玻璃——我隐约想起这是他喜欢的某种打信号的方式。我站了起来，用力清了清嗓子。

房间几乎立刻安静了下来，所有眼睛都盯视着我。刚才反对立塑像的那个男人停止争吵，匆匆坐下。我重新清了嗓子，正准备开讲，就在这时，我突然注意到我的浴袍大开，我裸露的前身一览无遗。我脑袋一片混乱，略一犹豫就又坐了回去。几乎同时，屋子另一边的一位女士站起身来，尖声说道：

“如果建个塑像不现实的话，那何不以它的名字来命名一条街呢？ 我们经常改街名来纪念逝者。毫无疑问，冯·温特斯坦先生，这要求并不过分。或许可以改改迈因哈德斯特拉斯街，或者甚至雅恩斯特拉斯街也行。”

赞同声骤然响起，顿时人们异口同声叫喊起其他可以改名的街道。诸位市官员又一次面露难色。

我邻桌一个身材高大、满脸胡须的男人站了起来，用他雷鸣般的声音说道：“我同意霍兰德先生的意见。这太离谱了。我们大家当然为布罗茨基感到难过。但老实说吧，那只狗是个祸害，殃及其他狗，同样也威胁人类。不过，要是布罗茨基先生当初想到经常给它梳理毛发，为它治疗它显然已患了多年的皮肤感染……”

这人的话被暴风般袭来的愤怒抗议之声吞没了。“可耻！”“羞辱！”此等叫喊声此起彼伏；有几位离开了座位，要来教训这个冒犯者。霍夫曼又在对我打信号了，他狂怒地在空中比划着，脸上带着可怖的狞笑。我听到大胡子男人的声音在一片混乱中隆隆响起："我说的是事实。这畜生招事生非，可恶极了。"

我检查了一下我的浴袍，确定它牢牢系紧了，正准备再次站起来，这时看到布罗茨基突然动了动，然后站了起来。

他站起来的时候桌子发出了一声响，所有人都扭头转向了他。顷刻间，已离座的人们纷纷坐了回去。沉默又一次驾临。

刹那间我以为布罗茨基会摔倒在桌上。但他保持住了平衡，四下观察了一阵。他开口时嗓音有点嘶哑。

"瞧瞧，这算怎么回事？"他说。"你们以为那条狗对我这么重要？ 它死了就死了嘛。我想要个女人，有时候会觉得孤单。我想要个女人。"他打住话头，有那么一会儿他好像沉醉在自己的思绪中。接着他梦呓般地说道："我们的水手们。我们醉醺醺的水手们。他们现在怎么样了？ 她那时候还年轻，那么年轻，那么漂亮。"他随即又飘回到了自己的思绪中，抬起双眼盯着高高的天花板上垂悬的电灯，我又一次觉得他要向前摔倒在桌子上。霍夫曼一定也在担心同样的事，他站了起来，轻轻地把手放在布罗茨基背后，在他耳边轻声说了些什么。布罗茨基没有马上回应。接着他低声喃喃道："她曾经爱过我。爱我胜过一切。我们醉醺醺的水手们。他们现在何方？"

霍夫曼开怀大笑，仿佛布罗茨基说了什么睿语妙言。他朝房间咧嘴一笑，然后又对布罗茨基耳语了一番。布罗茨基好像终于想起自己现在置身何处，恍惚中转向酒店经理，任由他连哄带骗着坐回了座位。

接下来是一阵安静，没人动弹。伯爵夫人笑容可掬地站了起来。

“女士们，先生们，今晚此时此刻，我们有一个美好的惊喜！ 他今天下午才到，想必很累了，然而他还是答应了做我们的特别嘉宾！ 是的，大家欢迎！ 瑞德先生就在我们之中！”

房间里爆发出阵阵激动的喝彩声，此时伯爵夫人一个盛情邀请的手势指向了我。我还没来得及反应，我这桌的人已迅速地将我团团包围，都想和我握手。霎时，我意识到了周围全都是人，兴奋地喘息着，伸出双手和我打招呼。对这些亲密表示，我尽可能礼貌地回应，可是扭头一望——我还没机会从椅子上站起来呢——我看到身后聚集了一大群人，踮脚站着，推搡着。我明白必须控制这场面，以免它崩溃混乱。既然已经有那么多人站立着，我觉得最好的办法就是站在某个台座上面，以占领制高点。很快地确认了下我的衣服已牢牢系紧，我爬上了椅子。

喧闹声立刻平息下来，人们僵在那儿定睛看着我。从这一新的有利视角望去，我看到此刻过半宾客已离开桌子，于是我决定毫不迟疑立刻开讲。

“幕帘滑轨坍塌！ 老鼠被下毒！ 乐谱被印错！”

我注意到一个人穿过静止簇拥的人群向我走来。走到我身边时，柯林斯小姐从邻桌拉过一把椅子，坐了下来，盯着我。她这副样子足以让我分神，一时间，我竟想不出接下来该说什么。瞧着我犹豫的样子，她将一条腿跷在另一条上，关切地问道：

“瑞德先生，您感觉不舒服吗？”

“我挺好的，谢谢，柯林斯小姐。”

“我衷心希望，”她继续说，“您不要将我之前说的话太放在心上。我是想来找您道歉的，但到处都找不到您。我可能说了什么伤人感情的话。我真心希望您能原谅我。只是就算过去这么多年了，每次遇到您这个职业的人，往事就突然涌上心头，自己不知不觉就那种腔调了。”

“没关系，柯林斯小姐，”我轻声道，居高临下冲她微微一笑。“请别担心。说实在的，刚才我根本没在意。如果我离开得很唐突，那只是因为，我想您或许想和斯蒂芬单独说说话。”

“您这样善解人意真是太好了，”柯林斯小姐说道，“真的抱歉我先前有些生气了。但您得相信我，瑞德先生，对我来说，并不只是生气。我确实真心希望能帮您什么。看到您一次又一次地犯同样的错误我会很难过的。现在既然看见您了，我想对您说很欢迎您哪天下午来我家喝下午茶。我会非常乐意和您聊聊，随便什么问题都可以。我会洗耳恭听的，我向您保证。”

“您太客气了，柯林斯小姐。我相信您是好意。但请允许我这样说，好像您过去的经历使得您——正如您自己所言——对于我这种职业的人并未留下什么好印象。我不知道您对我的造访是否会感到开心。”

闻此，柯林斯小姐似乎若有所思。然后她说道：“我能理解您的担忧。但是我觉得我们完全能够客客气气地相处。您要是不想呆太长时间，短短的一次来访也成。如果您觉得会面不错，以后您可以随时过来嘛。或许我们甚至还可以一起散散步呢。斯登堡花园离我公寓很近。瑞德先生，多年来我不断回忆过去，现在真的已经准备好将其抛至身后了。我多么想向您这样的人再次伸出援手。当然了，我不能保证能回答您所有问题。但我会洗耳恭听。而且您可放心，我绝不会像某些缺乏经验的人那一样将您理想化或使您感伤连连。”

“我会慎重考虑您的邀请的，柯林斯小姐，”我对她说，“不过我不由地想，您显然已把我误认为别的什么人了。我之所以这么说，是因为，这个世界上似乎有太多自称为这样或那样天才的人，可其实呢，这些人只不过以生活毫无条理而引人瞩目。但不知何故，总有一批像您这样的人，柯林斯小姐——非常善意的人——乐于挺身而出去救助这些人。这么说可能有点大言不惭，但我可以告诉您，我并不是那样的人。事实上，我可以自信地说，此时此刻我不需要任何救助。”

柯林斯小姐不住地摇头。闻此，她说：“瑞德先生，如果您屡屡犯错，我真的会非常难过。而且，想到我一直在这儿，只是眼睁睁地看着您却毫无作为，我难过啊。我真的认为以您目前的处境，我能给您一些帮助。当然了，我和里奥在一起时，”她隐隐地向布罗茨基挥了挥手，“我还太年轻，知道得并不多，我真的看不透当时发生了什么。但如今，许多年过去了，我可以思量一切了。听说您要来我们这儿时，我就告诉自己，这正是我学会容忍苦楚的时机。我已经老了，但我的生命还远没有结束。人生中的是是非非，我已经有了透彻的了解，十分透彻的了解，而这并不太晚，我应当尽我所能将其付诸所用。正是本着这样的精神，我才邀请您来访的，瑞德先生。我为我们之前见面时的粗暴无礼再次向您道歉。我保证，这样的事不会再发生了。拜托，答应我您会来的。”

在她说话的当儿，她家中起居室的景象——温馨柔和的灯光，破旧的天鹅绒窗帘，破破烂烂的家具——一一在我面前晃动，刹那间，我多么想斜倚在她的沙发上，远离生活的种种压力，这一念头仿佛特别诱人。我深呼吸，叹了口气。

“我会记得您善意的邀请，柯林斯小姐，”我说道，“但此时，我得先上床休息一会儿。您得理解，几个月来，我一直在旅行。到了这儿后，几乎没有片刻停顿。我实在太累了。”

我说这些时，所有疲惫感都回来了。我眼下的皮肤感到很痒，我用手掌揉了揉脸。我还在揉脸时，突然感觉有人碰了下我的手肘，一个声音轻声说道：

“我和您一起走回去，瑞德先生。”

斯蒂芬伸出手来帮我从椅子上下来。我一只手斜倚在他肩上，爬了下来。

“我现在也很累，”斯蒂芬说，“我和您一起走回去。”

“走回去？”

“是的，我打算在这儿睡一晚。我要值早班的时候常这么做。”

一时间，他的话让我百思不得其解。然而，当我的视线穿过那一簇簇或站或坐的晚宴宾客，掠过一个个侍者和一张张桌子，看向这巨室的隐藏黑暗之处时，我突然意识到我们正在酒店的中庭。我早前之所以没认出来，是因为白天早些时候我是从另一头进来观察这地方的。远处黑暗中的某个地方，应该是我先前喝咖啡并且筹划这一天安排的吧台。

然而，我没来得及细想我的发现，斯蒂芬便领着我离开，出奇地坚持己见。

“我们回去吧，瑞德先生。而且，我有些事想跟您说。”

“晚安，瑞德先生。”柯林斯小姐在我们走过她身旁时说道。

我回头向她道晚安，若非斯蒂芬继续领着我离开，也不至如此仓促无礼。确实，我们走过时，我听到各个方向都有人跟我道晚安，我虽尽力向他们含笑挥手，但知道自己并没有优雅得体地退场。而斯蒂芬呢，显然忧心忡忡，我还在回头跟大家道晚安，他拽着我的胳膊，说：

“瑞德先生，我一直在想。或许现在我自视过高了，但我真的认为我该尝试一下卡赞。我记得您之前给我的建议，坚持自己已经准备好的。但真的，我一直在想，我觉得我或许能征服《玻璃激情》。我真的相信，现如今，这是我力所能及的。真正的问题是时间。但是如果我真的着手去做，努力去做，夜以继日地练，我想我是可以做好的。”

我们走进了中庭的暗处。斯蒂芬的鞋跟嗒嗒作响，在一片空旷中回荡，与我拖鞋的“啪嗒啪嗒”声对应相和。在昏暗中，我能分辨出，我们右边某处，是灰白的大理石大喷泉，此刻它一片沉寂。

“我知道这跟我无关，”我说，“但是，如果我是你，我会继续坚持原先准备的曲目。这是你自己选择的啊，不至于差到哪里去。无论如何，在我看来，在最后一刻改变曲目总是不大好的……”

“但是瑞德先生，您不完全明白。是我母亲。她……”

“我了解你以前跟我说的一切。就像我说的，我不想干涉。但是，恕我冒昧，我认为人的一生中总会有某个时刻，需要坚守自己的决定。一个说‘这就是我，这就是我的选择’的时刻。”

“瑞德先生，我很感激您所说的。但是我认为也许您只是这样说说而已——我知道您对我的建议是出于好意——但我认为您只是这样说说罢了，因为您不相信像我这样的业余人士能很好地演绎卡赞，尤其是现在时间这么赶。可是，您看，我整顿晚饭都在苦苦思量，我真的相信……”

“真的，你误解我了。”我说，对他感到一丝不耐烦。“你真的误解我的意思了。我刚才说的是你应该有自己的主张。”

但是年轻人似乎并没有在听。“瑞德先生，”他继续说，“我知道现在已非常晚了，您也很累了。但是我在想，您是否能给我几分钟时间，比如，哪怕十五分钟。我们现在可去休息室，我来给您演奏一段卡赞，不是全部，只是一段。然后您就可以给我提提建议，看看我有没有一点可能赶在‘周四之夜’前准备好。哦，不好意思。”

我们走到了中庭远处的尽头，在黑暗中停了下来，斯蒂芬打开了通往走廊的门。我回头一看，发现我们晚宴的地方看起来不过是黑暗中的一泓闪闪点点的小水池。宾客们好像又坐了下来，我看见侍者们端着托盘来回穿梭的身影。

走廊的光线十分昏暗，斯蒂芬锁上我们背后通往中庭的门，我们并肩走着，默默无语。过了一会儿，年轻人望了我几次之后，我突然想到他是在等我的决定。我叹了口气，说：

“我当然愿意帮你，很同情你目前的处境。只是现在太晚了，而且……”

“瑞德先生，我知道您很累了。我能提个建议吗？不如我自己进休息室而您站在门外听着。而后您听够了，足以给出意见，您就可以悄悄地去睡了。当然，我不会知道您是否还站在那里，所以我会鼓足干劲，尽力演奏，直至结束——这正是我需要的。您可以在明天清晨告诉我，我在‘周四之夜’是否有一点儿机会。”

我想了想。“好吧，”我终于说道，“我觉得你的提议非常合情合理。很方便地满足了我们双方的需要。非常好，我们就按照你说的做。”

“瑞德先生，您太好了。您都不知道这对我是何等的帮助。我可是因为这个一直饱受煎熬啊。”

年轻人很激动，加快了步伐。走廊转角变得很幽暗，我们匆匆前行，我不止一次伸出手去，生怕自己一头撞向两边的墙。走廊尽头有一丝光线，从通向酒店大堂的玻璃门透过来，除此之外，好像没有丝毫光亮。我正盘算着下次见到霍夫曼要向他提提这个问题，这时，斯蒂芬说：“哈，我们到了。”我停了下来，这时才觉察到我们正站在休息室门口。

斯蒂芬拿出更多的钥匙拨弄了一阵，门终于开了；门那头，一片漆黑，伸手不见五指。而年轻人却急切地走进房间，然后探出头来。

“您不介意给我一小会时间找乐谱吧，”他说，“应该在钢琴凳附近，不过这里太乱了。”

“别担心，没构思好清晰的意见之前，我是不会走的。”

“瑞德先生，您太好了。呃，我会很快。”

门嘎嘎地关上了，沉寂了几分钟。我仍站在黑暗中，不时地看看走廊尽头和来自大堂的光线。

终于，斯蒂芬开始弹奏《玻璃激情》的开篇乐章。听完头几个小节之后，我发现自己听得越来越用心。很明显，年轻人对这首曲子的熟悉度远远不够，然而，在迟疑和刻板之下，我能觉察出其融汇独创性与微妙情感的想象力，这让我很是吃惊。即便以目前粗糙的形式，年轻人对卡赞的解读似乎也开启了一些新的方向，这是绝大多数演绎所欠缺的。

我倾身向前，贴近房门，竖起耳朵捕捉他每一个踌躇的细微差别。但随后，接近乐章的尾声，疲惫突然席卷了我，我才记起现在很晚了。我忽然发觉没有必要再听下去了——只要时间充裕，演奏卡赞明显是他力所能及的——我开始慢慢地朝大堂的方向走去。

第 二 部

第十一章

床头柜上的电话响了，我被铃声吵醒，第一反应就是，我只睡了几分钟就又有人来打扰。但随后，我看到天空已亮，便知道现在已是清晨。我拿起听筒，突然没由来的担心自己是否睡过头了。

“啊，瑞德先生，”霍夫曼的声音传了过来，“希望您睡了个好觉。”

“谢谢您，霍夫曼先生，我睡得很好。当然了，我正要起床。今天会是非常忙碌的一天。”我笑了笑，“是时候开始啦。”

“没错，先生，今天您面对的，将会是非常忙碌的一天啊！ 我非常理解在今晨此刻，您想要尽量养精蓄锐。非常明智，请允许我这么说。尤其昨晚您是如此卖力。啊，多么美妙诙谐的演讲呀！ 今早举城上下谈论的全都是您！ 不管怎么说，瑞德先生，我知道这时候您大约该起床了，觉得还是给您挂个电话，告诉您这个情况为好。我很高兴通知您 343 号房已经完全准备好了。我建议您立刻入住，好吗？ 如果您不反对的话，您的物品会在您用早餐时由我们搬送至 343 号房。我确定 343 号房间会比您现在的房间更令人满意。我再次郑重地为这次失误道歉。犯下这样的失误，我很痛心啊。但我想我昨晚已做过解释了，有时这些事情是很难拿捏的。”

“是的，是的，我非常理解。”我环视房间，感到一阵绝望的悲伤开始吞噬我。“但霍夫曼先生，”我努力控制着声音，“有一点小麻烦。我孩子，鲍里斯，他现在跟我一起在这酒店，而且……”

“哦，好的，也非常欢迎这小伙子。我已经了解过情况，并且已经把他换到了您隔壁的342号房。事实上，古斯塔夫今晨早些时候给他换过房间了，所以您一点也不用担心。那么，用完早饭后请您回343号房。您会发现所有物品全都在那儿了。就在您现在房间的正上方，我相信那房间会更合您口味。但当然，如果您不满意，请即刻告诉我。”

我谢过他，放下听筒，然后爬下床，再次环顾四周，深吸了一口气。我的房间沐浴在晨光中，并没什么特别之处——不过是个普通的酒店房间而已——我突然意识到我对这里的确表现出了不合时宜的依恋。然而，我洗澡，穿衣，又发现自己情绪渐渐激动起来。突然间，我想到，下楼吃早饭前，在开始所有事之前，我该先去看看鲍里斯是否一切安好。说不定他此刻正一脸迷茫地坐在新房间里呢。我迅速穿好衣服，最后回身看了一眼，出了房间。

我沿着三楼的走廊搜寻342号房，这时，我听到了一阵声响，看到鲍里斯从远远的一头向我跑来。他奔跑的动作很奇怪，我一看到他就立刻停下了脚步。看到他双手摆出驾驶的动作，我猜他是在扮演飙车的人。他粗暴地向右边的隐形乘客低声咕哝着，“呼”地疾驰而过，根本没有留意到我。走廊的远处有扇门半开着，鲍里斯跑向那儿，喊道：“小心！”然后急转弯进了那间房。从里面传来鲍里斯模仿撞到什么东西上的声音。我走向那扇门，经查验确认是342号房，走了进去。

我发现鲍里斯正仰面躺在床上，双脚跷在空中。

"鲍里斯，"我说，"你不应该那样嚷嚷着到处跑。这里是酒店。大家说不定还在睡觉呢。"

"睡觉！ 都这时候了！"

我关上身后的门。"你不该制造噪音。会有人投诉的。"

"谁要是投诉，那他就倒大霉了。我让外公去对付他们。"

他双脚仍跷在空中，这时候，他开始懒洋洋地互拍着他的两只鞋。我坐了下来，看了他一会儿。

"鲍里斯，我得跟你聊聊。我的意思是，我们必须得谈谈了，我们两个。这对我们彼此都好。你肯定有不少疑问。关于这一切。为什么我们会在这酒店。"

我打住话头，看看他是否想说些什么。鲍里斯继续互拍着悬在空中的双脚。

"鲍里斯，目前为止你都很有耐心，"我继续道，"但我知道你有各种各样的问题要问。很抱歉我总是太忙，不能坐下来跟你好好谈谈这些问题。昨晚的事很抱歉，对你对我而言都挺让人失望的。鲍里斯，你肯定有非常多的问题，有些问题的答案不会简单，但是我一定尽力回答。"

不知何故，我说这话的时候——也许是与我之前的房间有关，也许想到了我如今可能要与它永别了——一股强烈的失落感油然而生，使得我不得不停下来。鲍里斯继续拍打着他的双脚好一会儿。然后他好像是累了，将双腿"扑通"一声砸落在床上。我清了清嗓子，接着说道：

“那么鲍里斯，我们从哪儿开始呢？”

“太阳战士！”鲍里斯突然尖叫，然后大声唱起某个主题曲的开头几段。他边唱边滚落在地上，消失在床和墙壁间的空隙中。

“鲍里斯，我可是认真的，看在上帝的分上，我们得谈谈这些事。鲍里斯，求你了，从那儿出来吧。”

没有回应。我叹了口气，站起身来。

“鲍里斯，希望你知道，无论何时你想问我任何事，你都可以问。不管我在做什么都会停下来，跟你谈。即便我正和非常重要的人在一起，我想要你明白，他们对我来说都不能与你相提并论。鲍里斯，你听到了吗？ 鲍里斯，从那里出来吧。”

“不行，我动不了。”

“鲍里斯，求你了。”

“我动不了。我断了三根椎骨。”

“好吧，鲍里斯。要不等你感觉好些了我们再谈。我现在要下楼吃点早饭了。鲍里斯，听着，如果你愿意，吃过早饭后，我们可以回旧公寓。你要想去，我们就去。那样，我们可以去拿那盒子。那个装有九号的盒子。”

仍旧没有回应。我又等了一会儿，然后说：“好吧，考虑考虑，鲍里斯。我现在下楼去吃早饭了。”

说着，我离开了房间，轻轻带上门。

我被带进了大堂隔壁一个阳光满溢的狭长房间。大大的窗户似乎直面街道，与人行道齐平，但为了留些私人空间，下部的窗格上装了磨砂玻璃，窗外的车流之声也只是隐约可闻。高大的棕榈树和天花板上的风扇给这个地方增添了一种淡淡的异国情调。桌子排成了两长排，侍者带我走过中间的过道，我发现大部分桌子都收拾干净了。

侍者安排我坐在靠后的座位，给我倒了些咖啡。他走后，我看到宾客寥寥无几，只有一对坐在门口说着西班牙语的夫妇，以及一位与我几桌之隔、正在读报的老人。我猜想我大概是最后一个下来吃早饭的客人吧，但继而一想，自己刚刚度过了一个格外费力的夜晚，没有任何理由感到内疚。

恰恰相反，我坐着，看到棕榈树在旋转的电风扇下轻轻摇动，一种满足感涌上心头。毕竟，我有足够的理由感到满足，我来之后，如此短时间内就有如此收获。自然，对于当地的这场危机来说，还有很多不明朗，甚至神秘的地方。可是，我到这里还不到二十四小时呀，问题的答案必将在不久以后显现。比方说，今天晚些时候，我会去拜访伯爵夫人，届时我不止有机会听布罗茨基的留声机唱片，重温他的作品，还要与伯爵夫人以及市长一起详细探讨这场危机。随后就是与市民会面，他们是受目前问题影响最直接的人——其重要性在前一天我就已经跟斯达特曼小姐强调过了——还有就是和克里斯托弗本人的见面。换句话说，有几个很重要的约会还等着我呢，所以，在这一阶段试图得出实质性的结论，或者甚至开始考虑给我的演讲词定稿，都是毫无意义的。眼下，我有权对自己已获取的信息量感到满足，当然可以在吃早餐时纵情享受几分钟的身心舒畅。

侍者端回来一些冷盘肉、奶酪和一篮新鲜的面包卷。我一边不紧不慢地吃着，一边往杯子里倒着浓咖啡，一次只倒一点。斯蒂芬·霍夫曼终于出现的时候，我正沉浸在近乎平静的情绪中。

“早上好，瑞德先生，”年轻人说，微笑着向我走来。

“我听说您刚下来。我不想打扰您用早餐，所以不会待太久。”

他在我桌边徘徊，脸上依旧挂着微笑，显然是在等我发话。此时，我才想起我们前一晚的约定。

“哦，是的，”我说，“卡赞，啊，是的。”我放下黄油刀看着他。“当然是钢琴曲中最难的曲目之一。由于你刚刚开始练习，听到些粗糙之处也是意料之中的事。其他没什么问题，就是有些粗糙的地方。那曲子，除了花时间练习也没什么其他办法了。要花很多时间啊。”

我又停下来。斯蒂芬脸上的微笑褪去了。

“但总体上讲，”我继续道，“这话我并不是随便说说的，我认为你昨晚的演奏显示出了非凡的潜力。只要时间充足，即便那么难的曲子，我确信你都可以演绎得很好。当然问题是……”

但是年轻人没再听下去。他向我走近了一步说：

“瑞德先生，说白了吧。您是说只要练习就够了吗？这曲子我能掌控？”突然间，斯蒂芬的脸扭曲了，他弯下腰，一拳捶在抬起的膝盖上。随后他站直，深吸了口气，眉开眼笑。“瑞德先生，您都不知道，不会知道这对我来说意味着什么。我知道这听起来不太谦虚，但跟您说吧，我一直都知道，在内心深处，我一直都觉得我能演奏好。但是听到您这么说，尤其是您，我的上帝，这是无价之言啊！昨晚，瑞德先生，我一遍又一遍地弹。每当疲倦席卷而来时，每当我意欲停下时，内心总有个声音说：‘等等，瑞德先生可能还在外面。他可能还要多听一点才能做出评断。’然后我就会更加投入，投入所有，继续不停。大概两小时前，我弹完时，不瞒你说，我真的走到了门口向外偷看。当然，我发现您已经去睡了——完全可以理解。但您能待那么久，真是太好了。我只希望您不要因我牺牲太多睡眠。”

“哦，没有，没有。我在门口待了……一阵儿。足够做出评断了。”

“您真是太好了，瑞德先生。今早我感觉自己换了个人似的。我生命中的乌云已烟消云散了！”

“听着，你千万不要误会。我是说这曲子在你能力范围内。但是你是否剩有足够的时间来……”

“我一定会确保自己有充足的时间。我一定会抓紧每一个机会练琴。我会废寝忘食。您别担心，瑞德先生。明晚我父母会为我骄傲的。”

“明晚？ 哦，是的……”

“哦，我一直自顾自地说自己，太自私了，我甚至还没说起您昨晚多么引起轰动。我是说在晚宴时。每个人都在谈论昨晚，全城皆是。真是精彩绝伦的演讲。”

“谢谢你。我很高兴大家喜欢。”

“我敢肯定，这对营造随后的气氛大为有益呀。是的，很显然——这真的是好消息，我本该即刻向您汇报的——正如您所见，柯林斯小姐昨晚露面了。呃，很显然，她在告辞时，他们——她和布罗茨基先生——相视一笑。是的，真的！ 很多人都看到了。父亲亲眼目睹了。他一直都没有刻意要让他们直接接触，他一直都格外谨慎，不想进展太快，尤其是柯林斯小姐还在考虑动物园的事。但恰恰就是在她要告辞的时候。显然布罗茨基先生注意到了她要离开，于是站起身来。他一整晚都坐在桌旁，即便到那会儿大家都像往常一样自在地转悠。但布罗茨基先生站起身来，视线越过房间望向门口，只见柯林斯小姐正和几位客人道晚安。其中有位先生，我想是韦伯先生吧，正护送她出去，但此时可能是某种直觉吧，总之，她回头望了望房间，当然就看到了布罗茨基先生站在那儿注视着她。这一切父亲尽收眼底，其他好几位也都看到了，房间顿时安静了不少；父亲说，他当时着实以为，她会还他一个冷酷、怨恨的眼神，因为她的脸已准备就绪，仿佛即刻就开弓。但最后一刻，她莞尔一笑。是的，她给了布罗茨基先生一个微笑！ 然后就出去了。布罗茨基先生呢，呃，您可以想象到，这对他来说意味着什么。想象一下吧，都过了这么多年了！ 我刚刚见过父亲，据他说，布罗茨基先生今早精神抖擞，活力焕发。他已经在钢琴旁演练了一小时啦！ 正好我弹完了钢琴空了出来！ 父亲说他今早有些不同，当然不是说有任何迹象显示他要喝一杯。这对父亲以及所有人来说都是一个胜利的消息，但我肯定您的演讲对这一切居功至伟。我们还在等柯林斯小姐的回音，我是说去动物园的事，但是经过昨晚的事，我们没法不乐观。今早是一个多么美好的清晨啊！ 好吧，瑞德先生，我不再耽误您的时间了，您肯定想用完早餐。我只是想再次跟您道谢，感谢您所做的一切。我相信白天我们还能碰到，我会向您汇报卡赞一曲的进展。”

我祝他好运，目送他坚定地大步离开了房间。

与这位年轻人的碰面让我倍感满足。接下来几分钟，我继续悠闲地吃着早饭，尤其享受当地黄油的新鲜口感。这时，侍者又端着一壶咖啡出现，然后又离开了。过了一会儿，不知为何，我发现自己回想起在飞机上坐我旁边的人曾经问我的一个问题的答案。三对兄弟曾一起踢入世界杯决赛，他说。我能记起他们是谁吗？我编了个借口继续看书，不想被拉入谈话中。但自那以后，每到像现在这样的场合，当我发现自己可以独自呆上少有的几分钟时，我就发觉那人的问题又会在脑中萦绕。恼人的是，这些年来，我有时能清楚地记得那三对兄弟的名字，但有时会发现，自己不是忘了这一对就是那一对的名字。今早也是这样。我记得查尔顿兄弟在 1966 年的决赛中为英格兰效力，凡·达科考夫兄弟在 1978 年为荷兰效力。但我无论怎样想，就是记不起第三对的名字。过了一会儿，我开始异常烦躁起来，有那么一刻，我甚至横下心：不记起那第三对兄弟的名字，我就决不离开早餐桌，也决不开始践行今天的诺约。

我从白日梦中清醒过来，发现鲍里斯进了房间，向我走来。他走得很慢，冷漠地挪步走过一张张空桌子，好像靠近我只是偶然而已。他回避看我，甚至走到我临桌时，还在那里磨蹭，手指拨弄着桌布，背对着我。

“鲍里斯，吃过早饭了吗？”我问。

他继续拨弄着桌布，然后以一种“吃不吃都无所谓”的腔调问我：

“我们要去旧公寓吗？”

“如果你想的话。我保证，只要你想去，我们就去。你想去吗，鲍里斯？”

“你没有工作要做吗？”

“有的，但我可以晚些做呀。如果你想，我们就去老房子。但是如果要去的话，我们就得马上出发。正如你所说，我今天会忙得不可开交。”

鲍里斯好像在考虑。他继续背对我，拨弄着桌布。

“那么，鲍里斯？ 可以出发了吗？”

“九号会在那里吗？”

“我想应该是的，”想着我该采取主动，我站起身来，把餐巾扔在盘子边。“鲍里斯，我们立刻出发吧。外面好像是个艳阳天。我们都不用上去拿外套了，立刻出发。”

鲍里斯仍然一脸犹豫，我圈起他的肩膀，然后带他离开了早餐室。

我和鲍里斯穿过大堂时，注意到前台接待员在向我招手。

“瑞德先生，”他说，“那些记者之前又来了。我觉得最好暂时先让他们离开，建议他们一小时之后再来试试。别担心，他们非常配合。”

我沉思片刻，然后说：“太不凑巧了，我现在有件很重要的事。或许你可以请那帮先生通过斯达特曼小姐安排一个合适的时间。现在不好意思，我们得走了。”

我们走出酒店，站在阳光明媚的人行道上，这时，我才发现自己不记得去旧公寓的路了。我看了一会儿面前缓慢行驶的车辆，然后鲍里斯好像感觉到了我的难处，说道：“我们可以坐有轨电车。就在消防站外面。”

“那太好了。好吧，鲍里斯，你来带路。”

车辆轰轰而过，随后的几分钟，我们几乎没有说话。走在狭窄拥挤的人行道上，我们躲闪着，穿过两条繁忙的小街，然后走上一条宽阔的大道，那儿有电车轨道和几条慢车道。这里人行道更为宽阔，我们更自由地穿梭于行人中，走过了一家家银行、办公室和餐馆。然后我听到身后跑上来的脚步声，感觉到有只手碰了碰我肩膀。

“瑞德先生！ 哎呀，终于找到您了！”

我一个转身，发现这人长得颇像一位上了年纪的摇滚歌手。他有着一张饱经风霜的脸，中分杂乱的长头发。他的衬衫和裤子松松垮垮，均呈米色。

“您好，”我小心翼翼地说，注意到鲍里斯满腹狐疑地看着他。

“真是一连串最不幸的误会啊！”那人笑道，“给我们预约了那么多不同的时间。唉，昨晚我们等了很久，两个多小时呢，但是没关系！ 这样的事也难免。我敢说这些都不是您的错，先生。说实在的，肯定不是。”

“啊，是的。您今早又在等了吧。是的，是的，前台接待员提起过。”

“今早，又有些误会了。”长发男人耸耸肩。“他们说一个小时后再来。所以我们，我和摄影师，就在那家咖啡馆打发时间了。但既然您刚好路过，我在想我们是否可以立刻开始采访拍照。这样的话，我们就不必再次打扰您了。当然，我们明白，像您这样的贵宾，接受我们这种本地小报的访问恐怕不会是您优先考虑的事情……”

“恰恰相反，”我立刻说道，“你们这样的报纸恰恰是我向来最看重的。你们能号准当地人情感的脉搏。像您这样的人，我认为是这城里最珍贵的人脉之一。”

“您如此美言真是太客气了，瑞德先生。请允许我这样说，相当有见地啊。”

“可我要说的是，机缘太不巧了，这会儿，我另有他事。”

“当然，当然。正因如此，我冒昧建议，现在就把整件事给了结了，免得我们以后从早到晚老是打扰您。我们的摄影师，皮德罗，他现在就在那边的咖啡馆里。我问您两三个问题，他可以拍几张快照。随后，您和这位年轻先生，就可以立马赶往您的目的地。整个过程不过就是四五分钟的光景。目前看来这是最简单的解决之道了。”

“唔，只几分钟，你说的。”

“哦，有几分钟我们就已经开心不已了。我们完全明白，必定有许多其他重要事情需要您去费心。我说过的，我们就在那边那家咖啡馆。”

他指了指稍远的一个地方，那儿几张桌椅都摆到了人行道上。看起来并不是我理想中接受采访的地方，但我意识到这可能是打发记者最简单的方法了。

“那好吧，”我说，“但我必须强调，今天上午我行程特别紧。”

“瑞德先生，您真是太好了。而且还是我们这种卑微的小报！好吧，我们尽量快些完成。请，这边走。”

长发记者开始带我们沿着人行道往回走，他急切地想赶回咖啡馆，差点撞到另一个行人。眨眼间他就领先了几步，我趁机跟鲍里斯说：

“别担心，这不会太久的。我保证。”

鲍里斯继续挂着一副不满的表情，我补充道：

“听着，等我时，你可以坐下来吃点好吃的。冰淇淋或者芝士蛋糕。然后，我们立即出发。”

我们走到一个满是阳伞的小院子边停下。

“我们到了，”记者说道，示意其中一张桌子。“我们就在那里。”

“如果你不介意的话，”我对他说，“我首先得把鲍里斯安顿在里面。我会很快出来，跟你会合的。”

“太好了。”

虽然外面的院子里很多桌子都有人坐，但里面却一个客人也没有。内室装潢简约现代，房间洒满阳光。一名体态丰满、长得颇像北欧人的年轻女侍者站在玻璃柜后面，柜内陈列着各种蛋糕和点心。鲍里斯在角落里的一张桌子边落座，年轻姑娘微笑着朝我们走来。

“想点些什么？”她问鲍里斯，“今早，我们有全城最新鲜的蛋糕。十分钟前刚运到。全都新鲜出炉。”

鲍里斯开始向她详详细细地盘问起各种蛋糕，最后选中了杏仁巧克力乳酪蛋糕。

“好吧，我不会很久的，”我对他说，“我只是去见见这些人，然后立刻回来。你要是需要什么，我就在外面。”

鲍里斯耸了耸肩，注意力一直停留在那名女侍者身上，此刻她正从陈列柜里取一份精致的甜点。

第十二章

我回到院子，可哪儿都找不到那位长发记者。我在阳伞中间溜达了一会儿，仔细凝视一张张坐在桌边人的面孔。在院子里转了一圈后，我停下脚步，心想也许那记者改变主意，顾自走了。可这好像太不可思议了，我又四下看了看。形形色色的人边喝着咖啡边读着报纸。一位老人正和围在他脚边的鸽子谈天。突然，我听到有人提到了我的名字，我一转身，看到那记者就坐在我正后方的桌边。他非常投入，正和一个矮胖、黝黑的男人相谈甚欢，我猜此人应该是摄影师吧。我惊呼一声，走上前去，但蹊跷的是，这两人继续交谈，看都不看我一眼。甚至我拉开那张剩余的空椅子坐下时，那记者——刚说了半句——只是匆匆地瞥了我一眼，然后又扭头面对那黝黑的摄影师，继续道：

"所以呢，有关这座建筑的重要意义，千万别给他任何提示。你只要编些附庸风雅的理由，解释他为什么非得一直在它前面。"

"没问题，"摄影师点头称是，"没问题。"

"但也不要逼他太紧。上个月舒尔茨在维也纳就是这样搞砸的。而且，记住，像所有其他这号人一样，他非常自负。所以，你得假装是他的一位狂热粉丝。告诉他报社派你去的时候并不知道，而你碰巧是他的一位狂热粉丝。这样就一定能打动他。但在我们建立起融洽关系之前，千万别提萨特勒纪念碑。”

“好的，好的。”摄影师仍频频点头，“但我还以为这事儿现在已经定下来了呢，我以为你已经征得他同意了。”

“我本想打电话把这事敲定下来，可是后来舒尔茨警告我，说这个家伙他妈的真难搞定哩。”那记者说这话的时候，扭头冲我礼貌地一笑。那位摄影师呢，顺着他同伴注视的目光，心不在焉地朝我点了个头，然后他们二人又继续讨论起来。

“舒尔茨的问题，”记者说道，“在于他马屁拍得还不够。而且他那副态度，好像真的不耐烦似的，即便没有不耐烦，他也这副德性。对付这种人，你只需不停拍马屁就行。所以你在拍照的过程中，只消不停地喊‘太棒了’。不停地赞叹。千万不要停止满足他的虚荣心哦。”

“好的，好的。没问题。”

“那么我就开始……”记者疲倦地叹了口气。“我就开始谈谈他在维也纳的表演，或者诸如此类的事情吧。我这儿搞了些资料，我会一路夸张，虚张声势。但我们别浪费太多时间。几分钟之后，你就假装有了灵感，说要去萨特勒纪念碑拍照。而我会先假装有些生气，但最后承认这是个绝佳的主意。”

“好的，好的。”

“你现在明白了。别出岔子。记住，他是个难搞的混蛋。”

“我明白。”

“一旦有任何不对，就说些恭维的话。”

“好吧，好吧。”

两个人相互点了点头。然后记者深吸了一口气，拍拍双手，转过身来，面对着我，突然眼光灼灼起来。

“啊，瑞德先生，您来啦！您能抽出您宝贵的一点时间给我们，真是太好了。我想那年轻人在里面还开心吧？”

“是的，是的。他点了一大块乳酪蛋糕。”

那两人开心地大笑，矮胖摄影师咧嘴笑道：

“乳酪蛋糕。太好了，我的最爱。我自小就最喜欢乳酪蛋糕。”

“哦，瑞德先生，这是皮德罗。”

摄影师微微一笑，急切地伸出手。“真高兴见到您，先生。告诉您吧，对我来说这真的是天赐良机。我今早才接到这个任务。起床的时候，我还在想今天又得去拍议事厅。我是在洗澡的时候接到电话的。你想做吗？他们问。自打孩提时，他就是我心目中的偶像，我告诉他们。我想不想做？天啊，没有报酬都行，只要让我做，我愿倒贴给你们，我告诉他们。只需告诉我去哪儿就行。我发誓我从未因一个任务如此兴奋过。”

“坦白说，瑞德先生，”记者说，“昨晚跟我一起在酒店的摄影师，呃，等了几个小时后他开始有些不耐烦了。自然，我对他相当生气。‘你似乎还不明白，’我对他说，‘假如瑞德先生因故耽搁了，那肯定是他得去赴最重要的约会。假如他发了善心同意给我们些时间，而需要我们等上一会儿，那么我们就等呗。’先生，跟您说吧，我对他非常生气。我回去之后，就告诉主编说这可不行啊。‘早上再给我找个摄影师，’

我要求道，‘我想要一个理解瑞德先生的立场并对他示以合宜谢意的人。’是的，对这事我挺激动的。总之，我们现在有皮德罗了，他正好和我一样，也是您的琴迷，我们几乎一样狂热。”

“更狂热，更狂热呢，”皮德罗抗议道，“我今早接到电话时，简直不敢相信。我的偶像到了城里，而我要给他拍照去。天哪，我一定要做得尽善尽美，我洗澡的时候对自己这么说。那样一位大人物，必须做得尽善尽美才行呐。我会让他站在萨特勒大楼前拍照。我这样设想着。我洗澡的时候，脑海中构思出了整个作品。”

“现在，皮德罗，”记者说，严肃地看着他，“我非常怀疑瑞德先生是否愿意仅仅为了拍个照跑到萨特勒大楼那边。好吧，开车最多几分钟就到，但是对于一个行程紧张的人来说，几分钟可不是无足轻重的事喔。不，皮德罗，你就在这儿尽你最大努力做好吧，我们坐在这桌边谈话，你拍几张瑞德先生的照片。好吧，人行道露天咖啡馆，是太老套了，瑞德先生全身上下的独特魅力甚至都很难很好地展示出来。但不行也得行了。我承认，你想让瑞德先生站在萨特勒纪念碑前这一主意，确实是神来之想。但他根本没时间啊。能为他拍一张哪怕只是普普通通的照片，我们就该满足了。”

皮德罗一边用拳头捶打手掌，一边摇头。“你说的没错。可是，上帝啊，这太难受了。这是一个为伟大的瑞德先生拍照的机会，这种机会一辈子也就一次啊，而我却只能将就，在一个咖啡馆拍。真是造物弄人啊。”他又悲伤地摇了摇头。一时间，他们两人坐在那儿望着我。

“呃，”我终于说道，“你们说的这座建筑，真的是开车几分钟就到吗？”

皮德罗突然坐直身子，因激动而脸上发光。

“您是认真的吗？您会在萨特勒纪念碑前摆姿势拍照吗？上帝啊，史无前例啊！我就知道您是个大好人！”

“等一下……”

“您确定吗，瑞德先生？”记者抓着我的胳膊说，“您真的确定吗？我知道您的行程很满。哎呀，您真的是太伟大了！真的，打车过去不过三分钟。其实，您只消在这里等会儿，先生，我现在就去拦一辆过来。皮德罗，反正瑞德先生在这里等，不如你先为他拍几张。”

记者匆匆离开。随即我看到他站在人行道边上，前倾着身体，冲着来往车辆，一只手臂举在半空中。

“瑞德先生，请吧。”

皮德罗单膝跪地，透过相机眯眼看着我。我在椅子上坐好——摆了一个放松但不过于懒散的姿势——一副亲切微笑的面容。

皮德罗按了几下快门。然后他后退几步，再一次单膝蹲下，这次是在一张空桌子边，惊飞了一群正在啄食面包屑的鸽子。我正准备再调整一下姿势，记者跑了回来。

“瑞德先生，我现在拦不到出租车，但正好有一辆有轨电车来了。请快些，我们可以跳上去。皮德罗，快，那辆电车。”

“但那会和出租车一样快吗？”我问道。

“是的，是的。其实，这种交通状况下，电车会更快些。真的，瑞德先生，您不必担心。萨特勒纪念碑非常近。事实上——”他抬起手遮着双眼看向远方，“事实上，您从这儿差不多能看到。要不是那灰色的塔楼挡在那儿，我们这会儿就能看见萨特勒纪念碑了。就是这么近，真的。事实上，一个正常身高的人——不比你我高多少——如果爬到萨特勒大楼的房顶，站直，举着类似杆子的物体——比方说，家用拖把——像今天这样的清晨，我们很容易就能越过那座灰色塔楼看到。所以您看，我们马上就能到。请吧，那辆电车，我们得快点了。”

皮德罗已经站在路缘上了。我看到他背着重重的一袋设备，正试图说服电车司机等我们。我跟着记者走出院子上了车。

我们三人刚走上中心过道，电车再次启动了。车厢里很拥挤，我们没办法挨着坐。我挤进车厢靠后的一个座位，坐在一个小个儿老头和一个主妇母亲中间，她膝上还坐着个牙牙学语的小孩。座位出奇的舒服，过了一会儿，我开始有些享受起这次旅程。我对面，坐着三个年长的男人，他们共同读着一张报纸，由中间那人打开举着。电车的颠簸好似给他们阅读造成了困难，不时地，他们会为要求读特别的哪一页而争执。

我们走了好一会儿，我才察觉到四周的活动，看到一位女检票员沿过道走过来。我才想到我同伴一定为我买好了票——我上车时，肯定没有买过。我再次扭头看过去，看到了那检票员。一个娇小女人，丑陋的黑色制服没有完全掩盖她迷人的身材。她已经检查过其他地方，正朝我们这块儿走来。我四周，人们纷纷掏出车票和通行证。我强压住心中的恐慌，酝酿准备说点什么，听起来既有尊严又有说服力。

这时，检票员逼近我们，所有邻座人都拿出了自己的车票。她正给他们打孔时，我定定地说道：

“我没有票，但我有特殊情况，你要是允许的话，我会向你解释。”

检票员看着我，然后她说：“没票是一回事。但你知道，你昨晚真让我失望。”

她一说这话，我立刻认出她是菲奥娜·罗伯茨。她是在伍斯特郡我们村的小学同学，我大约九岁时，和她发展了一段特殊的友谊。当初，她住得离我们很近，沿着小路走不远就到了她家的农舍，跟我家的没多大区别，我常常溜出去和她玩上一下午，特别是在我们离开家乡去曼彻斯特之前那段艰难的日子里。自那以后我再也没见过她，所以着实为她责难的态度吃了一惊。

“啊，是的，”我说，“昨晚。是的。”

菲奥娜·罗伯茨仍看着我。或许和她这会儿摆出的责备的神情有关，我突然间发现自己想起了儿时的一个下午，我们两个正一起坐在她家餐桌下。我们跟往常一样，将五彩缤纷的毛毯、窗帘从餐桌边垂挂下来，筑起了我们的“藏身窝”。那日午后，温暖晴朗，我们硬是坐在“藏身窝”里，里面几近漆黑，闷热难当。我一直对菲奥娜说着些什么，必定是唠唠叨叨，让人心烦意乱。她不止一次想打断我，但我继续唠叨。最后，我说完了，她说道：

“太傻了。那意味着你得靠自己了。你会很孤单的。”

“我不介意，”我说，“我喜欢孤单。”

“你又在犯傻了。没人喜欢孤单。我会有个大家庭，至少五个孩子，每晚给他们做一顿美味的晚餐。”然后，我没有回答，她又说道：“你太傻了。没人喜欢独自一人。”

“我就是。我喜欢。”

“你怎么能喜欢孤单呢？”

“我喜欢，就是喜欢。”

事实上，下这断言，我还是有几分坚定的。到那日下午，我开始我的“训练期”已经有几个月了；其实，那份特殊的迷恋大约是在那会儿达到了顶峰。

我的“训练期”开始得相当意外。一日灰蒙蒙的午后，我独自在小巷里玩耍——沉浸在某种幻想中，在一排杨树和田野中间的干涸沟渠里爬进爬出——我突然感到一阵惊慌，需要父母的陪伴。我们的农舍并不远，越过田间，我能看到农舍的背面。惊恐感迅速蔓延，我几乎被一阵冲动所压倒，只想穿过杂草全速跑回家。然而，不知何故——可能我很快将这感觉同不成熟联系了起来——我强迫自己迟些离开。毫无疑问，我脑子里想的还是很快穿越田间，开始奔跑，只是用意志力推迟那一刻的到来，多坚持了几秒。我呆若木鸡地站在那干涸的沟渠里，经历了恐惧与兴奋交织的奇怪感觉，这感觉我在接下来的几周里渐渐熟悉。不到几天工夫，我的“训练期”变成了我生活中一个惯常且重要的部分。日久天长，就形成了一种固定的仪式，所以，一感到想回家的念头冒出头，我就会沿着小路走到一个特别的地方，一棵巨大的橡树下，我会在那儿站上几分钟，击退内心的情感。时常，我会觉得呆得已经够长了，现在可以出发回家了，结果却是再一次将自己拉回来，强迫自己继续在树下多站上几秒钟。毫无疑问，那伴随着不断增长的恐惧与惊恐的奇特兴奋感，或许就是我保留自己那略带强迫性质的“训练期”的原因吧。

“但你知道的，是不是？”那日菲奥娜对我说。黑暗中，她的脸挨着我的。“你结婚后不必像你父母那样。根本不会像那样的。丈夫和妻子不会总是吵架。他们只是在……在特殊的事情发生的时候才那样吵架。”

“什么特殊的事情？”

菲奥娜沉默了一会儿。我正准备更咄咄逼人地重复一遍自己的问题，这时，她语重心长地说：

“你父母呀，他们不是因为合不来才那样吵架的。你难道不知道吗？ 难道你不知道他们为什么总是吵架吗？”

突然间，我们的“藏身窝”外面传来一声怒气冲冲的叫喊，菲奥娜就消失了。我继续独自坐在桌下的黑暗里，捕捉到了从厨房传来的菲奥娜和她母亲低声争执的声音。我听到菲奥娜一度用受伤的语气重复道：“可是为什么不行？ 为什么我不能告诉他？ 其他人都知道了。”她母亲说，嗓音仍很低：“他比你年纪小。他太小了。你不能告诉他。”

菲奥娜·罗伯茨走近了几步停下，把我的回忆打断了，她对我说：

“我一直等到十点半，然后让大家去吃饭了。大家那时候都饿了。”

“当然，正常。”我无力地一笑，四下看了看车厢。“十点半。到那时候，是的，人们肯定饿了……”

“而到那时候，你显然是不会来了。没人会再相信了。”

“是的，我想，到那时候，不可避免地……”

“刚开始一切都还不错，”菲奥娜·罗伯茨说，“以前，我从未举办过那样的聚会，但一切都还不错。她们都来了，英奇，楚德，她们全都来我公寓了。我有些紧张，但一切顺利，我真的也很兴奋。她们有几位还为那晚作了充分准备，带了好多文件夹，里面好多信息，还有照片。直到大概九点，人们开始心神不定、坐立不安了，那时候，我头一次突然意识到你可能不来了。我不停地进进出出，加咖啡，添点心，一心要让一切顺利进行。她们全都开始窃窃私语，但我仍然想，呃，你可能还是会来的，可能在什么地方塞车了吧。后来，越来越晚了，最后，她们就公开地议论起来。你知道的，甚至毫不顾及我还在房间呢。就在我自家的公寓里！ 就在那时，我告诉她们开始吃吧。我那会儿只希望早点结束早了事。于是，大家开始吃，我准备了好多的小煎蛋卷，而即便在吃的时候，其中有几位，像乌利克那号人，仍旧不停地私语窃笑。但其实吧，某种程度上，我倒觉得那些窃笑的还好。相比楚德之类，我更能接受她们。楚德她们装出一副为我惋惜的模样，自始至终都虚情假意地显示友好，哦，我多么讨厌那个女人！ 我能看出她在临走时，暗自思量：'可怜的家伙，生活在幻想的世界里。我们真的早该猜到的。' 哦，我恨透了她们这伙人，我真的鄙视自己竟然跟她们搞在一起。可是，你瞧，我在这小区住了四年，没交到一个好朋友，我很孤独啊。长久以来，那些女人，就是昨晚来我公寓的那些人，她们不愿和我有任何关系。你知道的，她们认为自己是这儿的精英，自称是'妇女艺术文化基金会'成员。这太愚蠢了，那根本不是什么真正意义上的基金会，但她们觉得那名字听起来很气派。每当城里组织什么活动，她们就忙活起来。比方说，北京芭蕾舞团来访的时候，她们做了所有欢迎招待会的彩带。总之，她们认为自己无比高贵，直到最近，都不想跟我这样的人有来往。那个英奇，在小区附近看到我时，甚至不愿打声招呼。但是，当然，自传言散播开来，一切都变了。我是说我认识你这件事。我不知道这事是怎么传出去的，可我没有到处鼓吹呀。我猜我肯定向某人提起过。但不管怎样，你想象得到，一切都变了。今年早些时候，某一天，英奇叫住了我，我那时正上楼，她邀请我参加她们的一次聚会。我真的不想和她们有牵连，但还是去了，我猜想当时觉得总能交上几个朋友吧，我也不知道。呃，一开始，她们一些人，包括英奇和楚德，她们不知道该不该相信传言，你知道，就是我是你老朋友的事。但她们最后认可了，我想可能这让她们感觉相当不错。照料你父母的整个主意不是我出的，但很明显，我认识你这一事实与其有莫大关系。你要来访的消息传出后，英奇过去告诉冯·布劳恩先生，她说，继北京芭蕾舞团之后，基金会现已准备就绪，准备承办某项真正重要的活动，而且，基金会中有一位还是你的老朋友呢。诸如此类的话。就这样，基金会争取到了这项工作，即在你父母逗留期间照顾他们；当然，大家都很兴奋，虽然其中几位觉得这事责任重大，很是紧张。但英奇一个劲地给大家鼓气，说这不过是我们应得的认可。我们连连开会，为招待好你父母出点子，想办法。英奇告诉我们——我听到了这点很难过——你父母二人现在身体都不大好，所以呢，很多顺理成章的事，如游览城市之类的，就不太合适了。但是，其他主意可多着呢，大家都很兴奋。随后，在最后一次会议上，有人说，呃，我们干吗不请你来，亲自见见我们呢？ 谈谈你父母会喜欢什么。刹那间，大家鸦雀无声，然后英奇说：‘干吗不呢？ 毕竟，我们有万中无一的资格邀请他。’然后她们全都盯着我，于是最后我说：‘呃，我想他会很忙，但如果你们愿意，我可以问问他的。’我看得出我说那话的时候她们是多么激动。后来一得到你的答复，嗨，我就一跃成了公主，她们都对我另眼相待，无论什么时候遇见我，都冲我微笑，对我很亲热，给孩子们送礼物，主动为我做这干那。因此，你完全能想象昨晚你没出现的后果了吧。”

她重重地叹了口气，沉默了一会儿，透过窗户茫然地看着窗外掠过的建筑物。终于，她继续道：

“我想我其实不该怪你。毕竟，我们已经有很久没见面了。但是，我当时以为你会看在你父母的分上过来的。对于我们能为他们在此逗留期间做些什么，每个人都想法多多。今早，她们一定会七嘴八舌地议论我。她们几乎都不出去上班，丈夫个个能赚大钱，她们一定会互煲电话或相互串门，肯定会异口同声地说：‘可怜的女人，生活在自己的世界里。我们早就该看出来的。我倒愿意尽点力帮助她，不过呢，她实在是太令人厌烦了。’我现在就能听见她们说这话，她们一定个个陶醉其中。就说英奇吧，一方面，她会非常生气。‘这个小贱人骗了我们。’她会这么想。而另一方面，她会很开心，她会如释重负。你瞧，英奇这人呐，她既中意我认识你，可又总觉得这是个威胁。我看得出来。过去的这几周中，自从你答复之后，其他人对待我的方式，可能让她有了什么想法。她真的是痛苦万分，她们全都是。总之，她们今早一定会很开心，我知道她们一定会的。”

听着菲奥娜的话，我不自觉地认为自己该对前一晚发生的事感到无比懊悔。然而，尽管她绘声绘色地描述她公寓中的情景，尽管我为她深感难过，但我发现自己只是模模糊糊地记得日程表上有这样一项活动。此外，她的话让我颇为吃惊地意识到，父母快要来到这座城市了，可到目前为止自己却对这个问题考虑甚少。正如菲奥娜提到的，他们二人身体欠安，生活几乎不能自理。没错，看着外面繁忙的交通，还有窗外掠过的一座座光亮的建筑物，我对年迈的父母，不由生发出一股强烈的保护欲。理想的办法其实就是委托当地的一群妇女照料他们，我真是个大笨蛋，居然没能抓住机会见见她们，和她们谈谈。父母怎么办？ 想到这，一阵惊慌攫住了我的心——我无法想象，对于这次出访的这方面问题，我居然没怎么考虑。一时间，我的脑海里思潮翻滚。我突然看到了我母亲和父亲，两人身材矮小，头发花白，年老驼背，站在火车站外面，周围都是行李，自己根本没法搬。我能看见他们看着身旁这个陌生的城市，然后，最终，我父亲的自尊战胜了理智，拿起两个，然后三个箱子，而我母亲试图阻拦无果，她用那瘦弱的手拉住他的胳膊，说："不行，不行，你搬不动的。太多、太多了。"而我父亲，表情坚定决绝，甩开我母亲，说："我不搬，那由谁来搬？ 要不我们怎么到酒店？ 这种地方，自己不帮自己，还有谁会帮我们？"而在这当儿，轿车和卡车从他们身边呼啸而过，上下班的人匆匆路过。我母亲虽然难过，却也只好作罢，无可奈何地看着父亲负着沉重的行李蹒跚而行，走出四五步，最终支撑不住，放下行李箱，肩膀垂下，呼吸沉重。然后，过了一会儿，我母亲，走向他，轻柔地把手放在他胳膊上。"没关系，我们会找到人帮忙吧。"而我父亲，此时已经放弃，但或许已感满足，因为至少他精神可嘉，他平静地看着眼前的人流，寻找可能是来接他们的人，帮他们搬送行李，寒暄欢迎，坐着舒适的轿车带他们到酒店。

菲奥娜说话的时候，我大脑里充斥着这些景象，因此一时间未能考虑到她不幸的处境。但随后我意识到了她在说：

"她们会议论纷纷，说什么从今以后可得更谨慎了。我现在就能听见她们这么说。'我们现在声望更高了，一定会遇到形形色色的人，他们千方百计想使诈混进来。我们必须小心为好，尤其是现在我们担负着如此重大的责任。那个小贱人对我们来说是个教训。’诸如此类的话。天知道这下我在那小区日子还怎么过。而我的孩子们，他们可得在那里长大……”

“听着，”我打断她，说道，“对此我真的很抱歉，语言都难以形容。但事实是，昨晚发生了件无可预见的事情，具体什么事就不说出来烦你了。我当然因为让你失望而十分懊恼，但确实甚至连打通电话都不太可能。我希望没有给你带来太多麻烦。”

“麻烦可多呢。对我来说不容易啊，你知道，一个单身母亲带着两个长身体的孩子……”

“你听我说，我真是非常抱歉。要不这样吧，我现在和那边的两个记者有点事，但不会太久的。我会尽快摆脱他们，跳上出租车，直奔你公寓。我会大概，半个小时吧，至多四十五分钟到那儿。然后我们就这么做。我们一起绕着小区走上一圈，那么所有这些人，你的邻居呀、什么英奇、什么楚德呀，她们全部会亲眼见到我们的确是老朋友。然后我们就去拜访一些较具影响力的人，比如这个英奇之类的。你可以介绍我，我呢则对昨晚的事道个歉，解释一下何以在最后不得不耽误行程。我们一个一个地把她们争取过来，弥补昨晚对你造成的伤害。其实呀，顺利的话，你在朋友中的人缘说不定甚至比从前更好呢。你觉得怎么样？”

菲奥娜继续盯着过往的风景看了好一会儿。最后她说：“我的第一直觉会说：‘忘记整件事吧。’声称是你的一个老朋友，对我一点帮助都没有。总之，或许我并不需要成为英奇那个圈子的人。我只是之前在那小区里太孤单了，但是尝过她们的行事风格之后，我觉得，说不定只有我的孩子们做伴我会更开心呢。晚上，我可以读一本好书，或者看电视。然而，我要考虑的不只是我自己，我还得考虑孩子们。他们得在这小区里长大，他们得被他人接纳。看在孩子的分上，我应当接受你的提议。你也说了，假如我们按照你建议的做，我的境况说不定比聚会成功还好呢。但你得保证，你得以你所珍视的一切发誓，你不能让我再度失望了。因为，你看，如果实施你的计划，那就意味着我一结束这次轮班，就得开始挨家挨户打电话安排我们的拜访。我们可不能随随便便去敲人家的门，这儿可不是那种小区。所以你应该明白，如果我预约了而你没出现会怎样吧。那样的话，我就只能自己再走一圈，再次解释你没来的原因。所以你必须保证你不会再让我失望了。”

“我保证，”我说，“我说过，只要完成这儿的这件小事，我就即刻跳上出租车，与你会合。别担心，菲奥娜，船到桥头自然直。”

正说着，我感觉有人碰了碰我胳膊。我转过身，看见皮德罗站了起来，再次把大包扛在肩膀上。

“瑞德先生，请吧。”他指着通向下车门的过道说。

记者正站在前面准备下车。

“我们到站了，瑞德先生。”他朝我大叫，挥了挥手，“如果你不介意的话，先生。”

我感觉到电车缓缓停下。我站起身，往外一挤，向着车厢的另一头走去。

第十三章

电车轰鸣而去，留下我们三人站在开阔的乡间，四周尽是迎风的田野。我感到微风阵阵，神清气爽。我站着看了一会儿，看着电车渐渐驶出田野，消失在视线外。

“瑞德先生，这边请。”

记者和皮德罗在几步开外等着。我走上前追上他们，开始穿越绿草茵茵的田野。阵阵强风不时扯拽着我们的衣衫，吹得绿草上下起伏。终于，我们到了一个小山脚下，停下脚，喘口气。

“就在这上面不远处。”记者指着山上说。

我们一路徒步穿越茂盛的绿草地，经过这一番奔波后，看到有一条土路直通山上，我心中大喜。

“好吧，”我说，“我时间不多，我们最好现在就过去。”

“当然，瑞德先生。”

记者在前面带路，走上一条陡峭曲折的小径。我勉强跟上，与他仅保持一两步的距离。皮德罗可能是被身上的包所拖累，一下子落在后面。爬山的时候，我发现自己一直在想菲奥娜，想前一晚我如何令她失望。我猛地意识到，尽管迄今为止我对此次来访信心十足，尽管迄今为止我已有所斩获，但在某些事情的处理上——至少以我自己的标准衡量——仍留下了些许遗憾。我父母即将到达这座城市，且不论我给菲奥娜带来的尴尬，令人极其恼火的是，我竟错过了一次机会，一次与托付照料他们的人讨论他们诸多复杂需求的机会。我的呼吸声越来越沉重，一想到索菲给我的事儿造成的混乱，我就对她气恼不已，一股强烈的无名之火再次向我涌来。毋庸置疑，要求她在我人生的这一无比关键时刻，管好自己如麻的纷乱，这要求并不过分呀。突然想要对她说的各种各样的话，一下子充满了我的脑袋，如若不是气喘吁吁的话，我没准就大声自语起来了。

沿着小径转了三四个弯后，我们停下来歇了歇脚。抬头望去，发现此刻周围的乡间风景历历在目。片片田野连绵不绝，蜿蜒至远方。只有在视线的很远处，才能隐隐看到一片农舍之类的东西。

“风景真美。”记者说，边喘着气，边用手将头发别到脸后。“上这儿来，真是令人心旷神怡。清新的空气定会让我们一整天都精神抖擞。呃，虽说风景确实不错，可我们还是别浪费时间了。”他爽然一笑，又走了起来。

与之前一样，我继续紧跟着他，皮德罗落在后面。有那么一会儿，正当我们艰难地攀登一个特别陡峭的地方时，皮德罗在下面喊了一声。我以为他是叫我们放慢速度，但记者并没有停下脚步，而是顶着一阵强风扭头喊道：“你说什么？”

我听见皮德罗挣扎着又走了几步。然后听到他喊道：

“我说，貌似我们已经说服了那狗屁家伙。我觉得他会配合的。”

“呃，”记者回喊道，“到目前为止他还算配合，但对这类人可不能想当然。所以继续拍马屁吧。他已经来到这么上面了，看起来还挺开心的。不过我觉得这傻子甚至都不知道这建筑的意义。”

“他问的话，我们怎么跟他说？”皮德罗喊道，“他一定会问的。”

“那就换个话题。叫他换下姿势。只要谈他的演出就一定能转移他的注意力。如果他问个不停，我们最后就得告诉他了，但那时我们已经拍了很多照片，这混球一点办法也没了。”

“这里完事儿了我就开心了。”皮德罗说，这会儿他喘得更厉害了。“老天啊，他老是摩搓双手的样子让我浑身都起鸡皮疙瘩。”

“我们就快到了。一切都挺顺利的，可别在最后一刻搞砸了。”

“很抱歉，”我打断他们，说道，“我需要休息一会儿。”

“当然了，瑞德先生，我真是考虑欠周啊，”记者说道，我们停了下来。“我本人是马拉松运动员，”他继续道，“所以有特别的优势。但我得说，先生，您看起来确实非常健康。以您这个年纪——噢，我是从资料里得知您年龄的，否则我绝猜不出——真的，您把可怜的皮德罗远远地甩在了后面呢。”等皮德罗赶上来的时候，他冲他大喊：“快点儿，你这个慢吞吞的家伙。瑞德先生在笑你呢。”

“这可不公平啊，”皮德罗微笑道，“瑞德先生才华横溢，而且呢，又幸运地拥有运动天赋。我们有些人可没这么幸运呵。”

我们站在那儿俯瞰风景，恢复气力。然后，记者说：

“我们离目的地很近了。继续走吧。毕竟，瑞德先生今天很忙。”

最后一段路最费力。小径越来越陡，还有很多泥泞的水坑。记者继续稳稳地走在我前面，但我看得出他这会儿正费力地向前倾着身子。我摇摇晃晃地跟在后面，脑中又满是想对索菲讲的话。“你知道吗？”我发现自己咬紧牙随着步子喃喃自语。“你知道吗？”不知怎地，这话从未继续下去，但每走一步，要么在我脑中，要么低声念出，我一遍又一遍地重复这句话，直到这话本身都开始让我愤怒了。

小径终于平坦了，我看到山顶处有一幢白色建筑。我和记者跌跌撞撞地走了过去，过了一会儿，我们斜倚着墙壁喘气。稍后，皮德罗也过来了，大口大口地喘着粗气。他靠着墙壁一下瘫倒，身体下垂，只靠双膝支撑，我一度担心他是不是要痉挛了。他仍然“呼哧呼哧”地喘着气，开始拉开包，取出了一架相机还有镜头。这时候，刚才这一系列动作好像让他招架不住了，他一只手撑着墙，头埋到墙沟处，继续大口地呼吸。

终于，我感觉自己恢复了些许，走开几步，想看看这座建筑，结果一阵狂风将我吹了回去，差点紧贴在墙上。最终我走到了一个位置，看到一栋高高的圆柱形白色砖房，没有窗户，独独近顶端的地方有一道垂直的裂缝。好似从一座中世纪城堡上搬下了一个塔楼，移植到了这山顶上。

“瑞德先生，只要您准备好了，我们就可以开始了，先生。”

记者和皮德罗站到了离建筑物十米开外的地方。皮德罗这会儿显然恢复过来了，摆好三脚架，透过取景镜向外看。

“请您靠墙站直，瑞德先生。”记者喊道。

我走回这栋建筑。“先生们，”我说，提高声音，盖过风声，“开始之前，我想问问您能否解释一下我们选这个背景的确切意义？”

“瑞德先生，”皮德罗大喊道，一边挥手，“请向后站，紧挨着墙，或者一只胳膊撑着墙吧。就像这样。”他逆着风伸出了胳膊肘。

我靠墙走近了几步，按照要求做了。皮德罗照了若干张照片，时不时地移动三脚架或更换镜头。这期间，记者一直站在近旁，透过皮德罗的肩头看着，与他商量着。

“先生们，”过了一会儿，我说，“我这么问应该并不冒昧……”

“瑞德先生，”皮德罗说，从相机后面跳将起来。“您的领带！”

我的领带被吹到肩膀上去了。我正了正领带，又趁机重新理了一下头发。

“瑞德先生，”皮德罗喊道，“能不能拍几张您抬起手的，就像这样。是的，是的！ 好像您引着某人走近房子。对了，非常好，非常好。但是，呃，请自豪地微笑。非常自豪，就好像这房子是您的孩子似的。好的，太完美了。是的，您看起来太棒了！”

我尽力按着他的指示做，但是风力强劲，很难保持一个既合适又亲切的表情。

过了一会儿，我意识到左边站着一个人。印象中，那男人身穿深色外套，紧贴着墙蜷缩着，但我当时得摆个姿势，只能用余光看他。皮德罗继续迎着风，大声喊着指令——让我把下巴向一边侧一点，笑容更灿烂一些——过了好一会儿之后，我才有空转身，打量那人。最后我开始打量他的时候，那男人——高高的，像根竹竿，秃顶，脸上瘦骨嶙峋——立即向我走来。他紧紧夹着雨衣，走近时，他伸出了手。

“瑞德先生，您好。很荣幸见到您。”

“啊，是的，”我答道，打量着他，“很高兴见到您，您是……呃……”

那个竹竿男子显出一脸惊愕的神色。然后说：“克里斯托弗。我是克里斯托弗。”

“啊，克里斯托弗先生。”一阵劲风扑面而来，我们只得奋力支撑片刻，这也给了我一个机会恢复了些。“啊，对，克里斯托弗先生。当然。久仰您大名啊。”

“瑞德先生，”克里斯托弗说着，倾身靠近我，“请允许我直接向您表达我的谢意，感谢您拨冗出席此次午宴。我知道您是个多么有修养的人，所以，您做出肯定回复时，我毫不意外。您看，我知道您是那种至少会给我们一个公平申诉机会的人，是那种会切切实实想要听听我们立场的人。不，我一点儿不意外。但我还是非常感激您。呃，现在——”他看了看表，“我们有点晚了，但没关系。交通应该不太糟糕。请，这边走。”

我跟着克里斯托弗绕到这白色建筑的后面。这里的风没有那么强劲，砖房外安装的大量管道发出了一阵低沉的嗡鸣声。克里斯托弗继续领路，朝着山缘处一个两根木头柱子标记的地方走去。我脑中想象着柱子那边下坡路应该很陡峭，但到了之后，我向下看去，看到一截长长的不太牢固的石阶，通向山腰处，让人头晕眼花。下面台阶的尽头远远的是一条铺好的路，我隐约辨别出一辆黑色轿车在那里等候着。应该是在等我们吧。

“瑞德先生，您先请。”克里斯托弗说，“请吧，下去时步伐请随意。不必着急。”

然而，我留意到他又焦急地扫了一眼手表。

“很抱歉我们晚了。”我说，“拍照片花的时间比我想象的要长些。”

“请别担心，瑞德先生。我们肯定能及时赶到。请吧，您先走。”

头几步，我感到有些眩晕。两边都没有栏杆，惊惧中，我被迫高度集中注意力，生怕一步踏空，一路滚下山去。但幸而，风没有像先前那么闹事捣鬼，过了一会儿，我发现自己越来越有自信——和其他的台阶没有太大区别嘛——甚至双眼不时地离开双脚，一览眼前的全景。

天仍然阴沉，但太阳已经开始冲破云层。现在能看到，车停着的那条路建在一座高丘上。透过层层叠叠的树顶，高丘那边的山麓继续呈下降之势。再往下，我能看到田野向远处各方延展开去。地平线处，城市的轮廓隐约可见。

克里斯托弗一直紧跟在我身后。开头几分钟，可能是留意到了我下山时的紧张，他没有开口交谈。但我步伐有了节奏之后，他叹了一口气，说：

“那片树林，瑞德先生，您右下方那片，叫沃尔登伯格树林。城里许多较为富裕的人，都喜欢在那儿弄个小木屋。沃尔登伯格树林非常怡人。开车一会就到城里了，但又让人感觉远离一切喧嚣。等我们上车，沿山坡开下去，您就会看到那些小木屋了。有些正好就坐落在峭壁边缘，景观肯定美不胜收。罗莎肯定会喜欢这样的小屋。其实，我们心里特别中意其中的一间，等我们车子开下去的时候我会指给您看。简朴是简朴点，但一样的夺目。现在的房主几乎不用，一年也不过就用两三个星期。如果我价钱开得好，他肯定会认真考虑的。但现在没必要考虑了。全完了。”

他沉默片刻。然后他的声音又在我身后响起。

“谈不上宏伟壮观。我和罗莎从未看过里面什么样。但是我们开车路过许多次，想都能想象出里面是什么样的。它坐落在一个隆起的小山岬上，有个陡坡，让人感觉悬在半空似的。走过一个个房间时，每个窗户都能看到云层。罗莎肯定会喜欢的。我们从前开车经过，都会减速，有时候甚至停下车来，坐在那儿尽情想象，里面是什么样子，一个房间一个房间地遐想。呃，刚才我也说了，这些现在全都是过眼云烟了，想也没用了。不管怎么说，瑞德先生，您同意让我们占用您宝贵的时间，为的可不是听这些。请原谅。我们说正事吧。您知道，先生，您答应过来和我们谈谈，我们全都无比感激啊。您与这帮人形成多么明显的对照啊，这伙人还自称领导这个社会！ 前前后后共有三次，我们邀请他们出席午宴，来谈谈这些问题，就像您要做的这样。但他们一口回绝。就连一秒钟也不肯来啊！太傲慢了，一个个全是。冯 · 温特斯坦，伯爵夫人，冯 · 布劳恩，全都这德性。您看，他们之所以这样，是因为他们没把握啊。他们心中都明白自己什么都不懂，所以拒绝过来与我们好好商谈。我们邀请了他们三次啊，可他们每次都是断然拒绝。不过，话说回来，即使他们来了也无济于事。我们现在讲的话，他们连一半都听不懂。”

我又一次陷入沉默。我觉得应该讲上几句，但突然意识到我只能扭头大声喊才能让他听见，我可不想冒险视线离开台阶。于是，随后的几分钟，我们继续默默地往下走。我身后，克里斯托弗的呼吸越发沉重。然后我听见他说：

“说句公道话，这倒也不能怪他们。这些现代音乐太复杂了，什么卡赞，穆莱利，吉本直贵。即便像我这样受过训练的乐师，现在都感觉很难，非常难。冯·温特斯坦、伯爵夫人之流，又怎么可能会懂？ 完全超出他们的层次了嘛。对他们来说，那简直就是噪音，离奇古怪的节奏，一团糟啊。或许这些年自己骗自己说能听出些名堂来，什么情感啊、意义啊。但事实上，他们一无所得。完全超出了他们的层次，他们根本不懂现代音乐的原理。曾几何时，只有莫扎特、巴赫、柴可夫斯基。那种音乐，大街上随便拉个人都能猜个八九不离十。但是，这是现代音乐啊！ 他们这样的人，一帮乡巴佬，没经过任何训练，怎么可能——不管他们觉得对社会怀有一种何等强烈的责任感——他们怎么可能理解这些东西呢？ 无可救药啊，瑞德先生。他们搞不清破碎的节奏与令人震撼的主题间的区别，也不懂断裂的拍号和一系列指孔休止之间停顿的不同。而如今还误判了整个形势！ 想让事情往相反的方向发展！ 瑞德先生，您要是累了，我们何不休息一会儿？”

事实上，我刚才停步片刻，有一只鸟突然惊慌失措地飞近我面前，差点害我失足踩空。

“不用，不用，我没事。”我大声回答道，又重新开始下台阶。

“这些台阶太脏了没法坐，但如果您愿意的话，我们随时可以停下，站着歇歇脚。”

“不用，真的，谢谢。我很好。”

我们继续走着，接下来几分钟，彼此沉默。然后，克里斯托弗说：

“在我最超然的时候，我其实深为他们遗憾。我不怪他们。虽然他们干了那些事，说我的坏话，我有时仍能客观看待形势。我对自己说，不，真的不是他们的错。音乐变得这么复杂难懂，这不是他们的错。这种小地方的人，期待他们理解现代音乐是不合情理的。然而，这些人，这些市官员们，他们还非得装出一副一切尽在掌握之中的样子。他们不断对自己重复某些事，久而久之，就开始相信自己的权威了。您知道，像这样的地方，是不会有人反驳他们的。瑞德先生，请格外留意下面几级台阶。外沿有点破损了。”

我慢慢地走下了后面的几级台阶，然后抬眼，发现没剩多少路了。

“那也是无济于事的。”克里斯托弗的声音在我身后响起，“即便他们接受了我们的邀请，也无济于事。他们连一半都听不懂。瑞德先生您至少会明白我们的观点。即便我们不能说服您，我确信，您走的时候也一定会尊重我们的立场。不过呢，当然啰，我们希望能说服您。不管我个人的命运如何，都要说服您，必须不惜一切地坚持目前的方向。诚然，您是一位卓越的音乐家，现今全世界仍在工作的、最有天赋的音乐家之一。然而，尽管如此，即便是您这水平的专家也需要将其知识运用于当地一系列的特殊情况。每个社会都有其自己的历史和独特的需求。瑞德先生，我等会儿将要向您介绍的人，可以说是这城里极少数称得上是知识分子的人。他们不辞劳苦地分析当地现行的特殊状况，而且更重要的是，他们——与冯·温特斯坦之流迥然不同——他们对现代音乐原理确有真知灼见。在他们的帮助下，瑞德先生，我希望能劝服您改变您现在的立场，当然是以最礼貌最恭敬的方式了。当然，他们每个人都对您和您代表的一切怀有至高的崇敬之情。但我们觉得，即便以您非凡的洞察力，这儿的某些情势您恐怕也未能充分了解。我们到了。”

事实上，还有大概二十多步才到小路。克里斯托弗在最后这段下坡路上一直沉默。这让我松了一口气，因为他后来说的话让我很恼怒。他在暗示我或多或少忽略了当地的情况，暗示我是那种懒得考虑这些因素就得出结论的人，这也太侮辱人了吧。我回忆起自从到这个城市之后如何进行——尽管行程很紧，尽管很疲倦——熟悉当地环境的任务。譬如，我记得昨天下午我本可以轻轻松松地在酒店的中庭理所应当地、舒舒服服地休息一阵，我却去了市中心了解情况，加深印象。说实在的，越想克里斯托弗的这番话，我就越是心烦意乱，因此，到最后，我们来到车跟前，克里斯托弗帮我开了车的客门后，我没说一句话就钻进了车里。

“我们也不是太迟，”他说着，走进来坐在驾驶座上。“只要路况不错，我们很快就能到。”

他说这话的时候，我一下子想起了我今天允诺的其他约会。比如说，菲奥娜的事——毋庸置疑，她在公寓里随时等候我的到来。看这情况，我明白自己必须坚定果断一点。

他发动了车子，很快我们便沿着又陡又弯的小路下行。克里斯托弗好像很熟悉路况，每个急弯都很有把握。往下开了一段，路没有那么多弯了，他之前提到的小木屋渐渐出现在我们两边，这些房子大多都矗立在险峻的地方。我终于转向他，说道：

“克里斯托弗先生，我非常期待与您和您的朋友共进午餐。听听你们这边的立场。然而，今早出现了一些意想不到的事情，所以我今天接下来会很忙。事实上，即便在我们说……”

“瑞德先生，您不必解释。我们一开始就知道您会有多忙，在场的每个人，我保证，都会非常理解的。如果您要在一个半小时后离开，甚至一个小时后就走，我向您保证，没人会生一丁点儿气的。他们都是一群好人，这城里唯一一群有能力在这个层次上思考和感觉的人。不管这顿午餐结果如何，瑞德先生，我保证您会很开心认识他们的。我还记得当中很多人年轻热情时的样子。很好的一群人呐，我可以为他们每个人做担保。我想他们曾经觉得自己是我的追随者，现在他们仍然敬仰我。但这些日子以来，我们都是同事，朋友，或许甚至是更深的关系。最近这几年只是把我们拉得更近了。当然，有些人离开了我，这也是难免的。但是留下来的那些人，噢，他们一直很坚定。我为他们骄傲，我非常爱他们。他们是本城最大的希望，虽然我知道一时半会儿他们还没法儿在这里得势生威。啊，瑞德先生，我们很快就要经过之前跟您说起的那个小屋了。就在下个转角处，会出现在您那侧。”

他沉默了，我看了看他，发现他都快落泪了。我对他动了恻隐之心，于是轻轻地说道：

“谁都不知将来会怎样哩，克里斯托弗先生。或许您和您的太太哪天就能找到一间颇为类似的木屋呢。即便不在这儿，也会在别的某个城市吧。”

克里斯托弗摇了摇头。“我知道您是在安慰我，瑞德先生。但真的没意义了。我和罗莎已经彻底了结了。她就要离开我了。我知道已经有段日子了。其实，全城都知道了，想必您已经听到他们说三道四了吧。”

“呃，我确实是听到了一点……”

“肯定有很多闲言碎语的。我现在已不太在意了。重要的是罗莎很快就要离开我了。她不能容忍和我继续保持婚姻关系了，发生了这些事以后，她无法容忍了。您千万不要误会。这些年来，我们越来越相亲相爱，越来越相亲相爱。但您看，我们之间，从一开始，就有个共识。啊，就是那个，瑞德先生。在您右边。罗莎常坐在您现在的位置上，我们慢慢开过去。有一次慢慢开车经过，我们都特别陶醉，差点跟一辆上山的车撞上。但没错，我们之间有一个共识。我在本地独享其尊之时，她能爱我。哦，是的，她爱我，她真心爱我，对这一点我坚信不疑，瑞德先生。因为您看，对当时的罗莎来说，生命中没有什么比嫁给像我这样地位的人更重要的了。或许，这么说显得她有些肤浅。但您千万不要误会。她用自己的方式，她熟知的方式，深深地爱着我。无论如何，相信人们不管发生什么都会继续相爱，那是胡说八道。只是就罗莎的情况而言，呃，她就是这样的人，她只有在特定的条件下才能爱我，但这并不意味着她对我的爱有丝毫失真。”

克里斯托弗又沉默了片刻，显然陷入了沉思。路慢慢地转了一个弯，这边的景色突然跃入眼帘。我俯望下面的山谷，依稀辨别出看似富足郊区的大宅，每幢都有一英亩左右的面积。

“我刚才还在想，”克里斯托弗说，“我初到这个城市时的情景。他们一个个是多么激动啊。还有罗莎第一次在艺术楼是如何接近我的。”他又沉默了一会儿。然后说道：“您可知道，那时候，我对自己没抱什么幻想。在我人生的那一阶段，我已渐渐接受自己毫无天赋可言，也没半点有天资的迹象。诚然，那时我勉勉强强算是有了份事业，可是其间发生了很多事，迫使我看清了自己的局限。我初来这座城市的时候，本计划平平静静过日子——拿点微薄的工资，或许可以教教书，诸如此类的。但后来呢，这儿的人们，他们颇为欣赏我那一点点才华。我来到这儿，他们可高兴呢！ 过了一段时间，我开始觉得，毕竟，我一向勤奋工作，非常勤奋，努力追寻现代音乐方法。我确实也懂得了一些。我环顾四周，想着，呃，是啊，我可以在这儿做点贡献。在这样一个城市，在这样的环境下，我明白自己该怎么做了。我明白自己该怎么做了，说不定能真正做点好事呢。嗯，瑞德先生，过了这么多年，我坚信我确实做了些有价值的事情。我真的相信。不只是我的追随者——我的同事们，我应该说，我的朋友们，您很快就会见到他们——不仅仅是他们让我这么想。不，我也坚信如此，非常肯定。我在这儿做了些有价值的事。但您也知道，像这样的城市，人们的生活迟早要出岔儿。他们渐渐有了不满，还有难耐的寂寞。这里的这些人呐，对音乐几乎一无所知。他们自说自话，唉，我们一定把一切都弄错了，我们完全对着干吧。他们居然这样指责我！ 他们说我的方法推崇机械呆板，说我是在扼杀自然的情愫。他们懂什么！ 我们马上就会向您展示，瑞德先生，我只是介绍了一种方法，一种体系，能让这里的人通过某种方式懂点卡赞和穆莱利他们的音乐，某种在作品中发现意义和价值的方法。先生，跟您说吧，我刚到这儿时，他们哭着喊着要这个呢。他们需要某种秩序，某种他们能理解的体系。这儿的人们，他们没达到那个层次，一切都行将崩溃。人们心有余悸，感觉事情在渐渐失控。我带了些文件，您很快就会明白一切。我肯定，您会明白目前的舆论多么误导人。好吧，我是平庸之辈，我不否认。但您会看到我的方向总是对的。我获得的那一点点成功只是个开始，一个有用的贡献。目前需要的是——希望您能明白，瑞德先生，您要能明白该多好啊，那这座城市就不会迷失了——目前需要的是一个人，好吧，一个比我更有才华的人，一个能够继续，能够在我所做的基础上继续建功立业的人。我是做出了贡献的，瑞德先生。我能证明，等我们到了您就能看到了。”

我们开出山路，到了一条主干道上。路又宽又直，广阔的苍穹展现在眼前。远处，我能看到两辆重型卡车行驶在内道上，但除此之外，前方的道路几近空空。

“瑞德先生，希望您不要觉得，”克里斯托弗过了一会儿说道，“觉得我今日带您出席此次午宴是我孤注一掷，谋划着在这儿重获往日的辉煌。我完全明白我的地位不可能恢复以往了。此外，我也没剩什么可以贡献的了。我已贡献了全部，我所有的一切，已经全部都献给这座城市了。我现在只想离开，离得远远的，到一个安静的地方，就我自己，再不和音乐有任何牵扯。自然而然地，我的追随者们在我离开时会一蹶不振。他们还不能接受这个想法。他们要我反戈一击。只要我一句话，他们就立马行动，使出浑身解数，甚至挨家挨户走个遍。我已经跟他们说了现在的情况，我很坦诚地作了解释，但他们仍然不能接受。对他们来说这太难了。他们素来敬仰我，通过我发现自己的人生意义。他们会崩溃的。但这些都没用，现在该结束了。我想让它了结算了。甚至罗莎也是。我们婚姻的分分秒秒对我来说都很珍贵，瑞德先生。但是我知道这段婚姻终究要结束，只是还不知道到底在何时——这太可怕了。我现在就想了断一切。我祝罗莎一切安好。希望她能找到别人，找个地位合适的人。我只希望她将目光投向城外。这座城市可没人能配得上她。这里没人真正懂音乐。啊，瑞德先生，要是我能有您这样的天赋该多好啊！ 那么我和罗莎，我们就能白头偕老了。”

天色已暗。路上车辆仍然稀少，我们随随便便就稳超长途卡车，然后开始加速。两边是茂密的森林，随后终于被大片平坦的农田所取代。前几天累积的疲劳感开始向我袭来，我看着眼前的公路延展，发现不打瞌睡都难。正在此时，我听到克里斯托弗的声音：“哦，我们到了。”于是我又睁开了眼睛。

第十四章

我们减速慢行，靠近一间小咖啡馆。这是一幢白色的小平房，孤零零地坐落在路旁，就是那种让人以为是货车司机半路停下吃个三明治的地方。当克里斯托弗驾车驶过满是砾石的前院并停好车时，我们并没看到其他车辆。

“我们要在这里用午餐吗？”我问道。

“没错。我们有个小圈子，在这里聚会已经好多年了。一切都很随意。”

我们下车，径直走向咖啡馆。靠近后，我看到几块鲜亮的硬纸板从雨篷上垂挂下来，上面标着各种特价优惠。

“一切都很随意，”克里斯托弗又一边说道，一边为我开门，“就当是在您自己家里一样。”

里面的装潢很简单。满屋尽是巨大的观景窗。到处都是用透明胶带粘贴的海报，上面登着各色饮料与花生的广告。有些因光照已经褪色了，其中有一张已经变成浅蓝色长方形纸片了。即便这会儿，天空多云，却还是有刺眼的日光照进屋里。

屋里已经有八九个人了，全部安坐在房间靠后的桌边。每人面前都有个热气腾腾的碗，盛的好像是土豆泥。他们正用长长的木匙狼吞虎咽地吃着，但这会儿全部都停了下来，盯着我。开始有一两个人站起来，克里斯托弗则开心地跟他们一一打招呼，挥手示意他们继续坐着。接着，克里斯托弗转身对着我，说道：

“您看到了吧，我们还没到，午饭就已经开始了。但因为是我们迟到了，相信您也会理解他们的。至于其他人嘛，呃，我肯定他们不会太久的。总之，我们不该再浪费时间了。请往这边走，瑞德先生，我向您介绍我这儿的好朋友。”

我正要跟上他，突然发现，附近服务台后面，一个身着条纹围裙、体格粗壮的大胡子男人正偷偷地给我们打暗号。

“好吧，格哈德，”克里斯托弗说道，转身朝他耸耸肩。“就从你开始吧。这是瑞德先生。”

大胡子男人和我握了握手，说道：“先生，您的午饭马上就好。您一定很饿了吧。”然后他飞快地低声对克里斯托弗说了些什么，边说边朝咖啡馆后面瞥了一眼。

我与克里斯托弗二人顺着大胡子的目光看去，一名男子独自坐在远处角落，好似一直在等着我们将注意力投向他，这会儿他站起身来。他身材健壮，头发灰白，可能五十多岁，穿着一件亮丽的白色夹克和T恤。他开始朝我们走过来，然后，在屋子近当中的位置停下，冲克里斯托弗微笑。

“亨利。”他说道，伸出双臂致意。

克里斯托弗冷冷地盯着那男子，然后别过脸去。“这儿不欢迎你，”他说道。

白色夹克男子没听见似的。“我刚才一直在观察你呢，亨利，”他继续和蔼地说道，手指着窗外。“看着你下车走了过来。你还是那样弓腰曲背地走路。以前那是装腔作势，但如今看来是成真了。亨利，你没必要这样子。事情也许由不得你，没必要弓肩缩背啊。”

克里斯托弗继续背对着他。

“别这样，亨利。太孩子气了。”

“我跟你说过了，”克里斯托弗说道，“我们之间没什么好说的。”

白色夹克男子耸了耸肩，又朝我们走了几步。

“瑞德先生，”他说，“既然亨利决计不想引见我们，那我就自我介绍咯。我是鲁班斯基医生。您要知道，我和亨利曾经非常亲密。但现在，您看，他甚至不愿与我讲话。”

“这里不欢迎你。”克里斯托弗仍然没看他。“这儿不欢迎你。”

“看到了吧，瑞德先生？亨利一直都有孩子气的这一面。太傻了。我本人呐，老早就认了，我们俩已分道扬镳。以前，我们常坐下谈天，一聊就是好几个小时。是不是，亨利？在斯哥芬霍斯的时候，我们常常边喝啤酒边深聊，条分缕析地探讨这部或者那部作品，从每个角度据理力争。有时候，我甚至希望自己根本没那么好的判断力与他唱反调。我多么希望今晚我们又可以坐下来，再花上几个小时讨论讨论音乐，讲讲你是如何准备这首或那首曲子的。瑞德先生，我自己一个人生活，您想象得到，”他轻轻一笑，“有时难免会有些孤独，于是就开始怀念过去的那段时光。我暗自思忖，如果能和亨利再次坐下来，一起聊聊他准备的乐谱，那该有多好啊。曾几何时，他做任何事之前都会先来征询我的意见。是不是这样，亨利？好了，亨利，别孩子气了。至少，让我们彼此客气些吧。”

“为什么偏偏选今天呢？”克里斯托弗突然喝道，“没人要你来。他们全都还在生你的气！看看！ 你自己看看！”

鲁班斯基医生无视他的这一阵暴怒，开始回忆起他和克里斯托弗的其他往事。很快我便没再听了，转动眼珠，越过他看向坐在后排桌边紧张注目的人们。

他们看上去没有一位超过四十岁的。共有三位女士，其中有一位，我特别注意到，正高度紧张地看着我。她三十出头，穿着长长的黑衫，戴着一副镶有小小厚厚镜片的眼镜。我本想更加仔细地打量一下其他几个人，但就在这时，我又想起自己还要应对接下来忙碌的一天，而且，如果我不想在这儿耗太久的话，当下最为迫切的就是和主人坚定表明立场。

鲁班斯基医生打住话头，我碰了碰克里斯托弗的手臂，轻声说道：“我在想其他人还需要多久才到。”

“呃……”克里斯托弗四下看了看，然后说道：“今天可能就这么些人了。”

我感觉他希望有人反驳他。但没人说话，这时，他转过身来，对我咧嘴笑了笑。

“是个小聚会，”他说，“尽管如此，我们……我们镇上的精英都在这儿，我向您保证。现在，瑞德先生，请。”

他开始向我介绍他的朋友。每个人都紧张地微笑着，每当介绍到名字时，他们都会向我问好致意。这当儿，我注意到鲁班斯基医生慢慢地朝房间后面走去，目光始终未从我们的整个活动中挪开。然后，就在克里斯托弗快要结束引见时，鲁班斯基医生发出一阵大笑，打断了克里斯托弗，后者向他投去愤怒的冷冷一瞥。此时，鲁班斯基医生坐在角落的桌边，又大笑了一声，说道：

“好吧，亨利，这些年不管你失去了其他什么东西，你的勇气还是不减当年哪。你要向瑞德先生重复整个奥芬巴赫故事吗？ 向瑞德先生？”他摇了摇头。

克里斯托弗继续盯着他曾经的朋友，一些伤人的反驳之话似要脱口而出，但是最后关头，他不置一词，别过脸去。

“你要是想，可以把我扔出去啊，”鲁班斯基医生说道，开始吃起土豆泥来。“但看上去好像——”他拿着汤勺在屋子里挥动了一圈，“好像这儿并不是每个人都不想我来。要不我们来投个票吧。如果我真的不受欢迎，那我很乐意离开。举手表决，怎么样？”

“你要是死赖着不走，我才不在乎呢，”克里斯托弗说，“你在不在都没什么区别。我有事实证据，全在这儿。”他不知从哪儿拿出了一个蓝色文件夹，举起来，拍了拍。“我坚信我的立场。你爱做什么做什么。”

鲁班斯基医生转向其他人，耸了耸肩，仿佛在说：“对这样的人，你还能有啥法子呢？”戴着厚厚眼镜的年轻女子立刻移开目光，而她的同伴们看上去一头雾水，其中一两人甚至还回以羞怯的微笑。

“瑞德先生，”克里斯托弗说道，“请坐下，别拘束。等格哈德一回来，他就会端上您的午餐。现在——”他拍了拍双手，腔调仿佛是在大礼堂演讲一般，“女士们，先生们，首先，我谨代表今日在座的各位，对瑞德先生在这几日百忙之中欣然前来和我们一起辩论，深表谢意……”

“你真是有胆量啊，”鲁班斯基医生在后面大叫道，“没有被我吓到，甚至没有被瑞德先生吓到。真是有胆量啊，亨利。”

“我没有被吓到，”克里斯托弗反驳道，“因为我有事实证据！ 事实就是事实！ 都在这儿！ 证据！ 是的，即便是瑞德先生。是的，先生，”他转向我说，“即使是您这样的名流，即便是您也得尊重事实啊！”

“好吧，好戏要开场了，”鲁班斯基医生对其他人说道，“一个乡巴佬提琴手教训起瑞德先生来了。好吧，我们姑妄听之，我们姑妄听之。”

有那么一两秒钟，克里斯托弗犹豫了。接着，他毅然打开文件，说道：“请允许我从一个案例说起，我认为这案例会让我们了解环形和声争议的核心。”

接下来的几分钟，克里斯托弗概述了这个案例的背景（某个当地商业家族），同时迅速浏览了一下他的文件夹，偶尔读出一些引言和数据。他看似对展示此案例胜任有余，但语调中却带着些什么——不必要地放慢陈述，反反复复地解释——这点顿时令我心生厌烦。没错，我突然觉得鲁班斯基医生有一点确实说对了，这个落魄潦倒的本地乐者竟自大妄为地教训我，的确有些荒唐可笑。

“就这你也好意思叫它事实？”克里斯托弗正读到市议会会议记录时，鲁班斯基医生突然插话进来，“哈！ 亨利的‘事实证据’总是那么有趣，是不是啊？”

“让他说！ 让亨利把案例展示给瑞德先生！”

说话的年轻男子脸圆圆的，穿着一件短皮夹克。克里斯托弗赞许地向他微笑示意。鲁班斯基医生抬起双手，说道：“好吧，好吧。”

“让他说！”圆脸年轻男子又说，“然后我们再看。听听瑞德先生怎么说，然后一切就水落石出了。”

过了许久，克里斯托弗似乎才领会了这最后一句话的含义。起初，他僵在了那里，双臂高举文件夹。然后，他四下看了看周围的面孔，仿佛是第一次见到似的。整个房间的人都直直地向他投去探寻的目光。一下子，克里斯托弗全身颤颤巍巍的。他移开目光，几乎是自言自语地喃喃道：

“这些的确就是事实证据。我这儿收集了证据。你们任何人都可以看，可以细读一下。”他凝视着文件夹。“我只是简短地对这证据做了个总结。仅此而已。”接着，一番努力后，他好似恢复了自信。“瑞德先生，”他道，“请再给我一点时间。我相信事情很快就会水落石出的。”

克里斯托弗继续他的辩解，语气有些紧张，但除此之外，和之前大同小异。他起劲地说着，我不禁想起了昨晚，为了深入调查本地的情况，我放弃了宝贵的睡眠时间；尽管疲惫不堪，我坐在电影院，和该市的头面人物纵议大事。克里斯托弗一而再、再而三地说我孤陋寡闻——甚至这会儿，他东扯西拉，赘言连连，拼命解释一个我完全明了的问题——令我满腔恼怒，无以复加。

貌似不耐烦的并不止我一个。房间里很多其他人也局促不安起来。我注意到那位戴厚厚眼镜的女士目光来回转动，先是盯着克里斯托弗的脸，而后又盯着我，有好几次差点就要打断他了。但最后，是一位坐在我身后、头发剪得参差不齐的男子插了话。

“先等一下，等一下。我们继续之前，先确定一件事。一次性解决。”

鲁班斯基医生的笑声又一次从咖啡馆后面传了过来。“克劳德和他的混色三和弦！ 那个问题你还没解决啊？”

“克劳德，”克里斯托弗说道，“现在不是时候……”

“不！ 既然瑞德先生在这儿，我想一次解决掉！”

“克劳德，现在可不是重提那事的时候。我正展示论据证明……”

“也许这事微不足道。但让我们先解决吧。瑞德先生，瑞德先生，混色三和弦不论在何种背景下都有内在情感价值，是真的吗？ 您这样认为吗？”

我感觉众人的目光齐刷刷地落在了我身上。克里斯托弗飞快地瞟了我一眼，乞求中夹杂着惊恐。然而，鉴于此询问真挚而热切——暂不提克里斯托弗目前为止的放肆行径——我觉得没理由不给他一个最坦诚的回答。于是我说道：

“混色三和弦没有内在情感属性。其实，它的情感色彩不仅可以根据情景，而且也可以随着其音量显著改变。这是我的一家之言。”

无人开口，但我这一番话的影响明确显见。一道又一道严厉的目光转向克里斯托弗——这会儿他正假装全神贯注于他的文件夹。过了一会，那个叫克劳德的男子轻轻地说道：

“我就知道。我一直都知道。”

“但他却说服你，让你认为自己是错的。”鲁班斯基医生说道，“他威逼你相信自己是错误的。”

“这和其他事情有什么关系？”克里斯托弗叫喊道，“克劳德，你看，你把我们全带跑题了。瑞德先生的时间非常有限。我们得回到奥芬巴赫案例上来。”

但克劳德好似陷入了沉思。最后，他转过身，看向鲁班斯基医生，鲁班斯基医生点了点头，严肃地冲他一笑。

“瑞德先生的时间非常有限，”克里斯托弗又说，“所以，请诸位允许我对自己的论断作一总结。”

克里斯托弗开始概述他所谓的奥芬巴赫家族悲剧的几大关键因素。他摆出一副无所谓的样子，虽说到了这会儿，所有人都清楚他心中极度不安。总之，这会儿我再也没继续专心听他讲话，他关于我时间有限的话，让我突然记起鲍里斯还坐在那个小咖啡馆里等我呢。

我意识到我丢下他已经有段时间了，脑海中浮现出一个画面：一个小男孩，在我离开后不久，坐在角落里，吃着乳酪蛋糕，喝着饮料，依然满心期待地等着即将到来的远足。我能看到他喜气洋洋地盯着窗外阳光明媚的庭院里的其他客人，不时地越过他们，看着街上繁忙的交通，心想着用不了多久他也能出去郊游。他又一次回想起旧公寓，想起客厅角落里的壁橱，他越来越肯定，装有九号的盒子是落在壁橱里了。然后，随着时间一分一秒地过去，他那潜伏心底的疑虑，他至今一直掩藏完好的疑虑，就会渐渐浮上心头。然而，一时半会，鲍里斯仍能保持高昂的兴致。我只是因意外而耽搁了。或者，也许我去了什么地方采购旅行野餐物品了。不管怎么说，时间还早着呢。接着，那个女侍者，那个丰满的斯堪的纳维亚姑娘，会问他是否还需要什么，这当中透出一丝担忧，而鲍里斯肯定也能察觉。鲍里斯则会装出一副一点不担心的样子，或许逞能地再点一杯奶昔。但时间一分一秒过去。鲍里斯会注意到，外面院子里，他之后很久才来的客人都合上了报纸，起身离开。他会看到天空阴云密布，时间已经到了下午。他又会想起他曾深爱的旧公寓，客厅里的橱柜，九号，而且慢慢地，他一边兴致寡然地啃着剩下的乳酪蛋糕，一边听天由命地想，这一次自己又要失望了，这一次我们终究是没法成行。

耳边响起了几声叫嚷。一个身穿绿色西装的年轻男子起身，试图向克里斯托弗解释什么，同时，至少还有三人正挥动着手指，在强调什么。

“但那毫不相干，”克里斯托弗对他们喊道，“而且不管怎么说，那只是瑞德先生的个人观点……”

听了这话，大家对他群起而攻之，房间里几乎所有人都想同声开口回击他。但最后，克里斯托弗大喊着，又一次压住了他们。

“是的！是的！我完完全全清楚瑞德先生是谁！可是，要具体问题具体对待啊，具体问题，那是另外一回事！他还不了解我们的特殊情况！而我……我这儿……”

余下的话被人声淹没了，但克里斯托弗将蓝色文件夹高高举过头顶，奋力挥动。

“有胆啊！有胆啊！”鲁班斯基医生大笑着从后面叫喊道。

“恕我直言，先生，”克里斯托弗这会儿直接对我说道，“恕我直言，看您毫无兴趣倾听我们这里的情况，我无比诧异。事实上，我无比诧异，尽管您有专业知识，但您竟如此妄下结论，我无比诧异……”

众人再次齐声抗议，较之先前更加激烈。

“例如……”克里斯托弗声嘶力竭道，“例如，您竟然同意记者为您在萨特勒纪念碑前拍照，我无比诧异！”

令我错愕的是，这下大家突然沉默了。

“没错！”克里斯托弗显然对自己所营造的效应乐滋滋的。“没错！我亲眼看见了！就在我早先接他的时候，他就站在萨特勒纪念碑的正前面，面带微笑，朝它摆姿势呢！”

惊愕的人们依然沉默着。有几位显得越来越尴尬，而其他人——包括那位戴着厚厚眼镜的女士——则一脸疑惑地看着我。我微微一笑，正准备说些什么，就在这时，鲁班斯基医生的声音——此时既克制又威严——从后面传来：

“假如瑞德先生选择做出如此举动，那只能表明一点。那就是，我们误入歧途的程度甚至远比我们想的更深。”

所有人的目光都转向了他，他起身，向大家走近了几步。鲁班斯基医生停下来，头侧向一边，好像在倾听远处高速公路传来的声音。然后，他继续道：

“他所讲的这个信息，我们每个人都必须仔细审视，铭记于心。萨特勒纪念碑！ 当然，他是对的！ 没有对此事夸大其词，一刻也没有！ 看看你们吧，仍然想死死守着亨利那愚蠢的观念不放！ 甚至我们这些识破了其真实面目的人，甚至是我们啊，说实在的，我们一直都在自鸣得意。萨特勒纪念碑！是的，没错。这座城市已经危在旦夕了。危在旦夕！”

令人高兴的是，鲁班斯基医生立即强调了克里斯托弗论调的荒诞可笑，同时还强调了我希望传达给整座城市的强烈信息。尽管如此，这会儿，我对克里斯托弗已经相当愤怒，觉得此刻正是告诉他自己几斤几两的时候了。但整个房间再次立刻叫嚣起来。那个叫克劳德的男子一次次地挥拳猛击桌面，对着一个头发斑白、穿着背带裤和一双满是污泥的靴子的男子强调着某个观点。至少有四个人正从房间的不同方位朝着克里斯托弗大喊大叫。场面濒临混乱，我突然想到此刻正是我抽身离开的好时机。但我刚站起来，戴着厚厚眼镜的年轻女子突地出现在我面前。

“瑞德先生，请告诉我们，”她说道，“让我们弄个水落石出。亨利认为，我们无论如何都不能抛弃卡赞的动态循环，这对吗？”

她说话的声音不大，但嗓音却极具穿透力。整个房间都听到了她的问题，大家立刻安静下来。她的几个同伴向她投去探查的目光，但她满不在乎地盯了回去。

“不，我要问，”她道，“这机会千载难逢，不能浪费了。我要问。瑞德先生，求求您。告诉我们。”

“但我有事实为证，”克里斯托弗可怜地低声道，“这里。全在这儿。”

没人在意他，每个人的目光都再一次集中在我身上。我意识到，接下来我得仔细斟酌自己的措辞。我顿了一顿，然后说道：

“我个人的观点是，卡赞从未获益于形式化的约束，亦未从动态循环或者甚至是双纵线结构中获益。只是，他的作品有太多层面，太多情感，特别是他晚期的作品。”

一股崇敬之情澎湃而至，我几乎能感同身受。圆脸男子近乎敬畏地看着我。一位穿着深红色皮夹克的女子喃喃自语道：“就是这样，就是这样。”仿佛我刚才一举道出了她多年来一直苦苦想表达的心声。那名叫克劳德的先生业已起身，此时朝我走近了几步，一个劲地点着头。鲁班斯基医生也在颔首点头，但速度缓慢，双眼紧闭，仿佛在说：“所言极是，所言极是，终于来了个行家。”不过，那位戴着厚厚眼镜的女子仍一动未动，继续仔细地看着我。

“我能理解，”我继续道，“为什么有人想利用这些策略。生怕这音乐淹没了音乐家的才智，这是可以理解的。但是，回应之道应当是奋起直面这一挑战，而不是去捆人手脚。当然，挑战可能会十分巨大，那样的话，解决之途就是干脆撇开卡赞。不管怎样，我们不应作茧自缚，故步自封。”

听了这一席话，房间里许多人似乎再也无法抑制自己的情感。头发斑白、穿着斑驳污泥靴子的男子突然使劲地鼓起掌来，同时向克里斯托弗投去十分厌烦的目光。其他几个人又开始冲克里斯托弗大声叫嚷，身穿深红色皮夹克的女子又在啧啧重复，这一次声音更为洪亮：“就是这样，就是这样，就是这样。”我感到一阵莫名的激动，于是提高嗓门，声音盖过愈发兴奋的人声，继续道：

“依我的经验看来，这些勇气上的缺失，通常是和其他令人生厌的特征联系在一起的。对内省音调的敌意，大多表现为过度使用破碎节奏，偏好支离破碎乐段间的毫无意义的匹对。而且，从我个人层面上讲，谦虚友善的态度背后是狂妄自大的伪装……”

这会儿房间里每个人都开始冲克里斯托弗大喊大叫，我只好中断。而他却反过来高举蓝色文件夹，拇指在半空中翻着夹页，哭喊道：“事实证据就在这儿！ 这儿！”

“当然，”盖过噪音，我大声喊道，“这是另一种很常见的失败。相信把东西放在文件夹里就会变成事实！”

这话惹来一阵雷鸣般的大笑，当中是毫无掩饰的愤怒。接着，那位戴着厚厚眼镜的年轻女子起身，走到克里斯托弗身边。她镇定自若，穿过了至今仍保留在提琴家周围的那一小片空间区域。

“你这个老傻瓜，”她说道，声音又一次清晰地穿透喧闹声。“你把我们全和你一起拖下水了。”接着，带着某种从容淡定，她反手打了克里斯托弗一巴掌。

众人皆愕，一阵沉默。然后，突然间，人们从椅子上起身，互相推搡着，试图靠近克里斯托弗，显然他们迫不及待地想效仿那位年轻女子。我发觉有只手摇了摇我肩膀，但此刻，我正专注于对付眼前要发生的事情，无暇他顾。

“不，别这样，够了！”不知怎的，鲁班斯基医生第一个靠近克里斯托弗身边，高举双手。“不行，放过亨利！ 你们这是在干吗？ 够了！”

或许正是鲁班斯基医生的介入才将克里斯托弗从人们的群起攻击中解救出来。我瞥了一眼克里斯托弗迷茫、惊恐的面庞，愤怒之气在他周围升腾，之后就看不见他了。那只手又摇了摇我肩膀，我扭头一看，发现那个穿着围裙的大胡子男人——我想起他的名字叫格哈德——正端着一碗热气腾腾的土豆泥。

“您想不想来点午餐，瑞德先生？”他问道，“我很抱歉，有点晚了。但您看，我们得重新做一桶。”

“您真是太好了，”我说，“但其实，我真的得走了。我的小孩还在等我呢。”然后，我引着他远离嘈杂声，对他说道：“您能不能告诉我如何走到前门。”没错，那一刻，我想起这间咖啡馆与我留下鲍里斯的那间实际上附属于同一座大楼，这座大楼设有各色房间，通向不同的街道，以迎合不同种类顾客的需要。

我拒绝了享用午餐，大胡子男子显然很失望，但他很快恢复神色，说道：“当然，瑞德先生。这边请。”

我跟着他走到房间的前面，绕过服务台。他打开一扇小门，示意我走进去。我边走边最后朝身后瞥了一眼，只见圆脸男子站在桌子上，在空中挥动克里斯托弗的蓝色文件夹。这会儿，愤怒的叫喊声中夹杂着几声讪笑，同时，能听见鲁班斯基医生饱含感情地恳求道：“别，别，亨利已受够了！ 拜托，拜托！ 够了！”

我来到一间宽敞的厨房，里面贴满白色瓷砖。一阵浓烈的醋酸味扑面而来，我看见一个结实粗壮的女人弯腰蹲在呲呲作响的火炉前，而大胡子男子已经穿过房间，打开了厨房远处角落的另一扇门。

“这边请，先生。”他说着，引着我走。

这扇门特别高，又特别窄。确实啊，太窄了，我觉得只能侧身通过。而且，我透过它往里瞧时，只能看到一片漆黑；所有迹象都表明，此时此刻我窥视的应该是扫帚柜。但大胡子男子又做出了引领的动作，说道：

“请小心台阶，瑞德先生。”

这时我才看到有三级台阶——看上去像是用木头箱子头顶头地钉起来的——紧贴着门槛处升起。我缓慢穿过门廊，小心翼翼地踩着每一级台阶。走到最高一阶时，我看到前面有一小股矩形的光亮。再往前走两步，透过玻璃嵌板，我看到一个洒满阳光的房间，看到了桌椅，而后，我认出这正是我先前留下鲍里斯的那个房间。那个丰满的年轻女侍者——我正从她柜台后面观察整个房间——还有，那边角落，鲍里斯正盯着空气发呆，脸上一副不满的表情。乳酪蛋糕已经吃完了，这会儿正心不在焉地把玩着叉子，在桌布上举起落下。除却一对年轻情侣坐在靠窗的位置上外，咖啡馆里其他地方都是空荡荡的。

我感到有东西在身侧顶了顶，发现大胡子男子挤到了我身后，这会儿在黑暗中蹲下身来，一串钥匙叮当作响。过了片刻，身前的整个隔板门打开了，我一脚踏进了咖啡馆。

那位女侍者转身对我莞尔一笑，然后朝另一边的鲍里斯喊道："看谁来了！"

鲍里斯扭头看我，脸拉得老长。"你去哪了？"他厌倦地问道。"怎么那么久啊。"

"很抱歉，鲍里斯。"我说道。然后我问女侍者："他乖吗？"

"哦，他可完全是个迷人精。他一五一十地跟我描述你们过去生活的地方。人工湖旁边的住宅区。"

"啊，是的，"我说，"人工湖。是的，我们正准备去呢。"

"可你一去就呆了那么久！"鲍里斯说，"现在我们要迟到了！"

"真的很抱歉，鲍里斯。但别担心，我们还有很多时间呢。旧公寓在那儿又跑不了，是不是？不过，你说得对，我们得立刻出发了。现在得让我考虑考虑。"我转身面对那女侍者，她正跟大胡子男子说着什么。"抱歉，请问你能否告诉我们怎么最快到达人工湖？"

"人工湖？"女侍者指着窗外，"外面等着的那辆公交车，它可以载你们去那儿。"

我看了看她指的地方，透过庭院里的一顶顶阳伞，可以看到一辆公交车停在繁忙的街道上，差不多就在我们正前方。

"它在那儿已经等了很久了，"女侍者继续说，"所以你们最好赶紧上车。估计应该随时会走。"

我谢过她，然后向鲍里斯示意，带头走出大楼，走进了阳光中。

第十五章

司机发动引擎的时候，我们上了车。我向他买票时，看到车里满满当当，于是焦虑地说：

“我希望能和孩子坐一起。”

“哦，不用担心。”司机说，“车上的这群人都很友好。包在我身上吧。”

说完，司机便扭过头，大声说了些什么。整个车厢本是一派快乐异常的喧嚣景象，此刻顿时安静了下来。接着，整车厢的乘客都从座位上站了起来，挥手比划着，商量如何最好地安顿我们。一位身材高大的女子侧身至中间过道，大叫道：“这儿！ 你们可以坐这儿！”但另一个声音从车厢的另一个方向传来：“你带着个小男孩，最好到这儿来，孩子就不会晕车。我可以坐到哈特曼先生旁边。”然后，又开始了一阵关于我们该坐哪儿的讨论。

“你看吧，他们是群好人。”司机开心地说道，“新上车的人总是特别受欢迎。好吧，你们要是坐好了，我就要出发喽。”

我和鲍里斯连忙沿过道疾步走到两名站着的乘客那儿，他们都指着座位让我们坐。我把鲍里斯安置在离窗户最近的位置，刚坐下，汽车就发动了。

紧接着，我感觉有人拍了拍我肩膀，坐在身后的一个人伸手递过来一包糖果。

“小孩或许会喜欢这个吧。”一个男声说道。

“谢谢。”我说。然后，我对着整个车厢大声说道：“谢谢。谢谢大家。你们太客气了。”

“瞧！”鲍里斯兴奋地抓着我的胳膊。“我们快要上北高速了。”

我还没来得及回答，一位中年妇女就来到我身旁的过道。她紧紧抓着我座位的头托保持平衡，拿出了一块蛋糕，用纸巾垫着的。

“后排的一位先生剩下的，”她说，“他想没准儿这个小伙子会喜欢呢。”

我感激地接下了蛋糕，再次向全车人道谢。然后，那女人不见了，我听到一个声音从几个座位开外传来：“看到父子相处得这么好，太好了。瞧瞧他们，一起来个一日游。这年月类似的事几乎不多见了。”

听到这话，一阵强烈的自豪感油然而生，我转头看着鲍里斯。或许他也听见了，所以冲我微微一笑，这一笑可是心照不宣，一切尽在不言中。

“鲍里斯，”我说着把蛋糕递给他，“这辆车是不是棒极了？ 我们没有白等，你不觉得吗？”

鲍里斯又微笑了一下，但这会儿他正仔细地检查着蛋糕，什么都没说。

“鲍里斯，”我继续道，“我一直想跟你说的。因为有时你可能会纳闷。你看，鲍里斯，我再没什么奢求的了……”我突然间大笑起来。“听起来很傻吧。我的意思是，我很开心。因为你。我们在一起，我很开心。”我又大笑了一阵。“你也很享受这段巴士之旅，是不是？”

鲍里斯点点头，嘴里塞满了蛋糕。“不错。”他说。

“我当然也很享受这段旅程。这些人多么友好！”

车厢后排的几位乘客开始唱歌。我放松心情，深窝在座位上。车外，天空又阴沉沉的了。我们仍然行进在城市林立的高楼中，我仔细看了看，发现路过了两个路标，一个跟着一个，上面写着：“北高速”。

“不好意思，打扰一下，”不知后面何处传来了一位男子的声音，“我刚才听到你对司机说想去人工湖，但愿你们俩在那儿不会觉得太冷。如果你们只是想找个好地方玩上一下午的话，我建议你们提前几站下车，在玛丽亚·克莉丝提娜花园下车。那儿有个泛舟池，这个小伙子可能会喜欢。”

说话的人就坐在我们正后面。我们座椅的靠背很高，即便伸长了脖子转了转，我也看不清楚那男子的样貌。但不管怎样，我还是感谢他的建议——显然他是出于一片好意——并开始解释我们此番去人工湖的特别含义。我原本不想细说的，但我一打开话匣子，就发现周围欢快的气氛使得我不由自主地滔滔不绝起来。其实，我对自己的口吻甚是满意，那是严肃与诙谐之间完美的平衡。再者，从身后善解人意的低语声中可以判断，那男子听得很是认真，而且感同身受。总之，不一会儿，我就解释起九号以及他为何如此特别的缘由来。我刚要重新细述鲍里斯如何将之落在盒子里时，那位乘客礼貌地咳嗽了一声打断了我。

“抱歉，打断一下，”他说，“不过这种行程，让人感觉有点担心，也是在所难免的。这很正常。但说真的，在我看来，你完全有理由保持乐观。”想必他坐在座位上，正倾身向前，而他的声音，既镇静又抚慰人，从鲍里斯肩膀的正后方传来，鲍里斯的肩紧挨着我的。“我肯定你们会找到九号的。当然，你们这会儿很担心。你们会觉得世事难料，很多事都可能出岔子。这很正常。但从刚刚你告诉我的来看，我肯定一切都会安好无恙。当然，你们刚开始敲门的时候，新入住的人可能不知道你们是谁，会有些疑虑。但是，你们一解释来意后，他们一定会欢迎你们进去。假如是妻子来应门，她会说：‘哦，终于来了！ 我们一直在想你们什么时候会来呢。’是的，我肯定她会这么说。她会转身对丈夫喊：‘是原先住这里的小男孩！’随后丈夫会出来，他是个很和善的人，或许他正忙着重新装修公寓呢。他会说：‘啊，终于来了。快进来喝杯茶吧。’他领你们走进主间，而他妻子则会溜进厨房准备茶点。你们会立刻发现那地方自你们离开后改变有多大，丈夫会察觉到，并首先表示歉意。然后，你们一旦说明你们一点不讨厌他们做出的改变，他必定会带你们参观整个公寓，一一指出这变化，那变化，大部分都是他亲自动手改造的，并引以为豪呢。之后，妻子会端上她准备的茶点来到客厅，你们几个坐了下来，喝茶，品尝点心，听着这对夫妇谈论他们如何喜欢这公寓和小区。当然，整个过程中，你们俩会始终挂念着九号，等待合适的时机说明此行来意。但我觉得他们会先提出来。聊天喝茶好一会儿之后，我估计妻子会说：‘你们回来有什么事吗？有什么东西落下了吗？’这时，你们就可以提到九号和那个盒子了。然后，她一定会说：‘哦，对了，我们把那盒子保存在一个特别的地方。看得出来，它很重要。’说这话的时候，她会给丈夫一个小暗号。或者甚至不用暗号，因为夫妻俩开开心心地共同生活了许多年，几乎有心灵感应了。当然，不是说他们不吵架。哦，不，他们甚至可能经常拌嘴，甚至或许在这些年共挨艰辛时，真的闹翻了。可是，你见到这样一对夫妻时，你就会明白这些事情最终将他们磨合，他们终究幸福地生活在一起。呃，那个丈夫，他会从放重要物品的地方去取那个盒子，把它拿进来，说不定还用棉纸包着呢。当然，你们会立刻打开盒子，而这个九号，他就在里面，还是你们落下他时的样子，仍然等待着你们将他粘回底座。然后你们就可以盖上盒子，友善的夫妻会再给你们续茶。然后，过了一会儿，你们会说，你们得走了，你们不希望给他们添太多麻烦。但那妻子非要你们再吃一块她做的蛋糕，而丈夫想带你们两个最后一次看一看公寓，欣赏一下他装修的杰作。最后，他们站在门阶上向你们挥手道别，说你们无论何时经过，都一定要来坐坐。当然，不一定要像这一模一样，但从你刚才告诉我的看，我肯定，差不离儿，会是这个结果。所以没必要担心，根本没必要……”

巴士在高速路上继续行进，那男子的声音随着巴士轻微的摇摆回响在我耳边，让我感到惬意无比。他刚开始讲话没多久，我就已经闭上了眼睛，而现在这会儿，我更是深深地窝在座椅里，心满意足地打起盹来。

我察觉到鲍里斯正在摇我肩膀。“我们得下车了。”他说道。

完全清醒后，我发现巴士已经靠站，车厢里只剩下我们了。前面，司机已经站起身，耐心等待我们下车。我们走出过道时，司机说：

“多加保重。外面特冷。依我看，那湖早该填了。它简直就是害人精，每年总有几个人淹死在里面。诚然，有几位是自寻短见，而且，我认为即便没有那湖，他们说不定会选择其他更为不堪的方式。但在我看来，真应该把那湖给填了。”

“是的，”我说，“显然，那湖争议很大。我本人是局外人，所以还是想远离这些纷争。”

“非常明智，先生。呃，祝您愉快。”然后，他向鲍里斯道别：“玩得开心点，小伙子！”

我和鲍里斯下了车，车开走时，我们环顾了一下四周。我们正站在一个巨大的混凝土水池的边缘。不远处，人工湖就坐落在盆地中央，呈腰子状，看上去就像好莱坞明星的大泳池的翻版。我对这湖——其实是整个小区——的人造痕迹不胜惊讶：它表现得如此淋漓尽致，却还引以为豪。没有半点绿草的踪迹。甚至混凝土斜坡上点缀的几棵瘦小的树木都被移植在小铁罐里，削剪后恰好插入石砖路。俯瞰整个景观，周围全是千篇一律的高层住宅小区的窗户。我发现每幢楼前都有一条巧妙的弯道相连，因而成了密封的环状，让人想起了体育馆。尽管四周公寓林立——少说也有四百间——但几乎看不见任何人。我能依稀辨出湖那边有几个人影在轻快地走着——一位男士牵着一条狗，一位女士推着一辆婴儿车——但空气中显然弥漫着什么东西，使得人们闭门不出。当然，正像巴士司机之前提醒的那样，天公可不算作美。就在我和鲍里斯站在那边这么一会儿，湖面便有恶风迎面吹来。

“好了，鲍里斯，”我说，“我们还是出发吧。”

小男孩似乎已经失去了兴致，他眼神空洞地盯着湖面，一动不动。我转身面向身后的建筑群，想上足发条，迈开步子，但马上就意识到自己根本不清楚在这一片广袤中，我们的那所公寓到底在哪儿。

“鲍里斯，要不你来带路呢？ 来吧，怎么了？”

鲍里斯叹了口气，然后开始走。我跟着他上了几级水泥台阶。我们正要转弯攀爬下一段台阶时，他发出一阵尖叫，身子一僵，摆出一个武术造型。我吓了一跳，但立刻明白他根本没有遇到攻击，只不过是小男孩的想象罢了。我淡然说道：

“很好，鲍里斯。”

此后，他不停尖叫，每每转弯要攀爬新的一段台阶时，都会摆出姿势。之后，就在我渐渐喘不过气时，鲍里斯领着我们下了台阶，走上了人行道，这可算让我松了一口气。从这制高点望去，腰子形状的人工湖更清晰了。天空苍白，尽管人行道被遮挡起来——正上方肯定还有两三个跑风口——但遮挡不足，道道劲风吹着我们。我们左手边是公寓楼，一连串短小的水泥台阶将人行道与主建筑连接起来，好似护城河上的小桥。一些台阶向上延伸至公寓门口，而另一些则向下延伸。我们一边走着，我就一边研究这些门，但几分钟过去了，没有一扇能引发我哪怕最模糊的记忆，于是我便放弃了，瞥开眼看着湖面的景色。

这期间，鲍里斯故意走在我前面几步，显然对我们这趟冒险之旅又有了兴致。他自言自语着，我们走得越远，他的自言自语声就越激烈。之后，他开始边走边跳，凭空要出几下空手道动作，双脚落地的“咔哒”声回响在四周。但好在他没像刚才在台阶上时那样尖叫，而我们还没在人行道上遇见一个人，所以我也就觉得没道理制止他。

过了一会儿，我恰好向下瞥了一眼人工湖，惊奇地发现自己正从一个完全不同的角度观察。直到这时，我才意识到人行道正好围绕这块住宅区形成一个渐圆形。很可能我们在无限绕圈。我看着鲍里斯在我前方急匆匆地走着，忙着表演各种滑稽动作，不禁怀疑他是不是跟我一样，也不记得去公寓的路了。的确，我意识到自己根本没有计划妥善。我至少应该事先辛苦一下，去联系一下公寓的新住客。毕竟，细细想想，他们没有理由特别想招待我们。我的心头顿时涌上了对整个行程的悲观情绪。

“鲍里斯，”我叫了他一声，“留意着点，可别走过了都不知道。”

他回头看了看我，嘴里仍然狂怒地念念有词，接着继续向前跑了几步，开始耍起空手道动作。

最后，我突然发觉已经走了相当长的时间，再往下看看那人工湖，看得出，我们至少已经围着它绕了一整圈。鲍里斯仍然在我前头念念有词。

“听着，等一下，”我叫他，“鲍里斯，等等。”

他停了下来，看我走了过去，就朝我摆出一副闷闷不乐的模样。

“鲍里斯，”我轻柔地说，“你确定你记得去旧公寓的路吗？”

他耸了耸肩，瞥开眼睛，漫不经心地说：“我当然知道。”

“但我们刚刚好像走了一整圈。”

鲍里斯又耸了耸肩，一个劲地鼓捣自己的一只鞋子，一会儿摆向这边，一会儿又移到那边。终于，他说：“他们会安全保存九号的，是不是？”

“我想应该是的，鲍里斯。他就在盒子里，一个看起来很重要的盒子里。他们会把那样的东西放在一边。比如说架子的高处，那样的地方。”

鲍里斯继续打量着鞋子好一会儿。然后他说：“我们走过了。我们已经走过两次了。”

“什么？ 你是说我们一直在这上面，寒风瑟瑟，白白绕了一圈又一圈吗？ 为什么你不说出来，鲍里斯？ 我真搞不懂你。”

他继续沉默，一只脚不停地挪向一边，然后另一边。

“好吧，你意思是我们往回走？”我问道，“或是再绕着湖走一圈？”

鲍里斯叹了口气，一时间好像陷入了沉思。接着他抬起头，说：“好吧。在后面，就在那儿。”

我们回头沿着人行道走了一小段距离。没多久，鲍里斯停在一节楼梯边，飞快地抬头，瞥了一眼公寓大门。然后他几乎立即转过身，再一次研究起鞋子来了。

“啊，对啦。”我说，仔细地打量着这扇门。事实上，这门——漆成了蓝色，几乎与其他门难以分辨——根本没有唤醒我的任何记忆。

鲍里斯回头看看公寓，然后立刻瞥开眼，脚趾头点着地。我待在楼梯底端好一会儿了，有些不确定接下来该怎么做。最后，我说道：

“鲍里斯，你在这儿等一会儿。我上去看看是否有人。”

小男孩仍旧一只脚点着地。我上去台阶，敲了敲门。没有回应。第二次敲门无果后，我将脸凑上小玻璃嵌板往里看。但因为是毛玻璃，什么也看不见。

“窗户，”鲍里斯在我身后喊道，“从窗户看看。”

我看见左边有一个露台模样的东西——其实不过是建筑物前方延伸的一段平台，十分狭窄，甚至放不下一张竖椅。我伸出一只手扶着栏杆，身体靠着台阶的墙前倾，刚好能从最近的窗户瞧见里面。我看到一个开放式客厅，餐桌顶着一头的墙壁，家具相当陈旧。

“看见了吗？”鲍里斯喊道，“看见那盒子了吗？”

“等一下。”

我尽量靠着墙壁，身体再倾斜点，意识到下面有个张着口的大洞。

“看见了吗？”

“等一下，鲍里斯。”

这会儿房间变得渐渐熟悉起来。墙壁上的三角钟，淡黄色海绵沙发，三层的高保真音响贮存柜；我看到了一件又一件物体，每当我的目光落在上面，心里就不觉泛起酸楚的相识之感。尽管如此，我继续端详房间，脑中产生了一种很深的印象，房间的整个后部——与主体部分连接形成一个“L”形——之前根本没有，是最近新增添的。然而，我继续观察，正是这房间相似的后部仿佛强烈地勾起了我的回忆，过了一会儿，我才意识到，它像极了我和父母在曼彻斯特住了几个月的房子的客厅后半部。那房子是套城市排屋，又窄又小，终年潮湿，迫切需要重新整修，但我们都忍过来了，因为我们只需要呆到父亲的工作赚钱，能让全家搬到条件更好的地方就可以了。对于我，一个九岁的孩子，房子很快不仅仅代表着一个令人兴奋的改变，而且代表着一个希望，那就是对我们所有人来说，都将翻开一个崭新的、更快乐的篇章。

“那家没人住的。”我身后传来了一个男子的声音。我站直身体，看到他是从隔壁公寓里出来的。他站在房门口，在一段台阶顶上，与我所站之处平行。那男子大约五十上下，样貌沉闷，像条哈巴狗似的，头发蓬乱，T恤胸前湿了一大块。

“啊，”我说，“这么说，这间公寓是空的？”

这男人耸耸肩。“或许他们会回来。我和妻子，我们不喜欢隔壁不住人，但毕竟那麻烦之后，我跟你说，我们就释然了。我们不是冷漠的人。但那之后，呃，我们就宁愿它像现在这样空着了。”

“啊。这么说它已经空了有段日子了？几周？几个月？”

“哦，至少一个月了吧。他们可能会回来，但如果他们不回，我们也不介意。听着，我有时挺替他们惋惜的。我们不是冷漠的人。我们自己也曾度过艰难时光。但像那样的话，呃，你也会想让他们离开的。我们宁愿它空着。”

“我明白了。很多麻烦。”

“哦，是的。说句公道话，我觉得应该没有身体上的暴力行为。但是，他们深夜大喊大叫，你又不得不听，就比较烦人了。”

“抱歉，但你看……”我向他靠近了一步，眼神示意他鲍里斯听得见我们讲话。

“不，我妻子一点不喜欢这样，”那男子没理会我，继续道，“无论什么时候，她都会将头埋在枕头里。甚至有一次在厨房，我进去一看，她头上围着个枕头在烧菜。太不舒服了。无论何时我们见到他，他都很清醒，非常得体。他走在路上，会飞快地向我们致意。但我妻子确信背后另有隐情。你知道，酗酒……”

“听着，”我愤怒地低语道，斜靠着分隔我二人的水泥墙，“你难道没看见有个孩子跟着我吗？ 该在他面前讲这种话吗？”

那男子低头看向鲍里斯，露出一副惊讶的表情。接着，他说道：“但他不小了，是不是？ 你不能保护他不受任何伤害。还有，你要是不喜欢说这个，好吧，我们就说点别的。假如可以，你想个话题吧。我只是告诉你事实是怎样的。但如果你不想谈的话……”

“不，我当然不想！ 我当然不想听……”

“好吧，这不重要。只是，我倾向支持他，而非她，当然这也很自然。假如他真的施暴，呃，那就是另外一回事了，但从未有证据显示如此。所以我倾向于怪她。好吧，他经常外出，但从我们了解到的，他必须得这样，全是他工作的一部分。我的意思是，对她来说，那并不是理由，那根本不是她如此行径的理由……”

“听着，别说了行吗？ 你有没有常识？ 孩子！ 他能听见……”

“好吧，他可能是在听。那又怎样？ 小孩子迟早会听到这些事情的。我只是在解释为何我会站在他那边，正因如此我妻子提到酗酒问题。外出是一回事，我妻子会说，酗酒又是另外……”

“听着，假如你继续的话，我现在就不得不即刻中止这谈话。我警告你，我会的！”

“你不能希望永远保护你的孩子，你知道的。他多大了？

他看起来可不小了。过分庇护对他们不好。他得适应这个世界、缺点以及所有……”

“他还没到那个时候呢！ 还没到时候！ 还有，我不在乎你怎么想。你到底是怎么回事？ 他是我儿子，我说了算，我不会让这种谈话……”

“真搞不懂你干吗这么生气。我只是在闲聊。我只是告诉你我们对此事的看法。他们不是坏人，不是我们讨厌他们，但有时候太过了。听着，我想，声音穿墙而过，听起来总是更糟糕。听着，试图瞒这么大的男孩是没用的。你在打一场注定失败的仗。而且重点是……”

“我不在乎你怎么想！ 还要几年呢！ 我绝不让他，绝不让他听到这种事情……”

“你真蠢。我说的这些事情，就发生在生活当中。即使我和妻子，也有起起伏伏的时候。这就是我同情他的原因。我知道那是什么感觉，那一刻，你突然意识到……”

“我警告你！ 我会中止此次交谈！ 我警告你！”

“但话又说回来了，我从未喝醉过。酗酒确实会有影响。外出是一回事，但那样酗酒……”

“这是最后一次警告！ 你再说，我立即离开！”

“他喝醉的时候很是粗暴，但不是身体上的。好吧，我们能听见很多，他确实很粗暴。我们听不清楚全部的话，但是我们过去常常摸黑坐着，认真仔细地听……”

“够了！ 够了！ 我警告过你！ 我现在要走了！ 我要走了！”

我转身背对那男子，跑下台阶，到鲍里斯站的地方。我抓起他胳膊，就要急冲冲地离开，但此时，那男子开始在背后喊道：

“你在打一场注定失败的仗！ 他得清楚事实如何！ 这才是人生！ 没错！ 这才是真正的人生！”

鲍里斯带着些许好奇回头看，我不得不使劲地拽着他胳膊。有好一阵子，我们保持步调一致。但我不止一次地感觉到鲍里斯试图放慢速度，而我却继续前行，急着摆脱那男子可能追上我们的危险。直至我们慢慢停下时，我才发现自己已经严重虚脱了。我蹒跚着走到墙边——墙出奇的矮，刚刚齐腰——抬起手肘，斜倚在上面。我向外眺望看着湖面，看着那边的高层建筑，看着苍白无际的天空，等待胸口的起伏平静下来。

过了一会儿，我才意识到鲍里斯就站在我身边。他背对着我，拨弄着墙头的一块松松的砖石碎片。对刚刚发生的事，我感到些许尴尬，并意识到应该给他个解释。我还在努力思忖着说些什么，这时候鲍里斯仍背对着我，嘟哝道：

“那男人是个疯子，是不是？”

“是的，鲍里斯，十足的疯子。可能是精神错乱了。”

鲍里斯继续拨弄着那砖墙。接着他说：“已经无所谓了。我们不用去取九号了。”

“要不是那个男的，鲍里斯……”

“没关系。已经不重要了。”而后鲍里斯转过身来面对我，微笑道：“迄今为止我过得非常不错。”他轻快地说道。

“你很开心？”

“非常开心。巴士之行，所有一切，好极了。”

我不禁一时冲动想伸出手拥抱他，但我突然想到他可能会不知所措，或许会被这一举动吓到。最后我轻轻拨弄了一下他的头发，然后背过身去看风景。

风不再那么惹人心烦意乱，我们并排静静地站在那儿好一会儿，眺望着那边的住宅区。然后，我说道：

“鲍里斯，我知道你一定很疑惑。我的意思是，为什么我们不能安定下来，平静地生活，我们三个。你一定，我知道你会的，你一定在想为什么我总是得外出，尽管你母亲为此恼怒不安。呃，你得明白，我一直旅行奔波的原因，不是因为我不爱你们而极不想和你们在一起。某种程度上讲，再没有比和你们一起呆在家里让我更乐意的事情了，和你，还有你母亲，住在一个像那边那样的公寓里，或者其他任何地方。但你看，事情没那么简单。我得继续奔波，因为，你看，你永远无法预知它什么时候会到来。我的意思是非常特别的一次，非常重要的一次旅行，非常非常重要的一次旅行，不是为我，而是为所有人，世界上的每一个人。我该怎么向你解释呢，鲍里斯，你还这么小。你看，一不小心就错过了。比方说一次，不，我不去，我休息。而过后，我会发现就是那一次，是非常非常重要的一次。你看，一旦你错过了，就没有转还了，就太迟了。不论我之后如何努力，没用了，太迟了，而我之前的这些年就都白费了。我亲眼见到类似之事在其他人身上发生过，鲍里斯。他们年复一年地旅行，渐渐开始疲惫了，可能还有些懈怠。在那一次来临的时候，他们却错过了，这种情况经常有。而且，你知道，他们余生会后悔，越来越痛苦、悲伤，到弥留之时，会变得筋疲力尽，衰弱不堪。所以你看，鲍里斯，那就是为什么。那就是我为何得坚持到此刻，一直不停地旅行。我也知道这会让我们的境况变得比较艰难，但我得坚强，忍耐，我们三个都是。不会太久了，我肯定。很快就会来的，非常重要的那次，然后就结束了，我之后就可以放松，可以休息，可以如愿地呆在家里，没关系了，我们就可以过得开开心心了，就我们三个。我们可以做所有我们之前没能做的事情。不会太久了呵，我肯定，但我们必须耐心等待。鲍里斯，我希望你能明白我在说什么。”

鲍里斯沉默了许久。然后他突然直起身，厉声说道：“安静离开。你们所有人。”说着，他跑开几步，又开始他的空手道动作了。

接下来几分钟，我继续靠着墙，眺望着风景，听着鲍里斯狂暴的自言自语声。然后，我再看他的时候，发现他正在想象中表演他幻想剧的一个最新版本，过去几周以来他已经演了一遍又一遍。毫无疑问，现在我们如此接近实际的背景，再演一遍自然也就不可避免了。因为剧本里涉及鲍里斯还有他外祖父，共同击退一帮街头混混，就在这人行道上，旧公寓的外面。

我看着他忙活，这会儿他已经远离我几码开外了，我猜快演到他和外祖父的那部分了，他们肩并肩地站着，全身戒备，准备好迎接再一次猛攻。地上已经有一大片不省人事的暴徒了，但一些最负隅顽抗的此时正重新排列队形，准备再一次攻击。鲍里斯和外公并排，平静地等待着，漆黑一片的人行道上，暴徒们却在耳语交流着攻击策略。这次，跟其他所有剧本一样，鲍里斯不知怎地年长了许多。并非全然成年——那样就太牵强了，而至于外公的年龄也会变得复杂——但却也足以使得必要的身体技能真实可信。

鲍里斯和古斯塔夫自始至终都给了暴徒们足够的时间，让他们组成有利阵形。然后，一旦下一波攻击到来，当行凶者从各方飞身袭来时，祖孙二人，一个合作流畅的团队，就会高效率地，几乎是悲痛地出手解决。最终，攻击结束——但，不，最后一个暴徒会从黑夜中跳出，手操一把凶狠的短刀。古斯塔夫站得最近，会使出一记快拳，直击其颈部，然后，这场打斗终于完结。

沉寂片刻，鲍里斯和外公会表情严肃地审视一番四周横七竖八躺倒的躯体。然后古斯塔夫精明老练的目光最后一次扫了一眼这场景，点了点头，见到此动作，二人会别过脸去，一副摊上了苦差事躲不掉的样子。他们会登上一段短短的台阶，来到旧公寓门前，在进门之前最后看一眼斗败的街头混混，有些这会儿已经开始呻吟或是爬着离开。

“现在好了，”古斯塔夫会站在门口大声宣布道，“他们走了。”

然后，我和索菲会紧张地出现在门廊上。鲍里斯紧随外公进门，会补充道：“但没有真正结束。他们会再来袭击一次，说不定就在明早之前。”

如此评断当时的情景，祖孙二人都清楚得很，甚至根本不用费力商谈，对此我和索菲却是悲痛欲绝。

“不行，我受不了了！”索菲会哀号，继而变为抽泣。我会搂她入怀，试图安抚她，但我本人的表情亦会扭曲成团。面对这番凄惨的景象，鲍里斯和古斯塔夫不会显出丝毫的轻蔑之情。古斯塔夫会安慰地一只手搭在我肩膀上，说道：“别担心。有我和鲍里斯在呢。最后一次攻袭之后，就全都结束了。”

“没错，”鲍里斯会确认道，“他们最多再打斗一次。”接着面向古斯塔夫，他会说道：“外公，要不下次，我再试着跟他们说说，给他们最后一次退出的机会。”

“他们不会听的，”古斯塔夫会说，严肃地摇摇头。“但你说得对，我们应该给他们最后一次机会。”

我和索菲恐惧得不知所措，会消失在公寓深处，相拥而泣。鲍里斯和古斯塔夫则会四目相对，疲倦地叹了口气，然后，打开前门闩，走回到外面。

他们会发觉人行道一片漆黑寂静，空无一人。

“我们也休息会儿。”古斯塔夫会说，“你先睡吧，鲍里斯。我听到他们来，就叫醒你。”

鲍里斯会点点头，坐在楼梯的最高一级台阶上，背靠着前门，很快睡着了。

一段时间之后，有人碰了碰他胳膊，他会双脚一跃，立刻清醒。而他外祖父这会儿早已经盯着前面人行道上聚起来的那帮街头暴徒了。跟以往相比，他们人多势众，他们不得不从城市里每个黑暗幽闭的深处召集成员，以作最后一搏。现在，他们全都在那儿，穿着破旧的皮衣和陆军作战服，系着粗犷的腰带，手持金属棒或是自行车链——他们自身的荣耀感不允许他们带枪。鲍里斯和古斯塔夫会慢慢下楼，接近他们，可能在第二个或者第三个台阶处停下。随后鲍里斯看到外公的暗号，会提高嗓音，开始说话，声音在水泥柱子间回响：

“我们与你们打斗多次了。看得出这次你们人更多了。但你们每个人内心深处一定知道你们不会赢。这次，外公和我不能保证，你们中有人不会受重伤。这场打斗已经毫无意义了。你们所有人曾经一定都有过家庭、父母或者兄弟姐妹。我想让你们明白发生了什么。你们一次次的攻袭，不断恐吓我们公寓的行为，弄得我母亲一直不停地哭泣。她总是紧张焦虑，搞得她经常毫无理由地斥责我。也逼得我爸爸不得不长期外出，有时还得出国，而这让我母亲讨厌。如此种种全是你们恐吓公寓的结果。也许你们这样做仅仅是因为你们精神亢奋，因为你们来自破碎的家庭，根本就不明白幸福家庭是怎样的。而这正是我想让你们了解真正发生了什么的原因，你们不顾后果的行为的真正影响。结果迟早会是，爸爸再也不回家，说不定我们甚至得完全搬出公寓。这就是为何我得带外公到这儿，耽误他在一家大型酒店的重要工作的原因。我们不能允许你们继续如此行径。而这也是我们一再与你们战斗的原因。既然我跟你们解释清楚了，你们有机会好好考虑考虑退去。假如你们不走，那么外公和我别无选择只能再次与你们战斗。我们会尽全力打晕你们，而不造成持久性的伤害，但在大规模打斗中，即便我们这个级别的技术水平，也不能保证你们当中某些人最后不会鼻青脸肿，甚至伤筋断骨。所以抓住机会，后退吧。”

对这一番话，古斯塔夫会赞赏地微微一笑，然后二人会重新审视面前如野兽般的面孔。相当一部分人会不确定地互相对视，是恐惧而非理智迫使他们重新考虑。但之后，他们的头目——可怖、阴郁的角色们——会发出作战的嚎叫声，渐渐传遍队伍。然后他们会冲向前。很快地，鲍里斯和他外公会各司其职，背对背，灵巧地移动阵形，运用他们自己精心发明的空手道和其他搏斗技巧混合的战术。街头暴徒会从各个方向攻击，结果只会被旋转着、踉跄着打飞，口中发出阵阵恐惧的、惊讶的呜咽声，直至地面再次躺满不省人事的躯体。接下来许久，鲍里斯和古斯塔夫会一起站立等待，仔细观察，直到暴徒们开始混乱，一些人呻吟着，其余的摇着头想看看身在何处。这时候，古斯塔夫会上前一步，喝道：

“现在走吧，结束吧。别再骚扰这公寓了。你们开始恐吓之前，这曾是个开心的家。假如你们再回来，我和外孙别无他法，只能打断你们的骨头。”

这席话几乎没必要。街头暴徒们会明白这次他们是彻底输了，庆幸的是他们没有受更严重的伤。慢慢地，他们会开始手脚并用，一瘸一拐地离开，三三两两互相搀扶，许多人会痛苦地呻吟。

等最后一个暴徒一瘸一拐地离开，鲍里斯和古斯塔夫才会平静地看看对方，一脸心满意足的表情，转身回到公寓。一进门，我和索菲——我们已经从窗口目睹了整个场景——会喜气洋洋地欢迎他们凯旋。“谢天谢地，都结束了，”我会兴奋地说，“谢天谢地。”

“我已经开始准备一顿欢庆宴了。”索菲会大声宣布，开心之至，眉开眼笑，这会儿，脸上已卸下了所有的紧张。“我们太感激你和外公了，鲍里斯。我们今晚何不一起玩棋牌游戏呢？”

“我要走了，”古斯塔夫会说，“我在酒店还有很多事。要是还有什么麻烦，通知我就行了。但我肯定，一切都结束了。”

古斯塔夫下楼时，我们向他挥手道别。接着，关上门后，鲍里斯、索菲和我会坐好，准备安度一夜。索菲会在厨房忙里忙外，准备晚餐，轻声哼唱，而我和鲍里斯则懒散地坐在客厅地板上，全神贯注地玩着棋牌游戏。然后，大概过了一小时，索菲在屋外，我会突然抬头，一脸严肃地看着鲍里斯，悄悄地说：“谢谢你所做的一切，鲍里斯。现在一切都恢复正常了。像从前一样了。”

“瞧！”鲍里斯大喊，我看到他又站在我旁边，指着墙那边。“瞧！ 是金姆阿姨！”

千真万确，我们下方的地面上站着一个女人，正疯狂地挥手吸引我们注意。她穿着一件绿色的开襟羊毛衫，却紧紧地拽着，裹着全身，头发被吹得乱糟糟的。发现我们最终看到了她，她大喊了些什么，却被风声淹没了。

“金姆阿姨！”鲍里斯向下叫喊道。

那女人用手比划着，又喊了些什么。

“我们下去吧。”鲍里斯说着，开始带路，一瞬间，又兴致勃勃。

我跟着鲍里斯跑下几级水泥台阶。我们到达地面的时候，劲风的巨大力道立刻打在我们身上，但鲍里斯为了那女人依然能做出蹒跚而行的动作，好似刚刚跳伞着陆。

“金姆阿姨”是个矮壮的女人，年约四十，那有些严厉的面庞确实眼熟。

“你们两个聋了吗？”我们向她走过去，她说道，“我们看到你们下了那辆巴士，我们就大喊、大喊，你们听到了吗？然后我到这儿来找你们，却哪里也寻不见你们。”

“哦，天哪，”我说，“我们什么都没听到，是不是，鲍里斯？ 一定是因为刮风。那么——”我四处扫了一眼，“你在自己公寓里一直看着我们俩？”

这个矮壮的女人模糊地指着远处，那些俯瞰着我们的无数窗户当中的一个，“我们不停地叫喊、叫喊。”接着，她转向鲍里斯，说：“小伙子，你妈妈就在上面。她特别想见你。”

“我妈妈？”

“你最好直接上去，她特别想见你呢。而且你知道吗？她做了一下午饭，准备了最棒的一顿盛宴，就等着你今晚回家呢。你做梦都想不到，她说她已经准备了一切，所有你最喜欢的，所有你能想到的。刚刚她正跟我说着呢，然后我们看向窗外，就看到你们俩刚下车。听着，我花了半个小时找你们两个家伙，都快冻僵了。我们非得一直站在外面吗？”

她伸出一只手。鲍里斯将其拉住，然后我们三人开始朝着她指的公寓大楼那走去。走近后，鲍里斯带头向前跑去，推开了一扇防火门，消失在里面。我和那矮壮的女人走近，那门忽闪着关上了。她边开着门让我，边说道：“瑞德，难道你不该在其他什么地方吗？ 索菲刚刚还在跟我说她电话怎么响了一下午。好多人都在找你呢。”

“真的吗？ 啊。呃，你看到了，我就在这儿。”我大笑了一声。“我带鲍里斯来了啊。”

那女人耸了耸肩。“我想你自己的事你心里应该有数吧。”

我们站在楼梯间底端，这里灯光昏暗。我身边的墙壁上是一堆信箱，还有防火设备。我们开始上第一节楼梯——上面至少还有五节——头顶上传来鲍里斯奔跑时的咔哒声，我听到他大声喊道：“妈妈！”然后传来开心的惊呼声，更多的咔哒声，接着索菲的声音说道：“哦，我亲爱的，我亲爱的！”从她声音的模糊度判断，他们在拥抱。等到矮壮女人和我走到了楼梯的平台，他们却消失在公寓房间里。

“不好意思，屋里有点乱。”那女人说着，领我进屋。

我从一个狭小的门厅进到一个开放式的房间，里面配备的是简约的现代家具。一扇巨大的观景窗是房间的主角，我进去时，看到索菲和鲍里斯一起站在窗子前面，灰色的天空映衬出他们的身形轮廓。索菲飞快地对我微笑了一下，然后继续和鲍里斯聊天。他们好像因某事而异常激动，索菲一直紧拥着鲍里斯的双肩。从他们指着窗外的动作来看，我猜想可能索菲正重新详述她和那矮壮女人早先如何发现我们的。但等我靠近些后，听到索菲说：

“真的。都准备得差不多了。只要把一些菜热一下，比如肉派。”

鲍里斯说了些什么我没听清，但索菲却回答道：

“当然可以了。你想玩哪个我们就玩哪个。等我们一吃完，你就可以考虑玩什么。”

鲍里斯怀疑地看着他母亲，我发觉他的态度有了些许警觉，没能让他或如索菲想的那般兴奋。接着，他跑到房间的另一角，索菲向我走近几步，悲伤地摇着头。

“抱歉，”她静静地说道。“那房子一点都不好。甚至可能比上月看到的那个还糟。景色很美，但刚好建在峭壁沿上，不够结实。迈尔先生最后也同意这看法。他认为如果强风刮过，房顶会掉下来，甚至可能接下来的几年内就会发生。我直接回来了，十一点到的家。很抱歉。你很失望喔，我看得出来。”她朝鲍里斯瞥了一眼，而他正仔细摆弄架子上放着的便携式卡带播放器。

“不要气馁，”我叹了口气说，“我肯定我们很快会找到的。”

“但我一直在想，”索菲说道，“在回来的汽车上。不管有没有房子，我们现在都可以一起做各种各样的事情。我一进门，就开始做饭。我想今晚我们可以吃顿丰富的，就我们三个。我还记得小时候，在母亲重病前，她常常这样。她常常做很多不同的菜，全拿出来，让我们挑选。那是多么美好的夜晚啊，我想，呃，没理由今晚我们不能像那样，就我们三个。我之前从没真正考虑过这件事，觉得厨房那个样子没法做，但我仔细看了一圈，意识到，我一直以来太傻了。好吧，跟理想状况相比确实差距甚远，但大部分都能用。所以我开始做。整整做了一下午。而且差不多所有的我都做了。所有鲍里斯喜欢的。就放在那儿等着我们呢，只需要热一下。我们今晚将会有餐盛宴啊。”

“太好了，我非常期待。”

“我们没理由不能做，即便在那公寓里。而且你一直如此通情达理，对……对所有事情。我仔细回想了一切。在回来的汽车上。我们现在得把过去抛之脑后。我们要一起开始重新做好的事情。”

“是的。你说得很对。”

索菲朝窗外看了一会儿。接着她说道：“哦，我差点忘了。那个女人一直打电话。我做饭的时候一直打，斯达特曼小姐。问我知不知道你在哪里，她找到你了吗？”

“斯达特曼小姐？ 呃，没有，她找我什么事？”

“她好像觉得你今天的一些约会弄乱了。她非常客气，一直道歉说打扰我了。她说他肯定你一切都游刃有余，只是打来核对一下，没别的，她一点都不担心。但接着十五分钟之后，电话又响了，又是她。”

“呃，没什么好担心的。呃……她原以为我应该在其他地方，你刚刚说？”

“我不确定她想说什么。她很友善，只是不停地打。我还因此烧焦了一盘鸡肉饼。接着，她最后一次打来时，问我是否期待今晚在卡文斯基画廊的招待会。你都没跟我说过，但她说的好像他们都很期待我去。所以我说，是的，我非常期待过去。然后她问鲍里斯是不是一样，我说是的，他也是，你亦如此，你真的非常期待。听到这个，她好像放心了些。她说她不担心，只是随口一提，仅此而已。我放下电话，起初有些失望。以为这招待会会妨碍我们的大餐。但然后，我发现我还有时间先准备好一切，那样的话，我们都可以一起去，然后回来，只要我们不呆太久，我们仍可以一起共度夜晚。接着我就想，呃，真是件不错的事。对我和鲍里斯来说是件好事，去像这样的招待会。”这会儿鲍里斯正朝我们这边走过来，她突然把手伸向他，一把把他拽过来抱了抱。“鲍里斯，你肯定会艳惊四座的，是不是？ 别在意其他人。随意些，你会很开心的。你会艳惊四座。然后，不知不觉地，就到回家的时间了，接着我们会共度一个真正美好的夜晚，就我们三个。我已经准备好了一切，所有你最喜欢的。”

鲍里斯疲惫地挣脱开母亲的拥抱，又走开了。索菲微笑地看着他，然后转向我说道：

“我们最好立刻出发，不是吗？ 卡文斯基画廊，从这儿走可能要花一段时间呢。”

“是啊，”我边说边看了眼手表。“是的，你说得有道理。”我转身对着那矮壮的女人，她刚回到屋子。“要不你给点建议，”我对她说道，“我不确定哪辆公交车去画廊。你知不知道那车是不是马上到？”

“到卡文斯基画廊？”那矮壮的女人轻蔑地看了我一眼，也只因鲍里斯在场，她才没有添油加醋地讽刺一番。然后她说道：“从这儿没有到卡文斯基画廊的公交车。你们得先乘车回到市中心。之后，得在图书馆外面等一辆有轨电车。准时到是不可能了。”

“啊。太可惜了。我还指望有公交车直接到呢。”

那矮壮的女人又嘲讽地看了我一眼，接着说道：“开我的车吧，我今晚用不着。”

“你可真是太好了，”我说道，“但你确定我们不会……”

“哦，少废话了，瑞德。你们需要车。否则没有其他办法能让你们准时到达卡文斯基画廊。即使有车，你们也得现在立刻出发。”

“是的，”我说道，“我正是这么想的。但你看，我们不是不想麻烦你嘛。”

“你们正好可以带几箱书。如果我明天得乘公交去的话，我拿不了。”

“好的，当然。乐意效劳。”

“明早把书载到赫尔曼·罗斯的店里，十点前随时可以。”

“别担心，金姆，”我还什么都没说，索菲就说道，“我一定办到。你真是太好了。”

“好吧，你们几个最好现在就出发吧。嗨，年轻人——”那矮壮的女人向鲍里斯打了个手势，“你帮我把这些书装箱吧？”

接下来的几分钟，我自己独自站在窗边看着外面的风景。他们几个已经离开，去了卧室，我能听到他们在我身后谈笑风生。我突然觉得应该进去帮他们，但接着我认为重要的是应趁机整理思绪，想一下接下来的夜晚。我继续盯着下面的人工湖。有些小孩开始对着水潭远处那侧的篱笆踢球，然而，除此之外，周围其他地区仍是荒芜一片。

我终于听到那矮壮的女人叫我，发现他们正等着离开。我走进门厅去找索菲和鲍里斯，发现每人都搬着个纸板箱，已经出去到走廊上了。他们动身下楼的时候开始争执起什么。

那矮壮的女人替我开着前门。“索菲有信心，今晚会一切顺利，”她说，低下声音道。“所以别再让她失望，瑞德。”

“别担心，”我说，“我会确保一切顺利的。”

她冷冷地看了看我，接着转身下台阶，钥匙叮当作响。

我跟在她后面。刚下到第二节楼梯，我看到一个女人正迈着疲倦的步伐上楼。那人挤过矮壮的女人身边，咕哝了声“抱歉”，都已经擦肩而过了，我才突然发现那人是菲奥娜·罗伯茨，还穿着检票员的制服。她好像也没有认出我，直至刚刚——楼梯上光线不好——她疲惫地转身，一只手扶着金属栏杆，说道：

“哦，你来啦。你能准时，真是太好了。很抱歉我来晚了。东环的有轨电车改线了，所以我当班的时间长了点。你没等太久吧。”

“没有，没有。”我慢慢地又往回上了一两级台阶。“根本不久。但很不凑巧，我的日程安排非常紧……”

“没关系，除非必需，我不会占用你太多时间的。事实上，我得告诉你，我给女孩子们打了一圈电话，我之前说过的，我休息时从车站食堂打的。我告诉她们等着我带个朋友来，但没告诉他们其实是你。起先本打算说的，一如我们之前一致商议的那样，但我最先打电话给楚德，一听到她那样说着：‘哦，是啊，是你，亲爱的。’我就能从这口气里听出她是多么的高傲乖戾。我知道她们如何整日谈论我，一个电话接着一个电话，还有英奇，还有其他所有人，讨论昨晚发生的事。所有人都假装为我惋惜，说她们得如何同情地对待我，毕竟，我像是个病人，而她们的责任就是友善助人。但当然，她们不会留下我的，像我这样的人怎么能成为她们基金会的一员？ 哦，她们今天一定很开心，我全听得出来，就是我一打电话，她说话的那副样子。'哦，是的，是你，亲爱的。'于是我想，那好吧，我就不给你任何预警了。看看不相信我，你的下场如何。我当时心里就那么想。我真希望看到你开门，看到谁站在我身边，彻底失魂落魄的样子。真希望看到你穿着最糟糕的衣衫，或许是运动服，卸掉所有妆容，鼻子边的疙瘩完全清晰可见，头发就像有时候夹在脑后那样，看起来至少老了十五岁的样子。真希望看到你的公寓一团糟，到处都是那些无聊杂志，下流的黄色小报，家具里乱七八糟地塞满了言情小说，你会大吃一惊，不知道该说什么，什么都让你觉得尴尬，而你又一件接着一件地说些无聊至极的事情，让事情变得更糟。你想上些茶点，却发现家里什么都没，你会觉得之前没信我是多么的愚蠢。我们就那样做吧，我想。所以我没告诉她，也没告诉其他任何人。我只是说我会带一个朋友过来。"她停下来，自己平静了一会儿，接着说道："很抱歉。希望这听起来不会让你觉得我是恶意报复。但我一直渴望着这一天。这是我继续前行的动力，是让我查完所有那些票、让我继续前行的动力。乘客们一定都会奇怪，我为什么像那样走来走去，你知道的，眼中放光。你要是赶时间，我想我们就得马上出发了。我们可以从楚德家开始。英奇应该和她在一起，通常，每天这个时间都是，那么我们首先马上就能搞定她们两个。我不怎么在意其他人。我就是想看看那两个人脸上的表情。好吧，我们走吧。"

她开始上楼梯，先前所有的疲惫一扫而光。楼梯仿佛走不到尽头，一节跟着一节，直至我拼命喘气。然而，菲奥娜却看上去丝毫没有费力。我们爬楼梯的时候，她继续说着，音量放低，仿佛周围的人会听到似的。

我们终于上完楼梯，我已经上气不接下气——胸腔发出了“呼哧呼哧”的喘气声——使得我没法留心周遭环境如何。我发现自己被领进一个昏暗的过道，经过几排大门，而菲奥娜却未曾发觉我的难处，继续带头向前行进。然后，她突然停下来，敲了敲门。我跟上她，被迫一只手倚在门框上，低着头，努力恢复呼吸。门打开的时候，我肯定一副弓腰驼背的模样，而身边却是得意洋洋的菲奥娜。

“楚德，”菲奥娜说，“我带了个朋友来。”

我费力站直身体，愉快地微笑起来。

第十六章

来开门的女人五十岁上下，身材丰满，一头花白短发。她穿着一件宽松的粉红色无袖套头衫，一条袋状条纹裤。楚德朝我飞快地扫了一眼，并没发现任何异常，于是转身对菲奥娜说道：“哦，你来了，那就进来吧。”

一副傲慢俯就的口吻，但没想结果竟提升了菲奥娜的预期，她鬼鬼祟祟地向我投来一笑，我们跟着楚德进了门。

“英奇和你在一起吗？”我们走进一个狭小的门厅时，菲奥娜问道。

“嗯，我们刚回来，”楚德说，“凑巧了，我们有很多料要爆。既然你刚好来了，那你就近水楼台了。你真是幸运哪。”

最后那句话好似全无讽刺之意。楚德穿过一扇门消失了，丢下我们站在小小的门厅里，我们可以听到她的声音从里面传来：“英奇，是菲奥娜。还有她的一个朋友。我想我们应该告诉她今天下午的事情。”

“菲奥娜?”英奇的声音听起来略带愤怒。接着，她压住情绪说道：“好吧，我看就让她进来吧。”

听到此番对话，菲奥娜再次兴奋地冲我一笑。这时，楚德的脑袋探出房门，示意我们走进客厅。

房间的大小和形状与那矮壮女人的家没什么不同，不过家具却过于花里胡哨，基本以花卉图案为主。或许是这间公寓的朝向不同，或许是屋外的天空明澈了些许——总之，午后的阳光透过大窗户倾洒而入。一踏进光线里，我就满以为这两个女人能认出我呢。很明显，菲奥娜也有此期待，因为我注意到她小心翼翼地站在一旁，生怕她在旁边减弱了气场。然而，无论是楚德或是英奇，看似对我都没有任何印象。她们二人匆匆而又漠然地朝我扫了一眼，接着，楚德冷冷地邀请我们入座。我们并肩坐在一张窄窄的沙发上。尽管菲奥娜起初很茫然，但她心中似乎已有定见：这一系列事件的意外转机，只会在一旦揭示谜底时增强效果，于是又冲我咧嘴微微一笑。

“你说还是我说？”英奇问道。

楚德显然听从于这位较年轻的女子，说道：“不，你说吧，英奇。应该你来讲。但菲奥娜，”她转向我们，“不许你告诉其他人。我们想为今晚的会面保留个惊喜，那才公平。哦，我们有没有告诉你关于今晚的会面？ 呃，我们这不是刚告诉你嘛。如果有时间，一定要来哟。不过既然你还有朋友和你在一起——”她朝我们点了点头，“如果你来不了，我们也完全理解。那，英奇，你说吧，应该你说的，真的。”

“好吧，菲奥娜，我保证你肯定爱听，我们度过了非常激动人心的一天。你知道的，今天冯·布劳恩先生邀请我们去他办公室，与他亲自商讨我们照顾瑞德先生父母的计划。哦，你不知道呀？ 我还以为你全知道了呢。好吧，我们今晚会详细通报会面的进展，我现在只告诉你，进行得确实非常顺利，虽说被迫缩短了一点时间。哦，冯·布劳恩先生对此深表歉意，真是无比抱歉，是不是，楚德？他对自己得早点离场十分内疚，但我们得知缘由后，呃，我们就完全理解了。你看，他有一项非常重要的行程安排，是去动物园。啊，你可能会笑，亲爱的菲奥娜，但这可不是一次普通的行程，是一个官方团体，当然包括冯·布劳恩先生本人在内，要带布罗茨基先生去那儿。你知道布罗茨基先生从未去过动物园吗？但问题是，他们也劝柯林斯小姐去那儿。是的，去动物园！你能想象吗？都这么多年了！而那不过是布罗茨基先生应得的待遇，我们俩立刻都这样说。是的，他们到达时，柯林斯小姐也会到场，她会在一个约好的地方等待，官方团体会与她见面，她会跟布罗茨基先生交谈。全都安排好了。你能想象吗？过了这么久，他们要见面了，而且要实实在在地交谈呢！我们说，我们完全理解缩短我们会面时间的原因，但冯·布劳恩先生对我们太客气了，他显然很不好意思，对我们说：'你们二位女士何不也一起去动物园？虽然我无法邀请你们加入官方团体，但或许你们可以从远处观望吧。'我们说我们真的太激动了。就在这时，他对我们说：'当然，如果你们按我的建议行事，你们不仅可以一睹布罗茨基这么久以来第一次与他妻子会面的情景，还可以——'他顿了一下，是不是，楚德？他停顿片刻，然后酷酷地继续道：'你们还可以近距离看到瑞德先生，他欣然答应加入官方团体。虽然我不能完全保证，但如果有合适的时机，我就给你们二位女士打暗号，把你们二位引荐给他。'我们绝对惊呆了！可是，当然喽，后来我们在回家的路上回想时——刚才我们还在互相说着呢——再仔细想想，就不会真的那么吃惊了。毕竟，我们过去几年有了长足的进步，为北京来客制作彩旗，还有为亨利·勒杜费尽心思制作午餐三明治……"

“北京芭蕾舞团，那才是真正的转折点。”楚德插嘴道。

“没错，那是转折点。但我觉得我们从未真正停下来思考过这个问题，我们只是兢兢业业，努力做事，可能从未意识到，一直以来我们越来越受到大家的尊重。坦率地讲，现今，我们事实上已经成为这座城市生活非常重要的一部分。我们早该意识到这一点了。事实摆在眼前，这就是为何冯·布劳恩先生亲自邀请我们去他办公室，为何最后他会在今天提出他的建议。‘如果有合适时机，我就把你们二位引荐给他。’那是他亲口说的，是不是，楚德？‘我知道瑞德先生见到你们二位会很开心，尤其是因为你们到时要照顾他的双亲，那是他最关切的一件事。’当然，我们一直这么说，是不是，一旦我们分配到此项任务，我们就有望被引见给瑞德先生了。但我们没料到这一切发生得这么快，所以我们非常激动。菲奥娜，怎么了，亲爱的？”

我身旁的菲奥娜一直不耐烦地扭动身体，想打断英奇连珠炮似的话语。英奇此刻终于停了下来，菲奥娜就用手肘轻轻碰了一下我的胳膊，投来一个眼神，好似在说：“快！ 此时不说，更待何时！”不幸的是，刚爬完楼梯的我依然上气不接下气，踌躇了片刻。总之，有那么尴尬的一瞬，三个女人都盯着我。然后，看我什么都不说，英奇继续道：

“好了，菲奥娜，你要不介意，我刚才话还没讲完呢。亲爱的，我相信你有许多非常有趣的故事要告诉我们，我们也很想听。毫无疑问，我们在市中心干这干那，做着我现在告诉你的这些事的时候，你在电车上又度过了非常有趣的一天，可是，如果你愿意稍等片刻，有些事儿可能会激起你一时的兴致。毕竟——”讲到这儿，她话音中颇含讥讽，已跨越了文明行为的界线，让我颇为吃惊。“这事关你的老朋友，你的老朋友瑞德先生……”

“英奇，拜托！”楚德插嘴道，但她唇边却挂着一抹微笑，二人彼此飞快交换了一下得意的笑容。

菲奥娜再次用手肘轻轻推了我一下。我瞥了她一眼，看得出她的耐心已消耗殆尽，迫不及待想让摧残她的人得到应有的惩罚，而无片刻延宕。我倾身向前，清了清嗓子，但没等我真的开口，英奇又开始讲了。

“呃，我想说的是，你细细想想，你就明白这种级别的待遇不过是我们理所应得的。显然，冯·布劳恩先生无论如何也是这么认为的。他一直都非常友善，对我们彬彬有礼，是不是？当他不得不离开去市政厅会合官方团体的时候，他非常抱歉。‘我们会在大概三十分钟后到达动物园。’他继续道，‘我非常希望你们二位女士会去。’他告诉我们，如果我们能跟他们一行人保持五六米远的距离，就完全没关系。毕竟，我们的身份不仅仅是公众成员！哦，非常抱歉，菲奥娜，我们可没有忘了你，我们本打算向冯·布劳恩先生提起我们小组成员中有一位，也就是你，亲爱的，我们中有一位是瑞德先生的挚友，有多年友谊的、非常亲爱的朋友。我们已经下定决心要提起，但不知何故，我们就是没机会说这个，是不是，楚德？”

这两个女人再一次彼此交换得意的笑容。菲奥娜冷冷地盯着她们，强忍怒火。我意识到，这会儿事情已经太离谱了，于是决定介入。然而，此种做法的两种可行方案立刻呈现在我面前。一个选择就是礼貌优雅地介入英奇碰巧说出的连串话语当中，以吸引其留意我的身份。比如，我会突然间平静地插话道：“呃，既然我们无缘在动物园相见，那么我们欣然地在你自己的家中相见，又有何关系呢？”或者类似的话。另一选择就只是突然起身，或许边起身边甩出两只胳膊，直言不讳地宣布道：“我就是瑞德！”我自然希望选择一种会带来最大打击的方法，但犹豫不决的我再次错过了机会，因为英奇又开始讲话了。

“我们到了动物园，开始等，哦，大概等了二十分钟，是吧，楚德？ 我们在一个小小路边摊等待，可以在那儿喝杯咖啡，大概二十分钟之后，我们看到这些车辆直接开到大门口，这群尊贵的人下了车。大约有十或者十一个人，全是男士，冯·温特斯坦先生在，还有费希尔先生和霍夫曼先生。当然还有冯·布劳恩先生。布罗茨基先生走在这群人中间，看起来确实非常高贵，是不是，楚德？ 一点不像过去的样子。我们当然立刻寻找瑞德先生，但他不在当中。我和楚德一张脸一张脸看过去，但都是些老面孔，议员什么的，你知道的。有一瞬间，我们以为莱特梅尔先生就是瑞德先生呢，就在他刚从车里出来的时候。总之，他没有跟他们一起，我们还彼此说着，因为他繁忙的行程，可能稍迟一些会来。所有这些绅士都在，他们走上一条小径，全穿着黑色外套，除了布罗茨基先生，他穿了一件灰色外套，非常高贵的扮相，还有一顶与之相配的帽子。他们走过枫树林，全都迈着不紧不慢的步子，走到了第一个笼子处。冯·温特斯坦先生好像是主事人，不停指着东西跟布罗茨基先生介绍，指着每个笼子里的动物介绍。但看得出来，没人太多注意动物，他们都在为布罗茨基先生与柯林斯小姐的碰面紧张。我们也没法不紧张，是不是，楚德？ 我们继续走，转过弯走到中央广场，果真，柯林斯小姐在那儿，自己一人，站在长颈鹿面前，看着它们。还有其他一些人来回踱着步子，但他们当然不知道，当官方团的人转过拐角，人们才意识到有事发生，恭敬地移开了，而柯林斯小姐还站在长颈鹿面前，看上去较先前更孤单了。官方团的人走近了些，她朝他们看了过去。她显得如此平静，你根本不知道她心里在想些什么。而布罗茨基先生，我们能看到他的表情，非常僵硬，偷偷地瞄向柯林斯小姐，虽说当时他们俩之间还隔了老远，中间还有猴子浣熊的笼圈。冯·温特斯坦先生好像在给布罗茨基先生介绍所有动物，好似这些动物全是一场盛宴的官方嘉宾一般，是不是，楚德？我们不知道这些先生为何不直接走到长颈鹿和柯林斯小姐那里，但很显然，他们已经决定采用这种方式了。真是太令人激动了，太感动了，有那么一刻，我们甚至忘记了瑞德先生出现的可能。能看到布罗茨基呼出的气息，薄雾蒙蒙，其他所有绅士也是一样，紧接着，只剩下几个笼子的时候，布罗茨基先生好像对动物失去了兴趣，他摘下了帽子。动作非常老式，却毕恭毕敬，菲奥娜。我们感到非常荣幸有幸目睹这一切。”

“行动胜千言，”楚德插话道，“从他行动的方式能看出许多，然后他就只是将帽子举在胸前，好似同时在宣告爱意和歉意。非常感人。”

“是我在讲故事好吧，谢谢你，楚德。柯林斯小姐，她非常优雅，从远处看根本猜不出她已经这把年纪了。如此青春的身材。她非常冷淡，若无其事地转身面对他，两人之间大约隔了一个笼子的距离。在场的所有公众人员这时候都立刻后退，我和楚德，我们记得冯·布劳恩先生说过的，保持五米远，我们尽量放胆俯身向前，但此刻好像是个私人时刻，我们不敢靠得太近。他们先是互相点了点头，互道了些平常不过的问候。

接着，布罗茨基先生，他突然上前几步，伸出手，非常迅速地，好像事先计划好了，楚德认为……”

“没错，好像他私下里已经练习了好些天一样……”

“是的，就是那样。我同意楚德的看法。就像那样。他伸出手，握住她的手，轻轻地礼貌地吻了一下，然后放开。而柯林斯小姐，她只是优雅地鞠了个躬，接着立刻将注意力转向其他男士，和他们打招呼，微笑，我们离得太远，听不清他们说了些什么。而他们所有人都在，有那么一小会儿，好像没人知道接下来做什么。然后，冯·温特斯坦先生采取主动，开始向布罗茨基先生和柯林斯小姐讲解长颈鹿的习性，言语中仿佛他们是一对——是不是，楚德？仿佛他们是一对很好的老夫妻，从一开始就一起来到这里。而他们二人，布罗茨基先生和柯林斯小姐，这么多年之后，肩并肩地站着，没有触碰，只是肩并肩地站着，两人盯着长颈鹿，听着冯·温特斯坦先生的介绍。如此持续了一段时间，就看见其他男士互相窃窃私语接下来怎么办。跟着，渐渐地，不自觉地，男士们统统往后汇拢去，做得非常好，非常文明，他们全都假装在互相交谈，一次慢慢移开一点，所以最后只剩下布罗茨基先生和柯林斯小姐在长颈鹿前。当然，我们这会儿能非常近距离地观察，而其他每个人亦定是如此，但当然，每个人都假装没有瞧见。我们看到布罗茨基先生优雅地转身面对柯林斯小姐，举起一只手指着长颈鹿的笼子，说着些什么。好像是些发自内心诚挚的话，柯林斯小姐稍稍低下了头，这会儿连她也不能继续无动于衷了，接着，布罗茨基先生继续说着，不时地，能看见他又举起一只手，像这样，非常轻柔地，指着长颈鹿。我们无法确定他是在说长颈鹿还是其他别的事情，但他不断举起手指着笼子。柯林斯小姐看似确实被征服了，但她是如此优雅的女士，她直了直身体，微笑着，然后二人慢慢踱步至其他男士聊天的地方。能看见她和男士们互道了些什么，非常礼貌且愉快，她好像跟费希尔先生谈了颇久，接着轮流和他们每个人道别。她朝布罗茨基先生微微躬身点头，看得出来，布罗茨基先生对此很是开心满意。他站在那儿，恍如游梦，帽子还举在胸前。接着，她走上小径离开，一路径直走向茶点小屋，过了喷泉，绕过北极熊围圈，消失在视线中了。而等她一离开，男士们似是抛弃了先前的伪装，围聚在布罗茨基先生身边，看得出来，每个人都开心异常，兴奋异常，他们好像在恭喜他。哦，我们当时多想知道布罗茨基先生跟柯林斯小姐说了些什么啊！ 或许我们应该大胆些，再走近几步，可能会捕捉到至少一些零零碎碎的话语。不过，现在我们身份不一样了，得更加谨慎。不管怎么说，一切都太美好了。动物园里的那些树，每年的这个时候都那么美。我确实想知道他们彼此说了些什么。楚德认为他们现在真的又重在一起了。你知道吗，他们从未离婚？ 是不是很有意思？ 那么些年了，尽管柯林斯小姐坚持自己被称作柯林斯小姐，他们从未离婚。布罗茨基先生赢回她是理所应当的。哦，非常抱歉，我们被兴奋冲昏头了，甚至还没开始给你讲到重点！关于瑞德先生！ 你看，既然瑞德先生没有跟官方团的人在一起，我们也就不能真的上前，即便是在柯林斯小姐离开之后。毕竟，冯·布劳恩先生建议过我们上前只是为了见见瑞德先生。总之，尽管我们小心地看着冯·布劳恩先生，尽管有时候与他非常近了，他却从未朝我们看过一眼，可能他过于关注布罗茨基先生了。所以我们没有上前。但之后，他们要离开时，我们看着他们就要穿过大门时，他们全部停了下来，又有一个人加入了他们，一个男人，但他们走得太远了，我们看不清楚。但楚德肯定与他们会合的人就是瑞德先生——她的远视视力好过我，我还没戴眼镜。她肯定——是不是，楚德？——她肯定那就是他，他非常圆滑机智，置身事外，所以不会添麻烦，这事对布罗茨基先生与柯林斯小姐来说本来就已经够难办的了。他这会儿在大门口会合官方团体的人。起先，我以为那不过是冯·布劳恩先生罢了，但我没有戴眼镜，而楚德非常肯定那就是瑞德先生。事后，我仔细想了想，也觉得可能当时那人就是瑞德先生。所以说我们就错过了被引见给他的机会！这时候，他们走得很远了，你看，已经在大门口了，司机们已经打开了车门。即便我们冲跑过去，也来不及到那儿的。所以从最严格的意义上讲，我们没有见到瑞德先生。但我和楚德刚刚还在讨论，我们说，几乎从所有其他意义上讲，我的意思是从其他任何真正重要的意义上讲，可以公平地说我们今天见到他了。毕竟，假如他一直跟官方团的人在一起的话，那么确定无疑的，在长颈鹿笼子跟前那会儿，就在柯林斯小姐离开之后，冯·布劳恩先生一定会为我们引见的。那不是我们的错，我们没有意识到瑞德先生会那么狡猾，一直呆在大门口。总之，重点是，毫无疑问，将我们引见给他，是合乎时宜的。那就是重点。冯·布劳恩先生显然也是这么认为的，既然我们处在现在这个位置上，那明显就是合乎时宜的。而且你知道吗，楚德，”她扭头对着她的朋友，“现在我再进一步地想想，我同意你的看法。今晚的聚会上我们也可以向她们宣布我们真的见到了他。就像你说的，那比说我们没有见到更为接近真相。而且今晚那么多事，我们真的没时间将一切再重新解释一遍。毕竟，我们没能正式被引见给他，只是造化弄人，就是这样。

出于所有的目的和意图，我们已经见过他了。他一定会听说我们所有的事，如果他还没，那他一定会非常详细地询问起我们是如何照料他父母的。所以我们实际上等于见过他了，像你说的，如果别人并非如此认为，那对我们会很不公平。哦，我错了——”英奇突然转向菲奥娜，“我都忘记了，我正在和瑞德先生的一位老朋友谈话。对这样一个老朋友来说，这一切看起来不过是大惊小怪罢了……”

“英奇，”楚德说，“可怜的菲奥娜，她已经很糊涂了，别再捉弄她了。”接着，她冲菲奥娜微笑着，说道：“没关系，亲爱的，不必担心。”

英奇说这话的时候，我脑中重现了小时候我和菲奥娜之间那温馨的友谊。我想起了她曾经住过的白色小农庄，就在伍斯特郡泥泞的小路上，只有几步之遥，我们两个人躲在她父母的餐桌下面玩了几个小时。我想起那时候我徘徊着走到她家农庄，心里烦恼不安，而她特别会安慰我，让我很快忘记了我刚刚经历的场景。我意识到，正是这同样珍贵的友谊在我的眼前被生生嘲弄，一腔怒火才在胸中灼燃而起，而英奇又开始讲话，我觉得不能再不管不顾，任此情形继续下去了。我决心不再重犯我先前支吾其辞的错误，便果断地倾身向前。我的本意是打断英奇，大胆宣布我是何方人士，然后，等其影响尘埃落定，再靠回身子。不幸的是，尽管我对此干预行为施加了诸多力量，发出的仍是一阵像喉咙被轻轻勒住似的咕噜声，然而音量却够大，让英奇停了下来，三个女人都转身盯着我。那一刻很是尴尬，这时候，菲奥娜，无疑是想掩饰我的尴尬——或许她过去的某种对我的保护意识暂时觉醒了——脱口而出：

“你们两个，你们还不知道自己看起来有多蠢吗！ 知道为什么吗？ 不，你们不会猜到的，你们两个，你们绝对猜不出刚刚有多蠢，用言语无法形容你们两个此刻看起来多可笑。你们真的不会知道，历来如此，你们两个历来如此！ 哦，这么久以来，自从我们认识以来，我一直就想告诉你们，好吧，你们自己会明白的，你们现在自己可以判断一下你们是傻子还是什么。看看吧！”

菲奥娜将头猛地转向我。英奇和楚德，两人非常迷惑，又一次盯着我。我又做了一番努力，想公开自己的身份，但令我气馁的是，我只能再次发出一阵咕哝声，比之前的铿锵有力，却不甚连贯。这会儿我感到一阵恐慌，于是深吸了一口气，又尝试了一下，可这次发出了更冗长、走调的声音。

“她究竟在对我们说什么，楚德？”英奇说道，“这个小泼妇凭什么对我们这么说话？ 她怎么敢？ 吃了豹子胆了？”

“是我的错，”楚德说道，“是我的失误。邀请她加入我们小组是我的主意。幸好在瑞德先生的父母到来之前，她就暴露了本性。她嫉妒，就是这样。她嫉妒我们今天见到了瑞德先生。而她就只有这些可悲的小故事……”

“你们说今天见到了他是什么意思？”菲奥娜怒喝道，“你们自己刚刚说你们没有……”

“你明明知道那其实相当于见到了他！ 难道不是吗，楚德？ 我们现在完全有权说我们见到了。你不想承认也得承认，菲奥娜……”

“好吧，那样的话”——菲奥娜此时近乎在尖叫了——“让我们来看看你们怎么承认这个！”她猛地向我伸出胳膊，好似在宣告最戏剧性的一幕即将上演。我再一次尽力奉陪。这次，在逐渐攀升的怒火和沮丧的推波助澜下，走调了的声音变本加厉，我感觉到沙发在晃动。

“你这朋友是怎么了？”英奇问，她突然注意到了我。但楚德毫不在意。

“我压根儿就不应该听你的。”她狠狠地对菲奥娜说道，“从一开始你分明就是个小骗子。而我们竟然让我们的孩子与你那些闹蛋玩耍！他们可能也是小骗子了，现在他们可能在教我们的孩子如何撒谎。昨晚你办的聚会多么可笑。还有你那样装饰公寓！多荒唐！我们今早都在笑话这件事情……”

“为什么你不帮我！”菲奥娜第一次突然直接对我这么说话。“你是怎么了，你不会做点什么吗？”

事实上，自始至终我一直紧绷着神经。这会儿，就在菲奥娜转向我的时候，我从挂在对面墙上的镜子里瞥见了自己。我看见自己满脸通红，五官挤压，现出像猪一样的表情，而我的拳头在胸前握紧，与整个身躯一起颤抖。瞥见自己这样的状态，我就像没了风力的帆船，一下子泄了气，瘫回到沙发一角，重重地喘着气。

“我想，菲奥娜亲爱的，”英奇说道，“是时候你和这个……你的这个朋友离开了。我觉得今晚的聚会你们不用来了。”

“这还用说，”楚德大声吼道，“我们现在肩负重任。我们可担不起纵容像她这样断翼的小鸟。我们已不再仅仅是一个志愿小组了。我们有非常重要的事情要做，任何不符合要求的人都必须离开。”

我看到菲奥娜的眼睛里噙着泪水。她又看了看我，但眼神中却是越来越多的辛酸悲痛，我想再次亮明我的身份，但一想到我望到的自己在镜中的模样，就决定作罢了。相反，我摇摇晃晃地站了起来，寻找出口离开。因为紧张，我仍然气喘吁吁，走到门口时不得不停下来，靠着门框。我能听见身后那两个女人继续说着话，一副兴奋的口气。有那么一刻，我听到英奇说："看你把多么恶心的人带进公寓来。"经过一番努力，我匆忙走过了小门廊，在大门门锁上疯狂地摸索了一阵，最后终于走出了房间，来到了走廊。几乎顷刻间，我感觉好了许多，便更加镇定地继续向楼梯走去。

第十七章

我连续走下几级楼梯，一边看了看手表，发现此刻启程前往卡文斯基画廊正是时候。自然，我对自己不得不丢下的烂摊子感到无比懊悔，但显然，此时首先要考虑的是确保准时出席今晚的重要活动。不管怎样，我决定，不久之后再适时专心处理菲奥娜的问题。

我终于到达了底层，迎面见到墙上“停车场”的标记，还有一个箭头指示方向。我走过几个储物柜，接着从出口处出去了。

我从公寓大楼的后部走了出去，来到人工湖的另一侧。此刻夕阳西下。我面前是一片广阔的绿地，沿斜坡伸展下去，渐至远方。停车场立刻出现在我眼前，不过是片被篱笆围圈起来的矩形草地，就像美国牧场的牲畜栏一样。地面没用水泥铺砌，来来往往的车辆已将其磨损得几乎泥土外露。这里差不多可以容纳五十辆车，但这会儿只停了七八辆，车与车之间都有些距离。日落的余晖擦过车身。在停车场接近后部的位置，我看到那矮壮女人和鲍里斯正在往一辆旅行客车的后备厢里装行李。我移步过去，发现索菲正坐在前排副驾驶座上，眼神空洞，透过挡风玻璃盯着落日。

我走上前去，那矮壮女人正在关后备厢。

“抱歉，”我对她说，“我不知道你有这么多东西要装车，我本应搭把手的，可是……”

“没关系，有他在这儿帮我就足够了。”矮壮女人揉了揉鲍里斯的头发，然后对他说：“那么，别担心了，好吗？你们几个都会度过一个很棒的夜晚。真的，她做了所有你喜欢吃的。”

她俯下身来，安慰似的紧紧地拥抱了一下鲍里斯，但小男孩好似在梦中一般，直勾勾地盯着远方。矮壮女人伸手递给我车钥匙。

“汽油应该够，小心开车。”

我谢过她，看着她离开，向公寓大楼走去。我转身看着鲍里斯，他仍旧盯着夕阳。我扶着他的肩膀，带他绕过汽车。他一句话没说就爬上了后座。

显然，夕阳有种催眠的功效，因为我坐到方向盘后面时，索菲仍盯着远方。她似乎没有发觉我的到来，但接着，就在我熟悉车辆操纵系统的时候，她静静地说道：

“我们绝不能让这房子的事儿拖累了我们。我们拖不起啊。你下次回来跟我们一起还不知道啥时候呢。不管有房子还是没房子，我们都该开始做点事了，一起做点好事了。我是今早突然意识到的，在回来的公交车上。即便在那样的公寓，那样的厨房里。”

“是的，是的。”我说着，把钥匙插进引擎启动器。“那么，你知道去画廊的路吗？”

这个问题把索菲拉出了恍惚的状态。“哦，”她说道，双手捂着嘴，好似刚刚记起了什么。接着，她说道：“从市中心过去的话，或许能找到路。但从这儿，我不知道。”

我重重地叹了口气，感到事情再次渐渐濒临失控，那种强烈的厌恶感又卷土重来，这感觉在白天早些时候经历过，就是对索菲给我的生活带来混乱的厌恶之情。然而接下来，我听到她在身边欢快地说道：

“我们何不去问问停车场的值班人员？他可能会知道。”

她指着停车场进口处，的确，那儿有座小木屋，里面有一个身着制服的人，能看到他腰部以上的半身。

“好吧，”我说，“我去问问。”

我下了车，走向木屋。一辆汽车停靠在木屋边，正准备驶离这处围圈，我走近时看到那值班人员——一个胖胖的秃顶男人——倾身越过门栏，快活地微笑着，向司机打手势示意。他们说了会儿话，我正准备插将进去，汽车便移动离开了。即便那样，值班人员的目光仍然跟着那辆车，看它顺着住宅区周围的蜿蜒小路驶离。没错，他也似乎被夕阳蛊惑，呆呆地定住了。我在门栏下咳嗽了一声，他仍继续梦游般地凝视着，眼光追随着那辆车，最后我只能大喊一声：“晚上好。”

胖胖的男子开始俯看着我，回答道：“哦，晚上好，先生。”

“很抱歉打扰您，”我说道，“但我们不巧要赶时间。我们要去卡文斯基画廊，但您看，我在贵市初来乍到，完全不清楚从这儿到那儿最快的路。”

“卡文斯基画廊。”那人想了一会儿，接着说道：“呃，老实说，根本没有直达的路，先生。依我看，对您来说最简单的方法就是跟着那位刚刚离开的先生。那辆红色汽车。”他指着远方，“那位先生，碰巧的很，就住在离卡文斯基画廊非常近的地方。我当然也可以尝试给你指路，但我得先坐下来，把所有那些不同的转弯口全部理出来，特别是到你行程快结束的时候。我的意思是，你从高速路上下来，得找那些绕过农场的小路。目前看来最简单的方法，先生，就是跟着那位红车里的先生。假如我没弄错的话，他就住在离卡文斯基画廊只有两三个转弯口那么远的地方。那是块非常宜人的区域，那位先生，他和妻子非常喜欢那儿。那边是郊外，先生。他告诉我他有一间漂亮的农舍，后院养着母鸡，还种着一棵苹果树。尽管有点偏僻，对一个艺术画廊来说，那可是个好地方。非常值得开车去兜兜，先生。那开红车的先生，他说他从未想过搬家，即便每天来这片住宅区对他来说颇有些路程。哦，是的，他在这儿工作，在行政大楼——”那男子突然将身体探出门栏，指着身后的几扇窗户，“就是那幢大楼，先生。哦，不，不管怎么说，这里不全是住宅公寓。要管理这样规模的社区，哦，需要很多日常行政工作。那开红车的先生，从水务公司在这里开始建设的第一天起，就一直在这儿上班。现如今，他监管着这片区域所有的维护工作。那可是个大工程啊，先生，他每天上下班要走好长一段路，但他说他从未想过搬得近些。我完全能理解他，那地方确实非常美。我在这儿一直喋喋不休，您一定着急了吧。非常抱歉，先生。我说过，你就跟着那辆红车，这是目前看来最简单的办法了。我敢肯定，您会非常喜欢卡文斯基画廊的。那是郊区一块非常美的地方，至于画廊本身，我听说里面有些非常美的展品。”

我简单谢过他，走回车子，钻进了驾驶座。索菲和鲍里斯又在盯着落日了。我什么都没说，启动了引擎。驶过木屋时，我朝那停车场值班员飞快地挥了挥手，然后继续颠簸前行，这时索菲才问道："这么说你找到路了？"

"嗯，我们只要跟着刚刚离开的那辆红色汽车就行了。"

话刚出口，我才意识到自己对她仍然很生气。但我没再说什么，只是开着车，行驶在住宅区外围的小路上。

我们驶过一幢又一幢公寓楼，夕阳的余晖映射在无数块窗玻璃上。紧接着，住宅区消失了，小路变成了高速路，两边都是杉树林。公路上几乎一片空寂，视线清晰，没过多久，我就发现了前面那辆红色汽车，还是远处的一个小点，在不慌不忙匀速行驶。由于车辆稀疏，我觉得没必要紧跟在他后面，便也放慢车速，不慌不忙地跟着，我们之间仍礼貌地保持一定车距。这期间，索菲和鲍里斯两人仍然继续梦游般地沉默着，终于，我也开始渐渐放松下来，思绪宁静，看着太阳从荒芜人际的高速公路上徐徐下落。

过了一小会儿，我发现自己的脑海中正重放着多年前的世界杯半决赛上荷兰对意大利第二个进球得分时的场景。那是一记令人叹为观止的远射，也是我最喜欢的体坛回忆之一。但现在，我发现自己竟忘记了得分队员是谁，这让我很是恼火。伦森布伦克的名字飘进我的脑海，毫无疑问他踢了那场比赛，但最后，我确定他并不是进球得分的队员。我又看到阳光中飘动的球，越过意大利防守队员（奇怪的是，他们个个呆若木鸡），飘移，再飘移，越过守门员伸长的手。忘记这样一个细节令我倍感沮丧，我正系统地回顾自己所能记起的那个时代所有荷兰队员的名字，这时，鲍里斯突然在我身后说道：

"我们离路中心太近了。我们要撞车啦。"

"胡说，"我说道，"我们很好。"

“不，不是的！”我能感觉到他猛力敲击着我座椅的后背。“我们离路中心太近了。如果从另一边过来个什么，我们就会撞车！”

我什么也没说，只是把车向路边移了移。这似乎让鲍里斯安了心，他又安静下来。接着索菲说道：

“你知道，我得承认，我第一次听说时，一点都不开心。我的意思是，关于这次招待会。我觉得那会毁了我们相聚的夜晚。但我又仔细想了想，特别是当我意识到那并不会妨碍我们今晚共进晚餐的时候，我就想，好吧，这是件好事。从某些方面来说，那正是我们需要的。我知道我可以做得很好，鲍里斯也是。我们两个都会表现得很好，然后我们回去，就会有些东西值得庆祝。整个夜晚对我们来说就会真正有些意义。”

我还没来得及回应，鲍里斯又叫嚷起来：

“我们离路中心太近了！”

“我不会再往那边移了，”我说，“我们现在好得很。”

“他或许是害怕了。”索菲平静地对我说道。

“他本来不害怕的。”

“我害怕了！我们就要有一场重大事故啦！”

“鲍里斯，求你了，安静。我在开车，非常安全。”

此话出口，语气相当严厉，鲍里斯沉默了。但接着，我继续开车，意识到索菲正不安地看着我。不时的，她会回头瞥一眼鲍里斯，然后目光又回到我身上。终于，她静静地说道：

“我们为何不找个地方停下呢？”

“找个地方停下？为什么？”

“我们会提前到画廊的。哪怕耽误几分钟也不算迟到。”

“我觉得我们应该先找到地方。”

接下来几分钟，索菲又陷入了沉默。接着，她又转向我说："我觉得我们该停下来。我们几个可以喝点东西，吃些点心。这会有助于你冷静下来。"

"你什么意思，冷静？"

"我想要停下！"鲍里斯在后面大叫道。

"你什么意思，冷静？"

"你们两个今晚不能再争吵了，这很重要。"索菲说道，"我看得出你们俩又要开吵了。但今晚不行。我不会让它发生的。我们几个应该去放松一下，调整好心情。"

"你什么意思，调整好心情？ 我们任何人都没有问题。"

"我想停下！ 我害怕！ 我要吐了！"

"看——"一块标示牌从眼前经过，索菲指着它说："很快就会有个服务站。在那边停下吧，求你了。"

"完全没这必要……"

"你真的动怒了，而今晚又这么重要。今晚不该如此这般的。"

"我要停下！ 我要上厕所！"

"就在那儿了。停下吧，求你了。在事情变得更糟糕之前，让我们纠正过来吧。"

"纠正什么？"

索菲没有回答，而是透过挡风玻璃，继续焦虑地向外望去。我们正穿过山区。杉树林已经消失，取而代之的是陡峭的山坡，矗立在两旁。服务站在视野中清晰可见，其结构像极了高高建造在悬崖上的宇宙飞船。对索菲的满腔怒气一时间席卷重来，分外强烈，但尽管如此，我还是几乎不由自主地放慢车速，开进了内车道。

“没事了，我们马上就停下了。”索菲对鲍里斯说道，“别担心。”

“他本来就不担心，”我冷冷地说，但索菲像是没听见似的。

“我们来点快餐小吃，”她对小男孩说道，“然后我们都会感觉好些的。”

我按照指示牌下了高速公路，上了一条又陡又窄的小路，爬行着绕过了些许急弯，然后路平坦起来，车开进了一个露天停车场。几辆卡车并排停放着，还有大概十多辆轿车。

我爬出汽车，伸了伸胳膊，然后回头一看，索菲正在扶鲍里斯下车。我看着他在柏油路上走了几步，似乎十分困倦。接着，仿佛是要唤醒自己一般，他抬脸望着天空，边用力拍打着自己的胸脯，边发出了一声泰山似的嚎叫。

“鲍里斯，别那样！”我朝他喊道。

“他又没有打扰到任何人，”索菲说道，“没人会听见。”

没错，我们确实站在高高的悬崖顶端，距离那玻璃似的建筑几步开外，那便是服务站。落日已变成了深红色，统统反射在那建筑物的表面。我一言不发，大步从他们二人身边走过，径直走向入口处。

“我没打扰任何人！”鲍里斯在我身后吼着。接下来是第二声泰山似的嚎叫，这次声音逐渐弱下来，变得像约德尔歌谣一般。我没回头，继续走着，直到入口处才停下来等待，并为他们打开了厚重的玻璃门。

我们穿过设有一排公用电话的前厅，又穿过第二扇玻璃门，进入了咖啡厅。一股烤肉的香味扑面而来。房间十分宽敞，摆着长长的一排椭圆形桌子。两边都是巨大的玻璃窗，透过它们可以一眼望见广阔无垠的天空。从我们下方远处的某地传来了高速公路上的声音。

鲍里斯急忙走到自助柜台前，拿起了一个盘子。我让索菲帮我买瓶矿泉水，然后自己走开去，选了张餐桌。顾客不是很多——只有四五张餐桌上有人——但我还是沿着长长的一排桌子径直走到了底，背对着层层云雾坐了下来。

几分钟后，鲍里斯和索菲拿着盘子从过道走来。他们在我前面坐下，将点心摊开来摆放，两人出奇的沉默。接着，我发现索菲给鲍里斯使了几下眼色，想必在自助柜台的时候，她一直力劝小男孩对我说些什么，让他说些话以弥补我们之间因刚才的争吵造成的不快。直至此刻我才意识到，我和鲍里斯之间不论以何种方式和解，都是十分必要的，而看到索菲在这种情况下如此笨拙地进行干预，我感到心里恼火。为了缓和情绪，我对四周未来派风格的装饰做了一番幽默的调侃，索菲却心不在焉地回答着，又冲鲍里斯投去一个眼色。这么做实在有失巧妙，她还不如用胳膊肘推他一下呢。鲍里斯仿佛不愿顺从（这倒也可以理解），暴躁地继续将他买的一包坚果缠绕在手指上。最后，他抬起头，咕哝着说：

“我在读一本法文书。”

我耸了耸肩，向外望着夕阳。我发现索菲敦促鲍里斯继续说些什么。最后，他愠怒地说道：

“我读了一整部法文书。”

我转向索菲说道：“我自己从未学好法语。比起学习日语，在学法语上我仍有很多问题。真的。我在东京生存会比在巴黎更好些。”

索菲大概并不满意我的回答，狠狠地盯着我。我被她强制性的目光搞得非常恼火，于是转过脸去，别过肩膀，再次望着夕阳。过了一会儿，我听到索菲说：

“现在鲍里斯在语言学习方面好了很多。”

我和鲍里斯都没回答，这时，她弯下身去，对着小男孩说道：

“鲍里斯，你现在要多努力些。我们很快就会到画廊。那儿会有很多人。其中有些可能看起来十分尊贵，但是你不会害怕的，对吗？妈妈不会怕他们的，你也不会怕。我们会让所有人看到，我们如何应对自如。我们会非常成功的，对吗？”

然而，鲍里斯继续将那小包坚果一圈圈缠在手上。过了好一会儿，他抬起头来，叹了口气。

“别担心，”他说道，“我知道该怎么做。”然后他坐起身来继续说：“你得把一只手放在口袋里，像这样。然后举着饮料，像这样。”

他保持了这个姿势一小会儿，脸上摆出一副无比傲慢的样子。索菲忍不住放声大笑起来。我也情不自禁地微笑了一下。

“还有，人们朝你走来，”鲍里斯接着说，“你只要一次又一次地说：‘太棒了！太棒了！’假如你愿意，你可以说：‘无价之宝！无价之宝！’还有，服务员端着盛有东西的托盘走来时，你就对他这么做。”鲍里斯摆出一副愁眉苦脸的模样，手指一摆一摆的。

索菲还在大笑。“鲍里斯，你今晚会一鸣惊人的。”

鲍里斯面露喜色，得意洋洋起来。然后，突然间，他站起来说道：“我现在要去上厕所。我忘记自己想要去了。一会儿就回来。”

他最后一次又向我们表演了一番轻蔑地摆动手指的动作，然后急急忙忙地离开了。

“他有时很有趣。”我说道。

索菲侧过肩膀，望着鲍里斯走上过道离去。“他长得真快。”她说，然后叹了口气，表情越发若有所思。“他很快就会长大，我们的时间不多了。”

我什么也没说，等着她继续说下去。她侧着肩膀继续端详了一会儿。然后回转身来对着我，静静地说道：“这就是他的童年，正在飞逝而去。他很快便会长大，永远没机会体会更美好的日子了。”

“你这话说得他好像现在生活得很糟糕似的。他的生活相当美好。”

“好吧，我知道，他的人生不算太坏，但这是他的童年，我知道童年本来应该是个什么样。你看，因为我记得它原本应该的样子。我小的时候，母亲生病之前，那时一切都很美好。”她转过来面向我，但她的目光好像集中在我背后的云层上面。“我想给他那样的生活。”

“呃，别担心。我们很快就会把事情解决好。同时，鲍里斯做得相当好。没有必要担心。”

“你和其他人一样。”这会儿，她的声音里流露出一丝怒意，“你继续这样，好像我们时间多得很似的。你就是意识不到，是不是？ 爸爸可能还有好几年日子，但他已不再年轻了。有一天他会离开，然后只剩下我们。你、我和鲍里斯。这就是我们必须继续前行的原因。尽快建立起属于我们自己的东西。”她深呼吸了一口气，摇了摇头，眼光落在她面前的那杯咖啡上。“你不明白。你就是不明白要是事情处理不好，这世界会变成一个多么孤独的地方。”

我觉得反驳她没有任何意义。“那么，我们接下来要做的就是这件事。”我说，“我们很快就会找到房子的。”

“你都不明白，时间已经所剩无几了。看看我们，我们几乎还没开始呢。”

她语气里的谴责意味越来越浓。与此同时，她似乎已经全然忘记了她自己在妨碍我们“开始处理事情”上所做的“巨大贡献”。我一阵冲动，极想向她指明所有的一切，但最后还是保持了沉默。我们两个相对无语地过了一会儿，接着我起身道：

“抱歉。我想我还是拿点东西吃吧。”

索菲又开始盯着天空，好像几乎没有留意到我的离开。我走到自助柜台前，拿了个盘子。正当我在研究选哪种点心时，我突然记起：我并不知道去卡文斯基画廊的路，而我们当时完全依赖于那辆红色轿车。我想起那辆红车此刻正行驶在高速公路上，离我们越来越远，我意识到，我们不能在服务站逗留，浪费更多时间了。事实上，我突然想到我们不能再耽误，应该即刻重新上路，我正要还回托盘，急忙赶回我们的餐桌，这时我突然注意到，附近坐着的两人正在谈论我。

我四下一望，看到两位中年妇女，都衣着光鲜。她们相互倾着身子，越过餐桌，低声交谈，直至我听清楚时，都没有意识到我那时站得离她们有多近。她们鲜少提及我的名字，所以我起先并不能肯定她们讨论的对象就是我，但没过多久，对她们正谈论其他什么人的猜想便不攻自破了。

“噢，是的，”其中一个女人说道，“他们已经联系了那个叫斯达特曼的女人许多次。她一直保证他会出现去视察的，但到目前为止，他没有。迪耶特说他们不太介意，因为他们自己工作还一大堆呢，但他们所有人这会儿都紧张兮兮的，以为他随时会出现。当然，施密特先生时常进来，大声喊叫，让他们把地方打扫干净——如果他现在来了，发现市音乐厅这个样子怎么办？ 迪耶特说他们都很紧张，甚至那个埃德蒙德也是。而你永远不了解这些个天才，不定就会挑出个什么毛病批评起来。他们都还记得伊戈尔·科比莱恩斯基来视察的时候：他仔细地检查了每一样东西，还四肢匍匐在地，趴着敲打了每块地板，用耳朵贴上去听——他们全都在台子上围着他站了一个圈，所有人都看着他。过去这两天，迪耶特像是换了个人似的，一上班就烦躁不安。他们所有人都很糟糕。每次他在约定时间没有出现的时候，他们就会等上一个小时左右，然后再打电话给这个叫斯达特曼的女人。她总是很惭愧地表示歉意，她总有借口，和他们另约时间。”

听到这儿，过去几个小时里我脑海中几次冒出的一个想法重新涌现出来，那就是：我应该明智些，与我目前为止做到的相比，我应该更频繁地联系斯达特曼小姐。其实，我甚至可以瞅准时刻，用外面大厅里的公共电话给她打个电话。但还没等我再仔细考虑这个想法，那女人就接着说：

“而这全是因为这个叫斯达特曼的女人几周来一直坚持说，他有多么渴望完成此次视察，他关心的不只是音响效果和所有的常规事务，还有他的父母，他们那晚在大厅是如何被安置的。显然，他们二老身体都不大好，所以他们要求特殊座位，特殊设备，要求训练有素的人员随侍左右，以防哪个突发疾病或者什么的。所需安排相当复杂，而且，据这个斯达特曼说，他非常渴望检查所有东西的每一处细节。嗯，那部分还是相当感人的，对他年迈的双亲表现出如此多的关心。但接着，你知道吗，他没出现！ 当然，可能和这个斯达特曼有关，而非他的原因。迪耶特是那么想的。据说，他名声极佳，听起来根本不是这种一直像这样给人添麻烦的人。”

听到那女人说的话，我烦恼不安起来，而听完最后这句话，我自然就舒了一口气。但正是她们所说的关于我父母的那段话——满足他们各种特殊要求的需要——使我觉得一刻都不应耽搁，该给斯达特曼小姐打个电话了。我把托盘扔在柜台上，急急忙忙走出了大厅。

我走进一个电话亭，翻遍口袋搜寻斯达特曼小姐的名片。过了一会儿，我找到了，拨通号码。电话立即通了，正是斯达特曼小姐本人。

“瑞德先生，您来电话真是太好了。很开心一切都进行得这么顺利。”

“啊。这么说，你认为一切都进行得很顺利。”

“哦，棒极了！ 您所到之地，都是那么成功。人们是那么激动。而您昨晚晚宴后的演讲，哦，人人都在谈论，多么机智幽默的演讲啊。我如此荣幸，请允许我这么说，能和像您这样的人一起工作。”

“呃，谢谢你，斯达特曼小姐。你这样说太客气了。很高兴能得到如此好的照料。我刚打电话是因为，呃，因为我想核实有关我行程安排的某些事情。当然，今天有一些无法避免的耽搁，导致了一两个不甚乐观的后果。”

我停下来，期待斯达特曼小姐说些什么，但是电话那头一片沉默。我轻声笑了笑，继续道：“但当然，我们这会儿正在去卡文斯基画廊的路上。我的意思是，我们此刻已经走了一半路程了。自然地，我们想有充足的时间到那儿，而我必须得说，我们全都非常期待前去。我听说卡文斯基画廊周围的乡村景色非常棒。是的，我们很开心，已经在路上了。”

“我很高兴，瑞德先生。”斯达特曼小姐的口气听起来犹疑不定，“我真心希望您会喜欢此次活动。”然后她突然道：“瑞德先生，我真的希望我们没有冒犯到您。”

“冒犯我？”

“我们真的无意暗示什么。我是说，建议您今早去伯爵夫人家的事。我们都知道您非常熟悉布罗茨基先生的作品，没人曾另作它想。只是那些唱片中有些十分珍贵，而伯爵夫人和冯·温特斯坦先生都认为……噢，天啊，我真的希望没有冒犯到您，瑞德先生！ 我们真的不是有意暗示任何事。”

“我一点没感到被冒犯，斯达特曼小姐。相反，我非常担心自己是否冒犯了伯爵夫人和冯·温特斯坦先生，因为我没能出席……”

“哦，关于这点请您不必担心，瑞德先生。”

“我非常想见他们，和他们谈谈，但是情况不允许我按照原计划行事，我想他们会理解的，特别是，既然，如你所说，让我听布罗茨基先生的唱片没有切实的必要……”

“瑞德先生，我确信伯爵夫人和冯·温特斯坦先生都会非常理解。确实，无论如何，我现在也觉得做这样的安排是一种妄为，特别是您的时间如此有限。我真心希望没有冒犯您。”

“我向你保证，我根本没有感到被冒犯。但其实，斯达特曼小姐，如果可以的话，我这会儿给你打电话是想讨论某些问题，就是，我在这儿的行程安排的某些其他方面的问题。”

“是吗，瑞德先生？”

“比如说，我视察音乐厅的行程。”

“啊，这件事啊。”

我等待着，想听听她是否会多说些什么，但她什么都没说。我继续道：“是的，我只是想确定一下，为我到来所做的一切准备是否都安排就绪了。”

我语气中的不安让斯达特曼小姐终于有所回应。“哦，我明白了，”她道，“我明白您的意思了。我没有为您安排太多时间进行视察。但您看——”她停顿下来，我能听到一片纸张沙沙作响的声音，“您看，此次音乐厅行程的前后，有两个非常重要的约会。所以我想，假如要从什么地方挤出点时间的话，就应该是在音乐厅的安排上。您可以在其他时间随时回到那儿，假如您真的需要的话。然而，您看，我们真的没办法压缩其他两个约会中任何一个的时间。比如说，与市民互助小组的会面，我知道，和受您影响的普通人会面这件事在您心里有多重要……”

“是的，当然，你说得没错。我完全同意。正如你所指出的，我晚一点总还能挤出时间第二次去音乐厅。是的，是的。只是我有些担心这……呃，这些安排。我是说，关于我父母的安排。”

电话那头又是一阵沉默。我清了清喉咙，继续道：

“就是说，你知道的，我父母亲年纪都大了，在音乐厅里为他们准备特殊器材非常有必要。”

“是的，是的，当然。”斯达特曼小姐听起来有些困惑，“还要就近准备医疗救助以防不测发生。是的，一切尽在掌握，您进行视察的时候会看到。”

听到这话，我思忖了一会儿，然后说：“我们现在谈的是我父母的事。我想应该没什么误会吧。”

“当然没有，瑞德先生，请不用担心。”

我谢过她，从电话亭走出来，走回咖啡厅。走进门口时，我停了一会儿。落日的余晖拖着长长的影子洒满房间。那两位中年妇女仍旧热烈地交谈着，但我猜不出她们是否还在谈论我。远处尽头，我看到鲍里斯正向索菲解释着什么，他们两人开心地大笑着。我在那儿站了一会儿，脑中翻来覆去地想着刚刚和斯达特曼小姐的对话。再仔细想想，我发现这想法确实是妄为了——让伯爵夫人为我播放布罗茨基的老唱片，还指望我能从中得益呢。毫无疑问，她与冯·温特斯坦先生一直期待通过音乐逐步指引我。这想法让我不安起来，能够“被失约”让我感到庆幸。

然后我看了一眼手表，发现尽管我向斯达特曼小姐再三保证过，但我们仍有赴约迟到的危险。我一路走到我们的餐桌前，没坐下，说道：

“我们现在得走了。在这儿已经待了好一段时间了。”

说这话时，我的语气里透露出某种急迫，但索菲只是抬起头来，说道：

“鲍里斯觉得这些炸面包圈是他吃过最棒的。你是这样说的，不是吗，鲍里斯？”

我看了一眼鲍里斯，看到他对我置之不理。接着我想起我们刚刚的小争吵——我一时间全忘记了——意识到最好说些安抚的话。

“那么，你说炸面包圈很好吃喽，是吧？”我对他说道，“能让我尝一块吗？”

鲍里斯仍旧望着另一边。我等了一小会儿，然后耸了耸肩。

“好吧，”我说，“你要是不想说话，也没关系。”

索菲碰碰鲍里斯的肩膀，准备恳求他，但我却转过身道：“来吧，我们得上路了。”

索菲又用手肘推了推鲍里斯。接着她对我说话，声音里带着些许绝望：“我们再待一会儿吧。你几乎根本没和我们一起坐坐呢。鲍里斯非常喜欢这儿，是吧，鲍里斯？”

鲍里斯又一次充耳不闻。

“听着，我们现在得动身了，”我说道，“我们就要迟到了。”

索菲又看了看鲍里斯，然后看了看我，她的表情逐渐愠怒起来。接着，她终于开始起身。我转过身，径直走出了咖啡馆，没有回头看他们一眼。

第十八章

我将车开下陡峭蜿蜒的小路，回到高速公路上，这时太阳已低垂在天边，快要落山。路上的车辆依旧稀少，我开足马力驾驶了一会儿，在视线内搜寻那辆红车的影子。几分钟后，我们离开了山区，穿越无垠的农田。高速路两边的稻田不断延伸至远方。我沿着小路驶过一个长长的平缓转弯，横越一块平坦的田地，这才重新锁定了那辆红色汽车的踪影。它仍然行驶在前方，与我有段距离，但我看得出，驾驶员还是像之前那样悠闲地驾驶着。我减缓车速，开始欣赏起面前展开的一道道风景：傍晚的田野，在远方的树林后闪烁着暮光的低垂斜阳，不时出现的一群群乡间建筑——而与此同时，每次慢慢开过路上的转弯，我们前面的红色汽车都会时隐时现。我听到索菲在旁边说：

“你觉得会有多少人？”

“招待会上？”我耸了耸肩，“这我怎么知道？ 我说，你好像对这件事过分紧张了吧。不过是又一个招待会而已。”

索菲继续盯着窗外的风景。然后她说道：“今晚会有很多那些人。出席过卢斯科尼宴会的同一群人还会来，所以我才紧张。我以为你明白呢。”

我努力回忆她所说的那场宴会，但那个名字对我来说毫无意义。

“我现在应付那些事情，比以前自如多了。”索菲继续说道，“那些人对我的态度太差了。我还没有真正恢复过来。今晚一定会有很多同样的人。”

我仍旧努力回忆此事，却什么也没想起来。“你的意思是，那些人对你真的到了很粗鲁的程度吗？”我问道。

“粗鲁？好吧，你姑且可以那样说。他们当真让我觉得自己相当渺小，还非常可怜。我真希望他们今晚不会又全部在场！”

“今晚如果有人对你粗鲁，你就过来告诉我。依我看，你可以随你喜欢，同样粗鲁地回敬过去。”

索菲扭头看看坐在后座的鲍里斯。过了一会，我才发现小男孩已经睡着了。索菲继续望着他一小会儿，然后转回头来对着我。

“你怎么又来了？”她问道，语气相当奇怪，“你知道那会让他多么不安。你又来了。这次你打算持续多久？”

“持续什么？”我疲倦地问道，“你在胡说些什么呀？”

索菲瞪了我一会儿，然后别开头。“你不明白，”她几乎是自言自语道，“我们没时间这样了。你就是不明白，是不是？”

我觉得我的忍耐到了极限。一整天来经受的所有混乱卷土重来，于是，我大声说道：

“听着，你凭什么认为你有权利一直这样批评我？或许你还没发现，我刚刚承受了巨大压力。你不但不支持我，反而一个劲地数落、批评。而现在，你好像做好了全部准备要在这次招待会上让我失望。至少，看来你已经准备得相当充分了……”

“好吧！那我们就不进去了！我和鲍里斯会在车里等。你自己去参加这招待会吧！”

“没必要那样，我只是说……”

“我是当真的！你自己去吧！那样的话我们就不会让你失望了！”

我们继续行驶了几分钟，没有说话。最终，我开口说：

“听着，对不起。这次招待会你应该没问题的。事实上，我肯定你没问题。”

她没有回答。我们继续行进着，彼此沉默，每次我看她时，都发现她眼神空洞地望着远处的那辆红色汽车。一阵奇怪的恐惧感开始在我心中滋生，最后我说：

“听着，即便今晚事情不顺利，呃，那也没关系。我的意思是，那不会对任何重要的事有什么影响。我们没必要这么傻。”

索菲仍望着那辆红车。然后她说：“说实话，我是不是显得很胖？”

“不，一点都没有。你看上去美极了。”

“但确实胖了，体重重了一点。”

“没关系。不管今晚发生什么，事情都不会改变。听着，没必要担心。我们很快就会准备好一切。一个家，所有的一切。所以没必要担心。

我说这话的时候，她之前提到的那次宴会，特别是索菲的形象，开始在我脑中浮现。她当时身穿深红色晚礼服，独自尴尬地站在拥挤的屋子中间，在她周围，人们三五成群地站着，大笑着，交谈着。她当时肯定是受到了羞辱，想到这里，我最后轻轻地碰了碰她的胳膊。让我感到欣慰的是，她将头靠在我肩上以示回应。

“你等着瞧吧，”她说道，声音低得几乎听不见。“我会表现给你看的，还有鲍里斯也是。不管今天谁在那儿，我们都会表现给你看的。”

“是的，是的，我确定你们会的。你们两个都会没问题的。”

几分钟后，我发现前面那辆红色汽车打出信号，准备离开高速公路。我缩短了我们之间的距离，很快跟着向导，开上了一条在草地间顺势起伏的宁静小路。我们继续向上爬行，高速公路的噪音渐渐远去，接着，我们便行驶在了泥土小路上，那路根本不适合现代交通工具。一时间，一道厚重的篱笆刮擦着我们汽车的一侧，片刻之后，我们颠簸着穿过了一片泥泞的空地，里面尽是破旧的农田交通工具。接着，我们出来，驶上了路况较好、在田野间交错纵横的乡间小道，加速行驶起来。终于，我听索菲大喊了一声：“哦，在那儿！”然后看到前面的一棵树上挂着块木板，上面写着“卡文斯基画廊”。

我减慢车速，缓缓向下开到大门口。两根锈迹斑斑的门柱还矗立在那儿，但大门已经不见了。那辆红色汽车继续沿小路开下去，最后消失在我们的视野中。我驾车从门柱中间穿过，进入一片广袤却杂草丛生的田野。

田野间有条泥泞的小路蜿蜒而上，我们缓慢移动上行。接近山顶，美好的景色便在我们面前展开。田野向下延伸到一个浅浅的山谷，谷底有一座带着法式城堡风格的庄严房屋巍然耸立。太阳在屋后的树林中落下，即便与之相隔甚远，我仍能看出那建筑充满了颓废的魅力，唤醒了某个梦幻般的地主家庭日渐衰落的记忆。

我换了低速挡，小心下山。我从后视镜中能看到鲍里斯，这会儿他已经完全醒了，正在左右张望着，但杂草实在太高，把侧窗的所有景色完全遮住了。

开近后，我看到房子附近的一大片场地上已经停满了汽车。我们下坡开至尽头，驶向这些车，看到差不多总共有百来辆车，其中许多汽车为此场合被特地清洗得锃光闪亮。我在周围稍微兜了一圈，试着找一个合适的地点停车，在离剥落的庭院墙壁不远处停了下来。

我下了车，伸展了一下四肢，回头看到索菲和鲍里斯也已经下了车，索菲正在为鲍里斯的表现而担心。

"千万记住，"我能听到她对他说道，"那屋里没人比你更重要。你就不停地对自己那样说。反正，我们不会呆太久的。"

我正要动身去那房子，这时，我被眼角余光瞥到的东西吸引住了。我转过身，看到一辆报废的旧车，被丢弃在离我很近的草丛中。其他的客人全都绕开它，和它保持一定距离，仿佛生怕它的锈迹和破败会传染到他们自己的车子。

我上前几步，走向那残骸。它已经部分陷进了泥土中，四周杂草丛生，要不是太阳的余晖照射在那顶盖上，我可能根本不会留意到它。没有车轮，左前门已从铰链处被扯掉了。漆面被重新刷过多次，最后一次上漆时油漆工似乎用了建筑油漆，但中途放弃了。两块后挡板被从其他汽车上取下的不配套的替代品换掉了。尽管如此，不消更仔细地审视一番，我便已知道，这正是我父亲开了多年的那辆家用老轿车的残骸。

当然，我上一次看到它已经是很久以前了。再次见到它如此破败的模样，让我想起了我们和它一起度过的最后那段时光，那时它已经很破旧了，而我父母还得开着它到处跑，让我感到极其尴尬。现在想想，到最后，我开始精心编造各种借口花招以躲避乘坐它出行，生怕被学校朋友或者老师发现。但那仅限于最后那段日子。多年来，我一直坚定地认为我们的车——尽管非常便宜——竟然不知怎地大大优于路上几乎其他所有车辆，这也是我父亲选择不换车的原因。我还记得它停放在伍斯特郡我们那座小农舍的车道上的样子，那漆面，那金属光泽，每次我都要盯着它看上很久，感到无比骄傲。许多个午后——特别是周日——我会花上好几个小时，或在里面玩耍，或绕着它玩耍。时不时地，我还会带着玩具——或许甚至是我收集的塑料士兵——在后排座位上摆开。但更多时候，我只是无休无止地在其周围勾画假想的场景——从车窗里朝外开枪，或者飙车上演高速追捕。我母亲经常从房子里出来，告诉我别再摔车门了，那噪音让她发狂，我要再来一次的话，她会“活剥了我”。此刻我又看到了她，那么鲜活生动地站在农舍的后门，冲着车子大喊。那农舍很小，却在乡村深处，坐落在半亩草地之中。一条小路从门前穿过，直达当地农场，一群奶牛从门前经过，一日两次，被农家男孩用泥泞的棍子赶着。父亲总是把车放在车道上，车尾对着这条小路，而我常常会停下正做着的事情，透过后挡风玻璃看牛群经过。

我们所谓的“车道”，不过就是房子侧边的一片草地，从未用水泥浇筑过，一旦下大雨，车子就会深深地淹在水里——这情况无助于解决其生锈的问题，还可能加速其变成了现在这幅光景。但是作为一个孩子，我却觉得雨天是一件特别的乐事。不仅仅是因为雨天创造了车内尤其舒适的环境，而且它还给我提供了一个挑战，那就是，我每次上下车时都得跳过污泥河道。起初，我父母并不赞成我的行为，声称我会弄坏车内的各处装饰，但随着那辆车越来越旧，他们也就不再担心这点了。然而，在我们拥有那辆车的全部时光里，“砰砰”的关门声持续烦扰着我母亲，而不幸的是，这“砰砰”声对我的场景演出至关重要，总能突出那扣人心弦的紧张而关键的时刻。有时，母亲几周甚至几个月都不会对此抱怨，这让事情变得复杂起来，直到我一并忘记了它可能正是冲突的根源。然后有一天，我正完全沉浸在某出想象剧中的时候，她会突然出现，露出一副特别烦恼的样子，告诉我只消再来一次，她就会“活剥了我”。有时候，这一威胁言论恰好在车门正半开时被抛出，让我左右为难，不知在我玩闹过后是该让它开着——要是那样可能会让它整夜都开着——还是我应该冒险尽可能悄悄地把它关上。这一窘境在与车玩闹的余下时间里一直折磨着我，彻底破坏了我愉悦的心情。

“你在干吗？”索菲在我背后问道，“我们该进去了。”

我意识到她在跟我说话，但我却因发现了我家的旧车而失了神，所以没做认真思考便嘟囔了些什么。然后我听到她说：

“你发什么呆？ 你好像爱上了那东西。”

这时我才意识到，我实际上正牢牢拥抱着那辆车，脸颊搁在车顶上，而双手则画出平滑的圆圈，拂过锈迹斑斑的表面。我站直身子，咧嘴笑了一下，转身见到索菲和鲍里斯盯着我。

“爱上这个？ 你在开玩笑吧。”我又笑了笑，“人们把残骸这样遗弃乱放是犯罪啊。”

他们仍盯着我，我便喊道：“多恶心的破车！”然后狠狠地朝它踹了几脚。这个举动似乎让他们心满意足了，两人转身离开。接着我看到索菲，尽管她刚刚还在催促我，现在又全神贯注于鲍里斯的表现，这会儿又为他梳了梳头。

我的注意力又回转到那辆车上，心中不免越发担心起来，刚刚那几脚可能造成了点破坏。我凑近细细查看一番，发现不过是蹭掉了几块锈片，但我心中却已尽是懊悔，后悔表现得如此无情。我穿过草地绕到车的另一侧，透过后侧窗向里望去。不知什么飞行物撞上过窗户，但玻璃却完好无损，我透过蜘蛛网的裂缝处看到车后座，在那儿我度过了许多惬意的时光。我看到后座的大部分布满了霉菌。雨水从车的一角倒灌进来，坐垫浮到了扶手处。我猛拉了下拉门，毫不费力就打开了，但开了一半就卡在了厚厚的草丛中。空隙正好够大，可以让我挤进去，一番小小挣扎后，我成功地爬到了座位上。

进去一看，很明显，座位一头已经陷进了汽车的底板，我发现自己不同寻常的矮。透过离我头顶最近的窗户，我能看到片片草叶和傍晚粉红色的天空。我重新调整了一下姿势，猛拉车门，直至它差不多又关上——有东西卡着，不能完全关严——过了一会儿，我发现自己的姿势相当舒服。

没过多久，宁静的气息笼罩全身，有那么一会儿，我闭上了双眼。这时候，我发现记忆回到了一次快乐无比的家庭驾车远足，那次，我们驾车逛遍了当地乡间，为我找寻一辆二手自行车。那是一个晴朗的周日午后，我们已经走了一个又一个村落，检查了一辆又一辆自行车，父母坐在前面热烈地商议着，而我就坐在他们后面，这个座位上，看着伍斯特郡的风景从眼前掠过。那时候，电话在英格兰还没有成为常规家庭用品，我母亲膝盖上放着一份当地报纸，上面印着出售物品的广告，配有全部地址。没必要预约，像我们这样的家庭可以直接上门，说：“我们来买小男孩的自行车。”而后会被领着到后棚看车。友好些的人家会倒茶——每次我父亲都会用同样幽默的言语拒绝。但有一个老太太——后来我们发现她根本不是售卖一辆“儿童自行车”，而是死去丈夫的自行车——坚持让我们进去。“我总是很高兴，”她对我们说，“迎接像你们这样的人。”接着，我们端着茶杯，坐在她小小的、洒满阳光的客厅时，她又一次把我们称作“像你们这样的人”。我正聆听父亲讲着什么样的自行车最合适我这个年纪的男孩，突然我认识到，对这个老太太来讲，父母还有我代表着理想幸福的家庭。跟随这一认识而来的是巨大的紧张感，并在我们逗留的大约半个小时中持续加剧。并不是我害怕父母不能保持他们一贯的表现——不可思议的是，他们甚至开始了一场争吵，这可能是他们所有争吵里面最文明健康的一个版本了。但我却坚信，只消一个手势，或许甚至是一个味道，就能随时让这位老太太认识到，她犯了个巨大的错误。我心惊胆战地看着，生怕会出现她在我们面前突然被吓得不能动弹的那一刻。

我坐在这辆旧车的后座上，试着回忆那天下午如何结束，然而，我发现思绪飘到了另一个下午，一个大雨滂沱的下午，我走出房门钻进车里，坐上这庇护所似的后座，而屋内却是问题肆虐不断。那天下午，我躺在后座上，头挤进扶手下面。在这个位置上，我从窗户就只能看到雨水顺着玻璃瓢泼而下。那时候，我殷切希望，我可以只是躺在那儿，不受打扰，就那样过一小时又一小时。但经验告诉我，父亲会在某个时刻从房子里出来，他会走过汽车，走到门口，走到外面的门前小径上，所以我在那儿躺了很久，透过雨声专注地倾听后门闩的嘎嘎声。终于这声音响起时，我跳起身来，开始玩了起来。我模仿了一场激动人心的、为争夺一把失落的手枪而展开的打斗，这样就清楚表明，我深深地投入到了游戏当中，而没有留意到任何事情。我听到他双脚踩着湿漉漉的地面，径直走到车道尽头，才敢停下。接着，我很快跪坐在座椅上，小心翼翼地适时地从后挡风玻璃向外偷偷望去，看到父亲穿着雨衣的身影，站在大门边，打开雨伞时稍稍弓身。接着，他有意踏着步子走上那条小径，消失在了视野外。

我一定是睡着了，因为一阵晃动将我惊醒，我发现自己坐在破败的汽车后部，伸手不见五指。我稍稍有些惊慌，推了推离我最近的门。起先，车门仍旧被卡住，但接着，它一次移动一点儿，直到我终于能够挤身出去。

我掸了掸衣服，四下看了看。那房子灯火通明——我能看到高高的窗户里面闪闪发光的吊灯——车旁边，索菲仍旧在打理鲍里斯的头发。我站在房内投射出来的一汪灯光之外，索菲和鲍里斯却几乎被灯火照得通亮。在我看着他们的同时，索菲弯下身来，对着后视镜补了补妆。

我走进灯光中，鲍里斯转身对着我。“怎么那么久啊。”他说。

“是的，对不起。我们现在该进去了。”

“等一下。”索菲心烦意乱地嘀咕着，仍旧弯腰对着后视镜。

“我饿了。”鲍里斯对我说道，“我们什么时候回家？”

“别担心，我们不会呆太久的。所有这些人，他们都等着见我们呢，所以我们最好快进去打声招呼。但我们很快就会离开，然后就回家享受一个愉快的夜晚。就我们几个。”

“我们能玩打仗游戏吗？”

“当然了。”我说道，同时觉得很开心，小男孩这会儿好像已经忘记了我们先前的争吵。“或者玩其他你喜欢的游戏。即便我们开始玩了一个，而到一半你想停下，换另一个都行，不管是因为你玩腻了还是输了，都没关系，鲍里斯。今晚我们可以改玩任意一个你想玩的游戏。而如果你统统不想玩，只是聊会儿天，比如说，关于足球，那么我们就聊天。今晚会是一个极棒的夜晚，只有我们三个。但是我们首先得进去，把这件事搞定，没那么糟糕的。”

“好吧，我现在准备好了。”索菲宣布，随后她最后一次弯腰照了照后视镜。

我们穿过一座石拱门走进院子。走向前门入口的时候，索菲说：“我现在非常期待这次招待会了！ 感觉很不错。”

“好吧，”我说，“放松点，自然些。一切都会好的。”

第十九章

一个胖女佣打开了大门。我们走进宽敞的大厅入口时，她低声说：

“很高兴再次见到您，先生。”

听到她这样说，我才意识到，之前我曾经来过这里——实际上，这正是霍夫曼前一晚带我来的那个地方。

“啊，是的，”我环顾着四周带橡木镶板的墙壁，说道，“很高兴又回到这里。这次，你看，我把全家都带来了。”

可能是出于敬重，那女佣只是绷着脸站在门旁，没有答话，我飞快地瞟了一眼这个女人，不禁感到一丝敌意。这时我才留意到，在雨伞架旁边的圆木桌上，在一堆摊开的杂志和报纸中间隐隐现出我的脸。我走到桌前，抽出一份报纸（我想应该是当地报纸的晚间版），看到整个头版登着一张我的照片——显然是在风吹草低的田间拍摄的。我认出了照片背景上的白色建筑，记起这是今早在山顶上照的。我拿过报纸，对着灯，将照片凑到黄色的灯光下端详。

强劲的风把我的头发向后吹起，我的领带僵直地飞向一只耳朵后，外套也在身后飞扬，看起来我好像穿了一件披风。更匪夷所思的是，我做出了一个凶狠放纵的表情，将拳头迎风举起，好像正发出一声斗士般的咆哮。我无论如何也不能理解，自己怎么会摆出这么个姿势。整个头版除了标题根本没有其他文字，上面赫然写着：“瑞德的集结号”。

我有些紧张，打开了报纸，六七张分开排列的小照片映入眼帘，它们都与头版那张略有不同。在所有这些照片里，我好斗的态度一览无遗，只有两张除外，在那两张照片中，我看起来正在洋洋得意地推介身后的白房子，同时露出了奇怪的微笑，将下排牙齿悉数暴露出来，而丝毫不见上牙。我扫了一眼下面的专栏，看到一个叫马克斯·萨特勒的人被反复提及。

我本想继续仔细翻看这张报纸，但这时候，我怀疑起女佣的敌意可能正是和这些照片有关系，开始明显地感到不舒服起来。于是我放下报纸，离开了桌子，决定以后有机会再仔细研究这篇报道。

“我们该进去了。”我对索菲和鲍里斯说，他们俩正在大厅中间徘徊。我说话的声音很响，足以让那女佣听见。我心里十分期待着她能引我们进入招待会场，但她一动不动，尴尬的几秒钟过后，我朝她微微一笑，说：“当然，我记得昨晚的路。”说完，我带头走进了房子。

实际上，这房子完全不是我记忆中的那样。很快，我们发现自己走在一条很陌生的镶板长廊上。然而，我不久就发现，这其实也无所谓，因为我们刚走进去一小段路，就听到了嘈杂的说话声，不久，我们就站在一个狭窄的房间门口，屋里挤满了穿着晚礼服、拿着鸡尾酒杯的人。

乍一看，这屋子的规模比起昨晚宾客云集、巨大华丽的舞厅好像小了许多。但实际上，经过一番仔细审视，我才发现：它原来可能根本就不是间屋子，而是一条长廊，或者说，顶多是间长长的、有道转弯的前厅。那道转弯曲至如斯，让我感觉或许到了半圆的程度，但从门口向里间这么一瞥，我还不能十分确定。我从外面的巨大窗户上可以窥见一斑，这些窗户这会儿都挂上了窗帘，沿着那道转弯依次排列，室内的墙壁上布满了门。地板是大理石的，吊灯从天花板上悬挂下来，房间各处都陈列着艺术品，或装在底座上，或摆在精致的玻璃橱里。

我们停在门口，看着这一场景。我四处张望，希望有人能过来招呼我们进去，甚至大声宣布我们的到来，然而，我们站着观望了一会儿，没人过来。偶尔会有人急匆匆地大步朝我们的方向走来，但直至最后，我们才发现他是为了迎接其他客人。

我看了看索菲。她用一只胳膊搂着鲍里斯，两人都紧张地盯着人群。

“来吧，我们进去吧。”我淡定地说道。我们走了几步，进了房间，但没走几步又停了下来。

我四下观望，想找到霍夫曼或者斯达特曼小姐，或者其他我认识的人，却一个都看不到。接着，我继续站在那儿，搜寻着一张张陌生的脸，突然意识到，这里许多人同样可能参加过那晚的宴会，就是索菲受到无礼对待的那晚。突然间，我可以越发鲜明地看到索菲曾经不得不忍受的遭遇，便感到胸中升腾起一股危险的怒火。确实，我继续环视房间时，至少认出了一帮宾客——他们站在一起，在转弯处，几乎在我们的视线之外——几乎可以肯定，他们就是其中的几个罪魁祸首。我透过人群观察他们：男人们挂着沾沾自喜的微笑，双手在裤子口袋里插入抽出，那种浮夸的样子好像在向所有人昭示，他们在这样的聚会上是多么轻松自如；而女人们则穿着滑稽的服装，在大笑的时候还无助地摇着头。真是难以置信——这种人居然胆敢讥笑蔑视任何人，更别说是对像索菲这样的人，这简直太荒谬了。事实上，我找不出任何理由不即刻上前，在众目睽睽之下，狠狠地教训他们一下。我在索菲耳边飞快地悄悄说了些安慰的话，就起步走了过去。

穿过人群的时候，我发现这房间确实是慢慢弯成了一个半圆形。我这会儿又能看到侍者们都贴着内侧墙壁，好像哨兵似的站开，手上端着盛有饮料和甜品的托盘。偶尔有人会撞到我，而后友善地道歉，或者有人试图推搡着前往相反的方向，我会与之相视微笑，但奇怪的是，好像真的没人认出我来。有那么一会儿，我发现自己正从三个中年男子中间挤过去，而他们好像正为什么沮丧地摇着头，我注意到其中一人的腋下夹着一份晚报。我看到自己迎风的脸在他胳膊肘下探出，不觉隐隐猜想，目前我们无端受到忽视，是不是在一定程度上跟那张照片有关。然而，我这会儿差不多已到了意欲接近的那些人的身边，所以没有细想下去。

其中两个人发现我靠过来，往旁边移了移步，好似欢迎我加入他们的圈子。我发现他们正在讨论周围的艺术品，我来到他们中间时，所有人正对刚刚那人说的话频频点头称是。其中一个女人开口道：

“是啊，情况明摆着嘛，你都可以在这屋子中间画条线，就在那尊范·西罗雕像后面。”她指着不远处座台上的白色雕塑，“小奥斯卡的眼力从未好过。公平地讲，这一点他自己也明白，但他感到了一种责任，一种对家庭的责任。”

“抱歉，但我不得不说，我同意安德雷斯说的，”其中一个男人说道，“奥斯卡太骄傲了。他应该委派给其他人。那些更懂的人。”

这时，另一个男人和善地微笑着对我说道：“您对这件艺术品有何高见，先生？ 关于奥斯卡对此藏品展的贡献？”

我一时被问住了，但我并无心情转移话题。

“各位女士和先生站在这儿讨论奥斯卡的缺陷，非常好，”我开始说，“但更重要的是……”

“称小奥斯卡有缺陷，”一个女人打断我，“就有点太过了。他的品位和他兄弟截然不同，的确，他犯了这个令人费解的错误，但总的说来，我认为他使这次藏品展受到了大家欢迎。它打破了朴素简约之风。没有那个，呃，这场展览就像是一顿没有甜点的晚餐。那边的连体花瓶——”她透过人群指了指，“确实相当讨人喜欢。”

“那都很好……”我又激动地开始说，但还没等我继续，一个男人坚定地说道：

“也就那么一个连体花瓶而已，那是他所选的展品之中唯一能在这儿有一席之地的。他的问题是，他对整个藏品展毫无概念，对事物间的平衡毫无认识。”

我感到自己的耐心快要消磨殆尽了。

“听着，”我喊道，“你们适可而止吧！ 停下这……这愚蠢无比的闲聊，哪怕就一会儿！ 就停一小会儿，让其他人，让外面世界来的其他人说说话，你们在这个封闭的小世界里全都住得太快活了！”

我停下来，瞪着他们。我的坚持还是有用的，因为他们所有人——四男三女——全都吃惊地盯着我。终于赢得了他们的注意之后，我感觉心中的怒气得到了控制，好似某种我能随心所欲操控的武器，这让我感觉很不错。我压低嗓音——刚才喊得比我预想的响了些——继续说：

“在你们这座小城里，你们有这么多问题，或者用你们某些人的话说，有这场“危机”，这稀奇吗？稀奇吗？你们当中有这么多人如此悲惨，如此沮丧，这稀奇吗？这会不会让任何人，让任何外来的人感到困惑？这会让人吃惊吗？而我们，作为从一个更大更广阔的世界来的旁观者，我们会不会搔首困惑呢？我们会不会对自己说，这样一座小城市怎么会是这么个样子？”我感到有人猛地拉了拉我的胳膊，但我决心要一吐为快。“像这样一座小城，这样一个社会，居然会有这样迫在眉睫的危机？我们会不会感到困惑吃惊呢？不！一点也不！一个人来到这儿，他看看四周，会立刻发现什么？女士们先生们，你们这些人就是这座城市的典范，没错，就是这里，就是你们！你们代表着——如果我有失公允，如果在这座城市的瓦砾与路石下还有比这更恶心、更可怕的例子，那么请见谅——依我所见，你，先生，还有你，女士，是的，我同样遗憾地告诉你们，是的，你们就是这里一切错误的典型代表！”我意识到，猛拉我衣袖的是我正训斥的一个女人，不知何故，她正退向我旁边的男人的身后。我朝她的方向瞥了一眼，接着继续道：“首先，你们缺乏基本礼仪。看看你们对待彼此的方式。看看你们对待我家里人的方式。即便是我——一位名人，你们请来的贵宾——来到这里，你们却更关心奥斯卡的艺术收藏。换句话说，你们都太过沉迷了，沉迷在你们这个内部混乱的社会中，甚至没能向我们展示哪怕最基本的礼貌。”

那个拉扯我胳膊的女人这会儿绕了个圈，到了我的正后方，我意识到她在向我说着些什么，试图把我拉开。我没有理睬她，继续道：

“那么多地方，偏偏是这儿，多么残酷的讽刺啊！是的，就是这儿，我的父母不得不到这个地方。那么多地方，偏偏是到这儿，来接受你们所谓的好客之道。多么讽刺，多么残酷！那么多地方，过了这么些年，却在这么个地方，和像你们这样的人在一起！还有我可怜的父母，他们大老远地跑来，第一次来听我的演奏！你们以为我不得不把他们留给像你，你，还有你——像你们这样的人照顾，我的任务就会轻松些么？”

“瑞德先生，瑞德先生……”我肘边的女人坚持拉了好一会儿，我才发现此人不是别人，正是柯林斯小姐。这个发现让我一下子泄了气，我还没转过神，她就成功地将我从人群中拉到了后面。

“啊，柯林斯小姐，”我有些困惑地对她说，“晚上好。”

“您知道，瑞德先生，”柯林斯小姐说，她继续带着我离开。“我得说，我真的很吃惊。我的意思是人们对于这件事的着迷程度。刚刚一个朋友告诉我，全市都在议论这事呢。她安慰我说，大家都是尽可能以最友好的方式议论的！但我真的不明白，这都有什么好大惊小怪的。只是因为我今天去了动物园！我真的不懂。我之所以答应，只是因为他们说服了我，说这对每个人都有好处，您知道的，就是为了让里奥能够在明晚表现出色。所以我才答应去那儿，仅此而已。而我想，老实讲，我希望对里奥说些鼓励的话，因为他这么久都没有沾酒了。只有我以某种方式承认了才显公平。我向您保证，瑞德先生，过去二十年来，在其他任何时候，要是他这么长时间都没沾酒的话，我也会同样这么做的。只是碰巧这种情况之前都没发生过。我今天出现在动物园真的没什么值得大惊小怪的。”

她这会儿已经没再拉着我了，但她仍旧挽着我的胳膊，开始带我慢慢穿过人群。

“我相信这确实没什么值得大惊小怪的，柯林斯小姐，”我说道，“我也向您保证，刚刚走到您那里的时候，我一点儿也没有想向您提起布罗茨基先生的意思。和这里的大多数人不同，我无意打探你们的隐私。”

“您真是个正派人，瑞德先生。但无论如何，我说过，我们今天下午的会面不意味着任何事。人们知道了会很失望。所有发生的一切不过是，里奥向我走来，对我说：‘你今天看起来真漂亮。’他过了二十年的酗酒生活，现在说起这番话，叫人想也想得到。差不多也就这样了。当然，我感谢了他，还说比起前段时间见面时，他现在看起来好多了。于是，他低下头，看着鞋，他年轻的时候可没这样过。那时候，他从未做过这么羞怯的事。是的，他的火焰已经燃尽了，这我看得出。但有新东西取而代之，有些许分量的东西。呃，他就在那儿，低头看着鞋，冯·温特斯坦先生和其他先生都在后面一点的地方徘徊，看着另一个方向，假装他们忘记了我们一样。我对里奥说了几句有关天气的话，他抬头，说道，是的，树木看起来那么美。接着，他开始告诉我，在刚刚见过的动物里他喜欢哪些。很明显，他根本没用心，因为他说：‘我喜欢所有这些动物，大象、鳄鱼还有大猩猩。’呃，猴子笼就在附近，他们肯定刚从那边过来，但他们肯定没有经过大象和鳄鱼的笼子，这个我也跟里奥讲了。但里奥却对此置之不理，好像我提起了完全不相干的事情。接着，他好像陷入了轻微的惊慌之中。可能跟那时冯·温特斯坦先生靠得近了些有关。您看，我原本同意的只是跟里奥说几句话，真的就简单的几句而已。冯·温特斯坦先生向我保证，他会大概一分钟之后打断进来。呃，那是我的条件，可是接着，我们一开始讲话，连我自己都感觉时间确实太短了，令人绝望。我自己竟开始害怕看到冯·温特斯坦先生在附近徘徊。总之，里奥知道我们时间无多，接着他直奔正题。他说：‘或许我们可以再试试。一起生活。不算太迟。’您得承认，瑞德先生，都这么些年了，说这个有些太直截了当了，即便是因为考虑到今天下午时间有限。我只是说：‘我们一起又能做什么呢？我们现在几乎没有共同点了。’过了一两秒钟，他迷茫地四下观望了一下，好像我提出了一个他以前从未思考过的问题。接着，他指着我们前方的铁笼子说道：‘我们可以养个动物。我们可以一起爱护它、照顾它。那或许就是我们以前没做过的。’我不知道该如何回答，就只是和他站在那里，我看到冯·温特斯坦先生走了过来，但接着，他一定是觉察到了什么，察觉到我和里奥那样站着不太对劲，于是他改变了想法，又走开去，开始和冯·布劳恩先生聊了起来。接着，里奥在空中举起一只手指，那是他从前的标志性动作，他举起手说道：‘我养了一只狗，但你知道的，他昨天死了。养狗不好。我们可以选一种长寿的动物。能活二十年、二十五年的那种。那样的话，只要我们照顾得很好，我们就会先死去，我们就不必为它悲伤。我们没有孩子，所以我们就这样做吧。’听完他的话，我答道：‘你还是没想明白。我们心爱的动物可能会比我们两个活得更久，但我们两个不可能同时死去。你可能不必为动物悲伤，但如果，假如说，我比你先死去，你得为我悲伤啊。’他马上答道：‘这总比你死后没有人为你悲伤强啊。’‘这个我倒不担心，’我对他说道。我指明说这些年来，我帮助过这城市里的许多人，我死去时，根本不缺为我悼念的人。他答道：‘这个可不好说。从现在起，对我来说事情可能会一帆风顺。我死去时，可能也有许多悼念者。说不定会有上百号人。’接着他说：‘但如果他们中没有一个真正关心我，那又有什么用？ 我宁可把他们全换掉。换成我爱着的，也爱着我的人。’我不得不承认，瑞德先生，这次谈话让我感到有些难过，我再想不出任何其他话要对他说。接着，里奥说道：‘如果当初我们有孩子，他们应该多大了？ 他们长到现在会很漂亮啦。’好像他们花了很多年变漂亮似的！接着他又说：‘我们没有孩子。那么我们就做这个来代替吧。’他又说起这事的时候，呃，我想我是相当混乱了，我越过他的肩膀，看了看冯·温特斯坦先生，冯·温特斯坦先生马上就朝我们走了过来，说了些玩笑话，就是这样。我们的谈话就结束了。”

我们继续绕着屋子慢慢地走着，她仍旧挽着我的胳膊。我花了些时间消化她的话，然后说：

“我刚刚想起，柯林斯小姐，我们上次见面时，您特别好心，邀请我去您的公寓，讨论一下我的问题。讽刺的是，现在看起来，我们更多的是在讨论生活当中您不得不做的决定。我着实很好奇，您会怎么做。请允许我这样说，您站在了一个十字路口上。”

柯林斯小姐大笑。“哦，天哪，瑞德先生，我太老了，已过了在十字路口做选择的年纪了。里奥这样说也真的太迟了些。如果这一切发生在哪怕七八年前……”她叹了口气，脸上霎那间掠过一丝深深的悲伤，接着又换上了她那轻柔的微笑。

“不可能了，现在这时候怀着全新的一系列希望、害怕、梦想去重新开始，不可能了。是的，是的，您会急着告诉我说我还没有那么老，我的生活还远没有结束，我真的十分感激。但事实是，确实太晚了，那会……呃，这么说吧，现在把事情弄复杂，那只会更混乱。啊，马佐斯基！永远都能吸引我的注意力！”她用手指着一只镶嵌在底座上的红色泥塑猫咪，我们刚刚从它旁边经过。“不，里奥给我的生活制造的麻烦已经够多了。我打造属于自己的、不同的生活已经很久了，你问问这城里的人，我想大部分人都会告诉您我表现得相当不错。我帮这儿的许多人度过了一段日益困难的时光。当然，还远未能及您的那种成就，瑞德先生。但那并不意味着，当我回顾过往，看看我都做了些什么时，不能因某种满足之感而愉悦。是的，总的来说，我对自己离开里奥之后的生活相当满意，也很乐意继续这样维持下去。”

“但毫无疑问，柯林斯小姐，您至少应该认认真真考虑一下现在的情况。我不明白您为什么不能将之看作是个好的回报：做完所有善举之后，能够与那男子——抱歉——假设某种程度上你还爱着那男子，共享生命中的每个夜晚。我这样说是因为，呃，要不这么多年来您为什么还要继续留在这城市？为何您从未想过再婚呢？”

“哦，我的确考虑过再婚，瑞德先生。过去这些年，至少有三个男人，我可以与之轻而易举地确定关系。但他们……他们都不是我要的人。可能你说的确有道理。里奥就在近旁，让我不能对那些人产生足够的感觉。好吧，不管怎样，这都是很久以前的事情了。您就是想问我现在何不与里奥一起共度余生，这么问倒也可以理解。好吧，让我们想一下。里奥现在头脑清醒冷静。他是否会这样保持很久呢？ 可能。我承认，还是有可能的。特别是假如他现在在这里赢得了认同，又成为了一个担有巨大责任的名人。但如果我同意和他重归于好，那么，那就会是另外一回事了。不久后，他便会决心毁掉他所取得的一切，就像他之前做的那样。那会让大家立于何地？ 那会让这个城市立于何地？ 实际上，瑞德先生，我宁可认为自己负有一种公众责任，不能接受他的这些提议。”

“原谅我，柯林斯小姐，但我不禁觉得，您并非真如自己所想的那样，被您自己的理由说服。在您内心深处的某个角落里，您还是在等待着，等待着您以前的生活，您与布罗茨基先生一起的生活，重新再续前缘。我并不怀疑，您所做的全部善举，会让这座城市里的人们一直对您心怀感激，然而，在本质上，您把那看作是在等待途中为打发时间而做的事情。”

柯林斯小姐斜歪着头，脸上挂着愉快的笑容，细细思量着我的话。

“或许您说的有些道理，瑞德先生，”她终于开口说道，“或许我还没有意识到时间过得如此之快。直到最近，实际上是去年，我才真的猛然意识到时光飞逝。我们两个人慢慢变老，或许考虑挽回曾经拥有的东西已经太迟了。也许您说得对。我起初离开他，并没有预料到会是这般长久的分离。但情况是否像您刚才断言的那样，是我一直在等待吗？ 我真的不知道。我考虑问题都是过一天是一天。可如今，我发现时间都已经消逝了。但我现在回顾我的生活，回顾自己是怎么走过来的，看起来也并不是那么糟。我想这样结束，就像我现在这样。为什么我必须得和里奥还有他的动物纠缠？ 那一定会非常混乱的。”

她是否真的相信自己所说的这一切呢？我正准备用最温柔的方式继续表达自己的怀疑，这时，我发现鲍里斯站在我的肘边。

“我们得马上回家了，”他说，“妈妈越来越着急了。”

我朝他指的方向看过去。索菲就站在我原本离开她的地方几步开外，非常孤单，没有和任何人说话。她脸上挂着无力的微笑，然而，却无人欣赏。她肩膀耸起，目光定格在离她最近的那帮宾客的鞋子上面。

这情况显然绝望至极。我克制住自己对满屋人的愤怒，对鲍里斯说：“是的，你说得对。我们最好走吧。把你妈带过来。我们想办法趁人们不注意的时候溜出去。反正我们出席过了，就没人能埋怨了。”

我想起前一晚的经历，想到这房子与酒店毗邻。鲍里斯消失在人群中时，我转身看着墙壁上排列的门，试图回忆起哪一扇是我和斯蒂芬·霍夫曼穿过的通向旅馆走廊的门。但就在这时，仍旧挽着我胳膊的柯林斯小姐又开始说：

“如果让我说实话，完全开诚布公地讲，那么我就得承认——是的，在我头脑不大清醒的时候，那确实曾经是我的梦。”

“哦，什么梦，柯林斯小姐？”

“呃，一切。现在发生的这一切。里奥能重新振作，在城里找到一个合适的位置，情况全都会重新好起来，糟糕的日子永远一去不返。是的，我得承认，瑞德先生。一方面，白天的时候，我的头脑很明智很理性，可到了晚上，它就变得不一样了。这些年来，我经常凌晨时分在黑暗中醒来，醒着躺在床上，憧憬着像这样的事情发生。而如今，它真的开始发生了，我却又相当困惑。然而，您看，其实也没有真的开始发生。

哦，里奥可能确实可以在这里大功告成，他过去的确才华横溢，不可能全部消失殆尽。还有，我们在一起的时候，他从未有过机会，过去他从未有过真正的机会，这是真的。但对于我们两人来说，太晚了。不管他说什么，现在肯定都太晚了。”

“柯林斯小姐，我非常想和您更详细地讨论这整件事。但遗憾的是，我现在得走了。”

没错，说这话的时候，我看到索菲和鲍里斯正穿过房间朝我走来。摆脱了柯林斯小姐之后，我又思量起该选择哪扇门来，同时往后挪了挪步，查看那些隐藏在转弯处的门。我挨个审视，觉得每扇门看上去都似曾相识，却连一扇都不敢确认。我突然想到可以问问别人，但我害怕引起别人对我们提早离开的关注，又决计不能这样做。

我领着索菲和鲍里斯走向那一扇扇门，心里仍然茫然不知所措。不知怎的，我的脑海中浮现出无数电影里的场景：某个角色在退出房间时想给人留下深刻印象，便推开一扇错误的门，走进一个壁橱里。虽然正是出于相反的原因——我希望我们能在不知不觉中离开，事后大家讨论时，无人确定我们究竟是什么时候离开的——但避免这场灾难显得同样至关重要。

最后，我选定了最中间的那扇门，仅仅因为它看起来最壮丽。珍珠深深地镶嵌在门板上，两边石柱侧立。此时此刻，每根石柱前都站着一位身着制服的服务员，像哨兵一样一动不动。我判断，这么气派的大门即便未必能带我们直接穿到酒店，也肯定会引领我们到某个重要的地方，从那儿我们可以找到路线，摆脱公众的目光。

我示意索菲和鲍里斯跟上，慢慢朝那扇门走过去，还向其中一个服务员简单点了点头，好像在说“不必麻烦，我知道自己在做什么”，然后拉开了门。结果，让我惊恐的是，我最害怕的事情恰恰发生了：我打开的是一个笤帚柜，柜子里装的东西超出了容量。几只家用拖把翻落出来，“哗啦”一声掉在了大理石地板上，蓬松的深色拖把头四处散落。我瞧了瞧壁橱里面，看到一堆凌乱的水桶、油腻的破布和气雾罐。

“抱歉。”我低声向那个离我最近的服务员咕哝道，他正急忙收拾拖把，这会儿向我们投来责怪的一瞥，我匆忙向隔壁的门走过去。

我开始小心地打开第二扇门，决心不再犯同样的错误。我的动作非常缓慢，尽管我能感到背后有很多只眼睛在注视着我，能听到嘈杂的说话声渐渐变大，有声音在附近说道：“我的天哪，那是瑞德先生，是不是？”我还是强忍住惊慌，将房门朝自己一点一点地小心拉动，同时从门缝向里看去，以确保没什么东西掉出来。看到这扇门通向一条长廊，我松了口气，然后快速踏进去，用手势急切地示意索菲和鲍里斯跟上。

第二十章

我关上了他们身后的门，我们三人四下张望。欣喜的是，我发现自己这第二次尝试恰恰选对了门，这会儿我们正站在一条又长又黑的过道中，而这条过道恰好经过酒店休息室通往大厅。起初，我们一动没动，刚经历了画廊里的人声嘈杂，此刻的寂静让我们有些恍惚。后来鲍里斯打了个哈欠，说道："那宴会真无聊。"

"恶劣至极。"我说。对招待会上的每一个人，我又一次感到愤怒难当。"一群可怜虫，根本不知何谓文明教养。"然后，我补充道："妈妈是目前为止那里最漂亮的女士。对吗，鲍里斯？"

黑暗中传来索菲"咯咯"的笑声。

"她是，"我说，"目前为止最漂亮的。"

鲍里斯似乎想要说些什么，但就在这时，我们发觉，在周围的黑暗中，不知从何处传来一阵轻微的滑动声。接着，我的双眼适应了黑暗，勉强看清在走廊深处一个有野兽般轮廓的庞然大物正朝我们缓缓走来，每动一步就发出一阵噪音。索菲和鲍里斯也同时发现了它的存在，一时间，我们似乎都呆住了。接着，鲍里斯低声惊呼道：

“是外公！”

接着，我发现那野兽般的身形的确是古斯塔夫，他背部隆起，胳膊下夹着一只旅行箱，手里提着另一只箱子的把手，身后还拖着第三只——那正是滑动声的来源。有那么一刻，他看起来根本是寸步难行，只是和着缓慢的节奏摇晃着身体。

鲍里斯急切地扑向外公，而我和索菲则犹豫着跟了上去。我们靠近时，古斯塔夫终于发现了我们，停了下来，稍稍直了直身体。我们在黑暗中看不见他的表情，但他的声音听起来很开心，他说：

“鲍里斯，这么巧啊！”

“是外公！”鲍里斯再次惊呼道。接着，他问：“您在忙吗？”

“是啊，有很多工作呢。”

“您肯定非常忙，”鲍里斯的声音里有一丝奇怪的紧张，“非常，非常忙。”

“是的，”古斯塔夫喘了口气，说道，“是很忙。”

我走到古斯塔夫面前说：“很抱歉，在工作时间打扰到你。我们刚才在参加一个招待会，但这会儿准备回家了。去吃一顿大餐。”

“啊，”迎宾员看着我们说，“啊，是吗，真是太好了。看到你们几个这样在一起，我真开心。”接着，他问鲍里斯：“你怎么样啊，鲍里斯？你妈妈怎么样啊？”

“妈妈有点累了，”鲍里斯说，“我们都很期待这顿晚饭。吃完饭，我们还要玩打仗游戏。”

“听起来棒极了，你们肯定会玩得很开心的。那么……”他停顿了一下，然后说：“我最好还是继续工作吧。这会儿我们非常忙。”

“好的。”鲍里斯静静地答道。

古斯塔夫揉了揉鲍里斯的头发，然后又弓起背，继续拉着行李。我用一只手拉着鲍里斯，领着他为古斯塔夫让出了路。也许是因为我们看着，也许是因为刚刚的停歇让他恢复了些许力气，迎宾员这次行进的脚步似乎稳当了许多，他从我们身边走过，走进了黑暗中。我开始带路走向大堂，但鲍里斯不愿跟上，仍回视着走廊，那里，他外公佝偻的身影仍依稀可辨。

“来吧，快点。”说着，我伸出一只胳膊搂住他的肩膀，“大家都饿了。”

我又开始走起来，这时，我听到索菲在身后说：“不对，是这边。”我转过身，发现她在一扇小门前弯下了腰。先前我没有留意这扇小门，事实上，就算我留意到了，也会以为那只不过是一道壁橱门，因为它几乎还不到我的肩膀高。尽管如此，索菲这会儿已经打开了门，而鲍里斯呢，他做出一副之前做过无数次的样子，一脚踏了进去。索菲继续扶着敞开的门，我犹豫片刻，也弯下身，跟着鲍里斯钻了进去。

我原以为自己会在一条隧道中，得双膝跪地爬行前进，但事实上，我却站在另一条过道上，它比我们刚刚离开的那条过道可能还宽些，但显然只是员工通道，地板上没有铺地毯，裸露的管道顺墙体延伸。尽管远处有一束灯光照在地板上，但我们周围仍是一片昏暗，近乎漆黑。我们朝那光束走了一小段，接着，索菲又停下脚步，拉着门把手，推开了一扇消防门。门一开我们就出来了，站在一条安静的小巷里。

这是一个晴朗的夜晚，天空中群星闪烁可见。一眼望去，这条小巷空寂无人，所有商店都关门了。我们出发时，索菲轻轻地说：

“真是个惊喜啊，在那种情况下遇到外公。是不是，鲍里斯？”

鲍里斯没有回答。他大踏步地走在我们前面，自顾自地轻声咕哝着。

“你肯定也饿坏了吧，”索菲对我说，“希望准备的够吃。之前我光顾着做这些点心，忘记准备一道真正的主食了。今天下午，我以为足够吃了，但现在想想……”

“别傻了，没关系的。”我说道，“不管怎样，那正是我想要的。丰盛的点心，一个接着一个。我很清楚鲍里斯为什么喜欢像那样吃。”

“我小时候妈妈常这样做，为了我们那些特别的夜晚。不是生日或者圣诞节——这些节日我们和其他人家一样过——而是一些我们想让它特别的夜晚，就我们三个，妈妈常这样做。丰盛的点心，一样接着一样。但接着，我们搬了家，妈妈身体不好了，那之后我们就再也不常做了。希望准备得够。你们两个肯定都饿坏了。”接着，她突然补充道：“很抱歉。今晚我表现不够出众，对吗？”

我仿佛又看到她孤独无助地站在人群中间，便伸出胳膊，搂住了她。她将身体紧紧地靠着我作为回应。接下来一会儿，我们就那样走着，没有交谈，走过了一条条荒寂无人的小巷。有那么一刻，鲍里斯合着我们的步子走在身边，问道：

“今晚我可以坐在沙发上吃东西吗？”

索菲想了一会儿，然后说道：“嗯，可以。这顿饭可以，没问题。”

鲍里斯又和我们并排多走了几步，接着问：“我能躺在地板上吃吗？”

索菲笑了：“只有今天晚上行哦，鲍里斯。明天早上吃早饭的时候，你就又得坐回餐桌边吃了。”

这似乎让鲍里斯很开心，他激动地向前跑了几步。

终于，我们停在了一扇门前，两边是理发店和面包店。这条街道很窄，又有许多车停靠在人行道上，显得更加拥挤了。索菲翻找钥匙的时候，我抬头看了看，发现商店上面还有四层。有些窗户还亮着灯，能隐约听到电视的声音。

我跟着他们俩上了两段楼梯。索菲打开前门的时候，我突然想到：他们或许觉得，我应该表现得对这公寓很熟悉，另一方面，他们也同样可能觉得，我应该表现得像个客人。我们走进去后，我决定仔细观察索菲的态度，以便从中得到暗示。结果，索菲一关上我们身后的门就宣布，她得去开烤箱，然后便消失在公寓深处。至于鲍里斯，他匆匆脱掉外套跑开了，嘴里还发着类似警笛的声音。

只剩我一个人站在了门厅里。我抓住机会，好好看了看周围的环境。毫无疑问，索菲和鲍里斯都觉得我应该熟悉这里。我盯着面对自己半开的房门，印有花形图案的褪色的、污浊的黄色墙纸，衣架后顺着地面爬至天花板的裸露管道——可以肯定的是，我在这里站得越久，就越能感到关于这间门厅的点滴回忆渐渐浮出水面。

几分钟后，我走进了客厅。屋内有许多特征我未能认出——在废弃的壁炉两边，有两张椅面凹陷的陈旧扶手椅，它们无疑是新近添置之物——尽管如此，我的印象是，比起门厅，我对这间屋子的记忆更加清晰些：那张顶在墙边的椭圆形大餐桌，通向厨房的第二扇门，不成形的黑色沙发，陈旧的橘色地毯——这一切都无比清晰熟悉。悬在空中的吊灯（它只有一个灯泡，外面覆着一只印花棉布灯罩）在房间各处投下片片阴影，所以我无法确定，墙纸是不是到处都有潮乎乎的渍痕。鲍里斯正躺在房屋中间的地板上，我走近的时候，他翻了翻身，平躺着。

“我决定做一个实验，”他对着我和天花板宣布，“我打算像这样让脖子保持不动。”

我低头一看，发现他缩着脖子，下巴挤进了锁骨里。

“好吧。你打算像那样保持多久？”

“至少二十四个小时。”

“很好，鲍里斯。”

我从他的身边跨过，走进了厨房。厨房长而狭窄，又一次显得分外熟悉。污秽的墙壁，屋檐角附近满是蜘蛛网的痕迹，残破的洗衣设备，一切的一切在我的记忆中拉扯纠缠。索菲已经系了条围裙，正跪着把一些东西放进烤箱。我进来的时候，她抬起头，说了些关于食物的话，然后指向烤箱里，开心地笑着。我也笑了笑，又环顾了一眼厨房，转身走回客厅。

鲍里斯仍然躺在地板上，我进去的时候，他又立刻缩起脖子。我没有留心他，在沙发上坐下。旁边的地毯上放着份报纸，我拾了起来，以为可能是登着我照片的那份报纸。事实上，这是几天前的旧报纸，但我还是决定无论如何都要细细品读一下。我在头版看到那个叫冯·温特斯坦的男人接受采访，介绍他保护老城区的计划。鲍里斯仍躺在地毯上，一言不发，不时发出一声机器人似的噪音。我不时地偷偷瞟他几眼，发现他始终缩着脖子，于是我决定，除非他停止这幼稚可笑的游戏，否则我就不和他说一句话。至于他是每次猜到我要看他时就缩着脖子，还是持久不动地保持着那种姿势，我不得而知，而且很快也就懒得管了。“就让他躺在那儿吧。”我这么想着，继续看报。

最后，大概过了二十分钟，索菲端着一个装满食物的大盘子走了进来。我看到有酥皮合子、咸味包和馅饼，全部都是手掌大小，大多做工复杂而精细。索菲把盘子放在了餐桌上。

“你们很安静啊。”她四下看了看屋子说，“来吧，我们现在开始享用吧。鲍里斯，看！还有这样一盘好吃的要端上来。全都是你最爱吃的！现在，你干吗不去选一个棋牌游戏，让我们一起玩，我去拿剩下那些吃的。”

索菲走回了厨房，她刚消失，鲍里斯就一跃而起，跑到桌子跟前，往嘴里塞了块馅饼。我不禁想要指出他的脖子已经恢复正常了，但最后还是继续看报，没说话。鲍里斯又发出了警笛似的噪音，并且快速穿过房间，在远处角落里一个高高的橱柜前停了下来。我记得所有棋牌游戏都放在这里，宽宽扁平的盒子被小心翼翼地堆在其他玩具和家什上面。鲍里斯继续盯着橱柜看了一会儿，然后突然甩开了柜门。

“我们要玩哪一个？”他问道。

我假装没听见，继续读着报纸，只用眼角的余光偷偷地瞥他。他先是转向了我，接着，意识到我不会回答后，他又转回了柜子。有好一阵工夫，他站在那里，思量着那堆棋牌游戏，时不时伸出手，用手指碰碰这个或者那个盒子的边缘。

索菲端着更多点心回来了。她准备布置餐桌的时候，鲍里斯走到她身边，我能听到他们两个在悄悄地争论着。

“你说过我可以躺在地板上吃的。”鲍里斯坚持道。

接着，过了一会，在我面前，他又滑坐在地毯上，把一个满当当的盘子放在身边。

我站起身走向餐桌，拿起一个盘子，考虑吃些什么，索菲则焦虑地在我周围徘徊。

“看起来棒极了！”我边说边把食物放到盘子里。

回到沙发那儿，我发现，把盘子放在身边的坐垫上，我就可以边吃边继续读报纸了。我早先决定要细细审读一遍这份报纸，甚至本地企业的广告也要细读，这会儿，我继续读着，不时地伸手到盘子里拿取食物，双眼一直未离开报纸。

同时，索菲坐在鲍里斯旁边的地板上，时不时地问他个问题——问他觉得某种特别的肉馅饼怎么样，或者某个学校的朋友怎么样。但不管她什么时候想开始这个话题，鲍里斯嘴里总塞满了食物，只能哼哼着作答。接着，索菲问：“好吧，鲍里斯，你决定好想玩哪个游戏了吗?

我能感到，鲍里斯把目光转向了我，然后他轻轻地说：

“我不介意随便玩哪一个。”

“你不介意？”索菲的声音听起来有些难以置信。长长一段停顿之后，她说道：“那好吧。你要不介意，我就选啦。”我听到她站起身，“我现在要选这个了。”

这策略似乎立即就赢得了鲍里斯的赞同。他激动地站起来，跟着母亲走到橱柜前，我能听到两人在一堆盒子前面商议着，他们压低了嗓音，好像是考虑到我在阅读的缘故。最终，他们回来又坐在了地板上。

“来吧，我们现在开始吧。”索菲说道，“我们可以边吃边玩。”

等我下一刻看他们的时候，棋盘已经打开，鲍里斯正在兴致勃勃地摆放游戏牌和塑料筹码。过了一会儿，我听到索菲开口了，她的话让我有些惊讶：

“怎么了？ 你说过你想玩这个的。”

“我是说过。”

“那又是怎么了，鲍里斯？”

他顿了一会才说道：“我太累了。像爸爸一样。”

索菲叹了口气。接着，她突然用明快些的语气说道：

“鲍里斯，爸爸给你买了一样东西哦！”

我禁不住越过报纸边缘偷偷看过去，这时候，索菲投给我一记早有预谋似的微笑。

“我能现在就给他吗？”她问道。

我并不知道她说的是什么，于是回以困惑的表情，但她站起身离开了房间，然后马上就回来了，举着昨天晚上我在电影院买的那本破旧的杂务手册。鲍里斯忘记了应有的疲惫，双脚蹦了起来，但索菲逗弄似的举着书，就是不让他够着。

“昨天晚上，我和爸爸一起出去了，”她说，“那是个特别棒的夜晚，中途他想起了你，给你买了这个。你以前从没有过这样的东西，对不对，鲍里斯？”

“别跟他说这东西多棒。”我在报纸后面说道，“只不过是本旧手册。”

“爸爸很好，是不是？”

我又偷偷看了一眼。索菲这会儿已经让鲍里斯拿到了书，他跪坐在地上，仔细地看着。

“太棒了！”他边翻看着边小声嘟囔，“这个真的很棒，”他停在一页上，盯着看。“这上面什么都有。”

他又翻了几页，但是翻书的时候，书发出一声尖锐的“啪啦”声，分成了两半。鲍里斯继续翻着书，跟没事人一样。索菲本已经要坐下，看着鲍里斯的反应，她又站起身来。

“这上面什么都有，”鲍里斯说道，“真不错。”

我明显感觉到他在试图对我讲话。我继续看报，过了一小会儿，我听到索菲温柔地说：“我去取些胶带来。只要一卷胶带就搞定了。”

我听到索菲离开了房间，便继续阅读。从眼角的余光中，我可以瞥见鲍里斯仍在翻着书页。过了一小会儿，他抬头对我说：

“有一种特别的刷子，可以用来贴墙纸。”

我继续看报。终于，索菲溜达着走了回来。

“奇怪了，我哪儿也找不到胶带。”她嘀咕着。

“这本书真好，”鲍里斯对她说，“上面什么都有。”

“奇怪了。也许我们用完了。”索菲又走进了厨房。

我隐约记得，放棋牌游戏的橱柜里同样放有各种黏性胶带，就在右手边的角落中，在靠近橱柜底部的一个小抽屉里。我正想放下报纸，走过去找找，然而，索菲又回到屋里来了。

“没关系，”她说，“明早我去买一卷，然后我们把它补好。现在来吧，鲍里斯，我们开始玩游戏，不然睡觉前就结束不了了。”

鲍里斯没有回答，我听到他坐在了地毯上，仍然翻着书。

“好吧，如果你不玩的话，”索菲说，“那我就一个人玩了。”

接着传来了骰子在杯子里“咯咯”作响的声音。我继续读着报纸，心里不禁为索菲感到些许遗憾——今晚弄成了这个样子。可是话说回来，她也没有想到，自己竟会招来如此程度的混乱，却要我们付出代价。更有甚者，她今晚的厨艺也没有超常发挥。有些东西她从未想到要准备——比如，在小三角吐司上添几条罐装沙丁鱼，或者准备些奶酪和烤香肠串。她没有做任何煎蛋卷、奶酪夹心土豆或者鱼饼，也没有做填瓤辣椒，更别提那些抹有鳀鱼酱的小面包块和纵向切片的黄瓜了，甚至连剥成几瓣、边缘凹凸不平的煮鸡蛋都没有。至于后面的甜点，她没做葡萄干切片蛋糕，没做奶油手指饼干，甚至没有做草莓蛋糕卷。

我渐渐意识到，索菲已经摇骰子摇了很长时间。事实上，从她开始摇骰子起，那“咯咯”的声响就已经变了味道。这会儿，她缓慢无力地摇着骰子，仿佛是和着脑中盘旋的某种旋律。我警觉地放低报纸。

地板上，索菲正倚着一只僵硬的胳膊，那姿势让她的长发向下倾泻，披在肩膀上，完全遮住了她的脸。她看起来完全沉迷在了这场游戏中，全身的重心奇怪地前倾着，正好悬停在棋牌上方。她的整个身体轻轻地摇摆着。鲍里斯悻悻然地看着她，双手盖在了书的裂缝之上。

索菲一直摇着骰子，三十秒，四十秒，最后终于让它在面前滚了出去。她迷迷糊糊地研究了一下，在棋盘上移动了些纸牌，然后又开始摇骰子。我能察觉出气氛中有种危险的味道，便决定是时候由自己来把控局面了。我把报纸扔到一边，拍拍双手站起身来。

“我得回酒店去了，”我宣布道，“而且我强烈建议你们两个去睡觉。我们度过了漫长的一天。”

我大步朝门厅走去，从眼角瞥到了索菲吃惊的表情。再下一刻，她就出现在我身后了。

“这就要走了吗？ 你吃饱了吗？”

“很抱歉，我知道你准备这顿饭很辛苦。但现在时间太晚了，我明早会很忙的。”

索菲叹了口气，看起来沮丧至极。“对不起，”她终于说道，“今晚不是非常成功。对不起。”

“别担心。不是你的错。我们几个都太累了。现在，我真得走了。”

索菲闷闷不乐地送我出去，说她明早会打电话给我。

接下来的几分钟，我一直在寂静无人的街道上转悠，努力回想着回酒店的路。终于，我走到了一条认识的路上，开始尽情享受起这个宁静的夜晚，享受起这个仅与思想和脚步声独处的机会。然而没多久，我又为今晚这样的结果感到有点遗憾。事实上，伴着那么多杂事，索菲已经成功地将我精心设计的时间表弄得混乱不堪。现在，我在这座城市里度过的第二天已行将结束，对我要评估考量的危机，我只获得了最表面的认识。我想起自己甚至中途遇阻，没能赶赴今早与伯爵夫人和市长的会面，原本我有机会亲耳听听布罗茨基的音乐。当然，我仍有充分的时间来收复失地，若干重要的会面仍等着我——比如，与公民互助小组——肯定能让我对这里的情况有一个更全面的了解。然而，不可否认的是，我身上压力重重，要是我没能以最轻松的心情结束这一天，索菲亦不能对此有何怨言。

我在一座石桥上徘徊良久，心里思考着这些事。我停下脚步，望着桥下的流水与河边的一排路灯，这时我突然想到，我还有一个选择：我可以接受柯林斯小姐的邀请，去拜访她。没错，她暗示过自己地位特殊，能帮上忙，而现在，我在这里逗留的时间越发所剩无几，与她好好畅谈一番，极有可能为我提供许多信息，增进我对事态发展的了解。其实，要不是索菲任性胡为，这些信息我自己早搜集到了。我又想起了柯林斯小姐的起居室、天鹅绒窗帘和破旧的家具，突然希望自己此刻就身在那里。我又走了起来，走过石桥，没入黑沉沉的街道，决定明早一有机会便尽快去拜访她。

第 三 部

第二十一章

我一觉醒来，发现一缕明媚的阳光透过垂直的百叶窗倾泻进来，心中一惊，感觉晨日时光似乎已溜走大半。随后，我忽然记起昨晚的决定，要去拜访柯林斯小姐，于是起床，心中不觉平静了许多。

这个房间更小些，而且明显比之前的那间更闷热，我不禁对霍夫曼强迫我换房再次感到恼火。不过整个换房事件似乎已不再像昨天清早那样重要了，我在洗漱、换装时，发现自己可以毫不费力地将心思牢牢地放在与柯林斯小姐的重要会面上，而我现在是如此仰仗此次会面。我离开房间的时候，已经完全不再担心睡过了头——这一觉，我知道，终究会证明是无比宝贵的——而期待着好好吃顿早餐，其间，我可以整理一下思绪，想想将要和柯林斯小姐聊聊的那些话题。

可是，我来到楼下早餐间时，大吃了一惊：迎接我的却是吸尘器的声音。早餐间的门全关着，我推开一点，看到两个身着工作服的女人正在清洁地毯，桌椅已被推至墙边。不吃早餐就要面对如此重要的会面，这可不爽啊，我闷闷不乐地返回大厅。我从一群美国游客身边走过，来到接待台。接待员正坐在那儿看杂志，但一见到我，他就站起了身。

"早上好，瑞德先生。"

"早上好。早餐停止供应，这让我有些失望啊。"

一时间，那接待员看起来很迷茫。接着，他说道："一般情况下，先生，即便这个时候，也会有人为您供应早餐的。但当然啰，今天很不巧，我们许多员工都到音乐厅去帮忙准备了。霍夫曼先生一大早就亲自过去了。恐怕我们只剩下一半的人手在工作。不幸的是，中庭也得关闭，直至午饭时间。当然，如果只是咖啡和面包卷的话……"

"没关系，"我冷冷地说道，"我只是没时间等事情全部安排完毕。今天我只好不吃早餐了。"

接待员又开始道歉，但我挥手打断他，转身走开了。

我走出酒店，步入阳光。路上交通拥挤，我随着人流走了一段路，然后才意识到，自己根本不清楚柯林斯小姐所住的公寓到底在哪儿。那天晚上，斯蒂芬载我们去的时候，我没有仔细观察，况且，这时候街道上挤满了行人，车辆川流不息，一切无从辨别。我在人行道上驻足片刻，想找一位路人打听方向。可想而知，柯林斯小姐在这城里十分出名，我不妨如此一问。事实上，我正要拦住一位穿着职业西装、大步向我走来的男子，突然感到有人从后面碰了下我的肩膀。

"早上好，先生。"

我转过身，发现是古斯塔夫，他抱着一只巨大的纸板箱，箱子几乎挡住了上半身。他喘着粗气，我不知道这仅仅是因为他身负重物，还是因为他跟着我一路追赶而来。不管怎样，在我向他打过招呼、询问他去哪里之后，过了好一会儿他才回答：

“哦，我把这个拿到音乐厅去，先生，”他终于说道，“大一些的物件昨晚就由货车运过去了，但还是需要很多很多东西。我一大早就开始往返于酒店和音乐厅之间了。我可以告诉您，先生，那儿的每个人都已激动得不得了了。气氛可热烈了。”

“那太好了，”我说，“我也非常期待此次活动。但不知您能否帮我一下。您看，我今早在柯林斯小姐的公寓有个约会，但我这会儿却有点迷路了。”

“柯林斯小姐？ 呃，一点也不远。这边，先生。如果可以的话，我陪您过去。哦，不，别担心，先生，我正好顺路。”

他那只箱子可能不像看起来那么重，因为我们动身时，古斯塔夫在我身边步履稳健。

“很高兴我们这样不期而遇，先生，”他继续道，“因为，坦白地讲，我一直想和您说件事。其实，自我们见面后，我就一直想提出来，但不知怎的，事情一件接着一件，没能抽出时间说。而现在，今晚马上就要到了，我还没问您呢。那是在几周前发生的事，在匈牙利咖啡馆的一场周日聚会上，就在我们听说您要到我们这儿来的消息后不久。当然啰，和大家一样，我们也在谈论这件事。有个人，我想是吉安尼吧，他说他从报刊上读到您是个很正派的人，与那些妄自尊大、恃才傲物的人不同，您极为关心普通市民，深得人心，他说着诸如此类的话，先生。我们围坐在桌边，八九个人，约瑟夫那晚不在，我们看着太阳西沉，没入广场那边，我觉得我们每个人立刻有了个共同的想法。起先，我们全都默默地坐在那儿，没人敢大声说出来。最后，是卡尔，他历来如此，卡尔说出了我们所有人的心思。‘我们何不问问他？’他说，‘问问又会有什么损失呢？我们至少该问问他。他听起来完全不同于那号人。他说不定会同意呢，很难说啊。我们何不问问他，这可能是我们最后的机会了。’然后，突然间，我们大伙儿都讨论起来，自那以后，先生，老实说吧，不管我们坐在一起多久，没有不提起这话题的时候。我们也谈论其他事情，每个人都会大笑，然后，我们会沉默一阵，我们知道，大家又都在想那件事了。这就是我为何开始为自己感到难过的原因，先生。我想，我见过您几次，我有幸和您交谈，但我还没能鼓起勇气问您。现在这会儿，距离这场盛事就几个小时了，我还没有问出口。那么我如何在周日向伙计们交代呢？事实上，我今早起床的时候，先生，我对自己说，我必须找到他，我必须至少跟瑞德先生说说，大伙儿都指望着呢。但一切都这么忙乱，您一定有很多事情要做，于是我想，唉，我很可能失去机会了。所以您瞧，我非常高兴我们这样不期而遇，希望您不要介意我向您提起这事，可是，当然，如果你觉得我们在要求不可能的事，那么自然的，我们不会再提，大伙儿一定会接受的，哦，是的。”

我们已经转弯，拐进了一条繁忙的林荫大道。走过一组红绿灯时，古斯塔夫沉默了，直至我们走到了另一边、路过一排意大利咖啡馆时，他才说：

“我肯定您猜到了我要问什么，先生。我们只要求一个小小的提及。仅此而已，先生。”

“一个小小的提及？”

“只是一个小小的提及，先生。您知道的，我们，我们许多人，这些年辛勤劳作，试图改变这座城市对我们职业的态度。我们可能有了些小小的效果，但总的来说，我们还没能形成全面影响，而且，呃，完全可以理解的是，我们开始有了沮丧情绪。我们谁都不年轻了，大家都有种感觉，也许事情永远都不会真的改变了。但只要您今晚一句话，先生，就可以改变一切。这可能会成为我们这一职业的一个历史转折点。那就是大伙儿的想法。其实，先生，一些人认为这是我们最后的机会了，至少对我们这一代人是如此。我们何时才能又有这样的机会？ 他们一个劲地在问。所以，我呢，向您提了出来，先生。当然，假如您觉得这不是什么大事，我会非常理解您那样的想法，毕竟您来这儿是为了处理一些非常重要的问题的，我所说的只是件小事。对我们来说却是大事，但从总体上来看，我理解，是件小事。假如您觉得不可能的话，先生，请您直说，我以后绝不会再提。”

我沉思片刻，同时意识到他正从箱子的边缘处盯视着我。

“您的意思是，”过了一会儿我说道，“让我在……在向本市市民发表演讲的时候稍微提起你们一下。”

“至多几句话就可以了，先生。”

当然，以这种方式帮助年迈的迎宾员和他的同事们，确实颇有吸引力。我想了一会儿，然后说道：“好吧。我非常乐意代表你们说几句。”

这回答字字入耳，起到了效果，我听到古斯塔夫深吸了一口气。接着他相当平静地说道：

“我们对您永远感激不尽，先生。”

他正要接着说些什么，但不知怎的，我一时兴起，想要挫败他向我表达感激之情的企图。

“好吧，让我们想想，我们怎么做呢？”我快速说道，摆出一副专注的神情。“是的，走上演讲台，我可以这样说：‘在我开始之前，有件很小却又相当重要的事情要说明。’诸如此类的话。是的，那容易得很。”

突然间，我看到了一幅生动的画面：当古斯塔夫向他们宣布这一消息的时候，一群健壮的老人围坐在一张咖啡桌边，他们脸上挂着难以置信、无比喜悦的表情。我看到自己静静地来到他们中间，他们的脸顿时转向了我。这当儿，我意识到古斯塔夫走在我身旁，无疑是已经谢了一阵，差不多要结束了，但我还是继续刚才的话。

“是的，是的。‘很小却又相当重要的事情，’我可以对他们这样说。‘有些事我在世界其他城市都见到过，却发现这里的情况有些特异……’或许用‘特异’一词太过强烈。或者我可以用‘奇异’。”

“啊，是的，先生，”古斯塔夫插嘴道，“‘奇异’这个词不错。我们没人想煽动敌对情绪。真是如此，对我们来说，您才是唯一的机会。您看，即便几年后另外一位名人同意来我们城市，而且即便我们成功地说服他为我们说几句，但谁能保证他能有您这样的才智呢？‘奇异’一词非常好，先生。”

“是的，是的，”我继续道，“我或许会停顿一下，用略显责备的表情看着他们，那样，整个大厅里的所有人就会静声屏息，默默等候。接着，终于，我会这样说，呃，让我想想，我会说：‘女士们，先生们，对你们来说，在这里住了这么多年之后，某些事情或许看起来很平常，但在外人眼里，立刻就会显得不同寻常，引人注目……”

突然，古斯塔夫停住脚步。起先，我以为他这么做或许是因为他急于表达自己的感激之情。然而，我看了看他，这才意识到情况并非如此。他僵在了人行道上，头被箱子挤着，歪到了一边，所以他的脸颊紧贴着箱子一侧。他双眼紧闭，稍稍蹙额，好像是在脑中做一个艰难的计算。接着，我看到他的喉结慢慢地在脖颈上下移动——一下，两下，三下。

“您还好吧？”我问道，用一只胳膊扶在他身后。“天哪，您最好在哪儿坐下。”

我开始动手接过他身上的箱子，但古斯塔夫的双手却牢牢抓住不放。

“不，不，先生，”他说道，双目仍然紧闭。“我没事。”

“真的吗？”

“是的，是的。我没事。”

又过了一会儿，他仍站立不动。接着，他张开双眼，环顾四周，微微一笑，又走了起来。

“您不知道这对我们意味着什么，先生，”我们一起走了几步之后，他说道，“过了这么些年哪。”他微笑着摇了摇头。“我会在第一时间向大伙儿传达这消息。今早还有好多活儿，但只要给约瑟夫打个电话就行了。他会告诉其他人的。您能想象吗，先生，那对他们意味着什么？啊，您得转弯了。我得再往前走一会儿。哦，别担心，我没事儿。柯林斯小姐的公寓，您知道，就在您的右前方。好吧，先生，我无法向您表达我有多么感激您。大伙儿一生中没等待过别的什么，但他们会等待今晚的。我知道的，先生。”

我挥手向他道别，转过他所指的那个弯。走了几步之后，我回头张望，发现古斯塔夫仍站在拐角，从那个箱子的边缘看着我。看到我转身，他用力地点了点头——箱子没法让他挥手——接着继续前行。

我发现自己所在的这个街区主要是一片住宅区。走过几个街区，周围变得越来越安静，头顶上出现了带着西班牙式阳台的公寓住宅，我认出那天晚上我曾坐着斯蒂芬的车经过它们。街区连着街区，绵延伸展，我继续走着，开始担心自己可能认不出我和鲍里斯那晚在门前等待的那所公寓。但接着，我发现自己停在了一个十分熟悉的门口处，过了一会儿，我走上前去，透过玻璃嵌板向门内两侧窥视。

门厅布置得整洁素净，让我几乎无从确定是否来对了地方。接着，我想起了那天晚上的见闻始末：我看到斯蒂芬和柯林斯小姐在前厅里谈了一会儿，然后才走进大楼深处。冒着被错当成闯入者的风险，我用一条腿勾住矮墙，侧过身子，从最近的那扇窗户向里望去。阳光明媚，我很难看清里面的景象，只能依稀辨认出一个矮壮男人的身影，他穿着白衬衫，系着领带，独自坐在一张扶手椅上，几乎正对着窗户。他的目光好像定格在我身上，但表情却很空洞，完全不清楚他究竟是注意到了我，或者只是望着窗外，陷入沉思。这些对我来说都没用，我从墙上抽回腿，再次看了看大门，等确信是这扇门后，便按了按一楼公寓的门铃。

等了一小会儿，透过闪光的玻璃嵌板，我欣喜地看到：柯林斯小姐的身影正向我走来。

“啊，瑞德先生，”她边说边打开大门，“我还在想不知我今早是否会见到您呢。”

“您好，柯林斯小姐。经过思量，我决定采纳您善意的建议，来到这里拜访您。但我知道您今早已经有位客人了。”我指了指她的前厅。“或者您想让我另择时间再来。”

“我可不想让您走，瑞德先生。实际上，尽管您说我很忙，但和平时清晨相比，今天这儿是相当安静了。您看，只有一个人在等。我刚刚和一对年轻夫妇在一起。我已经与他们谈了一个小时，可是他们的问题如此根深蒂固，他们有那么多事情要谈，直到今天才说出来，我无心催促他们呀。请别介意在前厅等会儿，真的不用等太久。”接着，她忽然间压低了嗓音，说道：“这会儿在等的这位先生是个可怜人，他很悲惨，很孤独，只想要几分钟能有人听他倾诉，仅此而已。他不会待太久的，我会很快打发他走。他几乎天天早上都来，不介意偶尔被催促一下，他已经占用了我很多时间。”接着她的嗓音又恢复到了正常音调，继续道：“好吧，请进，瑞德先生，别像那样站在外面了，我看今天天气不错。若您愿意，而假若那时又没人在等，我们可以去斯腾伯格花园走走。很近，我肯定，我们有很多事情要聊。实际上，我已经为您的处境想了很多了。”

“太好了，柯林斯小姐。其实，我知道您今早或许很忙，如果不是牵涉到一些特别紧急的事情，我不会这样贸然来访。您看，事实上——”我重重地叹了口气，摇了摇头，“事实上，由于各种各样的原因，我没能按照原计划行事，到现在，我们才有缘相见，时间急迫，而……呃，一方面，您知道，我今晚得向这儿的人们演讲，向您完全坦白吧，柯林斯小姐……”我几乎要打住话头，但看到她用一副和蔼的表情看着我，就艰难地继续道：“坦白说，有很多问题，这儿本地的问题，我想请您给我提些建议，然后……然后我才能——”我停下来，试着不让嗓音颤抖，“然后我才能为演讲词定稿。毕竟，所有这些人都这么依赖我……”

“瑞德先生，瑞德先生，”柯林斯小姐一只手放在我肩上，“请镇静。请进吧。那会好些，进来吧。现在请不要担心。您现阶段有小小不安是完全可以理解的，那是非常自然的。其实，您如此在意，倒是十分值得赞赏。我们可以谈谈所有这些事，这些本地问题，别担心，我们很快就可以开始。但请允许我现在这么说吧，瑞德先生。我认为您是过分担心了。是的，没错，你今晚重任在肩，可是，你以前多次身处相似境地，而据大家说，您十分圆满地完成了任务。为何这次会有所不同呢？”

“可我要告诉您的是，柯林斯小姐，”我打断了她，“这次的确不同。这次我没能了解事实原委……”我又重重地叹了口气，“事实上，我没有机会按照寻常惯例准备我的讲话……”

“我们马上就谈所有这些问题。不过瑞德先生，我敢肯定您这是杞人忧天了。您何必如此担心呢？您有无与伦比的专长，是一位国际知名的天才大师，真的，您有什么好怕的呢？事实上——”她再次压低嗓音，“像这种小城市里的人，不管什么，只要是您说的，他们都会感激不尽。只管告诉他们您的总体印象就行了，他们是绝不会抱怨的。根本没什么好怕的。”

我点了点头，觉得她说得的确在理，紧张感几乎立刻烟消云散。

“等会儿，我们好好谈谈所有问题。”柯林斯小姐领着我走入前厅，一只手仍搭在我肩上。“我保证不会太久的。请坐，随意些。”

我走进一间小小的方形房间，里面阳光普照，鲜花朵朵。一把把迥然各异的扶手椅表明，这是一间牙医或者医生的候诊室，而咖啡桌上的杂志同样也印证了这一点。一看到柯林斯小姐，矮壮男人立刻起身，或许是出于礼貌，或许是因为他期盼她这会儿能请他进起居室。我本期待着柯林斯小姐能介绍我们认识，但从当下的规约来看，这里确实像在候诊室那样有先来后到的顺序，因为柯林斯小姐只是冲那男人微微一笑，然后就径直隐入里间，边走边满怀歉意地对我们两个人低语道："我不会太久的。"

那矮壮男人又坐了下来，盯着地板。刹那间，我想他会说些什么，可他却一直沉默，我便转过身，坐在藤沙发上，这沙发直面阳光满溢的凸窗，正是我先前张望的那扇。一坐进那藤沙发，它便嘎嘎作响，倒也令人宽心。一大片阳光洒落在我膝盖上；在我脸旁，有一只插着郁金香的大花瓶。仅仅几分钟前，我在按响门铃时还担心着眼下之事，现在我已经神清气爽，心境与刚才大不相同。当然，刚才柯林斯小姐说得很对。在这样一座城市，人们对我想说的任何话语都会感激不尽，很难想象人们会深究我的观点，或者吹毛求疵。况且，柯林斯小姐再次指出，此类情形我之前已经历过无数次了。即便我未能好好准备讲话，但必定仍能做一场有声有色的演讲。我继续坐在阳光中，发现自己愈发心平气和，惊诧于先前自己竟陷入如此焦虑的状态之中。

"刚才我在想，"矮壮男人突然对我说，"你跟那帮老朋友是否还有联系？ 像汤姆·爱德华兹？ 或者克里斯·法利？或者那两位曾住在泽国农庄的女孩？"

这时我才意识到，这位壮汉是乔纳森·帕克赫斯特，我们俩在英国上学时相当要好。

"没有，"我告诉他，"不幸的是，我差不多与那时的所有人都失去了联系。我周游列国，哪有可能保持联系呀。”

他点了点头，没有笑。“我想肯定是很难的，”他说，“呃，不过他们全都记得你。哦，是的。我去年回英国的时候，遇见了他们几个。显然，他们一帮人大约一年聚一次。有时我会羡慕他们，但大多数时候，我很高兴没让自己困在那样一个圈子里。那就是我为何会远居此地的原因，在这儿我可以随心所欲，人们不会要我一直做小丑。但你知道，我回去时，我在那间酒吧见到他们时，他们立刻又开始了。‘嘿，是老帕克斯！’他们全都大喊道。他们还是那样叫我，仿佛时光根本没有消逝。‘帕克斯！是老帕克斯！’我刚进去的时候，他们甚至还发出驴叫似的喊声来欢迎我，哦，天哪，我无法形容那是多么可怕。我能感到自己又变回了那个可怜的小丑，我来这儿就是不想做小丑呀，是的，就从他们像驴叫唤的那一刻开始。那是个非常不错的酒吧，我告诉你，是个典型的老式英国乡村酒吧，生着炉火，砖墙上满是那些小小的黄铜饰品，壁炉台上方挂着一把古剑，诚恳的店主说着开心的事儿，那一切引人怀旧——在这里住了这么长时间，我可真怀念那儿啊。但余下的经历呢，老天爷，叫我一想起来就不寒而栗。他们发出那驴叫似的喊声，满心希望我跳到桌上扮演小丑。那一整个晚上，他们不停地提起一个又一个名字，他们甚至并非是在谈论这些人，而只是发出更多的喧闹声，或者只要提起另一个名字，他们就会立刻哈哈大笑。你知道，他们提到了萨曼莎，全都大笑、高呼、欢叫。接着他们叫出另一个人的名字，比方说，罗杰·皮科克，他们所有人就会发出像看足球时一样的呐喊声。太可怕了。但最糟糕的是，他们所有人都希望我再扮演小丑，我就是不能那样做啊。但令人难以置信的是，我当时仿佛变成了另一个人，然后又统统开始了——滑稽的嗓音，怪怪的鬼脸，哦，是的，我发现自己竟还可以扮演得这么惟妙惟肖。我猜他们完全有理由相信我在国外还是干这行的。事实上，他们中有一个人正是这么说的。我想应该是汤姆·爱德华兹吧，在当晚的某个时刻，他们全都喝醉了，他重重地拍了拍我的背，说道：'帕克斯！ 他们那儿一定爱死你了！ 帕克斯！' 我想，这肯定是因为在刚刚为他们表演一番后，我告诉了他们在这里的一些生活，又扮了会儿小丑，谁知道呢，总之，他就是那么说的，其他人就一个劲地笑个不停。哦，是啊，我确实很轰动呢。他们一直不停地说他们多想我，我总是这么个好笑料，哦，已经那么久了，我又听到有人这么说了，那么久了，我又受到那样的欢迎，那么温暖、热情。然而，我那样做又是为了什么呢？ 我曾经发誓再也不那样做了，那正是我来到此地的原因。甚至在我去酒吧的路上、我一路沿着那条小巷走下去的时候，我还一直对自己这样说。那个晚上寒飕飕、雾蒙蒙的，天非常冷，我一路走在小巷上，告诉自己：那是多年前的事了，我再也不那样了，我要给他们看看现在的我。我一遍又一遍地重复着，试图让自己强硬起来，但我一进去，看到那暖洋洋的炉火，听到他们发出驴叫似的喊声来欢迎我，哦，我就感觉到这儿太孤单了。好吧，在这儿，我不必做鬼脸，不必发怪声，但至少那些都很管用。或许那些让人无法忍受，但管用，他们全都爱我，我的大学老同学，可怜的笨蛋们，他们一定认为我现在还是那样。他们根本猜不到，我的邻居们认为我是个非常严肃、相当无趣的英国人。他们觉得我彬彬有礼却又呆头呆脑，非常孤独，非常沉闷。呃，至少那也比当小丑帕克斯要好吧。那驴叫似的喧闹声，哦，多可怜哪——

一群中年男人发出那种声响，而我呢，拉长着脸，发出那些傻乎乎的声音——哦，天哪，真是太恶心了。但我控制不住自己，我已经很久很久没有被朋友们像那样围着了。你呢，瑞德，难道你不渴望那时的时光吗？ 即便你已经这么成功？哦，是的，那正是我要告诉你的。你如今可能不太记得他们了，但他们却还是记得你。无论他们什么时候搞这样的小聚会，好像一晚上总会挤出一些时间专门谈论你。哦，是的，我亲眼见过。他们先是回忆许多其他人的名字，他们不喜欢直接说到你，你要知道，他们喜欢来个好的前奏。实际上，他们会有小小的停顿，假装想不起任何那时候其他人的名字了，接着，一个人终于说道：'瑞德怎么样了？ 有人最近听到过他的消息吗？'随即他们闹翻了天，发出了最恶心的声音，介于讥讽与干呕之间的那种声音。他们不约而同地反复吼叫，真的，在提到你名字之后的头一分钟里，那就是他们所做的一切。接着，他们开始哈哈大笑，然后，他们全都模仿起钢琴演奏，你知道的，就像这样——"帕克赫斯特摆出一副傲慢神情，在一排想象出来的隐形琴键上矫揉造作地弹奏起来。"他们全都这样，然后发出更多的干呕声。接着，他们开始七嘴八舌地议论你，讲他们记忆中有关你的一个个小故事，听得出他们已经互相说了好多遍了，因为他们全都知道，他们全都知道何时再开始鼓噪，何时说：'什么？ 你开玩笑吧！'如此等等。哦，他们真的很开心啊。我在那儿的时候，一个人回忆道，期终考试结束的那晚，他们几个正准备出去撒晚上最后一泡尿，看到你从路那边过来，满脸严肃。他们对你说：'来吧，瑞德，过来和我们一起把你的大脑撒出去！'显然，你回了话，然后，不管是谁在讲这件事，他们都会摆出这副表情，显然你当时说，”帕克赫斯特又换上了傲慢的表情，显出一副荒谬自大的口吻，“‘我忙得不得了。今晚我可不敢不练琴呐。因为这些讨厌的考试，我已经两天没练了！’刹那间，他们异口同声地发出一阵干呕声，摆出在空中弹奏钢琴的样子，这时他们开始……呃，我就不告诉你他们其他的胡闹了，真的很可怖，真是一帮恶心鬼，他们大部分人都很苦闷，很失意，很愤怒。”

帕克赫斯特说话的时候，学生时代的记忆片段涌入我脑中，一时间，我倍感平静，无暇顾及帕克赫斯特在说些什么。我想起一个明媚的早晨，正如今日这样，阳光溢满窗，我坐在旁边的沙发上休息，我和其他四个学生一起住在一所旧农舍，那时我正待在我的小房间里，膝上放着一本协奏曲乐谱。之前一个小时，我一直在无精打采地研读乐谱，这会儿正考虑放下它，转而从脚边木地板上的一堆十九世纪小说里挑出一本来读。窗户敞开着，一阵微风吹了进来。窗外，几个学生坐在没有修剪过的草地上，正讨论着哲学，或者诗歌，或者诸如此类的东西。我的小房间里除了有张沙发，其他东西很少——只有一条褥垫铺在地上，另外，角落里还有一张小小的书桌和一把直背椅——但我非常喜欢这沙发。地上通常摊满书籍和杂志，午后那段长长的时光里，我时常翻阅它们，而且我有个习惯，常常半开着门，这样，不论谁经过都可以晃进来聊会儿天。我闭上双眼，一时间，我迫切渴望回到那周围都是开阔农田的小农舍，伙伴们都懒懒地躺在高高的草丛中，但没多久，我开始真正理解帕克赫斯特所说的那些事实了。那时候，我才意识到，他说的正是同样这一群人，此刻他们的脸与记忆中的脸一一重合。他们在我门口张望时，我曾懒洋洋地招呼过他们，还和他们随意待了大概一两个小时，讨论某位小说家或者西班牙吉他手，而帕克赫斯特这会儿说着的，正是这些人中的某几位。即便如此，在这溢满阳光的房中一隅，我斜倚在柯林斯小姐的那张藤沙发上，对帕克赫斯特所说的话只感到隐约有些不悦——这种平和的状态让我几乎觉得高兴起来。

帕克赫斯特继续说着，我却早已没有留心听了。这时，有人敲响了我身后的窗板，把我吓了一跳。帕克赫斯特好像不想理睬这声音，继续说着话，我也试图不理那响声，就好像一个人在美梦中被闹钟吵醒时那样。但那敲击声持久不断，帕克赫斯特终于停了下来，说道："哦，天哪，是那个叫布罗茨基的家伙。"

我睁开双眼，扭头看去。果然是布罗茨基，他正热切地往房里窥探呢。不知是因为外面的光亮，抑或是他自己视力的问题，似乎让他往里看得很费力。他的脸紧贴着玻璃，双手挡在眼睛上方，但他好像还是没有看见我们。我这才意识到：他以为是柯林斯小姐自己在这所房间里，所以才在外面敲玻璃。

终于，帕克赫斯特站起身，说道："我最好去看看他想干什么。"

第二十二章

我能听到帕克赫斯特打开了门，接着，门厅处传来了争执的声音。最后，帕克赫斯特回到屋里，冲我翻了个白眼，叹了口气。

布罗茨基跟着他进来。他看上去比我上次越过拥挤的房间见到他时要高些，我又留意到他奇怪的站姿——角度微微倾斜，好像要倒下似的——但同时也发现他已完全清醒。他系着一个猩红色的蝴蝶领结，穿着一套看起来全新且颇为时髦的黑色西装。白衬衫的领子向外竖着——是设计如此，还是上浆过多而太硬，我无从得知。他手捧一束鲜花，眼里满是疲惫与悲伤。布罗茨基停在门槛处，试探性地在门框周围张望一番，或许是期待在屋里发现柯林斯小姐。

“她很忙，我告诉过你了，”帕克赫斯特说道，“瞧，我恰好是柯林斯小姐的一位密友，我可以肯定地告诉你，她不想见你。”帕克赫斯特瞥了我一眼，期待我确认此话，但我已决定不想卷入其中，于是只是冲布罗茨基微微一笑。就在这时，布罗茨基认出了我。

“瑞德先生。”他说道，庄重地低下了头。然后，他再次转向帕克赫斯特。“如果她在的话，求你去叫一下她。”他示意了一下手里举着的那束花，好像那花本身便能解释他为何非见她不可。“求你了。”

“我告诉过你了，我帮不了你。她不会见你的。更何况，她现在正在和客人交谈呢。”

“好吧，”布罗茨基嘀咕道，“好吧。你不愿帮我。好吧。”

他一边嘀咕，一边朝着柯林斯小姐之前消失的内门走去。帕克赫斯特迅速挡住了他的去路。一时间，布罗茨基高大瘦削的身躯与矮小粗壮的帕克赫斯特冲撞起来。帕克赫斯特用双手抵住布罗茨基的胸膛，企图阻止他继续前进。与此同时，布罗茨基一手按住帕克赫斯特的肩膀，目光越过肩膀望向内门，好像他置身于人群中，颇有礼貌地越过面前的人凝望着。这当儿，他双脚仍旧稳稳地做出拖步前行的动作，口中断断续续地说着“求你了”。

“好吧！”帕克赫斯特最终大喊道，“好吧，我去跟她说。我知道她会说什么，不过，好吧，好吧！”

他们两人分开了。帕克赫斯特举起手指，说道：

“但你得在这儿等着！ 你得保证在这儿等着！”

帕克赫斯特最后瞪了一眼布罗茨基，转过身，走进门去，随后牢牢地关上了门。

起先，布罗茨基站在那儿盯着门，我以为他要跟着帕克赫斯特一起进去。但最后他转过身，坐了下来。

好一阵子，布罗茨基好像在脑中排演着什么，嘴里嘟囔着一个奇怪的字眼，这时候跟他说什么都显得不甚合宜。他不时地仔细看看手中的花束，好像一切都仰仗于它似的，哪怕最微小的瑕疵都会酿成大错。接着，我们继续坐着，都没说话，过了一会儿，他终于看着我说道：

“瑞德先生。我很荣幸终于能结识您了。”

“您好，布罗茨基先生，”我答道，“希望您还好。”

“呃……”他含糊地挥了挥手，“我不能说感觉很好。您看，我很疼。”

“哦？疼？”见他什么都没说，我便继续问道：“您指的是情感上的疼吗？”

“不，不。是伤痛。多年前落下的，总是折磨我。非常疼。或许这就是我当初酗酒的原因吧。喝醉了，就感觉不到了。”

我期待他吐露更多，但他沉默了。过了一会儿，我问道：

“您是指内心的伤痛吗，布罗茨基先生？”

“内心？我的心没那么糟吧。不，不，这跟……”突然他大笑起来。“我明白了，瑞德先生。您认为我在借诗比喻吧。不，不，我的意思很简单，就是个伤口。我受过伤，非常严重，那是很多年前了。在俄罗斯。医生医术不高，他们没能治好。疼得很厉害。一直未能彻底治好。这么长时间以来一直发作，仍然很痛。”

“听到您这么说，我很难受。那一定很讨厌吧。”

“讨厌？”闻此，他想了想，又大笑起来。“您可以这么说，瑞德先生，我的朋友。讨厌。对我来说，真是太他妈的讨厌了。”突然，他似乎记起自己还举着花。他闻了闻，深吸了一口气。“我们还是别谈这个了。刚才您问我感觉如何，我就告诉了您，但其实我无意谈那个。我想勇敢地面对伤痛。多年来我从未提起它，但现在我老了，也不喝酒了，这伤很痛啊。根本就没有真正治愈过。”

“肯定有办法治的。您去看医生了吗？或许专家之类的？”

布罗茨基又看了看花，微微一笑。“我想再向她示爱，”他几乎是自言自语道，“在这伤口恶化之前。我想再向她示爱。”

一阵诡异的沉默。接着我说：

“要是您这伤已这么久了，布罗茨基先生，我倒认为它不可能再恶化了。”

“这些旧伤，”他耸了耸肩。“多年来一直是老样子。你以为你有办法对付了。然后等你老了，它们又开始长了。但现在还没有那么糟。或许我还能行男女之事。我现在老了，但有时候……”他神秘兮兮地向前倾了倾身子。“我试过。您知道的，我自己解决。我还行。我能忘记痛。我喝醉的时候，我那玩意儿，您知道的，根本没用，没用。我从未往那方面想过。只是上厕所时用。仅此而已。但现在我可以了，即便很痛。我试过了，就在前晚。但我肯定不能，您知道的，一直都行，呃，全都行。我那玩意儿已经老了，这么多年了，只是，呃，上厕所才用。啊！”他靠回椅子，越过我的肩膀凝望阳光，双眼充满了渴望。“所以我想再次向她示爱。但我们不会住在这儿了。不在这个地方。我一直讨厌这地方。我以前来过这儿，是的，我承认，我曾经在深夜没人看见时走过这儿。她从不知道，但我过去常来，站在外面，看着这幢大楼。我一向讨厌这条街，这幢公寓。我们不会住在这儿了。您知道，这是第一次，第一次我走进这讨厌的地方。她为什么选择这样一个地方？不像她中意的啊。我们会住在城外。如果她不想回农舍，没关系。我们会再另找个地方，或许另一间农舍吧。绿草树木环绕，我们的小动物可以尽情嬉耍。我们的动物不会喜欢这儿的。”他仔细环顾四周，看了看墙壁和天花板，或许是在重估这幢公寓的优点吧。然后，他下了断论：“不，我们的动物怎么能在这儿玩耍？我们要住在有草、有树、有田野的地方。您知道，用不了一年，六个月吧，假如伤痛加剧，我那玩意就不听我使唤了，我们就不能再行男女之事了，我不在乎。只要我能和她哪怕再做一次。不，一次不够，我们得回到从前那样，您知道，我们从前那样。六次，是的，六次，我们就会记起所有事情，那就是我想要的一切。那之后呢，好吧，好吧。假若有人，一个医生，天哪，假如他说你只能再和她做六次，然后就完了，你太老了，你的伤口会太痛的，那之后就全完了，就只能上厕所用了，我统统不介意。我会说，好吧，我没关系。只要我能重新拥她入怀，六次就足够了，那么我们就会像以前那样，回到当初，我不在乎，不在乎之后怎样。不管怎样，我们会有自己的宠物的。我们就不需要行房了。那是年轻情侣需要的，因为他们没能足够了解对方，他们不曾恨过对方，然后又重新相爱。您知道，我还能做。我试过，我自慰过，就在前晚。不是一直都行，但我能让它坚挺起来。”

他顿了顿，严肃地冲我点了点头。

“真是的，”我笑道，“那太棒了。”

布罗茨基靠回椅子，再次凝望窗外。接着他说：“一切都不同了，不像年轻的时候了。年轻时，你老想着妓女，您知道，跟妓女干些肮脏下流的事情。如今，对那些事情我一点也不上心了，我只想让我那玩意儿干一件事，我想和她再像从前那般行事，再续前缘，仅此而已。然后，假如它想休息，那好啊，我也不再做要求。但我想再来一回，干它个六次，那就足矣，就像我们从前那样。年轻时，我们不是很好的情侣。我们不像现在的年轻人那样或许哪儿都能干，我不知道。但我们，呃，有很好的默契。是的，真的，我年轻时，有时，厌倦了，因为每次都是老调重弹。但她就想那样，她……她不想用别的方式，我对此很是生气，她却不知这其中的缘故。但现在，我想重复那老惯例，按部就班，就像我们从前那样。前天晚上，您知道，当我……当我在尝试的时候，我想起了妓女，意念上的妓女，绝棒的妓女，飘飘欲仙地做着，但却没用，没用，没用。然后我就想，唉，那也无可厚非。我这杆老枪，只剩下最后一个任务了，为何要用妓女来羞辱它呢？ 那跟我现如今的这个老家伙又有何关系呢？ 只剩最后一个任务了，我应该好好思量。于是我开始思索。我躺在黑暗中，回忆，回忆，回忆。我想起我们曾经是如何干的，一步一步地。对，我们就要再那样干。当然，如今我们的身体都老了，但我已想通了。我们就一切照旧。而她一定还记得的，她不会忘记的，一步一步地。只要我们身处黑暗，钻进被窝。我们从未大胆过，您看，因为她，她很卑谦，她就想那样。我那时很介意，我总是想对她说：‘你为何就不能像妓女那样？ 在灯光下展现自己？’但现在，我不介意了，我只想像过去那样，假装准备睡觉了，静静地躺着，十分钟，十五分钟。然后，我猛不丁地开口，在黑暗中放肆地说些下流话。‘我想让他们看见你一丝不挂的样子，’我会说，‘酒吧里喝得烂醉的水手们。在一个港口小酒馆里，一群烂醉如泥、淫荡龌龊的人，我想让他们看见你一丝不挂地躺在地板上。’是的，瑞德先生，过去我常常在我们躺下假装入睡的时候突然说这样的话，是的，突然打破沉默，那很重要，突然间打破。当然啰，她那时很年轻，很漂亮，现在的话，就会听起来很怪，一个老女人赤身裸体地躺在酒馆地板上，但我还是会说，因为我们过去就是这样开始的。她什么都不说的，所以我就多嘴几句。‘我想让他们全部都盯着你。四脚着地，躺在地板上。’但您能想象吗？一个孱弱的老女人那样子做？那些醉醺醺的水手如今会说什么呢？可是，或许他们也和我们一起变老了。或许，那些港口酒馆里的水手，在他们心目中，她还是过去的样子，他们才不介意呢。‘是的，他们都会盯着你看的！全部都会！’我会抚摸她，抚摸她的臀部，我记得的，她喜欢让我抚摸她的臀腰部，我会像从前那样抚摸她，然后我会靠近她，低声说：‘我要让你做个娼妓。夜复一夜。’您能想象吗？但我会那样说的，因为从前就是这样的。我会掀掉被单，俯在她身上，劈开她的双腿，也许大腿根连接处会发出“咔哒”一声，会发出“啪啪”的声响，有人说她伤到了臀部，或许她如今没法叉开双腿了。唉，我们会尽力做好的，因为接下来正需要那样。接着，我会俯身亲吻她的私处，我并不期待那儿的味道还如从前那样，不，我已经想通了，可能味道很难闻，就像臭鱼一样，她整个身体可能都很难闻，我已经仔细想过了。而我，我的身体呢，现在看来也不是那么好了。而我的皮肤，有这些鳞屑，不断剥落，我也不知道那是什么。去年，刚开始时，只是头皮上有。我梳头的时候，这些巨大的鳞片，就像透明的鱼鳞一样纷纷掉落下来。原本只是头皮，但现在全身都是，手肘上，膝盖上，连前胸都这样。这些鳞片，闻起来也像是鱼腥味。唉，不断剥落，我没法止住，她必须得忍受，所以我不会抱怨她私处闻起来也那样，或是她双腿不发出咔哒声就张不开，我不会生气，您不会看到我像对待坏掉的东西一样非要分开它们不可，不，不。我们会完全按照以前那样做的。而我那老家伙，或许只是半挺着，高潮来临时，她会伸手抓住，低声说道：‘是的，我会让他们看！我会让水手们统统都看我！ 我会逗弄他们，直到他们再也忍不住！’您能想象吗？ 以她如今这副样子？ 但我们不会介意。不管怎么说，我讲过的，或许水手们会和我们一起变老。她会伸手抓住它，我那老家伙，从前，到了这个时候，它就会变得非常坚硬了，世界上没有任何东西能让它萎缩，除了……唉，但如今，或许只能是半硬了，那是我在前晚达到的最佳状态了，谁知道呢，或许能坚持到底，我会使劲放进去，但她可能会像贝壳一样紧，但我们会努力的。在恰当时机，我们会记起是何时，即便那下面什么都没发生，我们也知道如何完成这些步骤，因为到那时，我们都会清晰地回忆起一切，什么都阻挡不了我们，即便那下面什么都没发生，即便我们所做的一切只是紧紧地拥着对方，那也没关系，我们仍会适时地说：‘他们会要你！他们会要你，你逗弄他们太久了！’而她会说：‘是的，他们会要我，所有的水手，他们会要我！’即便那下面什么都没发生，我们仍能紧紧相拥，我们会紧紧相拥，像从前那样说出口，那无关紧要的。或许我那老家伙会很痛，您知道的，因为我有伤，但没关系，她会记得我们从前是如何干的。已过了这么多年，但她仍会记得的，记得每一个步骤。瑞德先生，您没受过伤吧？”

他突然间看着我。

“伤？”

“我这个是旧伤。也许那就是我酗酒的原因吧。很疼啊。”

“太不幸了。”接着，短暂沉默之后，我补充道：“我曾在一场足球赛中狠狠地伤到了一根脚趾。我当时十九岁。但那也没什么大不了的。”

“在波兰时，瑞德先生，我是个乐队指挥，那时候，我都未曾想过这伤会痊愈。我指挥乐队的时候，总是摸我的伤口，轻抚它。有段时间，我会抓弄伤口边缘，甚至狠狠地用手指按压伤口。但我很快便意识到，伤口不会痊愈了。音乐，即便我当时是个指挥，也明白只是一种安慰罢了，这也是它全部的含义。它帮了我一阵子。我曾喜欢那感觉，按压伤口的感觉，它让我着迷。一个真正的伤口，就有那样的作用，会让人着迷。每天看起来都会有些不同。你便会想，变了吗？ 或许最终会痊愈吧。你望着镜中的它，好像是不同了。但是，当你触碰它时，你知道还是副老样子，还是你的老朋友。年复一年都是如此，然后你知道，它不会痊愈了，最后你就厌倦了。厌倦透了。”他陷入沉默，又望了一眼手里的花束。然后他又说道：“厌倦透了。您还没有厌倦透吧，瑞德先生？ 厌倦透了。”

“或许，”我试探性地说道，“柯林斯小姐可以治愈您的伤。”

“她？”他突然大笑一声，接着又沉默不语。过了一会儿，他静静地说道：“她就像音乐一样。一种安慰。美妙的安慰。那就是我如今唯一的盼求。一种安慰。但要治愈伤口？”他摇了摇头。“假如我现在给您看看，我的朋友——我可以给您看一下——您就会发现那是不可能的。药是不灵的啊。我想要的，现在我唯一想要的，就是安慰。即便就像我所说的那样，只能达到半挺的程度，我们只不过是舞动而已，那么再来六次就足够了。那之后，伤口爱怎么样就怎么样吧。到时候我们有自己的动物，有青草，田野。她为何选了这样一个地方？”

他又一次环视四周，摇了摇头。这次他沉默了许久，大概有两三分钟。我正要说些什么，突然他倾身向前。

“瑞德先生，我有一条狗，叫布鲁诺，他死了。我……我还没有埋葬他呢。他装在一只箱子里，算是棺材吧。他是个好朋友。虽然只是一条狗，但却是好朋友。我筹划了一个小型葬礼，只为了与他道别。没特别的意思。布鲁诺，他如今是过去式了，但这是一个小型葬礼，只为道别而已，那何错之有？瑞德先生，我想问问您。只是个小忙，为了我还有布鲁诺。”

就在这时，门突然开了，柯林斯小姐走进房间。我和布罗茨基随即站起身，帕克赫斯特跟着她进来，关上了门。

“非常抱歉，柯林斯小姐，”帕克赫斯特说道，面带愠色地看着布罗茨基。“他就是不懂得尊重您的隐私。”

布罗茨基僵硬地站在屋子中间。柯林斯小姐走近了些，他朝她鞠了一躬，从中我看到了一丝优雅，从前他必定风度翩翩。他把花束递给她，说道：“只是个小礼物。我自己亲手摘的。”

柯林斯小姐接过花，但完全没把它当回事。“也许我猜到了你会这样子来这儿，布罗茨基先生，”她说，“我昨天去了动物园，你便以为可以肆无忌惮了。”

布罗茨基垂下双目。“可是时日不多了，”他说，“现在我们浪费不起时间啊。”

“浪费时间干什么，布罗茨基先生？ 太可笑了，你就这样来了。你知道我早上是很忙的。”

“求你了，”他举起手掌，“求你了。我们现在都老了，用不着像从前那样争吵了。我只是过来给你送花的，还有提个小建议。仅此而已。”

“建议？ 什么样的建议，布罗茨基先生？”

“就是，今天下午到圣彼得公墓和我见个面吧。就半个小时而已。就我们两个，谈点事情。”

“没什么好谈的。昨天去动物园明显是个错误。你是说公墓吗？ 你怎么会找这么个地方约我？ 你是脑袋进水了？ 不约在饭店、咖啡馆或某个花园或者湖滨什么的，却偏偏提议去公墓！”

“抱歉。”布罗茨基看起来真的无比沮丧。“我没想到。我忘记了。我忘记圣彼得公墓是块墓地了。”

“别装蒜了。”

“我的意思是，我经常去那儿，我们觉得那儿十分幽静，我还有布鲁诺。即便在最糟糕的时候，到了那儿我的心情就不那么糟了，那儿很静谧，很幽美，我们喜欢那儿。所以我就提议这个地方了。真的，我忘了。那儿埋着死人呢。”

“我们去那儿干吗？ 坐在墓碑上，回忆往日时光？ 布罗茨基先生，你真的要好好想想你的建议了。”

“但我们很喜欢那儿，我还有布鲁诺。我以为你也会喜欢。”

“哦，我明白了。你的狗死了，你就希望我代替它的位置。”

“我不是那个意思。”布罗茨基那矜持的表情忽然消失，脸上掠过一丝焦躁不安。“我根本不是那意思，你知道的。你总是这样。我想啊想，想要找到对我们都好的事情，而你呢，又是冷嘲，又是热讽，觉得那样很可笑。而别人的呢，你却说那是多美妙的主意啊。你老是这样。就像那次吧，我安排我们坐在科比连斯基演奏会的前排……”

“那是三十多年前的事了。你怎么还在唠叨这些事情？”

“但一样的啊，一样的。我想出了一些……一些好事情，因为我知道，在你内心深处，你喜欢让事情有点与众不同。然后呢，你却又加以嘲笑。或许是因为那是我的主意，比如公墓这事吧，在内心深处，其实很吸引你，而你呢，你也明白我懂你的心思，所以你假装……”

“胡说。我为何要跟你谈这些事情，根本没有理由。太晚了，我们没什么好谈的，布罗茨基先生。无论吸引与否，我都不会与你在公墓见面的，因为我和你没什么好谈的……”

“我只是想解释一下。这一切的一切，为何会发生，我从前为何那样……”

“一切都太晚了，布罗茨基先生。至少晚了二十年。更何况，我已无法忍受再听到你这么道歉了。即便现在，一听到你满嘴的道歉，我就不禁浑身发抖。这么多年来，你的道歉并不意味着结束，而是开始。又一轮痛苦与羞辱的开始。哦，你为何要来骚扰我？ 一切都太晚了。况且，自你清醒后，又喜欢穿得怪里怪气的。你穿的都是些什么衣服呀？”

布罗茨基犹豫了一下，然后说：“是有人建议我这么穿的。那些帮我的人。我又要去指挥了。我得穿得像个指挥家，这样人们才会那样看待我。”

“昨天在动物园我就差点跟你说了。那件可笑的灰外套！谁要你穿那件衣服的呀？ 霍夫曼先生吗？ 真的，你得对自己的形象稍稍多用点心思。这些人把你打扮得像个木偶，而你竟然随他们那么做。你现在看看自己！ 这身可笑的行头。看看你！ 你以为穿成这样，就有艺术家的派头啦？”

布罗茨基垂眼瞥了瞥自己的装束，眼中露出一副受伤的神情。然后，他抬起头，说道："你这个老太婆，根本不懂当今的时尚。"

"老人才有特权对年轻人的服饰指指点点。但你竟然穿成这样，真是太可笑了。真的，没用的，真不是你的风格。老实讲吧，我倒觉得这城市更喜欢你几个月前的穿着。就是说，那些优雅的破衣烂衫。"

"别嘲笑我了。我不会再像那样了。也许我马上又可以当指挥家了。这些是我现在的服饰。我觉得自己看上去很得体呀。你忘记了，在华沙，我也穿这样的衣服呀。打这样一个蝴蝶领结。你如今忘记了。"

刹那间，柯林斯小姐眼中掠过一丝惆怅，然后她说：

"我当然忘了。我为什么要记得这些事情？ 这些年来，我还有很多更有意义的事情要记呢。"

"你的裙子，"他突然说道，"真的很漂亮。非常雅致。可你的鞋子跟从前一样难看，简直糟透了。你永远不承认你的脚踝很粗。一个这么纤细的女人，脚踝却总是这么粗壮。看，现在还是这样。"他指了指柯林斯小姐的双脚。

"别要孩子气了。你以为还像当年在华沙的时候，说一句那样的话，就能让我在出门前的几分钟更换我的全副装束吗？你还活在过去啊，布罗茨基先生！你以为我会在意你对我鞋子的看法吗？ 你以为我现在还不知道，那只不过是你玩的小把戏，故意等最后临门一脚时批评我吗？ 当然，我那时改换了所有衣装，极度匆忙间也顾不上穿了什么就出去了。然后，我们一坐上车，或者是在音乐大厅，我才想起眼影与衣衫颜色不搭，或者项链跟鞋子不配。那时候，这一切对我来说太重要了。我是指挥家的太太啊！ 太重要了，而你也是知道的呀。你以为我现在还不知道你那时在干吗吗？ 等到刚好差几分钟就要出发时，你就会说：‘很好，很好，很漂亮。’接着，是的，就会如此这般说道：‘你的鞋子太难看了！’好像你知道这回事似的！ 你对现在的时尚潮流知道多少？ 过去二十年，你一直都是醉醺醺的。”

“但是，”布罗茨基说，这会儿脸上带了些傲慢的表情，“但是，我说的是真的。那鞋子让你的下半身看起来很可笑。真的。”

“看看这身滑稽的西装吧！ 肯定是意大利制造的。年轻的芭蕾舞演员才可能穿这种衣服。你以为这能帮助你赢得市民的信任？”

“可笑的鞋子。你看起来就像个玩具士兵，有个底座，不会摔倒似的。”

“你该走了！ 你怎么敢来这儿，打搅我上午的安排！ 那里面有对年轻的夫妇，他们很悲伤，他们今早比以往更需要我的指导，而你却来这儿捣乱。这是我们最后一次谈话。昨天在动物园见你简直是个错误。”

“公墓。”他的声音突然带上了一丝绝望的语气。“今天下午你必须去见我。好吧，我没想到死人，我是没想到。但我解释过了。在……在今晚之前我们必须谈谈。要不然我怎么办？ 我怎么办？ 难道你不知道今晚有多重要吗？ 我们得谈谈，你必须去见我……”

“行了。”帕克赫斯特上前一步，怒视着布罗茨基。“你都听到柯林斯小姐的话了。她要求你离开她的寓所。从她的视线中消失，远离她的生活。她太客气了，不好意思说出来，所以我代替她说。干了这一切勾当后，你就没有权利，没有一丝一毫的权利提刚才这样的要求。你还有脸站在那儿要求见面，仿佛这一切都没发生过似的？ 或许你在装醉卖傻，什么都不记得了。那么我来提醒提醒你。就在不久前，你站在外面那条街上，冲着这幢大楼的墙壁撒尿，冲着这扇窗户喊着下流话。最后警察把你带走了，把你拖走，而你还对柯林斯小姐恶言恶语。这事发生还不到一年。无疑你希望柯林斯小姐现在已经忘了。但我可以明确地对你说，那只是诸如此类许多事件中的一件而已。至于你在着装方面的声明，难道不是因为在两年多前，有人在人民公园发现你不省人事，身上穿着一件被你呕吐了无数遍的衣服，被带到圣三一教堂，发现你身上生满了虱子？ 难道你期望柯林斯小姐会在意你这样一个男人评价她的衣着吗？ 面对现实吧，布罗茨基先生，一个人一旦到了你那样的地步，就无可救药了。你永远、永远也赢不回一个女人的爱了，我可以郑重地告诉你。你甚至永远赢不回她的尊重。或许她会怜悯你，但没别的了。指挥家！ 你以为这个城镇还会再看你一眼？ 他们看到的不过就是个恶心的倒霉蛋。我提醒你吧，布罗茨基先生，四年前，或者五年前，你动手打了柯林斯小姐，就在那火车站边上，要不是两个学生经过，你一定致她重伤了。而且，你一边打她，还一边喊着不堪入耳的……”

“没有！ 没有！ 没有！”布罗茨基忽然大叫起来，他摇着头，捂住耳朵。

“你喊着最不堪入耳的脏话。既下流又变态。大家都议论说你该被关进监狱。然后，当然，还有在提尔盖斯公用电话亭的那一出……”

“不！ 不！”

布罗茨基一把抓住帕克赫斯特的领子，后者慌张地后退几步。不过，布罗茨基没有进一步攻击，只是紧抓住帕克赫斯特的领子不放，仿佛那是根救命稻草似的。随后的几秒钟，帕克赫斯特想奋力掰开布罗茨基的手指。待他终于成功后，布罗茨基的全身好像都松垮了下来。老人闭上双眼，叹了口气，转身默默地走出屋子。

起先，我们三人仍是默默地站着，不知道如何是好。就在这时，布罗茨基"砰"的一声关上前门，我们一下子回过神来，我和帕克赫斯特两人走到窗前。

"他走了，"帕克赫斯特说，前额顶着玻璃。"别担心，柯林斯小姐，他不会回来了。"

柯林斯小姐好像没听见。她踱步至门前，接着又转过身来。

"请原谅，我得……我得……"她迷迷糊糊地走到窗前，看向外面，"请原谅，我得……瞧，我希望您能理解……"

她没有特别对着我们哪一个说话。接着，她的惶惑好像消失了，她说道："帕克赫斯特先生，您没有权利对里奥那样说话。过去一年里，他已经展现出巨大的勇气。"她向他投去锐利的一瞥，然后匆匆走出屋子。我们立刻听到房门又"砰"的响了一声。

我依旧在窗边，可以看见柯林斯小姐匆忙地沿街走去。她看到布罗茨基走在前面，离她已经好一段路了。过了一会儿，她突然小跑起来，或许是想避免叫他等一下她的窘境。而布罗茨基歪歪扭扭地走着，奇怪的步履显得惊人的轻盈。他显然心绪烦乱，好像真的没有想到她会出来追他。

柯林斯小姐的呼吸越来越重，她追着他经过几排公寓大楼，然后又经过了街口的几家商店，却仍没有追近。布罗茨基继续健步走着，这会儿转过了我先前与古斯塔夫分手的那个拐角，走过宽阔的林荫大道上一家家意大利咖啡馆。那条人行道比我跟古斯塔夫一起走过时更加拥挤，但布罗茨基低着头一路前行，时常差点撞上行人。

当布罗茨基快到人行横道时，柯林斯小姐似乎意识到她已不能赶上他了。她停住脚步，双手捂着嘴巴，好像最后陷入了某种尴尬之中，或许是在想到底该喊他“里奥”呢，还是她在之前的对话中一直在称呼他的“布罗茨基先生”。无疑，本能告诫她，他们现在情势紧急，于是她大声喊道：“里奥！ 里奥！ 里奥！ 请等等！”

布罗茨基转过身，看到柯林斯小姐急急忙忙向他走来，露出了惊愕的神情。她依然捧着那束鲜花。困惑中，布罗茨基伸出双手，好像是主动要为她减轻负担似的。但柯林斯小姐仍然紧紧捧着花，此时尽管上气不接下气，但她还是十分镇静地说道：“布罗茨基先生，请等一下。请等一下。”

他们站在一起，颇感尴尬，两人顿然意识到周围都是行人，许多人纷纷看向他们这边，有些显然已经按捺不住好奇。这时，柯林斯小姐回头指了指她公寓的方向，轻柔地说：“每年的这个时候，斯腾伯格花园可美了。我们何不去那儿聊聊呢？”

他们动身离开，越来越多的人看向他们那边，柯林斯小姐走在布罗茨基前头一两步，显然他们要等到达目的地之后再开始谈话，为此两人都感到庆幸。他们转过拐角，回到她所在的那条街道，没多久就再次经过了公寓大楼的前方。然后，只走了大概一个街区，柯林斯小姐在一扇背靠人行道、隐蔽完好的小铁门边停了下来。

她将手伸向门闩，在打开门闩前，她下意识地迟疑了一下。那时，我突然意识到，于她而言，他们刚刚一起走完的那段短短的路程，以及他们这会儿并肩站在斯腾伯格花园入口处的这一景象，其意义远远超越了布罗茨基当时的想象。其实，这些年来，在她的想象中，她已经无数次走完了这一段短短的路程，穿过熙熙攘攘的林荫大道，停在这扇小铁门前——那个仲夏的午后，他们邂逅在这林荫大道上的珠宝店门前，从此这一幕便在柯林斯小姐脑海中时时浮现。这么多年以来，她一直没有忘记：那天他转身背对她，假装被商店橱窗里的东西吸引了去，脸上故意摆出一副冷漠的表情。

那是他开始酗酒和对她恶言相向之前的最后一个好年月，这副冷漠的神情仍是他们之间接触的主要特征。尽管在那日午后，她已屡次决心要把和解的想法付诸行动，可她也移开目光，顾自走开了。她沿着大道继续走了一会儿，走过了意大利咖啡馆，直至这时她才好奇地向后看了一眼。她这才意识到他一直尾随着他。他又装作在看一家商店的橱窗，虽然如此，他离她只有短短的一小段路而已。

她故意放慢了脚步，以为他迟早会追上来。走到拐角的时候，仍没见到他追上来，她便又回头望了一眼。那天，与今日一样，阳光明媚的宽阔人行道上挤满了人，她却满心欢喜，只因清清楚楚地看到了他，看到他迈了小半步，停了下来，眼睛看着路旁的花摊。她的嘴角荡漾开了一丝微笑，转过拐角，惊喜地发现自己的心情竟如此轻松。这会儿她也开始闲逛起来，也不时地窥视商店橱窗。她目光依次扫过蛋糕店、玩具店、时装店——那时候那儿还没有书店——而脑海中一直在思索，等他终于赶上她时，她要如何开口。“里奥，我们多么孩子气啊。”她想这么说。但那似乎太通情达理了，于是她又想了个更刻薄的：“我发现我们好像是顺路啊”或者类似的话。接着，他的身影出现在拐角处，她看到他捧着一束鲜艳的花。她飞快地转过身，又开始走了，步伐适中。然后，快到她公寓时，那天头一次，心中不觉对他感到一阵厌烦。原本她整个下午都安排得好好的。早不选，晚不选，为何偏偏这个时候来找她谈呢？ 走到门前时，她又飞快地偷偷地瞥了一眼街道，发现他依然在二十码开外处。

她进屋关了门，按捺住了向窗外望的冲动，急急走到屋子后部的卧房。她对着镜子审视了一番自己，想稳定情绪，然后走出卧室，吃惊地停在走廊上。远远尽头处的门半开着，她能直直地望出去，越过阳光满溢的门厅，透过凸窗，看见外面人行道上的他。他背对着屋子，在那儿徘徊着，好像约好了在那里与什么人见面。顷刻间，她一动不动地站着，生怕他会转过身来透过玻璃看到她。渐渐地，他的身影从视野中消失了，她发现自己凝视着街对面房子的前门，等待着聆听响起的门铃声。

过了一分钟，他还没有按门铃，她又对他感到一阵愤怒。她意识到，他是在等着她请他进来。她又一次淡定下来，仔细回想了整个情景，决定什么都不做，一直等到他按响门铃为止。

接下来几分钟，她继续等待着。她了无目的地回到了卧室，然后又慢慢地回到走廊。最后，她终于发现他已经走了，于是慢慢走出门廊。

她打开门，左顾右盼，却再也看不见他的踪迹，颇为惊讶。也许他躲在了几扇门之外的地方——或者至少台阶上该放有花。但这只是柯林斯小姐的一厢情愿罢了。尽管如此，那一刻，她未感到丝毫的悔意，却有些许宽慰，夹杂着阵阵激动涌上心头，和解进程终于开始了，而她根本未感到后悔。事实上，她坐在前厅，感受到一阵胜利的喜悦在心中蔓延，因为她坚持住了自己的立场。她告诉自己，这些小小的胜利非常重要，会帮助他们避免重蹈覆辙。

但仅仅几个月后，她就意识到那天她犯了个错误。起初那个想法非常模糊，她并没有细细思量。然后，几个月过去了，那夏日午后的事渐渐占据了她的整个思维。她认为自己最大的错误就是进了自家公寓，这样做就有点太为难他了。带着他一路走过街头巷尾，经过无数店铺后，她应该在那扇小铁门前等他，确定他清清楚楚地看见了她之后再走进斯腾伯格花园。接着，毫无疑问，他会跟着她。即便他们默默地在灌木丛中闲逛一会儿，但迟早总会开口的吧。迟早，他会把花给她的。那之后，过了诡谲的二十年后，每当柯林斯小姐望向那铁门时，心中无不漾起一阵小小的悸动。于是，今天早晨，当她终于把布罗茨基领入了这花园，一种仪式感油然而生。

尽管在柯林斯小姐想象中斯腾伯格花园举足轻重，但它确实不是个特别吸引人的地方，基本上只是个水泥地广场，还没有超市停车场大，好像它的存在主要就是为了园艺栽培，而非为周围四邻提供美感与舒适。没有草坪，没有树，只有几排花坛，一天中这时候，广场上日头赤赤，明显无荫蔽之处。而柯林斯小姐四下看看花朵，还有蕨草，欢快地拍起手来。布罗茨基小心地关上身后的铁门，看着花园，没有半点兴致，但好像又满意地发现，除了头顶的公寓窗户外，这里只有他们两人。

“我有时带他们来这儿，那些来看我的人，”柯林斯小姐说道，“这儿太迷人了。你可看到欧洲其他地方都没有的品种。”

她继续闲庭信步，赞慕地四下看着，布罗茨基恭敬地跟在她身后，与她保持几步的距离。几分钟前两人刚见面时表现出的尴尬这会儿已经消失殆尽，所以从门口瞥见他们的人，很容易就会误认为他们是一对在阳光下散步的老夫老妻，这种散步的习惯已经保持了好多年。

“不过，当然啰，”柯林斯小姐说道，在一灌木丛边停下，“你从不喜欢这样的花园，是不是，布罗茨基先生？ 你蔑视如此自然的约束。”

“你不叫我里奥啦？”

“好吧。里奥。不，你更喜欢狂野些的东西。但你看到了，只有小心地控制培育，有些品种才能存活。”

布罗茨基肃穆地看着柯林斯小姐正在抚摸的叶片。然后他说：“你还记得吗？ 每个周日早晨，我们一起在普拉加喝过咖啡之后，常常去那家书店。那么多旧书，不管转到哪里，都那么狭窄，满是灰尘。你还记得吗？ 你老是不耐烦。但我们还是常去，每个周日，在普拉加喝过咖啡之后。”

柯林斯小姐沉默片刻。然后她轻轻笑了笑，又开始慢慢地走了起来。“那个蝌蚪人。”她说。

布罗茨基也笑了。“蝌蚪人。”他重复道，点了点头。“没错。假如我们现在回去，他或许仍旧在那儿，桌子后面。蝌蚪人。我们有没有问过他的名字？ 我们从未买过他的书，但他总是对我们彬彬有礼。”

“除了那天早晨，他冲我们大喊大叫。”

“他冲我们大喊大叫过吗？我不记得了。那蝌蚪人一直彬彬有礼。不过我们从未买过他的书。”

“哦，是的。有一次我们进去，那天下着雨，我们很小心不让水滴在书上，我们在门口甩了下外套，但他那天早上脾气很不好，就大声责骂了我们。你不记得了吗？他冲我大喊，说我是英国人。哦，是的，他非常粗鲁，但就只是那天早晨。接下来的周日，他好像忘记这事了。”

“有意思，”布罗茨基说，“我不记得了。蝌蚪人。我一直记得他很害羞，还很有礼貌。我不记得你说的这件事了。”

“或许我记错了吧，”柯林斯小姐说，“或许我把他和其他人弄混了。”

“应该是的。蝌蚪人，他总是那么恭敬，不会做这样的事情的。只是因为你是英国人就责骂你？”布罗茨基摇了摇头，“不，他总是很尊敬人的。”

柯林斯小姐又停了下来，一时间，她被一簇蕨草吸引住了。

“那时候许多人，”她终于开口说，“他们都是那样。很礼貌，很坚忍。他们总是千方百计与人为善，牺牲所有，然后，突然有一天，毫无缘由地，天气呀，或是其他什么的，都会让他们勃然大怒。然后又恢复正常。许多人都那样。比如安德热，他就是那样。”

“安德热是个疯子。你知道的，我在什么地方看到过，说他死于一场车祸。是的，我看到过，在一份波兰报纸上，就在五六年前，死于一场车祸。”

“太惨了。我猜那时代的许多人现在可能都过世了吧。”

“我喜欢安德热，”布罗茨基说道，“我在一份波兰报纸上看到的，只是一笔带过，说他死了，是一起公路事故。太悲惨了。我回想起了那一个个夜晚，我们坐在旧公寓里，用毯子裹起全身，一起喝着咖啡，四周到处都是书和报纸。我们谈天说地，聊音乐，侃文学，一个小时接着一个小时地聊，看着天花板，不停地聊啊聊。”

“我常常都想去睡了，但安德热却从不肯回家。有时候他会待到天亮。”

“没错。假如他辩不过我，输了的话，那他就不肯走，直到他认为自己赢了为止。那就是他为何会待到天亮的原因。”

柯林斯小姐笑了笑，然后叹了口气。“听到他死了，多难过啊。”她感叹道。

“不是那个蝌蚪人，”布罗茨基说，“是那个美术馆的人，是他在喊。一个怪人，总是假装不认识我们。你还记得吗？即使在《拉夫卡迪奥》演出之后的日子里也是。服务员和出租车司机都想跟我握手，但我们去美术馆的时候，却什么都没有发生。他看着我们，表情像块石头，一直都是那样。然后，到后来，境况越来越糟糕的时候，我们进去，那天还下着雨，他冲我们大喊。他说，我们弄湿了他的地板。我们以前总那样的啊，只要下雨，多年来一直那样啊，弄湿他的地板，过了这么些年，他厌倦了。就是他大喊，说你是个英国人，是他，不是那个蝌蚪人。那蝌蚪人总是很尊敬人的，自始至终都是。那蝌蚪人和我握过手，我记得的，就在我们离开之前。你还记得吗？我们去了书店，他知道那是最后一次了，他从桌后走了出来，和我握了握手。那时候，还没有多少人想和我握手，但他却握了。他很尊敬人，那个蝌蚪人，总是那样。”

柯林斯小姐用一只手挡住双眼，看向花园的远方的一角，然后她又开始慢慢走起来，说道："能拥有这些回忆真好。但我们不能活在过去。"

"但你还记得，"布罗茨基说道，"你还记得那个蝌蚪人和书店。还记得那橱柜吗？门坏掉的那个？你全部记得，跟我一样。"

"有些事情我还记得。其他的那些，我已经忘记了，遗忘总是不可避免的。"此时她的声音警觉起来。"有些事，尽管也是在那时发生的，最好还是忘记吧。"

布罗茨基若有所思。最后，他说："或许你是对的。过去，发生的事儿了太多了。我很惭愧，你知道我很内疚，就让我们结束吧。让我们结束过去。我们挑选个宠物吧。"

柯林斯小姐继续走着，这会儿已经先几步走在布罗茨基前面了。过了一会，她又停了下来，转身对着他。"今天下午我会在公墓和你见面，假如那是你希望的话。但你不能把它当作什么。那并不意味着我同意养宠物或者其他任何事情。不过我看得出你在为今晚担心，希望和其他人谈谈你内心的焦虑。"

"过去这几个月。我看到了那些蟊贼，但我坚持，再坚持，做好了准备。假如你不回来，一切都毫无意义。"

"我只答应今天下午见你一小会儿。或许半个小时吧。"

"但你会考虑的。在我们见面之前，你会考虑的。你会考虑的。宠物，一切。"

柯林斯小姐转过身去，对着另一株灌木端详了许久。最后，她说道："好吧。我会考虑的。"

"你明白那对我意味着什么吧。多么艰难啊。有时候，太痛苦了，我真想一死了之，但我这次坚持了下来，因为我看到了出路。还当乐队指挥。你得回来。会像从前一样的，甚至可能更好。有时候很痛苦，那些蟊贼，我再做不了什么去证明了。我们从未有过孩子。所以我们养宠物吧。”

柯林斯小姐又开始往前走，这次布罗茨基走在她身边，严肃地凝视她的脸。柯林斯小姐好像又要说什么，但就在这时，帕克赫斯特突然在我身后说道：

“我从未跟他们掺和在一起，你知道。我是说，他们用那样的方式开始谈论你的时候。我甚至没笑，连微笑一下都没有。我根本不掺和。你也许以为我只是说说而已，但这是真的。我讨厌他们，讨厌他们那样子。还有那驴叫似的声音！我一进门，就又会听到那驴叫声！ 他们甚至连一分钟都不肯施舍，连六十秒都不给我，让他们瞧瞧我已变了。‘帕克斯！帕克斯！’哦，我讨厌他们……”

“瞧，”我说道，突然对他感到一阵不耐烦，“假如他们这么惹你厌烦，你为何不直接把自己的想法说出来呢？ 下次，你何不当面质问他们？ 告诉他们住嘴，别再发出那种驴叫声。问问他们为何……为何这么讨厌我，为何我的成功这么冒犯了他们。是的，问问他们！ 其实，为了达到最好的效果，你何不在表演小丑的当儿直接问他们呢？ 是的，就在你用搞笑的声音与表情逗乐大家的时候，就在他们全都笑呵呵地拍你后背，为你一点没变而乐不可支时，你就问他们，冷不丁地问他们：‘为什么？ 为什么瑞德的成功让你们如此寝食难安？’就这么办。那不仅帮了我，而且可以潇洒地向那些蠢货展示，无论是过去还是现在，在你那搞笑的外表背后，一直隐藏着一个更为深邃的人，一个不容易被操纵或妥协的人。这就是我的建议。”

“听上去好极了！”帕克赫斯特愤然喊道，“你说得倒是轻巧！ 你没什么损失，他们还是照样恨你！ 但这些都是我的老朋友。我游走在外的时候，周围都是这些欧陆人，大部分时间我都是好好的。但不时地，难免会有事情发生，一些不愉快的事情，这时我就对自己说：‘那又如何？ 我在意什么？ 他们只是外国佬。在祖国，我也有好朋友，只要我回去，他们一定会在那儿等我。’好啊，你给我提那样聪明的建议。可事实上，动脑子好好想想，或许对你一点都不好。我不明白你为何如此沾沾自喜。你不比我，再也经不起忘掉老朋友了。要知道，他们有些话说得还是对的。你太洋洋自得了，总有一天会付出代价。只是因为你太出名了！ 他们是对的，这你知道。‘你何不当面质问他们？’多么傲慢啊！”

帕克赫斯特继续如此这般地唠叨着，但我已经充耳不闻了。他提到我“沾沾自喜”，这倒触发了我的思绪，我突然记起我父母应该很快就会到这城市了。就在柯林斯小姐的前厅，一阵恐慌似寒流袭上心头，几乎触手可及，我猛然发现自己还没准备今晚要表演的曲子。确实，一连几天，或许甚至是几个星期，我都没有碰过钢琴了。此时此刻，离这场最重要的演出就剩几个小时了，可我都来不及安排预演。我越想越揪心。我发现自己太在意要发表的演说，而不知怎么地，莫名其妙地忽视了表演这一更重要的事。实际上，我一时间甚至想不起已决定弹奏哪首曲子了。是山中的《全结构：选择II》呢？ 还是穆勒里的《石棉与纤维》？ 当我试图回忆这两支曲子时，脑子一片纷乱和模糊。我记得，每一曲都包含了极其复杂的乐段，可当我向记忆深处发掘时，却发现几乎一无所忆。与此同时，我知道我父母已经到这城市了。我觉得一分钟都不该再浪费了，不管谁来请求占用我的时间，我首先得至少抽出两个小时安静独处，好好练琴。

帕克赫斯特仍在兴致勃勃地说着。

“哦，真不好意思，”我边说边向门口走去。“我得马上走了。”

帕克赫斯特一跃而起，用乞求的口吻说道：

“我没掺和，你知道的。哦，不，我根本没掺和！”他追随着我，好像想要抓住我的胳膊。“我甚至都没微笑。他们那样没完没了地说你，太恶心了……”

“没关系，非常感谢你，”我说道，摆脱了他伸出的手。“但我现在真的必须走了。”

我走出柯林斯小姐的公寓，急忙走上大街，这会儿一门心思就想回到酒店，到休息室去练琴。事实上，我太专注了，不仅忘记了朝经过的小铁门瞥上一眼，也没看到布罗茨基就站在我前面的人行道上，我差点跟他撞了个满怀。布罗茨基平静地向我鞠躬致意，那样子表明，他刚才一直在看着我向他走去。

“瑞德先生。我们又见面了。”

“啊，布罗茨基先生，”我应答道，没有停下迈出的流星大步。“请原谅，我有急事在身。”

布罗茨基和我一起并肩走着，好一阵子，我们都没有说话。尽管我意识到这中间有些奇怪，但我一心只想着晚上的演出，没顾得上说话。

我们一起转过拐角，走上宽阔的林荫大道。这儿的人行道比之前更挤了——白领们都出来吃午饭了——我们被迫放慢速度。这时，布罗茨基在我身边开口道：

“人们都在谈论那天晚上。一场盛典。一座塑像呐。不，不，我们不谈这些。布鲁诺讨厌这些人。我想一个人静静地埋葬他，那又怎么了？ 今早我找了一个地方，一块埋葬他的小地方，只有我一个人，他不想让其他任何人来，他讨厌他们。瑞德先生，我想为他演奏音乐，最好的音乐。一块安静的小地方，我今早发现的，我知道布鲁诺会喜欢那儿的。我得掘土，但不必挖太深，然后我会坐在墓边怀念他，回想我们度过的点滴时光，最后与他道别，就这样吧。我想要一首曲子，能在我想他的时候奏起，一首最好的乐曲。您能帮我演奏吗，瑞德先生？ 为我和布鲁诺演奏？ 帮帮我吧，瑞德先生。我求您了。”

“布罗茨基先生，”我说道，又轻快地走了起来，“我不清楚您到底要我帮你什么。但我得告诉您，我时间有限，不能考虑帮更多的忙了。”

“瑞德先生……”

“布罗茨基先生，您的狗死了，我很难过。但事实是，我已经被大家使来唤去，帮了太多的忙，结果我自己反倒压力重重，没法儿完成我来这儿最重要的任务……”刹那间，一阵不耐烦袭上心头，我猛然住嘴。“老实讲，布罗茨基先生，”我几乎吼叫道，“我必须得求您还有其他人不要再叫我帮忙了。你们该歇歇了！必须到此为止！”

顷刻间，布罗茨基略带困惑地看着我。然后，他挪开目光，看上去一脸丧气。我顿时为自己大动肝火而懊悔，同时也意识到，自从到这城市以来，我得处理无数心烦意乱的事情，而为此对布罗茨基撒气未免不讲道理。我叹了口气，更温和地说：

“您看，我们要不这样吧。我刚要回酒店排练。我会要求在两个小时内完完全全不受干扰。但那之后，如果一切顺利，我也许可以跟您进一步讨论一下您的狗的事情。但我必须强调，我不能做出任何承诺，不过……”

“他只是条狗，”布罗茨基突然说道，“但我想跟他道别。我想用最好的音乐。”

“好的，布罗茨基先生，但我现在必须要快点了。时间真的不多了。”

我再次走了起来，满心以为布罗茨基会像之前一样步步紧跟着我，但他却没有动。我犹豫片刻，好像有些不舍得把他一个人留在人行道上，但立刻记起，我现在根本不能分心。我急速走过意大利咖啡馆，没有回头望，直至到达十字路口，等待绿灯亮起时才回头。一时间，我没法透过熙熙攘攘的行人看到他，但过了一会儿，布罗茨基的身影出现了，他依然站在我离开他的地方，身体稍稍前倾，眼睛凝视着迎面而来的车辆。这时我突然想到，我之前停留的地方其实是个电车停靠站，而布罗茨基一直站在那儿，只是在等电车罢了。接着，绿灯亮了，我横穿林荫大道，思绪又回到了今晚的表演这件更为紧迫的事情上来。

第二十三章

我走进酒店，发觉大厅内熙熙攘攘，但这会儿我一心想着安排练琴的事宜，无暇环顾周围。事实上，我甚至可能还推开了面前的几位宾客，凑近接待台去询问接待员。

“劳驾，这会儿会客室里有人吗？”

“会客室？ 嗯，是的，瑞德先生。宾客们午饭后喜欢上那儿去，所以我觉得应该……”

“我得马上与霍夫曼先生谈谈。有件事十分紧急。”

“当然可以，瑞德先生。”

前台接待员拿起电话，对讲了几句，然后放下话筒，对我说：“霍夫曼先生过会儿才能见您，瑞德先生。”

“谢谢，但这件事迫在眉睫。”

我正说着，突然感到好像有人碰了一下我的肩膀，我回头一看，原来是索菲在身边。

“哦，你好，”我向她打招呼，“你在这儿干什么？”

“我正要送点东西。你知道，给我爸爸。”索菲有些难为情地笑了笑，“但他很忙，他现在在音乐厅那里。”

“噢，是这件外套。”我注意到了她胳膊上挎着的包，说道。

“天气渐渐转冷了，我就把它带了来，但他去了音乐厅没回来。我们已经等了将近半个小时了。假如再过几分钟他还不回来的话，我们今天就先回去了。”

我发现鲍里斯坐在大厅另一头的沙发上。一群游客站在大厅中央，挡住了一大半视野，但我还是能看见，他正在出神地读着我在电影院里买的那本破破烂烂的杂务工手册。索菲顺着我的目光看去，又笑了笑。

“他对那本书如此痴迷。”她说，“昨晚你走后，他立马就翻看了起来，一直看到睡着。今天一早起床后，他就又开始看。”她又笑了笑，再次朝他望了望。“给他买这本小册子真是个好主意。”

“我很高兴他乐在其中。”我说，又转向接待台。我抬手询问接待员，霍夫曼先生何时能见我，此时，索菲靠近一步，用一种异样的声音说道：

“你还打算在这件事情上矫情多久？这让他心烦意乱，你知道的。”

我疑惑地看了她一眼，但她仍旧表情严肃地盯视着我，目不转睛。

“我知道眼下事情对你来说很棘手，”她继续说道，“我也意识到我没怎么帮上你。但事实上，他已经很烦恼了，而且为此也很担心。这样下去还要多久？”

“我不明白你在说什么。”

“瞧，我是说，我知道我也有错。可是，假装这件事没发生，这有意义吗？”

“是什么事情假装没发生啊？我猜这是那个金姆的建议，对吗？来向我发这一大堆责难？”

“其实，金姆总是说，要我最好对你坦诚一些。但这次，与她无关。我提起这件事是因为……因为我无法忍受看到鲍里斯如此担忧。”

我一头雾水，转身对着接待员。但还未等我引起他的注意，索菲便说道：

“瞧，我并没有责难你什么。你对任何事都很包容。我不能要求你再通情达理些了。你甚至没有对我大呼小叫。但我一直知道，你心里有股火气，非要这样冒出来不可。”

我笑了笑。“我猜这就是你跟那个金姆交流的所谓大众心理学吧，是不是？”

“我一直都知道。”索菲没搭理我，继续说，“对于任何事你总是很通情达理，超出所有人的想象，甚至连金姆都承认这一点。但这根本不现实。我们不能再这样下去了，仿佛什么也没有发生。你生气了。谁能怪你呢？ 我一直觉得早晚会爆发，只是我从未想过会是这样。可怜的鲍里斯，他不知道自己干了什么。”

我又望了望坐在那里的鲍里斯。他似乎依旧全然沉浸在那本手册里。

“瞧，”我说，“我还是一点也不明白你在说什么。或许你是在说我和鲍里斯在互相迁就对方。但肯定的是，在特定情况下，那是唯一合适的做法。如果说我最近对他稍有疏远，那仅仅是因为我不想使他对我们生活在一起的本质产生什么误解。我们都应该更加谨慎。时过境迁，谁知道我们三个的未来会是什么样子？ 鲍里斯得学习，要更加能屈能伸，更加独立。我确信，他会跟我一样，以自己的方式明白个中道理。”

索菲移开目光，一时间仿佛在思索着什么。当我再次要吸引前台接待员的注意力时，她突然说道：

“求你了，过去吧，就现在，跟他说几句。”

“过去？ 可问题是，我现在有十分紧要的事情要处理，只要霍夫曼先生一出现……”

“求你了，就几句话。这对他可大不一样啊，求你了。”

她热切地望着我。我耸了耸肩，她转身引路，穿过大厅。

我们走近时，鲍里斯抬头飞快地瞟了我们几眼，然后又正色低头继续读他的书。我本以为索菲会说点什么，但让我恼火的是，她竟然只是意味深长地朝我看了一眼，便径直走过鲍里斯坐着的沙发，到窗边的杂志架前去了。于是，我发现自己孤零零地站在鲍里斯旁边，而小男孩儿则继续看书。最后，我拉过一把扶椅，在他对面坐了下来。

鲍里斯仍旧埋头阅读，仿佛一点儿也没注意到我。接着，他头也没抬，自己喃喃道：

“这本书真棒。包罗万象。”

我正想着该如何回答，但接着就瞥见索菲背朝我们，装作在仔细阅读刚从架子上拿下来的杂志。突然，我顿时感到胸中升腾起一股火气，后悔刚才不该跟她穿过大厅过来。我意识到，她，居然成功地操控了这一切，无论我现在对鲍里斯说什么，她都能将其看做是种胜利与推诿。我又望了望她的背影，她双肩微弓，稍稍俯身，说明她读杂志入了迷，而我却更加愤怒了。

鲍里斯翻了一页，继续读着。过了一会儿，他又一次头也没抬地喃喃道：“给浴室贴瓷砖。我现在轻而易举就能做了。”

附近的咖啡桌上放有好几份报纸，我觉得实在没理由不跟大家一样读些什么。我挑了一份，在面前打开。一时间，我们陷入了沉默。接着，我正在浏览一篇有关德国汽车工业的文章，这时我听见鲍里斯突然说：

“对不起。”

他这话说得有些突兀，我起初还以为，是不是趁我在读报的当儿，索菲暗里督促或暗示了他什么。但是，我偷偷瞄了索菲一眼，发现她还是背朝着我们，仿佛一动未动过。接着，鲍里斯说道：

“对不起，我很自私。我再也不会这样了。我再也不会说九号了。我现在可不小了，不能再玩那个了。有这本书，就会很轻松了。它真棒。我很快就什么都会做了。我要再弄下浴室。我之前不知道。但这本书讲了，它无所不包啊。我再也不会提起九号了。”

他仿佛在念背诵排演过的台词。尽管如此，他的声音仍带有感情，我一阵冲动，想伸出双手安慰安慰他。但此时，我看到索菲的肩膀上下起伏，忽而记起了对她的反感。而且，我可以预见，如果索菲再像这样操纵一切的话，那最终谁也不会得益。

我合上报纸，站起身，瞧了瞧背后，想看看有没有霍夫曼的影子。我正张望着，鲍里斯又一次开口了，他的声音明显有一丝惊慌。

“我保证。我保证学会做所有的事情。一切都会很容易的。”

他的声音有些颤抖，但我转眼看他的时候，他仍目不转睛地盯着书页。我发现，他的脸庞有些莫名其妙地红了。此时，我看到大门那边有点动静，只见霍夫曼在接待台向我挥手。

“我得走了，”我朝索菲喊了一声，“我有非常重要的事情要处理。我另找时间再见你们。”

鲍里斯翻了一页，没有抬头。

“很快，”我对索菲说，她这会儿已转过了身。“很快，我们再好好谈谈。但现在我得走了。”

霍夫曼挤到大厅中央等我，神色焦急。

“很抱歉让您久等了，瑞德先生。”他说，“我早该预料到，您会在此类会见之前出现。我刚从会议室里出来，我可以告诉您，先生，这些人，这些普普通通的女士和先生，他们特别感激，特别感激您同意亲自见他们。感激您，瑞德先生，深知听他们亲口诉说其经历的重要性。”

我神情严肃地看着他。“霍夫曼先生，好像有点误会了。我要求即刻给我两小时的练琴时间。两个小时，绝不受干扰。我希望您能尽快清理一下会客室。”

“啊，是的，会客室。”他笑了笑，“抱歉，瑞德先生，我不是很明白您的意思。您知道，市民互助组的委员们此刻正在楼上会议室等着呢……”

“霍夫曼先生，您好像还不知道情势紧急。鉴于一桩桩意外事件接连发生，到现在，我已经接连几天没有碰过钢琴了。我坚持要求尽快为我提供一架钢琴。”

“啊，是的，瑞德先生。当然，我完全理解。我愿竭尽所能为您效劳。但是，如果是在会客室的话，恐怕这里一时半会儿根本腾不出来。您瞧，这满堂的客人……”

“但您好像非常乐意为布罗茨基先生清理这间房呢。”

“呃，是的，没错。但是，先生，如果您那么坚持不愿用本酒店里的其他钢琴，而非要用会客室里的那架，那当然，好的，我会欣然为您安排。我现在就进去，亲自请所有的客人离开，不管他们是不是才喝了一半咖啡，或者在忙些别的什么。是的，我最终会那样做的。但在采用这样极端的做法前，我恳请您再考虑一下别的选择。您看，先生，会客室里的那架钢琴绝不是酒店中最好的。事实上，有几个低音键的音明显不准。”

“霍夫曼先生，如果在会客室不行，那么，请您务必告诉我，您能提供其他什么地方。我对会客室并非情有独钟。我要的仅仅是一架好钢琴和独处空间罢了。”

“练琴房吧。那里一定会让您更满意的。”

“好的，那就去练琴房吧。”

“太好了。”

他开始带我离开，可没走几步，他又停下来，神秘兮兮地前倾身体。

“我明白了，瑞德先生，您的意思是，您开完会后需要立刻使用练琴房？”

“霍夫曼先生，恐怕我没有必要再次强调事情的紧迫性了吧……”

“噢，是，是，瑞德先生。当然，当然。我非常理解。那么……您是要求在会见之前就练琴。好的，好的，我完全明白。没问题，让这些人等一会儿，他们会非常乐意的。嗯，不管怎样，这边请。”

先前我没有注意到电梯左侧有扇门，现在我们穿过这扇门离开了大厅，很快走进了一条过道，那显然是服务员专用的走廊。墙壁上毫无装饰，头顶的荧光灯让周围的一切显得冷寂刺眼。我们走过一排巨大的滑动门，门后传来厨房的各种嘈杂声。有扇门开着，我瞥见一间亮得扎眼的房间，屋内的木质长凳上，金属罐头堆成了柱状的小山。

“我们得在酒店这儿准备好今晚的大部分食材。”霍夫曼说，“您可以想象，音乐厅里的烹饪器具数量很有限哪。”

我们走过走廊的拐角处，经过了几间房子，想必是洗衣房。有那么一阵，我走过几扇门时，其后传来了两个女人恶言相向、警笛般尖声对骂的声音。霍夫曼仿佛无动于衷，默默不语地继续向前走着。接着，我听到他低声道：

“不，不，这些市民啊，不管怎样，他们仍然会感激不尽的。稍稍耽搁一会儿，他们会毫不介意的。”

他最终停在了一扇没有任何标记的门前。我以为他会为我打开门，可是他目光一转，连整个身体也挪开了去。

“在那里面，瑞德先生。”他咕哝了一句，飞快地在肩膀上方做了个诡异的手势。

“谢谢您，霍夫曼先生。”我推开房门。

霍夫曼依然僵硬地站在原地，目光转向别处。“我会在这里等您。”他低语道。

“没有必要等我，霍夫曼先生。我能找到回去的路。”

“我在这里等您，先生。您别担心。”

我不胜其烦，不再辩驳，匆匆走进了门廊。

我走进了一个狭长的房间，地板是灰色的石头，墙壁直到天花板都用白色瓷砖铺就。我感觉左边好像有一排水槽，但因为我急着想找到钢琴，就没有注意这些细节。然而，我的目光立刻被右手边的木质耳室吸引住了。耳室共有三间，都被漆成了令人讨厌的青蛙绿，一间连一间。外侧两间耳室的大门关着，而中间那个看起来似乎宽敞一些，门半开着，我可以瞧见里面有架钢琴，琴盖敞着，琴键裸露。没有片刻耽搁，我试图进去，却发现困难至极。那扇门向耳室内旋转打开，因被钢琴挡着，不能全开。为了进去再把门随身关上，我不得不先挤到一个角落里，然后拽住门边，慢慢地将门旋转着擦过前胸，终于把它关上锁好，接着，在这狭小的空间里，我又费了很大力气，成功地把琴凳从钢琴下拉了出来。我一坐下来，就觉得相当舒服，指尖在色泽斑驳、油漆剥落的琴键上下弹动时，音质细腻柔和，曲调准确，完美无瑕。另外，木质耳室里的音响效果也不似想象的那般幽闭恐怖。

这一发现让我如释重负，也让我突然意识到，在过去的一个小时里，我的精神是多么紧张。我缓缓地做了几次深呼吸，准备开始这最重要的练琴环节。这时，我才突然记起，我还未决定今晚弹奏哪首曲子呢。我深知，母亲觉得山中的《全结构：选择II》的中心乐章最为感人，而父亲肯定会更喜欢穆勒里的《石棉与纤维》。其实，他甚至可能不太欣赏山中的大部分作品。我坐在那儿，凝视琴键片刻，然后毅然决定选择穆勒里。

定好曲子，我心情舒畅了许多，正要准备开始那极具爆发力的开篇乐章，这时，我感到有个硬邦邦的东西顶在肩后。我扭过头，沮丧地发现小屋的门不知怎的开了，敞着一半。

我起身，将门关上。接着，我注意到门闩机关倒挂在门框上。我又仔细检查了一下，再动用一点小聪明，成功地将门闩摆正，安回了原位。可再次锁上门后，我才发现这只是个最临时的解决方法。门闩随时可能滑落，可能就在我弹奏《石棉与纤维》的中间部分——比如，第三章的一段高潮时——门又会轻而易举地旋转开来，那么此时，要是有人正巧在耳室外转悠，那我就暴露无遗了。当然，如果一个笨手笨脚的人不知道我在里面而想进来，那这门锁就连最起码的抵挡作用都没有了。

我坐回椅子上，这些想法在脑海里一一掠过。但过了一会儿，我下定结论，若我不充分利用这次机会，恐怕以后就再也不会有了。虽然这里的条件不理想，但钢琴本身就完全足够了。我暗自下定决心，不再为门的毛病忧心忡忡，便再次振作起来，准备开始弹奏穆勒里。

我将手指悬在琴键上方，这时，我听到了一丝杂音——很小的一下"吱嘎"声，就好像是一只鞋子或是一件衣服——令我警觉的是，那声音很近。我在椅子上猛地转了一圈。这时我才发现，门虽然锁着，整个上部却空空如也，颇似马厩的拦门。刚才我的注意力全集中在了那个坏门闩上，竟没有发现这显见的事实。现在我终于看到，这扇门仅及腰高，顶部门缘粗糙不堪。这扇门的上部是被野蛮的破坏者卸掉了，还是正在翻修，我不得而知。不管怎样，即便是坐着，只要稍稍伸长脖子，我就可以清晰地看到外面的白瓷砖和水槽。

我无法相信霍夫曼如此无礼，竟给我提供这样糟糕的条件。可以肯定的是，到现在为止还没有人进来过这里，但完全可以想见，六七个酒店工作人员随时都有可能进来使用水槽。这样的环境令我忍无可忍，我正要生气地离开，猛然看到在靠近上部合叶的门柱上钉着一颗钉子，上面挂着一块破布。

我盯着它们看了一会儿，又突然发现在另一侧的门柱上，在几乎相同高度的地方也有一颗钉子。我当即猜测起破布和钉子的用途来，又起身仔细研究，结果发现，这块破布是条浴巾。我把它展开，横着挂在两颗钉子上，竟成了一块很好的门帘，巧妙地遮住了门缺失的部分。

我感觉好多了，便又坐下，再次准备弹奏开篇小节。我正欲开始，又听到“吱嘎”一声，只好再次打住。接着又传来一声噪音，我发觉它是从左边的那间耳室里传来的。我顿时醒悟过来：旁边的耳室里刚才一直有人，而耳室之间几乎没有隔音层，不知出于什么原因，那个人保持着极度安静，所以我居然直到现在才察觉到他的存在。

盛怒之下，我又站起身，一把拽开门，门闩松了，浴巾掉在地上。我从门缝挤了出去，隔壁耳室里的男子或许是明白自己没必要再克制了，便聒噪地清了清嗓子。我急忙冲出房间，心里厌恶至极。

我发现霍夫曼在走廊上等着我，这让我有些意外，但转念我又想起，他之前确实有过这样的承诺。他背靠墙站着，可是一见我出现在他面前，他立即站直立正。

“啊，瑞德先生，”他微笑道，“请您跟我来。女士们先生们正急切地盼着见您哪。”

我冷冷地看着他。“什么女士们和先生们，霍夫曼先生？”

“哦，委员会的成员哪，瑞德先生。市民互助委员会的……”

“霍夫曼先生，听着……”我火冒三丈，但因我要解释的事情太复杂微妙，我只得打住。霍夫曼终于觉察到我心烦意乱，便在走廊中间驻步，关切地看着我。

“霍夫曼先生，很抱歉我不能参加这次见面会了。练琴之事刻不容缓。不让我先练琴，其他什么事也干不了。”

霍夫曼一脸疑惑。“对不起，先生，”他小心翼翼地压低声音说，“可您刚才没有练吗？”

“我没有。我……我根本没法练。”

“您没法练？瑞德先生，一切都好吗？我是说，您没有感觉不舒服吧？”

“我很好。瞧，”我叹了一口气，“如果您一定要知道，那么，我刚才没法练是因为……哎，老实说吧，先生，那里的条件不能给我足够的独处空间。不，先生，让我说下去。那儿的独处空间还不够。对某些人来说可能很好，但对我……呃，我告诉您吧，霍夫曼先生，我老实地告诉您。从小我就是这样，除非有个完全彻底的独处空间，否则我没法练习。”

“是这样啊，先生？”霍夫曼严肃地点了点头，“我明白了，明白了。”

“嗯，我希望您明白了。那里面的条件——”我摇了摇头，“几乎没法称得上满意。而现在的重点是，我必须，必须，有良好的练习设施……”

“好的，好的，那当然。”他同情地点点头，“我想，先生，我有办法。别馆的练琴房能为您提供绝对的隐私。钢琴是一流的，至于独处空间，我可以向您保证，先生，那儿非常非常私密。”

“很好。听上去像是个好主意。您说的是，别馆。”

“没错，先生。我亲自带您过去，等你一见完市民互助组……”

“听着，霍夫曼先生！”我突然大吼一声，要不是我极力克制，我差点没揪住他的领子。“你给我听好了！我一点儿也不在乎这些市民！我不管他们等了多久！事实就是，如果我现在不能立马练琴，我就即刻打包走人！马上！没错，霍夫曼先生。不会有演讲，不会有表演，什么都没有！ 你明白吗，霍夫曼先生？ 明白吗？”

霍夫曼怔怔地看着我，脸上的血色渐渐褪去。“是的，是的，”他低声咕哝道，“是的，当然，瑞德先生。”

“那么好吧，我得请您——”我极力压低一点自己的声音，“请您现在立刻带我去别馆。”

“好的，瑞德先生。”他尴尬地笑了笑，“我完全理解您的意思。毕竟他们只是一些普通市民，像您这样的人没有必要亲自去……”然后，他打起精神，坚定地说：“这边走，瑞德先生，请跟我来。”

第二十四章

我们沿着长廊又走了一小段路，经过一间洗衣房，里面有好几台机器在隆隆作响。接着霍夫曼领我穿过一个狭窄的出口。我走了出去，发现面前正是会客室的双开门。

“我们从这里抄条近路走。”霍夫曼说。

一进会客室，我就更加明白之前他为什么不情愿为我清理这个房间了。里面挤满了欢笑交谈的人群，有的衣着十分华丽炫目，我的第一反应是，我们误闯进了一场私人聚会。然而，随着我们慢慢穿过人群，我发现他们集群而聚，划分明显。一帮兴高采烈的本地人占据了房间一角。另一帮好像是富有的美国年轻人——其中许多人竟齐声唱起了某所大学的校歌；而在另一块地方，一群日本人把几张桌子拼在一起，也正聊得热火朝天。奇怪的是，这几群人明显各自独立，但好像又有诸多联系。在我四周，人们在桌子间走来走去，拍着彼此的背，互相拍照，递着盛有三明治的盘子。一个身着白色制服、满脸疲惫的侍者，一手一只咖啡壶，在人群中间穿梭。我想过去找钢琴，但由于要挤过人群跟上霍夫曼十分费力，所以无暇顾及。终于，我来到了会客室的另一头，霍夫曼为我打开了另一扇门。

我穿过房门，来到一条走廊上，走廊的一端通向户外。接着，我走了出去，来到了一个阳光充足的小停车场，很快我便认出，这里正是那一晚我们经过的地方，当时霍夫曼正驱车带我赶往布罗茨基的宴会。霍夫曼把我领到一辆巨大的黑色轿车上，不多时，我们就置身于午饭时间常见的拥堵车流中，缓缓向前移动。

“这个城市的交通哪！”霍夫曼叹了口气，“瑞德先生，您要开空调吗？ 您肯定？ 天哪，看看这交通！ 谢天谢地，我们不必忍受太久。我们走南边的路吧。”

在下一个红绿灯处，霍夫曼拐到了另一条路上，那里的交通果真顺畅了许多。没多久，我们便疾驰着穿越了一片开阔的乡间。

“啊，是啊，这就是这座城市的魅力所在。”霍夫曼说，“不用开多远，你就会发现自己置身于优美的环境中。您看，空气已经好多了。”

我附和了几句，然后陷入沉默。我现在不想交谈。一方面，我对早先决定演奏《石棉与纤维》的想法开始心怀疑虑。我越是细想，脑海中涌现的记忆就越多，我想起我母亲曾特别表示过对这首曲子的反感。有那么一瞬间，我考虑着要不要换一首风格完全不同的曲子，譬如卡赞的《风道》，但继而想到，那首曲子要弹两小时十五分钟呢。毫无疑问，精短而激越的《石棉与纤维》是明摆着的选择。长度相当的其他曲子没有一首能展示出这般丰富的情感。而且，可以肯定的是，至少在表面上，我还是极有希望让我母亲对这首曲子欣赏有加的。然而，仍有某种东西——诚然，不过只是一抹回忆——让我对这一选择无法泰然自若。

除了前方远处的一辆卡车，路上好像只有我们。我看着路两边掠过的农田，又试着回想这模糊的记忆片段。

“没多远了，瑞德先生，”霍夫曼在我旁边说，“我相信您会更喜欢别馆里的练琴房。那里很安静，您要练上一两个钟头，那就是最理想的去处。很快，您便会沉浸在自己的音乐中。我真羡慕您呀，先生！ 您很快就会徜徉在您的音乐灵感中，就像您在某座富丽堂皇的艺术馆内漫步时，奇迹出现了，有人告诉您可以拿一只购物篮，挑选任何喜欢的东西带回家。请原谅，”他爽朗一笑，“我总是抱有这种幻想，自娱自乐吧。我和妻子一起在瑰妙的艺术馆中漫步，里面美丽的艺术品琳琅满目。除了我们俩，那儿空无一人，甚至连个工作人员都没有。是的，我胳膊上挽着购物篮，他们告诉我们想拿什么就拿什么。自然啰，会有某些规矩。拿的东西不能超过篮子的容量。当然也不允许我们之后出售任何东西——就算不说，我们做梦也不会想到滥用这千载难逢的机会。在那里，我和妻子——我们俩一起在这天堂般的大厅里漫步。这座艺术馆是某座更大的乡间别墅的一部分，或许可以俯瞰大片土地。露台上，壮观的景色尽收眼底。每个角落里都立着巨大的狮子雕塑。我和妻子——我们会站在那儿看着这景致，讨论该拿什么。在这幻想中，不知何故总会有一场暴雨将至。天空是石板灰色，而不知怎的，阴云密布，仿佛夏日最明媚的阳光照耀那般遮蔽着我们。爬墙虎，常春藤，它们爬满了台阶。只有我和妻子在讨论要选什么，我们的超市购物篮还空空如也。”他突然笑了笑。“请见谅，瑞德先生。我太忘形了。只是，在我的想象中，比如您，像您这般才华横溢的人，在钢琴前坐了个把钟头，周围一片宁静，肯定是这样。您肯定是这样获得灵感的。您会徜徉在崇高的音乐灵感中。你会看看这个，摇摇头，把它放回去。尽管很美，却不是您要寻找的。哈！您脑袋里的景象肯定美不胜收呀，瑞德先生！在您的手指触碰琴键的那一刻，我多想能陪同您踏上这段旅程啊。但当然，您要去的地方我可能无法跟随。我真羡慕您呀，先生！”

我咕哝了几句不知所云的话，然后我们便沉默了。车行驶了一会儿。接着，霍夫曼说：

“我妻子，早先在我们结婚之前，我想她就是那样设想我们在一起的生活的。类似那样的，瑞德先生。我们手挽着手，拎着购物篮，走进某座美丽空寂的博物馆。不过，当然啰，她可从未像我这样异想天开过。您看，我妻子来自一个才华横溢、人才辈出的家族。她母亲是位非常出色的画家。她外公是他那个年代最伟大的佛兰德语诗人之一。不知何故，他被世人冷落了，但那改变不了什么。哦，那家族里还有些其他人，非常有才华，全是才子。在那样的家庭中长大，她把美和天赋视作理所当然。如若不是，会怎样？我告诉您吧，先生，就会引发种种误会。在我们早先的关系中，就引发了一个非常大的误会。”

他又陷入了沉默，盯着前面蜿蜒的路看了一会儿。

“起初，是音乐最早把我们带到了一起。”他终于开口道，“我们坐在海伦巷的咖啡馆畅谈音乐。抑或是我一个人在讲。我想，是我在一直不停地说。记得有一次，在和她一起逛人民公园时，我向她细致描述了我对穆勒里的《通风》的感受，大概整整讲了一个钟头。当然，我们那时还年轻，有时间沉溺在这种东西里。即便那时候，她也不甚言谈，可她一直在倾听我，我能看出她深受感动。哦，是的。顺便说一下，瑞德先生，我说，我们那时还年轻，但我认为事实并非如此。我们两人都已过了适婚年龄，以当时的年纪，应该已经结婚好一段日子了。或许她感觉有些着急，谁知道呢？总之，我们谈到了结婚，我又是那么爱她，瑞德先生，从一开始我就深深爱上她了。她那时那么美。即便现在，假如您见到她，也能看出当时的她有多美。她美得特别，与众不同。您立刻就能看出她对美好事物非常敏感。我不妨向您坦承，我那时非常爱她。我无法用言语告诉您，她同意嫁给我对我意味着什么。我以为我的人生会充满欢乐，持久不衰的欢乐。但是，仅仅几天后，在答应嫁给我几天之后，她第一次来我住处看望我。那时，我在勃根霍夫酒店工作，在附近的格劳肯斯拉斯租了一间房，就在运河边上。那房间谈不上很合意，但确实不错的了。一面墙上安着很棒的书架，窗口摆着张橡木书桌。如我所说，从窗口看出去就是运河。时值冬季，一个阳光灿烂的冬日清晨，一道美丽的光线射进屋子。当然，我里里外外都打扫了，一切井然有序。她走进来，四下看了看，环顾一周。然后，她轻轻地问道：'你在哪儿作曲呢？'我记得非常清楚，那实实在在的一瞬间，瑞德先生，那生动的一幕。我把它视为我人生的转折点。我没有夸大其词，先生。现在看来，在很多方面，我目前的生活是从那一刻开始的。克里斯汀站在窗边，沐浴在一月的阳光中，她一只手放在桌上，好像仅用几个手指支撑着自己。她看上去美极了。她带着一脸的惊讶问我那个问题。您看，先生，她深感迷惑：'你在哪里作曲呢？没有钢琴呀。'我不知道如何作答。我马上就察觉哪里出了误会，一个残酷的灾难性的曲解。您能怪我吗，先生，我被蛊惑了，想挽回面子？我不该撒这个彻头彻尾的谎的。哦，不，甚至不该想挽回面子。但那一刻真是难熬啊。现在想想，还会感觉一阵战栗，即使是现在，我对您讲这些的时候。‘你在哪里作曲呢？’‘不，没有钢琴。’我开心地说，‘什么都没有。没有手稿，什么也没有。我打算两年内不再作曲了。’我对她那样说的。我反应很快，说的时候外表上没有显出任何悲伤或犹豫。我甚至还说出打算具体哪天开始继续作曲。但是眼下，不，不再作曲。我能说什么呢，先生？您期望我看着这个女人，这个我爱得死去活来的女人，她几天前刚刚答应嫁给我，您期望让我说出实话而令她饱受折磨吗？期望我对她说：‘哦，天哪，这全是场误会。我自然会放你走，你不必承担责任。好吧，我们就此分手吧……’我当然不能，先生。您也许会觉得我不诚实，但那就太苛刻了。不管怎么说，您看，那时候，我的生活，我说的不全是谎言。碰巧，我非常期望有一天能摆弄一件乐器，是的，我想作曲，一试身手。所以，这不完全是个谎言。我是撒谎了，是的，我承认。但是，除此以外我又能做什么呢？我不能放她走。于是我告诉她，我已经决定两年内不再作曲，要清清头脑，理理情感，诸如此类的。我记得，这个问题我谈了好一会儿。她在听，全都听进去了，还点了点她那美丽又聪明的头，对我告诉她的这番废话深怀同情。我还能怎样呢，先生？还有，您可知道，在那个早晨之后，她再也没提起我重新作曲的事，这些年来从未提起。顺便说一句，瑞德先生，我知道您要问什么，我会告诉您的，向您保证。那日清晨之前，在我们交往的任何时候，在我们沿着运河散步的任何时候，我们在海伦巷的咖啡馆见面的任何时候，我从未，从未有意让她觉得我会作曲。我热爱音乐，乐此不疲，那使我每日精力充沛，每日清晨醒来，我都能听到心中的乐声，是的，我暗示过这一切，而且都是真的。但我从未故意误导她，先生。哦，不，从来没有。那只是个糟糕的误会啊。她，出生于那样的家族，不可避免地，她推想……谁知道呢，先生？ 直至那日清晨，在我房间，我从没说过哪怕一个字暗示过此事。哦，如我所说，瑞德先生，她再也没提过这件事了，一次都没。我们如期结了婚，买了套俯瞰腓特烈广场的小公寓，我在大使馆里谋了个好差使。我们一起开始了生活，有一段时间，我们过得相当开心。当然，我从未忘记……忘记那个误会。但已不像您想象的那般困扰我了。您看，我之前说过的，那时候，唉，呃，我有意，等时机合适，有机会时，摆弄件乐器。或许是小提琴吧。想当初，我那时是有过些计划，就像您年轻时那样，在您还不知时间是多么有限的时候，您还不知您四周已建起了一个壳的时候，一具硬硬的外壳，您根本出——不——去！”突然，他双手松开方向盘，向上推了推四周无形的穹顶。这个动作蕴含更多的是疲倦，而非愤怒，下一秒，他双手又放回到方向盘上，叹息一声，继续说道：“不，我那时还不明白这些事情。我仍希望有一天我会变成她心中的那种人。没错，先生，我相信，因她的存在，受她的影响，我一定会成功地、切切实实地变成那种人。我们结婚的头一年，瑞德先生，如我所说，相当开心。我们买下的那套公寓够住的了。有那么段日子我以为：她已经知道那是个误会，可她并不介意。我不知道，在那些日子，各种想法涌现在我的脑中。接着，过了段时间，自然地，到了那个我提过的日子，两年后我重新作曲的日子，那天来了，又过去了。我小心翼翼观察她，但她却什么都没说。她很安静，真的，但她一直如此。她什么都没说，也没做任何出格的事。但我猜想大概正是从那个时候起，大概从两年之期的那天起，我们的生活中出现了一丝紧张感。那种不太强烈的紧张感，好像总是无所不在，不论我们多么愉快地度过了一个夜晚，仍旧可以感觉到它。我会安排小小的惊喜，到她最爱的餐厅用餐，或者给她带些花回家，或者买她最爱的香水。是的，我使出浑身解数想让她开心。但那紧张的气氛一直存在。很多时候，我设法不去在意它。我告诉自己，那全都是我臆想的。其实它存在着，并且与日俱增，但我想我只是不愿意承认。我只知道，在它消失的那天，它还是存在着。是的，它消失了，接着，我明白了那是什么。我们结婚三年后的一天下午，我下班后回家，给她带了份小礼物，一本诗集，我碰巧知道她正求之不得。虽然她没有明确说过，但我猜想到了。我走进公寓，发现她正在俯瞰广场。下午的那个时候，可以看见所有人下班回家。公寓里很吵，但相对于年轻人来说，还不算太糟糕。我把诗集递给她。'只是件小礼物。'我对她说。她继续看着窗外。她跪在沙发上，胳膊撑在沙发靠背上，支着头眺望外面。接着，她懒洋洋地接过书，一个字都没说，继续看着下面的广场。我一直站在屋子中间，等着她说点什么，称赞我的礼物。也许她身体不舒服吧。我很担心，站在那儿等着。接着，她终于转过身，看着我。不是无情地看我，哦，不，但她看着我，那眼神非常特别，流露出的是肯定，对她一直思考的问题的肯定。是的，就是那种，那时我才意识到：她终于看透我了。也正是那时候我明白了，明白了到底紧张什么。我一直在等，一直等着这个时刻。您知道，也许那显得很奇怪，但那是莫大的解脱啊！ 终于，终于，她看穿了我！ 哦，如释重负啊！ 我感觉自由了。事实上，我竟大喊了一声：'哈！'而后笑了起来。她一定感觉很奇怪，但下一秒钟，我即刻振作起来。我马上意识到——哦，是的，自由的感觉太短暂了——我马上意识到我还得经历怎样的艰难险阻，于是顷刻间我高度戒备起来。我知道，如果我想留住她，就必须要付出两倍、三倍的努力。但是您看，我那时候还以为，只要我努力，即便她发现了，假如我异常努力，我还可以赢回她。我多傻呀！ 您知道吗？ 那天过后的几年中，我一直那样以为，我竟真的相信自己一点点成功了。哦，我小心翼翼，服侍周到，尽全力去取悦她，从不自满。我发现，她的品位和喜好是随时间改变的，因此我观察每一细节，提前准备应对变化。哦，是的，我对自己说，瑞德先生，那些年，我完美地扮演了她丈夫的角色。假如她开始越来越不喜欢一个中意多年的作曲家，几乎就在她自己道出那改变之前，我会立刻察觉。等下次一提到那位作曲家，我便会迅速地说道，甚至在她还在犹豫着要表示质疑时，我会立刻说：'当然啰，他大不如前了。我们今晚别去他的音乐会了，好不好？ 很无聊的。'她会报以我一脸释然的表情，不会错的。哦，是的，我处处留心，我说过，先生，我相信这样可行。我是自己在骗自己啊，我这么爱她，竟自欺欺人地相信，我在慢慢把她赢回来。只那几年，我真的自信满满。然后一切都改变了，一夜间全变了。我明白了，该来的一定会来，我多年付出的巨大努力只会全部付诸东流。我一夜之间全明白了，先生。我们应邀去费希尔先生家，他为詹·彼得文斯基组织了一场小型招待会，就在他的音乐会之后。我们那时刚开始应邀参加这样的活动，由于我对艺术的热爱与敏锐鉴赏，我开始在这儿赢得了些尊敬。呃，总之，那天我们在费希尔先生家，在他雅致的客厅里。宾客不多，最多四十个人，是个非常轻松的夜晚。我不知道您是否见过彼得文斯基，先生。他确实是个非常有趣的人，最擅长让每位宾客感觉自在。谈话进行得很顺畅，大家都很开心。接着，有那么一刻，我走到放自助餐的桌子边，准备吃些东西，突然发现彼得文斯基先生正好站在我身边。我那时候还很年轻，还没多少和名流打交道的经验，而且我承认，是的，我有点紧张。但彼得文斯基先生和蔼地一笑，问我今晚是否开心，很快就使我放松了下来。然后，他说：'我刚刚和您妻子交谈过，她真是迷人至极啊。她说，她极中意波德莱尔。我却不得不向她坦言，我对波德莱尔的作品知之寥寥。她十分得体地训诫了我，说我这状况着实可悲。噢，她让我惭愧之至啊。我打算立刻改正。尊夫人对那诗人的热爱太有感染力了！'我点了点头，回应道：'没错，那当然。她一直热爱波德莱尔。''而且激情澎湃啊，'彼得文斯基说，'她让我惭愧之至啊。'整个事情就是这样，我们之间就说了这些。但是您看，瑞德先生，我是这样认为的。我从来不知道她喜欢波德莱尔！甚至从未想到过！ 您明白我在说什么吧。她从未向我表露过这种激情！当彼得文斯基告诉我这些时，我有了些头绪。突然间，我看清了多年来我一直试图忽略的事情。我的意思是，她一直在向我隐藏她的某些部分，在保护它们，仿佛与我这粗人接触会毁掉它们似的。我说过，先生，或许我一直有所怀疑，觉得她对我隐瞒了自己的另一面。但谁能怪她呢？一个无比敏感的女子，在她那样的家庭中长大。她毫不犹豫地告诉了彼得文斯基，但在我们相处的这些年里，却不曾有一刻暗示过，她如此这般地喜爱波德莱尔。接下来的几分钟里，我徘徊在招待会的人群中，根本不知道自己说了些什么，只是心不在焉地客套着，心乱如麻。然后我看向房间的另一头，与彼得文斯基结束交谈后，肯定有半个小时了吧。我看了看房间那头，看到了她，我的妻子，坐在彼得文斯基身边的沙发上开心地大笑。没有任何调情的成分，您明白的。哦，不，我妻子在礼节上一向一丝不苟。但她却在开怀大笑着，我才意识到，我们一起沿运河边散步时，她常那样，但之后，就再也没有见到过了。也就是说，在她发现之前。沙发很长，上面还坐有两个人，还有些人为了接近彼得文斯基，坐在地板上。但是彼得文斯基只和我妻子说话，她笑得很开心。我听到的，不仅仅是这大笑声，瑞德先生，还有那说话的音量。据我所见，我站在房间的另一头，接下来是这样的。在那一刻之前，彼得文斯基一直坐在沙发边沿上，双手扣膝，就像这样！ 他大笑着与我妻子说话时，便开始斜身侧靠，是的，好像就只想靠回沙发上一样。他开始斜身侧靠时，我妻子从身后拿出了个靠垫，为彼得文斯基放好，那动作既敏捷又娴熟，这样，他的头触到沙发靠背时，靠垫就已经在那了。这个动作是那样敏捷，几乎不假思索，还非常优雅啊，瑞德先生。我看到时，觉得心碎成了一片一片。那动作何等自然，充满了崇敬，是一种关心的渴望，是一种简单的讨好。那小小的一个动作，透露出她一整颗心都对我一直紧闭着。那一刻我才意识到我被骗得好苦啊。我终于明白了真相，从此不再怀疑了。我的意思是，先生，我意识到她会离我而去。迟早的事啊。只是个时间问题。从那个夜晚开始，我就知道了。”

他陷入沉默，好像又一次沉浸在思绪中。这会儿，小路两侧都是农田，我能看到远远的稻田里，拖拉机缓慢地移动着。我对他说道：

“请原谅，您所说的这个特别的夜晚是多久以前了？”

“多久以前？”霍夫曼似乎对这个问题稍感不快。“噢……

我想那是，呃，彼得文斯基的音乐会，是二十二年前了。”

“二十二年。”我说，“我猜，尊夫人一直以来都呆在您身边？”

霍夫曼恼怒地转向我。“您在暗示什么，先生？难道我不明白自己家的状况？难道我不了解自己的妻子？我在这儿跟您推心置腹，与您分享这些秘密，您竟然教训我，对我说这些，好像您远比我了解……”

“如果冒犯了您，我向您道歉，霍夫曼先生。我只是想指出……”

“指不出什么的，先生！您什么都不知道！事实上，我的绝望处境到目前已经有段时间了。那晚在费希尔先生家，我就看出来了，清晰如白昼，清晰得如同我面前现在看到的小路一样。好吧，它还没有发生，但那仅仅是因为……仅仅因为我做了努力。是的，先生，我付出了怎样的心血呀！也许您会笑话我：如果我明知道这局必输，我为何还要折磨自己？为何还要这样紧紧地抓住她？对您来说，问这样的问题很简单。但我深爱着她，先生，比从前更甚。对我来说，那简直难以想象，我不能眼睁睁地看着她离开，否则一切都会变得毫无意义。好吧，我知道那没用，迟早有一天，她会离开我，为了某个像彼得文斯基那样、像在她发现之前所想象的我那样的人。但您不能嘲笑一个坚持不懈的人。我已经做到极致了，先生，对我这样的人来说，我已经尽了最大的努力，选择了唯一的出路。我已经倍加努力了，组织活动，参任委员会委员，这些年来，我已经成功地在这城市的音乐艺术圈内成了一个响当当的人物。不过当然了，我一直有那么个希望。那个希望或许能解释我为何能够成功地留她这么久。但那一希望如今已经破灭，破灭好多年了。可是您看，曾几何时，有这么个希望，仅存的希望。我指的，当然是，我们的儿子，斯蒂芬。假若他有所不同，假若他能幸运地拥有至少一丁点她家族所拥有的那般横溢的才华！ 许多年来，我们都这么希望。虽然各自方法不同，我们两人都关注着斯蒂芬，对他寄予厚望。我们送他去上钢琴课，我们小心观察，怀抱一丝希望。我们希望能听到才华迸发的火花，可是什么也听不到，我们压力倍增啊。啊，我们听得那么辛苦，各自出于不同的原因，我们多么想听到点什么，却从来没有……”

“对不起打扰下，霍夫曼先生。您说斯蒂芬的这些事，我可以向您保证……”

“我骗了自己这么多年！ 我说，好呀，也许他是大器晚成，还是会有出息的，就像一粒小小的种子。噢，我自欺欺人，我敢说我妻子亦是如此。我们等呀等呀，过去的这几年，再这样装下去也没用了。斯蒂芬今年已经二十三岁了。我再也无法安慰自己，明天或者后天，他会突然绽放。我得直面现实了。他随我啊。我如今是知道了，她也发现了。当然，作为母亲，她很爱斯蒂芬。但作为救赎我的方法，就远远不够了，他成了个反作用。每次她看到他，就明白了，嫁给我是个多么大的错误……”

“霍夫曼先生，真的，我有幸听过斯蒂芬的演奏，我得告诉您……”

“化身，瑞德先生！ 他成了她人生中犯下的巨大错误的化身。噢，如果您见过她的家人就明白了！ 她年轻时肯定一直在幻想自己有一天会有个漂漂亮亮、才华过人的孩子。对美十分敏感，就和她一样。但她却犯了个错误！ 当然，作为母亲，她全心全意地爱着斯蒂芬，但那并不是说她就没有在他身上看到自己的错误。他太像我了，先生。我无法再否认了。现在不能再否认了，他差不多已经长大成年了……”

“霍夫曼先生，斯蒂芬是个很有天赋的年轻人……”

“您不必这么说，先生！ 请不要用那些乏味的客套话来侮辱你我之间坦诚的亲密关系！ 我不是傻子，看得出斯蒂芬是块什么料。有一段时间，他是我唯一的希望，是的，但自从那以后，自从我明白一切都是徒劳之后，坦白说来，我想至少六七年前就看出来了，我努力过了——谁能怪我呢？ ——几乎每天一次，我拼命地想抓住她。我对她说，瞧，至少等到我下次组织的活动吧。至少等那场活动结束，你也许就会对我刮目相看了。而等到活动开始又结束后，我便会立刻对她说，不，等一等吧，还有一个，还有另一场很棒的活动，我正努力呢。请为那场活动等待吧。那就是我所付出的努力，先生。过去六七年里都是如此。今晚，我知道，是我最后的机会。我全压在上面了。去年我第一次告诉她今晚的计划，向她概述了所有的细节，譬如桌子的摆法，当晚的节目，甚至——请原谅我——我预见到，您或者其他相当的人物会接受邀请，成为当晚的焦点。是的，那时我第一次向她解释了这一切：我这个束缚了她这么久的庸才，多亏了我的努力，布罗茨基先生才在这个非凡之夜飞跃巅峰，赢得这座城市居民的爱心与信心，掀起全场高潮——哈哈！ 我告诉您吧，先生，她看着我，仿佛在说：‘又来了。’但我看到了她眼中的闪光。那意思是说：‘或许你真的会成功。那就不同了。’是的，她的眼睛只闪烁了一下，但恰恰是眼中的这道闪光让我坚持了这么久，先生。啊，我们到了，瑞德先生。”

我们靠边停在了路边停车区，旁边是一块田野，里面生长着高高的牧草。

“瑞德先生，”霍夫曼说，“其实，我有点晚了。请别介意我的无礼，请问您能自己上去到别馆吗？”

顺着他的目光，我看到了爬满野蔷薇的陡峭山坡，一间小木屋坐落在山顶上。霍夫曼翻了翻仪表板上的小柜，找出了把钥匙。

“小木屋的门上有把挂锁，里面的设施虽不豪华，但应您要求，里面有足够的独处空间。钢琴是那种二十年代生产的贝希斯坦牌立式钢琴，堪称完美的典范。”

我又抬头看了看山坡，然后说：“是上面那座小屋？”

“两个小时以后我会回来接您，瑞德先生。或者，您要求早些开车过来？”

“两个小时就可以了。”

“好的，先生，我希望一切都令您满意。”霍夫曼冲小屋摆了摆手，好像是在礼貌地为我引路，但举手间透露着一丝不耐烦。我谢过他，下了车。

第二十五章

我拉开木栅门，循迹走上了一条小径，小径向上延伸，直达小木屋。起先，地面泥泞不堪，颇为难走，不过越往上去，地面也就越发坚实平稳。爬至半坡，我望了望身后，只见一条长长的小路在田间蜿蜒，一辆汽车（很可能是霍夫曼的）只露出车顶，渐渐消失在远方。

到达小屋后，我打开锈迹斑斑的门锁，这时我已是气喘吁吁了。这间小木屋从外面看和普通的花园小屋没什么不同，里面却毫无装饰，这个发现仍然让我吃了一惊。墙壁与地板只是些粗糙的木板条，有些地方已经隆起，我看见木板间的裂缝中有虫子在爬动，而我头顶的木椽上还悬挂着残余的蜘蛛网。一架外表有些脏兮兮的立式钢琴占据了绝大部分空间，我把琴凳拉开坐下时，发觉背部几乎贴在了墙上。

背后这堵墙上有着小屋里唯一的一扇窗户。我在凳子上转了下身，伸长脖子望去，外面的风景一览无遗，田野陡降至底，与小路相连。小屋内的地板似乎有些倾斜，等我转身再次面对钢琴时，我感到心中不安，仿佛自己要朝后倒滑下山似的。我打开琴盖，弹了几小段，发现它的音色极好，尤其是低音，雄浑饱满，悦耳动听。击弦机并不太轻，钢琴的音准调得非常到位。我突发灵感：也许，周围粗糙的木料也是经过精心挑选，为的是达到最佳的吸收和反射效果。除了松弛的踏板每次被我踩到时会有点吱吱作响外，这架钢琴让我没什么可挑剔的。

我整理了会儿思绪，然后开始弹奏《石棉与纤维》那令人激荡眩晕的开篇小节。随着第一乐章渐入沉思佳境，我的身心也越发放松，最后，我弹完了这第一乐章，其中一大部分是我在闭目凝神之中弹奏完成的。

我重新睁开眼睛，开始弹奏第二乐章。午后的阳光透过我背后的窗户倾洒而入，将我的身影清晰地投射在琴键上。即便是第二乐章要求所致，我却仍然无法转变内心的沉静。的确，我发现这首曲子的方方面面尽在我的掌控之中。我忆起自己今天竟然那么焦虑和担心，现在看来，真是愚蠢至极。此外，现在我已弹到这首曲子的中间部分，倘若我母亲不被其感动，那显然不可思议。事实很简单，我对今晚的表演信心十足，没有丝毫理由去担心焦虑。

我开始弹奏第三乐章，进入庄严忧伤的旋律，这时我才听到，背景中传来一阵噪声。起初我以为是那只软绵绵的踏板在响，接着又以为是和地板有关。那噪声很轻，带着节奏，时有时无。有那么会儿工夫，我尝试着不去理会它，但它却不绝于耳。接着，在我弹完一半乐章、弹到弱音小节部分时，我意识到：有人正在外面不远的地方挖土。

一发现这噪音与我无关，我反倒更能对它置之不理了。我继续顾自弹奏第三乐章，享受着这份轻松自如的感觉，纠结的情感恹恹地浮上心头，然后又各自散落一方。我又一次闭上双眼，没多久，脑海中便勾勒出了我父母的面庞。他们并排坐着，一脸肃穆，专注地聆听。奇怪的是，在我的想象中，我的父母并没有坐在音乐大厅里——尽管我知道，今晚我就会见到他们——而是坐在我们在伍斯特郡的一位邻居家的客厅里，那位邻居是个寡妇，姓克拉克森，跟我母亲有段时间很要好。或许是小木屋外高高的绿草让我想起了克拉克森太太家吧。和我们家一样，她的农舍建在一小块田野中央，因为她独自寡居，她自然根本无法修理纵横蔓延的杂草。相反，她家里面却整洁异常。在她家客厅的一个角落里曾摆着一架钢琴，我不记得自己曾看见那琴盖打开过。据我所知，它很可能是走调或是坏了。这时，在我脑中浮现出了一幅特别的记忆场景：我静静地坐在房间里，茶杯放在膝盖上，聆听着父母与克拉克森太太聊音乐。或许我父亲刚刚在问克拉克森太太是否弹过这架钢琴，因为音乐显然不是她常和人谈起的话题。总之，我坐在小木屋里继续弹奏《石棉与纤维》的第三乐章，想象着自己回到了克拉克森太太的那间农舍小屋，我父亲、我母亲还有克拉克森太太一脸严肃地听我坐在角落里弹奏钢琴，夏日微风徐徐，蕾丝窗帘随时会拂过我的脸庞——这种想象与当下毫无因果逻辑可言，但从中我仍然获得了莫大的满足。

弹至第三乐章的后半段时，我又留意起那挖土的噪音来。我不确定这声音是停过一阵后再次响起，还是一直持续不断地响着，不过无论如何，这声音现在好像比之前更清晰可辨了。我突然想到，制造这噪音的不是别人，正是布罗茨基，他在埋葬他的狗。没错，他今早已经不只一次宣布过，意欲在今天晚些时候埋葬他的狗，我甚至隐约记起，自己曾与他达成约定，他举行下葬仪式时，由我来弹奏钢琴。

这时，我开始想象在我到达小屋之前这里发生过的事情。

据我推测，布罗茨基已来多时，一直在山顶某处等着，离小木屋只有扔出一颗石子那么远的距离。那儿有一簇灌木，地面上还有浅坑。他静静地站在那儿，铁锹靠在一棵树上，他死去的狗用床单包裹着，躺在一边的地上，几乎完全被四周的草淹没了。就像他早上对我说的那样，他打算举行一个简单的葬礼，希望我的钢琴声可以作为唯一的伴奏。他希望我到达后再开始举行仪式，这是情有可原的。因此，他就等着，等了也许有个把小时，其间一直凝望着天空和山下的风景。

很自然，刚开始等我的时候，布罗茨基脑中会浮现出他去世的爱狗，想起它陪伴他一同度过的时光。不过随着时间分秒流逝，我的身影迟迟未现，他的思绪就转向了柯林斯小姐，还有他们即将在公墓相见的情景。不久后，布罗茨基又想起了多年前那个特别的春日清晨，他搬了两把藤椅到农舍后的田野中。那时，他们到这个城市还不过两周，尽管积蓄几乎已经耗尽，柯林斯小姐还是将大量精力投入到装修他们的新家上。在那个春天的早晨，她下来吃早饭时对他说，自己很想坐在阳光中休息一小会儿，呼吸一点新鲜空气。

回想起那日清晨，他发现自己还清楚地记得那湿漉漉的黄色草坪和头顶上的朝阳，他把藤椅并排放好。没过了一会儿，她出现了，两人一起坐了一阵，彼此交流着不经常说起的轻松话题。那天早晨，有那么一小会儿，几个月来头一次，他们感觉到，未来还是有希望的。布罗茨基正欲将这一想法脱口说出，但他马上又想到，那将会触及到他近来的失败这一敏感话题，于是改变了主意。

然后她说起了厨房的事。虽然他好几天前就保证过要将那几块硬纸板移走，却仍未兑现，所以她厨房的装修工作只能遥遥无期地搁置。他沉默片刻，然后心平气和地回答说，工棚里还有好多活正等着他呢。既然他们没法愉快地坐在一起，哪怕就几分钟，那他还是开始干活吧。他站起身，穿过屋子，走进前院的一个小棚屋。他们俩自始至终都没有叫嚣相对，整个口角也只持续了不过几秒钟。当时，他并没有把那当回事，而是马上自顾自地干起了木工活。那天早晨好几次，他抬头透过满是灰尘的工棚窗户看到，她漫无目的地在前院晃来晃去。他继续低头干活，隐隐期望她突然出现在门口，但每次她都走回了屋内。午饭的时候他进了屋——诚然，那时已经很晚了——却发现她早已吃完了午饭上楼去了。稍等片刻后，他回到工棚，又忙活了一整个下午。天色渐晚，屋里的灯亮了起来。他就那样看着夜幕降临，直到快半夜时才进了屋。

农舍楼下一片漆黑。他走进客厅，在一把木椅上坐下，望着月光照射在他们破旧的家具上，思来想去地回忆今天这奇怪的一天。他想不起曾有哪一整天是像他们今天这样度过的，便决心示好，结束这一切，于是他起身走上楼梯。

他走上楼，看到卧室的灯仍亮着。他走过去，脚下的地板咯吱作响，声音很大，清晰无比，宣告着他的靠近，仿佛他在大声叫她。走到房门口，他停下脚步，低头看了看从门缝中透出的一束灯光，想要让自己镇定下来。接着，他正要去抓门把手，这时从门的另一边传来了她的咳嗽声。只是轻微的一声咳嗽，几乎可以肯定是下意识的，然而当中有些什么东西让他却步了，他慢慢地抽回了手。这轻微的咳嗽声中包含了一种提醒，让他想起了他最近设法忽视的她的一个性格特点，一个在欢乐时光中他颇为欣赏的特点，但自从最近摆脱的那次仓皇的失败后，他突然意识到，他渐渐坚定了决心，试图忽略那特点。不知什么原因，不知怎地，这咳嗽声中包含了她所有的完美主义信条、高尚的情操以及她总是要求自己尽可能以最有用的方式投入全部精力的特点。突然间，他对她大为生气，对她的这声咳嗽，对这一整天都很窝火。他转身走开了，浑然不顾地板在他脚下发出多大的吱嘎声。接着，他回到月光斑驳的客厅，横躺在旧沙发上，盖了一件大衣就睡着了。

翌日清晨，他早早就醒了，为他们俩准备早餐。她也跟平常一样，按时起床，两人打了招呼，看似无甚不快。他开始讲述，对发生的一切很后悔，可她打断了他，说他们两个都太孩子气了，这着实令人吃惊。然后，他们就继续吃早餐，二人显然都松了口气，将那场口角抛诸脑后。不过，在那天剩下的时间里，还有随后的几天，他们的生活中仍旧存有一丝冷漠。随后的几个月中，他们之间沉默的时间越来越长，且越来越频繁，他便不再去苦苦思考其中归根究底的原因。现在，他觉得自己又回到了那个春日，回到了那个他们并排坐在湿漉漉的草地上、预示着美好一天的早晨。

布罗茨基正沉浸在这些回忆中时，我来到了小木屋，开始弹奏钢琴。刚开始几个小节里，布罗茨基继续眼神空洞地盯着远方。接着他叹了口气，将思绪拉回手中的活计上，拿起铁锹，用它的边缘试了试地面的硬度，但之后又停了下来，也许是觉着音乐的基调跟他的要求有点出入吧。直到我开始弹奏第三乐章那缓慢忧郁的小节时，他才开始挖掘。土地很软，他没费多大力气。然后，他把狗的尸体从高高的草丛那边拖过来，不慌不忙地将其置入墓穴中，甚至根本没想要翻开床单看最后一眼。事实上，他已经开始将泥土填回坑中，这时候，某种东西，或许是音乐的悲伤，通过空气传递给了他，终于，他停了下来。接着他直起身子，低垂着头，静静地注视着填埋了过半的坟墓。直到我快弹到第三乐章尾声时，布罗茨基才又拿起铁锹，继续往墓里填土。

弹完第三乐章时，我听到布罗茨基仍在奋力忙活。我想了想，决定还是不弹最后的乐章——这一乐章跟这整个进程的气氛很不相符——于是便又重新弹奏起了第三乐章。我觉得，为了弥补布罗茨基的等待，这是我唯一能做的了。铲土声又持续了一会儿，在第三乐章弹到一半左右时停了下来。我想，这颇合布罗茨基的境地，再给他一点时间，让他站在墓穴边上回忆。我发现自己在音乐中较之前更加重了哀伤之情。

我再一次结束了第三乐章，又静静地在钢琴边坐了几分钟，然后起身，在狭窄的空间里伸展了下手脚。这时，午后的阳光洒满了整个小屋，我听到附近草丛里传出蟋蟀的鸣叫声。过了一会儿，我意识到自己应该出去，至少跟布罗茨基先生说几句话。

我推开门望出去，惊奇地发现太阳已经沉至山下的小路那边。我走了几步，穿过草地，重新走上了那条小径，爬完剩下那点路，到达山顶。接着，我看到在山的另一侧，地面缓缓向下延伸至一处美丽的山谷。布罗茨基就站在我下面不远处，一簇稀疏的灌木丛下就是墓穴。

我朝他走去，他没有转身，只是盯着墓穴静静地说道："谢谢您，瑞德先生。您的琴声很美。我很感激。非常感谢您。"

我喃喃言语了几句，然后就在草地上驻步，与墓穴保持一定距离，以示尊重。布罗茨基仍然低头看着坟墓，过了一会儿，他说道：

“只是条老狗。但我想要最好的音乐。我非常感激。”

“不客气，布罗茨基先生。我很高兴能够帮您。”

他叹了口气，头一次看向了我。“您知道吗，我没法为布鲁诺哭泣。我试过了，但我哭不出来。我的脑子里装的全是未来。但有时候，却又全是过去的影子。您知道，我怀念我们过去的生活。我们走吧，瑞德先生。我们离开布鲁诺吧。”他转过身，开始慢慢走下山谷。“我们离开吧。再见了，布鲁诺，再见。你曾是个好伙伴，虽然只是条狗。我们离开他吧，瑞德先生。来吧，跟我一起走。我们离开他吧。您为他弹奏钢琴，真是太好了。那是最好的音乐。但我现在不能哭。她很快就会来了。不会太久的。请吧，我们走吧。”

我又向面前的山谷望了一眼，这才发现那里林林总总全是墓碑。我这才意识到，我们正走向布罗茨基安排约见柯林斯小姐的那座公墓。没错，我刚与布罗茨基并肩齐行，就听他说道：

“皮尔·古斯塔森墓地。我们约好在那里见面。没有什么特殊原因。只是她说她知道那座坟墓，仅此而已。我会在那里等。我不介意等上一会儿。”

我们刚才一直在高低不平的杂草丛中前行，这会儿却来到了一条小径上。我们沿着山坡继续下行，我发现公墓越来越清晰可辨。那是个安静、隐蔽的所在。墓碑井然有序，排列在山谷平坦之处，有些则立在山坡两边的草地上。甚至在这会儿，我发现，那里正举行着一个葬礼；我依稀可见那群丧亲之人的黑衣身影，大概共有三十人，全站在我们左边的向阳地带。

“我非常希望一切顺利，”我说道，“当然，我指的是您和柯林斯小姐的会面。”

布罗茨基摇了摇头。“今天早上我感觉还挺好。我以为只要我们好好谈谈，一切就又会好起来的。但现在，我不知道了。或许，今天早上在她公寓的那个男人，您的朋友，或许他是对的。也许她现在再也不能原谅我了。也许我之前做得太过头，她永远都不会原谅我了。”

“我想您没必要这么悲观。”我说，“不管发生了什么，全都过去了。只要您两个能够……”

“这些年来，瑞德先生，”他说道，“在内心深处，我从未真正接受他们对那个时候的我的看法。我从未相信我只是个……是个无名之辈。是的，也许在我脑中，我接受他们的说法。可是在我心里——不，我绝不相信。这么多年来，我一刻也不相信。我总能听到，总能听到音乐声。所以，我知道自己比他们所说的要好，更好。在我们来这儿后的那段短暂时间里，她也知道，我知道她知道。不过后来，唉，她却开始怀疑了。谁能责怪她呢？ 我不怪她离开我。不，我不怪她那个。但我的确怪她——的确怪她没有做得更好。哦，是的，她理应做得更好！ 我让她恨我，您能想象我为此付出了多大代价吗？我给了她自由，而她干了什么呢？ 什么都没有，甚至都没离开这座城市，而只是在浪费时间。在这些人身上，她整天跟这些没用的软骨头瞎聊。如果我早知道她只能做这些的话，我就不会让她离开了！ 把自己心爱的人推开，瑞德先生，这太令人痛苦了。您以为我想那样做吗？ 假如我知道她那般打算的话，您以为我还会让自己变成这副德性吗？ 她居然跟这帮愚钝、不幸的人闲聊！ 曾几何时，她志向高远。她是打算要干一番大事业呀！ 那才对嘛。可瞧瞧现在，她把机会全浪费啦。甚至都没离开这座城市。我时不时地对她大吼大叫，你是不是很惊讶呢？ 假如她就只打算做这些的话，为何那个时候她不这样说？ 她是不是认为当一个醉酒乞丐是个笑话，一个大笑话呢？ 人们想，好吧，他喝醉了，他什么都不在乎了。那不是真的。有时候，一切都那么清晰，非常清晰，而且那时候……您知道那时情况有多么糟吗，瑞德先生？ 她从没抓住我给她的机会，甚至都没有离开这个城市。她只是跟这些愚钝的人聊啊，聊啊，聊。我对她大吼，您能怪我吗？ 她活该，我说的每句话，每句肮脏的谩骂，她都活该……”

“布罗茨基先生，请别这样，请别这样。这可不是为这次重要的相聚做准备的办法……”

“她以为我很享受？ 我只为好玩？ 我根本不需要这样做。瞧，您看，我想戒酒的时候，我就能戒。难道她以为我是因为好玩才这样做的吗？”

“布罗茨基先生，我并不想冒犯您。但可以肯定的是，您现在是应该把这些想法都抛到脑后了。当然，这些分歧，这些误会，都应该忘记了。您必须得尝试，好好利用生命的余光。请试着让自己平静下来。您万万不可这样去见柯林斯小姐，不然以后您肯定会后悔的。其实，布罗茨基先生，请允许我这样说，到目前为止，您一再向她强调未来，这是非常正确的。我以为，养动物这个主意非常好。我真的认为您应当继续贯彻那个想法，还有其他类似的主意。真的没必要再缅怀过去了。当然，未来大有希望。对我来说，我今晚一定会尽我所能，让您能被这座城市的人民所接受……”

“啊，是的，瑞德先生！”他的心情仿佛突然为之一变，“是的，是的，是的。今晚，是啊，今晚我要……我要一鸣惊人！”

“这种精气神才对嘛，布罗茨基先生。”

“今晚，我不会妥协，绝对不会。好吧，他们是纠缠过我，我放弃了，我们逃跑了，来到了这个地方。但在我心里，我从未完全放弃。我知道我从未有过合适的机会。而现在，终于在今晚……这一天我已经等了很久，我绝不会妥协。我会好好地指挥这支乐队，让他们大吃一惊。瑞德先生，非常感激您，您给了我极大的鼓舞。时至今早我还在害怕，害怕今晚，害怕即将发生的事。之前我还在想，自己最好还是小心点。要小心点，悠着点——霍夫曼，还有其他所有人，他们都是这样对我说的。开始的时候得慢慢来，他们说。一点一点去赢得他们的心。但在今天早晨，我在报纸上看到了您在萨特勒纪念碑旁拍的那张照片。我对自己说，就是这样，就是这样！一路坚持，坚持到底！什么都阻挡不了！这支乐队，他们肯定会大吃一惊！还有这些人，这座城市，他们也会大吃一惊。是啊，要一路坚持到底啊！她会看到的。她会再见到我，再见到我一直以来的真实面貌！萨特勒纪念碑，就是那样！”

此时，地面平坦了起来，我们沿着公墓中央一条绿草茵茵的小路一直往前走。我突然发现身后有动静，扭头一看，只见有个送葬者从葬礼现场朝我们跑来，举止间有些迫切。等他走近，我才看清，他是个黑黑的、矮胖的男人，年约五旬。

“瑞德先生，真是太荣幸了。”我转身对着他，他上气不接下气地说道。“我是那位孀妇的兄弟。若您肯加入我们，她肯定会非常高兴的。”

我看着他所指的地方，发现我们已经距离送葬队伍很近了。没错，我甚至还能在微风中捕捉到绝望抽泣的哭声。

“这边请。”那人说道。

“可是，在这么私人的场合……”

“不，不，拜托了。我妹妹，每一个人，他们都会深感荣幸。请往这边走。”

虽然有些不情愿，我还是跟着那人走了。穿过一排排墓碑时，我们脚下的地面更加泥泞不堪。起先，在一排排弓着背的黑色身影中，我并未看到那位孀妇，等我们走近，我发现她站在前面，对着尚未掩埋的墓穴鞠躬。她看起来绝望至极，好像完全有可能跳到棺材上去。也许正是因为这样，一位白发苍苍的老先生紧紧搀扶着她的胳膊和肩膀。在她身后，大队的人群低头啜泣。看起来这些人的悲恸都发自内心，但即便如此，那位孀妇的痛苦哀号仍旧清晰可辨——那声声哭泣缓慢、疲惫，发自整个胸腔，让人闻之惊愕，仿佛是出于一个长期饱受折磨的人之口。听到这种哭声，我真想转身走开，但那矮胖男人已经示意我走到前面去。我没动弹，他就颇为大声地对我说：

“瑞德先生，拜托了。”

这话使得一些哀悼者扭头看着我们。

“瑞德先生，这边请。”

那矮胖男人拉着我的胳膊穿过人群，这时，有些人转脸对着我，我至少听到有两个人咕哝了声：“是瑞德先生。”我们出现在前排时，哭泣声小了许多。我能感觉到有很多双眼睛正盯着我的后背。我摆出一副肃穆恭敬的姿势，同时痛苦地意识到自己的穿着很是随意，只有一件浅绿色的休闲夹克衫，甚至都没有打领带。更有甚者，我的衬衫上带有橘黄相间、明快轻松的图案。趁着那矮胖男人正试着引起他妹妹的注意，我迅速扣上了夹克衫的扣子。

“伊娃，”他轻喊道，“伊娃。”

白发老先生扭头看了看我们，但孀妇却似乎丝毫没听见。她仍旧沉浸在痛苦之中。她的哭声一停一顿地在墓地上方有节奏地回荡。她哥哥回头看了看我，表情明显有些尴尬。

“那么，”我小声说，一边开始后退。“我还是稍后再过来吊唁吧。”

“不，不，瑞德先生，拜托了。就一会儿。”矮胖男人将一只手放在她妹妹的肩膀上，又说了一遍，这次明显有点不耐烦：“伊娃。伊娃。”

孀妇站直身子，止住抽泣，终于转身面对我们。

“伊娃，”她兄弟对她说，“瑞德先生来了。”

“瑞德先生？”

“女士，我对您致以最深切的同情。”我边说边肃穆地低下头。

孀妇继续盯着我。

“伊娃！”她兄弟嘘声道。

孀妇吓了一跳，看了她哥哥一眼，然后又盯着我。

“瑞德先生，”她开口了，声音很是镇静，颇令人吃惊，“这真是荣幸啊。赫尔曼——”她指了指坟墓，“一直非常仰慕您。”说罢，她突然又抽泣了起来。

“伊娃！”

“女士，”我飞快地说道，“我来此只是想表达我最深切的慰问。我真的很为您难过。不过，女士，还有在场的各位，请允许我现在离开，为你们的哀悼留出……”

“瑞德先生，”孀妇说，我看到她又一次镇定了下来，“的确是三生有幸啊。我相信在场的每个人与我一样都会说，您的到来让我们受宠若惊啊。”

齐声赞同的低语声在我背后响起。

“瑞德先生，”孀妇接着说，“在我们城镇逗留期间，您感觉还好吧？ 我真心希望您能发现至少有一两件事情能让您着迷。”

“我过得很开心。这里的人个个都很友善。这是个怡人的地方。我真的十分难过，为……为您丈夫的过世。”

“也许您不介意来些点心。茶还是咖啡？”

“不用，不用，真的，请……”

“请留下来，至少喝点茶什么的。哦，天哪，没人带茶或者咖啡吗？ 什么都没带？”孀妇盯着人群，细细搜寻着。

“真的不用，请别客气。我无意这样叨扰。请继续……您的仪式。”

“但您得用些什么啊。有没有人，有没有人带瓶咖啡来，没有人吗？”

在我身后，许多个声音在彼此询问，我扭头瞥到人们在翻找着他们的包，还有口袋。矮胖男人正向后排的人群挥着手，接着有人递过一样东西。他正站在那里仔细查看，这时我看到，那是一块用玻璃纸包着的蛋糕。

“这就是我们的待客之道吗？”矮胖男人大声喊道，“这是什么东西？”

这会儿，我身后响起了一阵骚动，其中有人愤怒地发问：“奥图，那块奶酪哪儿去了？”最后，一包薄荷糖递到了那矮胖男人手上，后者对着人群怒目而视，然后转身把蛋糕和薄荷糖交给了他妹妹。

“真的，您太客气了，”我说道，“但我过来只是因为……”

“瑞德先生，”孀妇说道，她的声音因情绪而紧张起来，“看来，我们只能这样招待您了。我不知道赫尔曼会怎么说，偏偏在今天竟然这般丢脸。但是我们只能这样了，我只有向您道歉。瞧，这是所有的，这就是我们能提供的所有，所有的待客之礼。”

孀妇开始说话时，我身后的声音都已安静了下来，但这会儿却又爆出了叽叽喳喳的争执声。我听到有人喊道：“我没有！我可没有说过这样的话！”

这时，那位先前站在墓穴边上扶着寡妇的白发先生走上前，向我鞠了一躬。

“瑞德先生，”他说，“请原谅我们以这样寒碜的方式回敬您。您能看到，我们毫无准备啊，真是太遗憾了。可是，我向您保证，在场的每个人都对您感激不尽。请接受这份茶点，尽管寒碜了些。”

“瑞德先生，来，请坐在这儿。”孀妇正用手绢擦拭着一块平坦的大理石坟墓，就在她丈夫墓穴的旁边。“请吧。”

此时，我意识到抽身而退是不可能了。我歉疚地走向那块为我清理干净的坟头，说道：“呃，你们全都太客气了。”

我在那块灰白的大理石上刚刚坐下，哀悼者们就纷纷上前，将我团团围住。

“请用吧。”我听到孀妇又说了一声。她凌驾在我面前，撕剥着蛋糕外层的玻璃纸，等终于撕开后，她便把蛋糕连包装纸一起递给了我。我向她道了谢，然后就开始吃了起来。那像是块水果蛋糕，我得格外小心才不会捏碎它。另外，这块蛋糕还蛮大的，一下子几口吞不掉。我继续吃着，感觉这些哀悼者在慢慢地向我靠拢，可是当我抬头看他们时，却见他们竟都安静地站着，双眼恭敬地低垂着。一阵沉默过后，那个矮胖男人咳了一声，说道：

“今天天气真好。”

“是啊，非常好，”我答道，嘴里塞满了蛋糕。“确实非常好。”

接着，年迈的白发先生上前一步，说道：“瑞德先生，我们城里有几个风景优美的步行区。就在离城区不远的地方，还有一些很美的乡间步行区。如果您有空，我非常愿意带您去其中走一走。”

“瑞德先生，您不想来块薄荷糖吗？”

孀妇举着打开包装的薄荷糖递到我面前。我谢过她，拿了一块放进嘴里，尽管我知道和蛋糕混在一起味道会很怪。

“至于城市本身，”白发先生说道。“如果您对中世纪建筑感兴趣，这里有许多房子倒是非常迷人的。尤其是在老城区。我很乐意带您去逛一逛。”

“真的，”我说道，“您太客气了。”

我继续吃着，希望能尽快吃完。又是一阵沉默。接着，孀妇叹了口气，说：

“天气很不错啊。”

“是啊，”我说道，“自从我到这里后，天气一直挺好。”

这话得到了周围一致赞同的低语声，有些人甚至还礼貌地笑了笑，好像我说了什么俏皮话似的。我把最后一点蛋糕塞进嘴里，掸了掸手上的碎屑。

“瞧，”我说道，“你们一直都这么客气。但现在，请你们让葬礼继续吧。”

“再来一块吧，瑞德先生。我们只有这些能招待您了。”孀妇又将那包糖推到我面前。

就在这时，我突然意识到：就在这一刻，那孀妇对我充满了最强烈的痛恨感。没错，我意识到，尽管他们都很客气，但几乎所有在场的人——包括矮胖男人——都痛恨我的出现。说来也怪，在我脑中掠过这一念头的刹那间，一个声音从我身后响起，那声音不大洪亮，却十分清晰：

“他有什么了不起的？ 这是属于赫尔曼的时间哪。”

一阵不安的吵嚷声骤然响起，至少有两个惊讶的声音问道：“谁说的？”那位白发先生咳了咳，接着说道：

“在运河边上走走也很美呢。”

“他有什么了不起的？ 把一切都打乱了。”

“闭嘴，你这个笨蛋！”有人反驳道，“你可真会挑时候给我们丢脸。”

一些人发出低沉的声音，赞同此人说的最后那句话，但就在这时，第二个声音开始喊出带有攻击性的话语。

“瑞德先生，请吧。”孀妇又将那包薄荷糖推向我。

“不用了，真的……”

“请吧，再吃一颗。”

人群后面，有四五个人开始了一场激烈的交谈，其中一个声音喊道：“他对我们太过分了。萨特勒纪念碑，太过分了。”

随后，越来越多的人开始互相叫嚷，我感觉一场大规模的争吵即将爆发。

“瑞德先生，”矮胖男人弯下腰来对我说，“请别理他们。他们总是丢家族的脸。总是这样。我们为他们感到惭愧。

哦，是的，我们很惭愧。请不要在意他们，否则我们会更加羞愧。”

“可是，肯定……”我想站起身，却感觉有人又把我压了下去。接着，我看到孀妇用一只手抓着我的肩膀。

“请放松，瑞德先生。”她尖声说道，“请用完您的点心。”

此刻，愤怒的争吵声此起彼伏，人群后面有些人似乎在相互推搡。那孀妇继续按着我的肩头，一脸高傲地蔑视着人群。

“我不在乎，我可不在乎，”有一个声音喊道，“我们最好改变现在的生活！”

更多人开始推搡，一个胖胖的年轻人挤到了前面。他的脸很圆，此时显然十分激动。他盯着我，然后开口喊道：

“你就这样来了，好啊。站在萨特勒纪念碑前面！ 笑成那样！ 然后你就一走了之。但对我们这些生活在这儿的人来说，却没那么简单啊。萨特勒纪念碑！”

圆脸年轻人看起来不像是个惯于大胆言语的人，而他的真挚情感看起来也不容置疑。我稍感吃惊，一时竟无法作答。接着，圆脸小伙子又开始了新一轮的指责，我发现内心中有些东西妥协了。我意识到，无论如何，不可辩驳的是，我确实错误地估计了昨天选择在萨特勒纪念碑前面拍照的影响。然而在当时，它看起来无疑是给这座城市的居民发出恰当暗示的最有效的方法。当然，我对这其中的利弊一直太在意了——我还记得那天早晨吃早餐时，自己如何坐在那里，小心翼翼地衡量这些利弊——但现在我明白了，萨特勒纪念碑事件不会不了了之，事态的发展很可能超出了我原先的猜测。

在那个圆脸年轻人的鼓动下，更多的人开始朝我喊叫。其他人试图制止他们，但并没有预料中的那么迫切。接着，在这一片叫喊声中，我听到了一个新的声音，轻柔地在我肩膀后面响起。那是个男人的声音，既温文尔雅又沉着冷静，我隐约觉得这声音似曾相识。

“瑞德先生，”那声音说道，“瑞德先生。音乐大厅。您真的该走了。他们都在那里等着您呐。真的，您得留出足够的时间检查设备，还有环境……”

随后，又一阵异常嘈杂的争吵声在我面前爆发，一下子盖过了这个声音。圆脸年轻人指着我，反复不停地说着什么。

接着，突然间，人群寂然无声。起初，我以为哀悼者们终于平静了下来，等待我开口说话。然而，我发现圆脸的年轻男子——没错，还有每个人——都盯视着我头顶上方的某处。过了几秒钟，我才想到转过身，看见布罗茨基站在我头顶正上方的一座坟墓上。

或许是因为我抬头看着他的缘故——他微微前倾，在广阔天空的映衬下，我看到了他颌下的大部分——从他身上透出某种令人惊愕的威严。他站在我们上方，双手在空中张开，如同一尊巨大的雕塑赫然耸现。事实上，他俯视着面前的人群，就像在开始指挥前的几秒钟里审视乐队那样，和我想象中的样子几无二致。面对刚才在他面前失控的情绪，他身上散发出了一种奇异的威严，仿佛他可以随意令其爆发或者平息。沉默持续了一会儿。接着，一个孤零零的声音喊道：

“你想干吗？ 你个老酒鬼！”

也许此人是想凭这一喊引发新一轮的叫嚣。然而，无人对此做出反应，仿佛都没听见。

“你个老酒鬼！”那人又试了一次，但声音中的坚定已经荡然无存了。

接着，所有人都静静地盯着高高在上的布罗茨基。仿佛又过了几个世纪的时间之后，布罗茨基说道：

“如果你们想那样称呼我，没关系。我们就等着瞧。等着瞧，看清楚我是谁。在未来的这些天，这几周，这几个月里。我们等着瞧，看清楚我是否就只能是那样了。”

他不紧不慢地说着，冷静却又不失最初的威严。哀悼者们继续凝视着他，仿佛被下了咒似的。接着，布罗茨基温和地说：

“你们所爱的人去世了。这是个宝贵的时刻。”

我感觉他雨衣的下摆拂过我的后脑，我意识到，他朝那位孀妇伸出了手。

“这是个宝贵的时刻。来吧。抚慰你的伤口吧。它将永远留在你的生命里。来抚慰它吧，尽管很痛，血流不止。来吧。”

布罗茨基走下坟墓，手仍向孀妇伸着。她恍恍惚惚地抓住了他，然后布罗茨基将他的另一只手放在她身后，慢慢地开始将她领回敞开的墓穴边。

“来吧，”我听到他轻轻地说，“现在，来吧。”

他们慢慢地走过落叶，遗孀再次走到墓穴边，低头看着棺材，抽泣起来，布罗茨基小心地抽身退开一步。这时，其他许多人也哭了起来，我发现，一切很快就如同我到来之前时的样子了。那一刻，不管怎么说，所有人的注意力都从我身上转移开了，我决定趁此机会溜走。

我悄悄起身前行，还没走过几座坟墓，这时我听到有人走近身后。一个声音说道：

“没错，瑞德先生，现在正是您去音乐厅的大好时机。谁都无法预测还会有什么样的情况需要调整。”

我一扭头，认出那个人是佩德森，就是我第一天晚上在电影院遇到的那位年长的议员。另外我也听出，刚才我从肩膀后面听到的那个轻柔的声音就是出自他口。

“啊，佩德森先生，”他与我并肩齐走，我便说道，“我非常高兴您提醒了我去音乐厅的事情。我得承认，刚才那儿的情绪如此高亢，我已经忘记时间了。”

“没错，我亦如此，”佩德森轻轻笑道，“我也要去参加会议。不算太重要，但不管怎样，它和今晚有关。”

我们走到公墓中央一条蜿蜒的绿草小径上，在这里停下脚步。

“或许您能帮我，佩德森先生，”我环顾四周说道，“我安排了一辆车送我去音乐厅，它应该已经在等我了，但我却不知道该如何回到那条小路上。”

“我很荣幸能为您引路，瑞德先生。请跟我来。”

我们又走了起来，距离下方我与布罗茨基一同前去的那个山坡越来越远。此时，太阳已经低垂在山谷上，墓碑投射出的影子明显已经变长了。我们继续走着，我感觉至少有两次佩德森想对我说些什么，但他随后又改变了主意。最后，我实事求是地对他说：

“刚才那群人里，有些人好像特别激动，我是指对我在报纸上的那些照片。”

“呃，您瞧，先生，”佩德森叹了口气，“那是萨特勒纪念碑。如今，马克斯·萨特勒在人们心中的影响仍然像从前那样根深蒂固。”

“我想，您也有些意见吧。我的意思是，对我在萨特勒纪念碑前拍的那些照片。”

佩德森尴尬地笑了笑，避开我的目光。“我该怎么解释好呢？”最后他说道，“外人很难理解啊，即便是像您这样的行家。马克斯·萨特勒——为什么这个人，还有他在这座城市的历史中那一整段的故事，对这里的人们具有如此重要的意义，实在叫人搞不清楚。理论上，它不足以成为意义重大的事啊。是的，没错，那差不多已经是一个世纪前的事情了。但是您瞧，瑞德先生，您无疑已经发现，萨特勒在本地居民的想象中已经占据了一席之地。可以说，他的影响力已经变得神乎其神了。有时他令人害怕，有时他令人厌恶。而在其他时候，有关他的记忆又受人崇拜。我该怎么解释好呢？ 让我这样说吧。我认识的一个人，一个好朋友，现在已经上了年纪，但生活得还不算赖。他在这儿深受人们的崇敬，仍旧在市政活动中发挥着积极的作用。生活得根本不算赖。但这个人时不时地就会回首往昔生活，琢磨自己有没有可能让某些东西溜走了。他会想，如果自己，呃，少一些懦弱的话，会怎样。少一些懦弱，多一些激情？”

佩德森轻声一笑。前面的小径蜿蜒曲折，我看到了前上方公墓的黑色铁门。

“接着，他可能会——您知道的——开始回忆，”佩德森继续说道，“回忆起年轻时的某些关键时刻，在现在的生活方式固定之前。他可能会想起，比方说，某个女人试图勾引他的时刻。当然，他不会允许那种事情发生，他太循规蹈矩了。或者说是胆小。或许他那时太年轻，谁知道呢？ 他想，如果当初他选择了另一条路，如果他对……对爱和激情能够更自信一些，生活又会怎样。您知道那回事的，瑞德先生。您知道老人有时做梦的方式，他们心想，假如自己在某些关键时刻选择了另一条路，生活又会怎样。呃，一个城市，一个社会，也会如此啊——不时地回望过去，回想历史，扪心自问：'会怎样呢？ 我们会变成什么样子呢？ 假如我们当初只要……'啊，假如我们当初只要怎样，瑞德先生？ 让马克斯·萨特勒带我们抵达他的希望之邦？ 那我们现在会不会完全是另外一副模样了呢？ 会不会成为一座像安特卫普那样的城市？ 或是像斯图加特？ 我真的不这么认为，瑞德先生。您看，这座城市有某些东西，某些根深蒂固的东西。它们永远也不会改变，再过几代都不会改变。切实地说，萨特勒无关紧要。他只是个怀有狂野梦想的人，改变不了什么实质性的东西。我那位朋友也是如此。他已经定型了。任何经历——不管有多么重要——都无法再改变他了。瑞德先生，我们到了。您走下这些台阶，就会回到小路上了。"

穿过公墓高高的铁门，我们站在一座精心布置的大花园里。佩德森指向我左手边篱笆的方向，我看到篱笆后面有些石头台阶蜿蜒向下。我犹豫了一会儿，接着说道：

"佩德森先生，您一直都非常客气。但请允许我向您保证，不论何时，但凡我可能做出了错误的判断，我都不会刻意逃避。不管怎样，先生，这是我这样身份的人必须要妥协的。也就是说，不管在哪一天，都会有人要求我做出许多重大的决定，而事实上，我最好的应对方法就是尽可能衡量当时现有条件的利弊，而后采取行动。是的，有时我会做出错误的估计，并因此内疚万分，这是不可避免的。如若不然又会怎样呢？长久以来，我一直这样妥协着。正如您可见，这种情况一旦发生，我唯一关注的事就是如何才能在第一时间里尽快弥补错误。所以，请您千万坦白相告。如果您觉得我在萨特勒纪念碑前摆姿势拍照是个错误，请您坦言。”

佩德森看起来很是不适。他回头注视着远方的一处陵墓，然后说道：“呃，瑞德先生，这只是我的个人看法。”

“我非常乐意聆听，先生。”

“呃，既然您这样问了，那我就说了。是的，先生。说实话，今天早上看到报纸时，我感到相当失望。在我看来，先生，正如我刚才解释过的，这座城市其实在本质上并不能包容萨特勒的极端行径。正是因为他如此的遥不可及，才吸引了某些人，成为了本地的一个神话。若是再次把他塑造成为真正的希望……先生，说句实话，这里的人们会恐慌的。他们会退缩。他们会突然发现：自己一直抱着那些已知的事物死死不放，就连它们已经带来了深深的痛苦也毫不介意。您刚才征询我的看法，先生。我觉得，将马克斯·萨特勒引入讨论，已经严重危害到了进步的可能性。不过，当然啰，还有今天晚上。最后，一切将取决于今晚，取决于您所要说的话，还取决于布罗茨基先生的表现。正如您所指出的那样，没人比您更擅长收复失地了。”一时间，他好似在默默自忖。接着，他神情严肃地摇了摇头。“瑞德先生，您现在所能做的最好的事情，先生，就是去音乐厅。今晚，一切都必须按计划进行。”

“是的，没错，您所言极是。”我说，“我肯定，这会儿汽车正等着载我过去呢。佩德森先生，非常感谢您的肺腑之言。”

第二十六章

台阶很陡，向下穿过高高的树篱和灌木。我走下台阶，站在路旁，望着夕阳徐徐沉入对面的田间。走下阶梯时，我正好来到了一处急转弯，顺着转角走了一会儿后，发现视野一下子开阔了起来。我看到，前上方刚刚爬过的山上，在天空的映衬下，依稀可见小木屋的轮廓，而霍夫曼的车就在之前放下我的停车带里等着。

我朝汽车走去，满脑子装着刚才和佩德森的对话。我想起第一次在电影院见到他时，他的一言一行无不透出对我的敬重。如今，他虽仍很礼貌，但显然已对我失望至极。这念头让我异常苦恼。我继续走着，凝视着落日，开始越来越懊恼没有更谨慎地对待萨特勒纪念碑这件事。诚然，正如我向佩德森指出的那样，我当时做出的决定似乎是最明智的处理办法了，可我还是不免隐隐纠结，虽然我时间有限，还顶着巨大压力，但那时我理应更充分地了解个中缘由。而即便到了这最后的节骨眼上，晚会几乎都要靠我压场，这些当地问题仍有些方面不甚清楚。现在我明白了，错过今早与市民互助支持小组的见面实在是个重大失误——而这一切只为了一个无甚必要的排练而已。

我来到霍夫曼的车旁，感觉既疲惫又沮丧。他坐在驾驶座里，忙着在笔记本上写些什么。我打开客座车门，他才注意到我。

"啊，瑞德先生，"他惊呼道，一边飞快地收起笔记本。"我相信，您的排练很顺利吧？"

"哦，是的。"

"设施怎么样？"他急忙发动汽车。"您满意吗？"

"非常好，霍夫曼先生，谢谢。不过我得尽快赶到音乐厅。谁也不知道会有些什么调整。"

"当然。其实，我也正急着要赶去音乐厅。"他瞟了眼手表。"我得去核查一下餐饮设施。一小时前我在那儿的时候，可以满意地说一切都进行得非常顺利。但是，当然啰，随时都可能出纰漏。"

霍夫曼驾车回到小路上，我们在沉默中行驶了几分钟。小路虽比出城时忙一些，但仍没那么拥挤。很快，霍夫曼便驾车疾驰起来，我凝望窗外的田野，尝试放松，却发现思绪又不自主地转回到了即将来临的夜晚。这时我听到霍夫曼说：

"瑞德先生，希望您别介意我提起此事。是一件小事。也难怪您忘记了。"他轻声笑了笑，摇了摇头。

"是什么事啊，霍夫曼先生？"

"我是说，我妻子的剪报册。也许您还记得我们初次见面时我曾提过的。我妻子，她多年来一直是您忠实的仰慕者……"

"是的，当然，我记得很清楚。她准备了一些有关我职业生涯的剪报册。对，对，我没忘。事实上，这么些繁忙的活动之后，我仍非常期待看到您太太的剪报册。"

"她为这事倾注了大量心血，先生。已经好多年了。有时，为了搞到那些刊登了有关您的重要报道的过期刊物或报纸，她可颇费了周折。真的，先生，她的赤诚之心日月可鉴。对她来说，意义真的非同一般……”

“霍夫曼先生，我很想在不久之后一睹那些剪报册。正如我说，我充满了期待。但是，假若这会儿我们能趁此机会谈谈，呃，有关今晚的一些事宜，我会不胜感激的。”

“随您，先生。不过我可以向您保证，一切都在掌控之中。您没什么好担心的。”

“是的，是的，我相信。但是，既然晚会将至，将心思稍稍放在这上面，定是明智之举。比如说，霍夫曼先生，我父母的事情。我坚信这儿的市民会很好地照顾他们，但他们俩身体都很虚弱，所以我非常感激……”

“啊，当然，我完全理解。确实，请允许我这样说，您如此关心父母，让我无比感动。我十分高兴地向您保证，我们已经做了周详安排，以确保二老全程安心舒适。我们已经派遣了一群非常迷人能干的女士，在二老逗留期间全程照顾他们。至于今晚的活动，我们为二老准备了一些特别节目，我相信这点锦上添花的小插曲也会吸引您的。您肯定知道，我们当地的西勒兄弟公司两个世纪以来以制造马车而享誉世界，曾经为许多远方的贵客，比如说法国和英国的客人，提供服务。我们城里仍保留有西勒兄弟手工制造的精致马车，我想二老一定乐意乘坐这辆无比精致的尊贵马车抵达音乐厅，况且我们已为马车配备了两匹梳洗干净的纯种骏马。瑞德先生，或许您可以想象一下那副场景。届时，音乐厅前的那块空地灯火辉煌，各路名流欢聚一堂，互致问候，大家盛装打扮，一片喜气洋洋。当然，汽车是不允许开进那块空地的，所以人们都会徒步穿过树林。

那时，大厅外人潮涌动——先生，您能想象出那画面吗？——从幽暗的树丛里传来渐近的马蹄声。男女贵宾们停止交谈，扭转头来。马蹄声渐渐清晰，越来越接近那璀璨的灯光。接着，他们会突然出现在人们的视线当中，俊美的马匹，身着燕尾服、头戴礼帽的车夫，西勒兄弟制造、闪闪发光的马车，上面坐着您最洒脱的父母！您能想象那一时刻人们翘首以待的兴奋心情吗？当然，我们不会要求您父母长时间坐马车，只是在穿过树林的中央大道时才乘坐。我向您保证，那马车绝对是奢侈品中的杰作。他们会发现那马车就如同豪华轿车，是全遮蔽式的，十分惬意舒适。自然地，会有些轻微的颠簸，但在一流的马车上，那定会变成一种积极的安抚。我希望您能想象出，先生。我必须承认，原本我是想为您本人到来时做如此安排的，但之后意识到，整个活动过程中，那时候，你会更中意安坐在后台。而且，毕竟人们不希望削弱您登台亮相的影响力。就在那时，我们得到了一个振奋人心的消息，说您的父母也将莅临这座城市。我立刻就想到了：'啊，理想的解决方案！'是的，先生，您父母的到来会将气氛烘托得恰到好处。我们当然不会让二老随后一直站着。他们会被直接引入礼堂的嘉宾座，这就示意其他所有人，他们也可以开始入座。不久之后，晚会正式开始。它会以我儿子斯蒂芬的钢琴独奏开场。哈哈！我是有些滥用职务了。可斯蒂芬如此渴望舞台，那时候我或许愚蠢地认为……唉，现在说那个没意义了。斯蒂芬会来一段轻松的钢琴独奏，只是为了营造一下气氛。在此期间，灯光依然亮着，人们可以寻找座位，互相致意，在过道上闲聊，等等。然后，待所有人落座后，灯光会暗下来。接下来是正式的欢迎致辞。然后，管弦乐队适时出场，乐手们入座，调试乐器。再然后，短暂的停顿之后，布罗茨基先生登场。他会……他会开始表演。他表演一结束，会有——我们希望，假设——会有雷鸣般的掌声，布罗茨基先生连连鞠躬，随后是短暂的休息。确切地说，不是中场休息，我们不会允许观众离席。大约五分钟后，灯又会全部亮起，人们可以借机整理思绪。然后，当人们还在忙着交换看法时，冯·温特斯坦先生出现在舞台的帷幕前。他会做个简短的介绍。就几分钟——毕竟，哪有那么多必要做介绍呢？ 然后他就退回侧台。整个礼堂顿时一片漆黑。然后，就到了那一刻，先生，就是您出场的时刻。其实，我一直打算跟您讨论这事儿呢，从某种程度上说，您的配合至关重要。您看，先生，虽说我们的音乐厅十分漂亮，可它毕竟已年代久远，自然少了现代建筑里面理所当然的种种设施。像餐饮设施，我想之前我已提到过，还远远不够，这使得我们严重依赖酒店。但是，先生，我的想法是这样的：我已经从我们的体育中心——的确是现代且装备精良——借到了电子记分板，就是通常挂在室内体育馆里的那种。体育馆只在这种时候才自觉丢人呐！ 原本悬挂记分板的地方会摇来晃去地悬着一根根丑陋的黑电线。呃，先生，话说回来。在一番简要的介绍之后，冯·温特斯坦先生会退到侧台。顷刻间，整个礼堂一片漆黑，这当儿帷幕拉开。接着，单射灯亮起，光线聚焦于站在舞台中央讲台上的您。此时此刻，听众们显然会报以热烈的鼓掌。随后，掌声慢慢退去，在您开口之前——当然，只要您同意——一个低沉的声音会响彻礼堂，宣读第一个问题。声音是由本市最资深的男演员霍斯特·詹宁斯发出的，他在楼上音响室，通过公共演讲系统讲话。霍斯特拥有一副漂亮、浑厚的男中音，他会缓缓地读出每个问题。他一边读——这是我的小主意，先生！——文字便会同步出现在您头顶正上方钉着的电子记分板上。您看，到这一刻为止，因为四周一片漆黑，没人会留意到记分板。这些文字就好像在您头顶凌空出现一般。哈哈！望见谅，但我认为这不仅有利于这一场合的戏剧效应，同时也增加了明晰度。我敢说，记分板上的文字可帮助在场的部分听众记住您所阐述问题的严肃性以及重要性。毕竟，在群情激动时，有些人很容易注意力不集中。呃，您看，先生，有了我这个小主意，就不太会出现那种情况。每个问题都会呈现在他们眼前，用巨大的字体一一拼写出来。所以，先生，若是您同意，我们就这么安排。先是宣读第一个问题，记分板上同步拼写出来，您站在讲台旁作答，然后，等您回答完毕，霍斯特会接着念下一个问题，依此类推。我们只有一个请求，瑞德先生，那就是：每答完一个问题，您就得离开讲台，走到舞台边鞠个躬。作此请求，原因有二。首先，由于电子记分板的短时性，不可避免会存在某些技术难题。技术人员得花好几秒钟将每道题录入记分板，这样，在记分板的文字出现之前会多出十五到二十秒钟的间隙。因此，您看，先生，如果您能走到舞台边行鞠躬礼，听众必然会鼓掌，那我们就能避免一系列打断整个活动进程的尴尬停顿了。接着，在每轮掌声渐息之时，霍斯特和记分板就会宣布下一个问题，此间您就有充足的时间回到讲台。此外，先生，还有一个深层原因，若此方案一旦实施，便可自行解决。您来到舞台边鞠躬，是非常隐晦地告诉技术员，您已经回答完毕了。毕竟，我们希望不惜一切避免意外情况，比如，您还在讲的时候，记分板就开始显示下一个问题。但您看，正如我所解释的，由于时间差的问题，这种状况很容易发生。毕竟，会出现此种情况：您好像说完了，停顿了一下，其实只为了酝酿最后中肯的结语，而当您继续道出结语时，技术员却已开始……啊！ 这简直是灾难！ 不堪设想啊！所以，先生，请允许我提议使用这个简单却有效的办法，您每每回答完毕，就来到舞台边。其实，先生，就是为了给技术员多几秒钟录入下一个问题，倘若您在快回答完毕时再给点暗示，或许比方说，微微耸一下肩，那可就帮了大忙了。当然，瑞德先生，所有这些安排有待您的认可。假如您对这其中任何一个想法不满意，请尽管直说。”

霍夫曼在滔滔不绝时，我脑海中浮现出一幅栩栩如生的晚会图景。我似乎听到了掌声和头顶上电子记分板的“嘤嘤”声。我看到自己微微耸了耸肩，然后在炫目的灯光中走向舞台边。一种奇异朦胧的虚幻感袭上心头，这时我才意识到，自己根本就没有准备好。我发现霍夫曼正等着我回答，于是懒洋洋地喃喃说：

“听上去很好啊，霍夫曼先生。整件事，您考虑得非常周全。”

“啊。这么说您同意了。所有的细节，全都……”

“是的，是的，”我说道，不耐烦地挥了挥手。“电子记分板，走到舞台边，耸肩，是的，是的，是的，是的。一切都设想周到。”

“啊。”一时间，霍夫曼好像仍旧不甚肯定，但随后便断定这是我的肺腑之言。“太好了，太好了。那一切就这么定了。”他自顾自地点点头，沉默了片刻。接着，我听到他又在自言自语，眼睛目不转睛地看着小路：“是的，是的。一切都定了。”

而后的几分钟，霍夫曼没再对我说什么，而是继续小声地自言自语。这时，天空抹上了一层粉红色，转过这条小路，穿过农田，太阳映在我们的挡风玻璃上，车内满是绚烂的阳光，我们不得不眯起眼睛。接着，有那么一刻，我盯着窗外时，突然听到霍夫曼喘着气说道：

“一头牛！ 牛，牛，牛！”

虽然他说得很轻，但我仍是吃惊不小，扭转头看了看他。我发现他依然沉浸在自己的世界里，眼盯着前方，自顾自地点头。我环视了一下我们经过的田地，看到了许多田间的绵羊，但没看到牛的踪迹。我隐隐记起，之前一次与我同车旅行时，他也有过类似的举动，接着，我很快便对此失去了兴趣。

没过多久，我们就回到了城市街道上，很快，车流减速，慢得像在爬行。人行道上挤满了下班回家的人，许多商店橱窗的灯已经亮起，准备晚上的营业。这下我回到了城里，感觉自己又恢复了些许信心。我觉得只要一到音乐厅，只要有机会登上舞台审视周围环境，许多事情便会有头绪了。

“没错，先生，”霍夫曼突然说，“一切都会井然有序。您完全不必担心。您将看到，本城会为您增光的。至于布罗茨基先生，我依然对他很有信心。”

我觉得至少应该展示一下我乐观的态度。“是的，”我开心地说道，“我敢说今晚布罗茨基先生肯定会很出彩。他刚才看上去状态非常不错。”

“哦？”霍夫曼一脸疑惑。“您最近见过他？”

“刚刚在上面的公墓那儿。正如我所说，他看上去信心十足……”

“布罗茨基先生在公墓？ 那，我很好奇，他在那里干什么。”

霍夫曼向我投来探究的目光。我沉吟片刻，想详述整个葬礼的情形，以及布罗茨基那令人印象深刻的介入。但最后，我竟打不起一丝精神，只是简单地说道：

“我想，他过会儿在那儿有个约会。与柯林斯小姐。”

“和柯林斯小姐？ 哦，天哪。究竟是怎么回事？”

我看着他，有点惊诧于他的反应。“看来他们真的有可能要和解了，”我说，“如果结果真能圆满的话，那么霍夫曼先生，这将会是您真正功德无量的又一件事啊。”

“是呀，是呀。”霍夫曼若有所思，眉头皱了起来。“布罗茨基先生这会儿在公墓？ 在等柯林斯小姐？ 稀奇。太稀奇了。”

我们继续行驶，向市中心进发，交通更加拥挤，最后我们在一条狭窄的后街某处停下了。霍夫曼越发不安起来，他再次扭头转向我。

“瑞德先生，有件事情我必须要处理。就是说，我还是会按照既定行程在音乐厅与您会合，只是现在……”他看了看表，露出一副惊慌失措的模样。“您看，我必须得处理……处理件事情……”接着，他握紧方向盘，直直地盯着我。“瑞德先生，是这样的。鉴于这讨厌的单行道，还有这糟糕的交通晚高峰，开车到音乐厅还得花上不少时间。而步行……”他突然指着我身后的窗外。“就是那儿了。就在您眼前。走几分钟就到了。对，先生，就是那儿的那座屋顶。”

我看到不远处一座巨大的穹形屋顶隐现在其他建筑之上。毫无疑问，它看起来好像不过三四个街区的距离那么远。

“霍夫曼先生，”我说，“如果您有急事，我很乐意自己走过去。”

“真的？ 您会原谅我吗？”

车流向前挪了几英尺，又停住了。

“其实，我挺喜欢步行的，”我说道，“看起来，傍晚天气还不错。而您说过的，步行只要很短一段路。”

“这单行道烦透了！ 我们可能会在这车里再等上一个小时！ 瑞德先生，您能原谅我，我万分感激哪。但您看，有件事儿，我必须……必须处理……”

“是的，是的，那当然。我就在这儿下。其实，您太客气了，在这么繁忙的时候，这样载着我到处跑。我很感激。”

“您从后面走，就会到音乐大厅。就朝着那房顶一直走就行了。让那房顶一直保持在您视线中，就不会错过。”

“请不要担心。没问题的。”我打断他的致歉，又再次谢了谢他，下车来到人行道上。

很快，我便漫步在了一条狭窄的街道上，经过一排专业书店，接着走过了几座外形美观的观光酒店。要直视着那穹顶走，根本不难，我有机会边呼吸新鲜空气边散步，还庆幸了一小会儿呢。

但是，走过两三个街区之后，一连串恼人的想法钻进我脑中，挥之不去。一者，我觉得问答环节可能会不只一次遭遇阻力。的确，假如依照公墓经历，若群情激动，那么出现尴尬场面的可能性就在所难免。再者，如若问答环节洋相百出，那么可以想见，我的父母在见证了这一场面之后，心中的惊恐与尴尬有增无减，会强烈要求被带离礼堂。换句话说，在我还未有机会碰到钢琴，他们就已经离场了；接着，人们就会猜测，他们何时还会再回来听我演奏。更糟的是，如果诸事真的非常不顺，他们两个都会病发。我仍旧坚信，只要我开始弹琴，不出几秒，我母亲，还有我父亲，都会惊讶不已，但同时，问答环节大大阻碍了我。

我发现自己太投入了，不知不觉中，几幢建筑物遮住了穹顶。起先我还不太在意，以为过不了多久，就会重新看到它。然而，走着走着，我发现街道变得越来越窄，而我周围的房子看上去都有六七层楼高，让我几乎看不到天空，更不用说那穹形屋顶了。我决定找一条与此平行的街，但每当我拐一个弯儿，我就从一条小街绕进另一条小街，很可能是在绕圈，而音乐大厅却怎么也看不见。

就这样过了几分钟，我心里开始感到恐慌起来。我考虑要不要拦住某人问问路，但转念一想，这样做有欠考虑。这一路走来，经过的路人都扭头看我，有时甚至突然停在人行道上，尽管刚才我只顾着找路，对此没有多想，但我已经有所察觉。这会儿我明白了：今晚的盛事已然逼近，还有那么多事情悬而未决，这时让人看见我在街上徘徊，明显迷了路，踌躇不定，那怎么行呢。我使劲挺直腰板，摆出一副万事胸有成竹的模样，绕着城镇闲庭信步起来。我强迫自己放慢脚步，向每个盯着我的人愉快地微笑。

我又拐了个弯，终于看见了音乐厅，就在我眼前，较之前更近。我现在所处的街道比较宽阔，街两边全是灯火明亮的咖啡吧和商店。那座穹形屋顶也只有一两个街区那么远，就在街道的转弯处那边。

我松了口气，不仅如此，对即将到来的夜晚，我的感觉也突然间好了许多。只要我到了会场，站在舞台上，许多事情就会变得有条不紊起来——我先前的这种感觉又回来了，我几近热情地继续走了下去。

然而，我弯过转角，一幅奇怪的景象映入眼帘。前方不远处横卧着一面砖墙，堵住了我走的小路——实际上，是横穿过整条街。我首先想到的是，墙后面有条铁轨，但我留意到，街道两边建筑物的楼层要高得多，延绵不绝，伸至墙的另一侧，直至远方。这面墙引起了我的好奇，但我并没有立即看出这是个问题，心想等我走近，便会发现一扇拱门或一条地道，引着我走到另一边。无论如何，那穹形屋顶此刻已经非常近了，暗空中它被聚光灯照得雪亮。

直到我走到近前，我才意识到，这里并无道路相通。两边的人行道只到砖墙处就没路了。我十分错愕，四下看了看，然后沿着长长的砖墙走上对面的人行道，心里仍旧不太能接受这一事实：四下竟连一扇门或者连一个可以趴着钻过去的小洞都没有。我在墙跟前无助地站了一会，最后只得向一位过路人——一个刚从附近礼品店里出来的中年妇女——招了招手，问道：

“打扰了，我想去音乐厅。请问该怎么通过这面墙？”

那女人看似被我的问题吓了一跳。“哦，不行，”她说，“那堵墙您过不去。当然不能。这条街封死了。”

“这可太恼人了，”我说，“我得去音乐厅。”

“我觉得，是挺恼人的，”那妇人说，好像之前她从未想过此事。“刚才我看见先生您盯着墙看，还以为您只是游客呢。您可看到了，这堵墙是个蛮有名的旅游景点。”

她指着礼品店前面的明信片旋转架。借着门口的灯光，我果真看到了一张张高调的、以墙为主题的明信片。

“但是在这种地方砌面墙究竟是何用意？”我问道，不由地提高了嗓门。“太怪异了。这墙能干什么用呢？”

“我真的感同身受。对于外地人，特别是对一个想匆忙赶往某地的人，这的确很恼人。我想那就是所谓的荒唐。这是上世纪末某个怪人建的。当然，它很古怪，但自那时起它就很有名了。夏天，就在我们现在站的这块区域挤满了游客。有美国人，日本人，都纷纷拍照呢。”

“简直不可理喻，”我愤懑地说，“请告诉我最快到音乐大厅的路。”

“音乐厅吗，先生？ 嗯，如果您是打算步行的话，还有相当一段路呢。当然，我们现在是离它很近，”她抬头望了望那屋顶，“但实际上，因为这堵墙，距离近也没多大意义。”

“真是太可笑了！”我耐心全失。“我自己会找到路的。您显然不能理解，一个人可能很忙，行程紧张，根本耗不起在城里瞎转上几个小时。其实，恕我直言，这堵墙就是这座城市相当典型的代表。到处都是荒诞异常的障碍。你们干什么去了？ 你们就没烦过它吗？ 你们没有要求立即拆掉它，让大家能够各忙其事？ 没有，你们忍气吞声了一个世纪。你们把它制作成明信片，还以为它景致优美。就这么堵砖墙有那么美吗？ 简直是个怪物！我可以好好利用这堵墙打个比方，我已经决定了，就在今晚的演讲中！ 本来我已经构思好了演讲的大部分内容，也不想在最后关头做大幅修改。幸亏遇到您啊。晚安！”

离开那个妇人后，我赶紧循原路折回，决心不让这荒唐的耽搁毁掉我重建好的自信心。然而，我一边走一边老是在想，自己离音乐厅越来越远，先前的沮丧便卷土重来。这条街好像比我记忆中的要长得多，终于，我走到底，发现自己又在纵横交错的小巷中迷路了。

我继续徒劳地转悠了几分钟，突然觉得无法再走，于是停下脚步，刚好停在了人行道上的一家咖啡店旁。我瘫坐在最近那张桌旁的椅子上，顿时感觉连残存的一丝力气也耗尽了。我模糊地意识到，在我四周，天色越来越黑，而在我头顶后面，有盏电灯正照耀着。这盏灯也照亮了我，过路人还有其他顾客都看到了，但不知怎地，我实在不想起身，甚至都不想稍稍掩饰一下自己沮丧的神情。过了一会儿，来了一位侍者，我点了一杯咖啡，然后继续低头盯着我的脑袋投射在金属餐桌表面上的倒影。先前困扰我的关于今晚活动的所有可能性统统开始涌入脑中。尤其是，我郁闷地不停回想起，决定在萨特勒纪念碑前拍照已经无可挽回地损坏了我在这座城市里的威信，留给我一堆数量惊人的问题需要弥补；还有，在问答环节，哪怕稍有任何不甚权威的表现，就会引发一场全面的、灾难性的后果。事实上，眼下一想到这些，我的眼泪差点夺眶而出。但就在这时，我感到有只手拍了拍我的后背，有人在我头顶轻柔地重复道："瑞德先生，瑞德先生。"

我以为是侍者端着咖啡回来了，就用手势示意他把咖啡放在我面前。但那人依然叫着我的名字，于是我抬起头，发现原来是古斯塔夫，他正关切地看着我。

"哦，您好。"我说。

"晚上好，先生。您好吗？我想应该是您，但不能确定，所以就过来看一下。您没事吧，先生？我们全都在那儿，所有的小伙子，您要不要过来加入我们呢？他们一定会欣喜若狂的。"

我环顾四周，发现自己坐在一座广场的边缘。广场中央只有一盏路灯，基本上笼罩在黑暗之中，所以人们穿梭的身形看上去不过是点点暗影罢了。古斯塔夫指了指对面，我看到了另一家咖啡馆，比我现在光顾的这家要大，从它敞开的店门和窗户里透出温暖的光线看。即便相隔这么一段距离，我也能辨别出，那里面正举行着许多欢快的活动，小提琴音乐的片段，还有欢笑声，穿过夜空徐徐传来。那时，我才意识到，我其实正坐在老城区的主广场边上，对面就是匈牙利咖啡馆。我继续四下看着，听到古斯塔夫说：

“小伙子们，先生，他们让我不停地说了一遍又一遍，关于——您知道的，先生——您说了些什么，关于您如何同意的。我已经讲了五六遍了，但他们总想从头再听一遍。从上次听过后，他们就止不住地大笑，互相击掌，但他们又来了，说：‘来吧，古斯塔夫，我们知道你还没告诉我们一切呢。究竟瑞德先生说了些什么？’‘我告诉你们了啊！’我对他们这样说，‘我告诉你们了。你们都了解得非常清楚。’但他们就是还想再听，我敢说今晚结束以前，他们还想再从头多听几遍呢。当然，先生，每次他们问起，我都是装出这么一副腻烦的口吻，这自然是为了配合效果。说真的，当然，我跟他们一样，从头至尾都很激动，从今早开始，就开心地一遍又一遍重复我们的交谈。看到他们的脸上又露出那样的表情，真是太好了。您的承诺，先生，带来了新的希望，使他们的脸上焕发出新的朝气。就连伊戈尔都在微笑，为某些笑话而开怀大笑！我都记不得上次看到他们这样笑是什么时候了。哦，是的，先生，这样再多说几遍，我是很乐意的。无论何时我说到您说‘好吧，我很乐意代表你们说些什么’的时候，无论何时我说到那个地方，您真应该看看他们，先生！ 他们欢呼雀跃，互相击掌，我已经很久没看到他们像这个样子了。所以我们在那儿，先生，边喝着啤酒，边谈论着您无限的慷慨，谈论着过了这么多年，迎宾业将会从今晚之后永远改变，是的，我们正说着这些的时候，我碰巧朝外望了一眼，看到了您，先生。那店主，您看得出来吧，他开着大门。让那个地方的气氛更好些，夜幕来临时可以看到对面的广场。呃，就这样，我望着对面，心想：'那可怜的人是谁啊，怎么独自坐在那边。'可是，您瞧，我眼神不太好，所以我没意识到原来是您。后来，卡尔悄声对我说，他一定感觉到大声说出来，不是个好主意，他对我说道：'我可能看错了，但那不是瑞德先生本人吗？ 就在那边？'于是我又看了看，心想，是的，可能是的。大冷天的，他究竟为何坐在那外面，而且这么悲伤？ 我要去看看是不是真的是他。我说吧，先生，卡尔真是非常细心。没有其他人听到他说的话，所以除了他，没人知道我为何溜了出来，不过我敢说，这会儿有几位可能正看着这边呢，纳闷我来这儿干什么。但真的，先生，您没事吧？ 您看上去心事重重。"

"呃……"我叹了口气，擦了把脸。"没什么。只是所有这些旅行，还有所有这些责任。偶尔，就会……"我微微一笑，声音渐渐低了下去。

"可您为何独自一人坐在这外面呢，先生？ 夜晚很冷，您只穿了件外套。我对您说过，无论何时您想来匈牙利咖啡馆，我们都无限欢迎，但您却这样。您难道认为，假如过来我们这边，我们就不会那么热情地欢迎您吗？ 独自一人坐在这外面！ 真的，先生！ 请不要再迟疑了，过来加入我们吧。然后您可以放松一下，开心一会儿。把您所有的担心都抛在脑后吧。小伙子们会欣喜若狂的。请吧。"

广场的另一边，咖啡馆门口灯光闪烁，乐音悠悠，笑声阵阵，确实令人神往。我站起身，再次擦了擦脸。

“这就对了，先生。您很快就会感觉好起来的。”

“谢谢。谢谢。真的，谢谢。”我努力控制住了自己的情绪。“十分感激。真的。我只希望不会太叨扰。”

古斯塔夫哈哈一笑。“您很快就会见识到是不是叨扰了，先生。”

我们动身穿过广场，这时我想到，自己最好还是先调整一下心情，然后再去见那些迎宾员，他们见到我必定会激动不已，满怀感激。现在每走一步，我就对自己更有把握，我正要对古斯塔夫说些愉快的话，这时，他却突然停住脚步。自我们开始动身穿过广场，他的一只手就一直轻轻地搭在我的背上，可那一刹那，我感觉到他的手指紧紧抓住了我的外套。我转过身，在昏暗的路灯下看到：古斯塔夫静静地站着，低头看着地面，一只手抬起，抚着眉毛，好像突然想起什么重要的事。然后，还没等我开口，他便摇了摇头，局促不安地微笑了一下。

“对不起，先生。我只是……只是……”他微微一笑，又开始走了起来。

“没事吧？”

“哦，是的，是的。您知道，先生，您一踏入那扇门，小伙子们就一定会激动不已的。”

他走在我前面，隔着一两步远，坚定地带着我走过了广场上剩下的路程。

第二十七章

直到我步入咖啡馆，感受到房间另一头的原木火焰散发出的阵阵温暖，我才意识到夜晚已有多么寒冷。咖啡馆的内部已重新布置过了，和我上次进来时截然不同。大部分桌子被推到后面顶墙放置，留出了房间中主要的中间部分，一张巨大的圆桌摆在那里。圆桌边大概围坐着十二个男人，喝着啤酒，一片喧闹。这些人看上去比古斯塔夫稍显年轻，但大多数也已过中年。离他们不远处，在靠近咖啡柜台的那边，两个吉卜赛人穿戴的瘦削男人正拉着小提琴，在演奏轻快的华尔兹。还有些其他客人，但他们好像都对自己坐在不显眼的位置上感到很满意，通常是房间的昏暗隐蔽处，仿佛自知是在出席他人的活动。

我和古斯塔夫走了进去，迎宾员们全部扭头看着我们，不确定是否该相信自己的眼睛。古斯塔夫说道："是的，小伙子们，真的是他。他亲自过来问候我们了。"

咖啡馆里突然静默下来，所有人——迎宾员，服务员，乐师，顾客——都盯视着我。紧接着整个屋子爆发出一阵热烈的掌声。不知何故，这欢迎会着实让我吃了一惊，几乎让我再次落泪。我微笑道："谢谢，谢谢！"然而热情的掌声依旧，几乎淹没了我的声音。迎宾员们统统起身，吉卜赛乐师也将小提琴夹在臂膀下，一同鼓起掌来。古斯塔夫引导我走向中央的圆桌，我顺势坐定，掌声终于平息下来。乐师们继续演奏，我发现自己周围都是些激动的面庞。坐在我身旁的古斯塔夫开口道：

“伙计们，承蒙瑞德先生的好意……”

话还未完，一个红鼻子的矮胖迎宾员就探过身子，举起了啤酒杯。“瑞德先生，您可救了我们，”他宣布道，“如今，我们的故事将会大不相同了。我的孙辈们，他们会用不同的方式记住我。对我们来说，这可是个非凡的夜晚。”

我仍旧微笑着回望他，这时我感觉有只手抓住了我的臂膀，发现一张瘦削、看似紧张的脸正盯视着我。

“求您了，瑞德先生，”那男人说。“求您了，您真的要那样做，对吗？大伙儿都在您的面前，您心中装着别的非常重要的事情，到那时，您不会改变主意的吧，还有……”

“别这么无礼，”另一个人说道。那个一脸紧张的人消失了，仿佛有人把他拉了回去。接着，我听到一个声音在背后说：“他当然不会改变主意。你以为你在跟谁说话呢？”

我转过身，想安慰安慰那紧张的男子，然而，另一个人摇着我的手说道：

“谢谢，瑞德先生，谢谢。”

“你们太客气了，”我微笑着对众人说，“不过我……我真的得提醒你们……”

就在这时，有人推挤了我一下，差点撞到身旁的人。我听到有个人在道歉，另一个人在说：“别那样推！”接着，又有一个声音贴近我说：“我想刚才在外面的就是您吧，先生。我就是向古斯塔夫指出您的那个人。您能这样来看我们，真是太好了。今晚将会是我们永远铭记的夜晚，是城里每个迎宾员的转折点。”

“瞧，我得提醒你们，”我大声说道，“我会竭尽全力，但我得提醒你们，我可能不如以前那样有影响力了。你们看……”

但我的话被一帮迎宾员高呼的一声“万岁”给淹没了。喊第二声“万岁”时，全部迎宾员都加入其中，接着，音乐声暂停，咖啡馆的每个人都加入其中，欢呼这最后一声震耳欲聋的“万岁”。末了，更多的掌声骤然响起。

“谢谢，谢谢！”我深受感动，连连说道。随着掌声逐渐消退，隔着桌子，那红鼻子迎宾员说道：

“我们非常欢迎您的到来，先生。您是一个很有名望的人，但我想让您知道，我们在座的这些人，每每看到一个人的时候，就能识别他是不是好人。没错，我们干这行这么久了，对体面修为有很好的嗅觉。您是个真正的体面人，既正派又和善，我们都看得出这一点。您也许觉得我们在这儿欢迎您，只是因为您要帮助我们。当然，我们都很感激您，但我了解这群人，他们是真心喜爱您。如果您不是一位正派的人，他们是不会这样的。假如您太骄傲，或者有一点儿不真诚，他们就会把您给嗅出来的。哦，是的。当然，他们仍会感激您，仍会好好对待您，但绝不会如此喜欢您。我想说的是，先生，即使您不出名，即使您是个偶然闯到这儿的陌生人，但只要我们觉得您很好，只要您解释说您远道而来愿寻求陪伴，我们都会欢迎您的。一旦我们看出您是一位多么好的先生，我们迎接您的方式不会与刚刚有所不同。哦，是的，我们并不像人们所说的那样几近冷漠无情。从现在开始，您可以把我们每个人都当作朋友。”

“没错，”在我右边的一个人也开口道，“我们现在是您的朋友了。您在这儿遇到任何困难，您都可以指望我们。”

“非常感谢，”我说道，“谢谢。我今晚会为你们尽力的。但真的，我得提醒你们……”

“先生，求您了。”古斯塔夫在我耳边轻声说道，“请不要担心了。一切都会非常顺利。何不尽兴片刻？”

“但我只是想提醒你的这些好友……”

“真的，先生，”古斯塔夫继续低声说，“您的敬业精神令人敬仰。但您实在过于担心了。请放松，尽兴一下吧。就一会儿。看看我们。我们所有在场的人都有担忧之事。我自己同样，即将要再去音乐厅，回去做那些工作。但既然我们这样在这儿相遇了，我们亦很开心能置身朋友当中，忘却一切。我们放松心情，开心一下吧。”说到这里，古斯塔夫提高音量，盖过了嘈杂的人声，说道：“来吧，我们给瑞德先生看看，我们究竟如何尽情开心的！给他看看我们如何做的！”

这一声号召赢得了一致的欢呼与又一轮的掌声，随后掌声慢慢变成了节奏强劲的拍手声，在桌子四周回荡。吉卜赛乐师和着拍手声加快了演奏，一旁的顾客们也跟着拍起手来。我还注意到，房间里其他各处的人们也中断了交谈，转过身，仿佛是要观看一个期待已久的景观。有个人，我猜应该是店主——一个黑黑的、瘦高男人——从后面房间出来，斜倚在门框边，显然很着急，不愿错过接下来的事。

此时，迎宾员们继续拍手，较之前更欢快了，有些人双脚跺地，加强节奏。接着，两个侍者出现了，他们急匆匆地收拾好了餐桌。啤酒杯、咖啡杯、糖罐子和烟灰缸转瞬间就统统不见了。接着，一个迎宾员，一个有浓密络腮胡的男人，爬到桌子上。浓密的胡子下，脸庞红彤彤的，是因尴尬还是因喝酒，我不得而知。一上餐桌，他好像就没了顾忌，咧嘴笑着，开始跳舞。

那是一种古怪的静态舞蹈，双脚几乎不离桌面，着力表现人体雕塑般的姿态，而非敏捷移动的美感。络腮胡男子张开双臂，摆出一副希腊神祇般的姿势，仿佛背负着一个隐形的重物。随着拍手声与鼓励的叫喊声的继续，他会微微改变臀部的角度，或者慢慢转动身体。我揣测了一会儿，不知这个表演是否应该是喜剧，尽管桌边尽是欢愉的大笑声，但很快我就明白了，表演中没有讽刺的意味。我看着络腮胡迎宾员，有人推了推我，说道：

“就是这个，瑞德先生。我们的舞蹈。迎宾员之舞。我相信，您听说过的吧。”

“是的，”我说，“啊，是的。那么，这个就是迎宾员之舞了。”

“就是它。不过好戏还没上演呢。”对方咧着嘴笑了笑，又推了推我。

我看到一个巨大的棕色纸盒从一个迎宾员手里递到了另一个的手里。那箱子大致上跟手提箱一般大小，不过从空中抛掷的情况来看，很轻，而且是空的。盒子绕着桌子传递了几分钟后，在某个舞蹈间隙被抛向了络腮胡迎宾员，整个过程似是经过精心排练。就在络腮胡迎宾员转换姿势，又抬起胳膊的那一刻，纸盒从空中抛来，巧妙地落在了他手中。

看络腮胡迎宾员的反应，像是接到了一块重重的石头——

这引得观众发出一阵担忧的呼叫——有那么一小会儿，他看上去要被这重量压得双腿发软了。然而，他相当坚定地站直了身体，最后，他站得非常直，盒子抱在胸前。这一举迎来了齐声欢呼，络腮胡迎宾员慢慢地将盒子举过头顶，终于将其高举在空中，双臂完全伸直。尽管这在现实中当然毫不费力，然而，表演中自有一股庄严与激情，我也加入到喝彩中去了，就好像他真的举起了千斤重物似的。接着，络腮胡迎宾员继续用某种技巧，创造出了那重物越来越轻的幻觉。不久，他就一只手举着盒子，边举着边做着小小的单脚着地旋转，有时将盒子抛过肩头，在背后接住。重物越轻，他的同伴们越是开心。接着，随着络腮胡迎宾员的表演越来越轻浮，他的同伴们就开始四下互相看看，咧嘴笑着，互相推搡着，直到另一个人，一个留着稀疏小胡子的瘦小男人开始爬上桌子。

桌子随之晃动，一侧翘起。大伙们对之报以哄笑，仿佛这全是表演的一部分。然后他们稳住桌子，瘦小的迎宾员费力地爬了上去。络腮胡迎宾员起先并没有发现他的同伴，继续卖弄着驾驭纸盒的技艺，而瘦小的迎宾员则闷闷不乐地站在他身后，仿佛等待着与一位他梦寐以求的舞伴跳舞。最后，络腮胡迎宾员看到了瘦小男子，把盒子扔给了他。瘦小迎宾员一接到盒子，就踉跄后退，仿佛会一举翻下餐桌似的。但他立即反应过来，接着，经过一番努力后，他站直了身体，背着盒子。他做这动作的时候，络腮胡迎宾员在众人的搀扶下爬下餐桌，并一起微笑拍手起来。

瘦小的迎宾员做着与他同伴之前相似的表演，只是添加了更多喜剧夸张的动作。他卖弄着滑稽的面部表情，并用出色的闹剧手法表演了跌倒，博得了阵阵哄笑声。我注视着他，那富有节奏的拍击声、吉卜赛乐师的提琴声、欢笑声，吃惊、嘲笑的叫声，充斥着我的耳朵，也填满了我所有的感官。接着，第三位迎宾员爬上了餐桌，换下了瘦小的男人，我顿时感到阵阵人间暖意渐渐包围了我。我忽然觉得，古斯塔夫的那番感想颇为深邃明智。如此忧心忡忡又有何意义呢？偶尔完全放松一下，开心一下，是非常重要的。

我闭上双眼，任凭欢乐的气氛萦绕身边，只依稀知道自己仍在拍手，不时在地板上跺着脚。我的脑海中浮现出一幅我父母的图景，他们俩坐在四轮马车上，驶向音乐厅前面的空地。我看到许多当地人——身着黑夹克的男人，穿着大衣、围披肩、戴着珠宝的女人——突然中止交谈，扭头看着传来阵阵蹄声的漆黑树林。接着，闪闪发光的马车突然出现在簇簇光线中，俊美的马匹小跑着停了下来，在夜色中喘着气。我母亲，还有我父亲，望向窗外，脸上首先浮现出一丝兴奋的期待，还有一丝防备和矜持，不愿完全妥协于心中的希冀，期望今夜是个光彩夺目的胜利之夜。接着，穿着制服的车夫急忙扶他们下车，权贵们站成一排迎接他们，他们会刻意摆出平静的笑容。我记得童年时期，为数不多的几次，父母邀请客人到家里来用午餐或者晚餐时，他们就会这样。

我睁开双眼，看到此时桌上有两位迎宾员在表演滑稽的老段子。谁举着盒子就会踉跄一下，似要跌倒，眼看就要从桌边摔下，就在最后一刻，不情愿地将盒子交给另一个人。接着，我发现了鲍里斯——这期间他很可能一直就坐在咖啡馆的什么地方——径直来到桌前，乐滋滋地抬头望着这两位迎宾员。他适时地拍手大笑，看那样子，这小男孩显然十分熟悉这些老段子。他坐在两位身形巨大、皮肤黝黑的迎宾员中间，那两人看起来很像，应该是兄弟。我看见他与其中一人说了句话，那人大笑，戏谑似地捏了捏小男孩的脸颊。

这些表演吸引了广场上越来越多的人，咖啡馆里越来越拥挤了。我还留意到，我刚进来的时候，只有两位吉卜赛乐师，但这会儿又有三个人加入其中，小提琴声从四面八方传来，较之前更大，更有活力。接着，后面一人——在我印象中，他并非其中的一位迎宾员——大喊道："古斯塔夫！"没多久，我们餐桌前面的人就跟着叫喊起来："古斯塔夫！ 古斯塔夫！"迎宾员们喊叫着，渐渐变成了吟颂。很快，就连那个看起来很紧张的迎宾员，他早先跟我说过话，这会儿正轮到他站在桌子上——并不是特别纯熟，却生气勃勃地表演着——也加入了进来。他正从后背由上至下，而后又在臀部周围摆弄着盒子，竟也吟颂起来："古斯塔夫！ 古斯塔夫！"

古斯塔夫已不在我身旁了，我四下寻找，发现他已走到鲍里斯那儿，此时正对着小男孩的耳边说着什么。其中一个皮肤黝黑的兄弟一只手搭着古斯塔夫的肩膀，我看得出，他是在乞求这位年迈的迎宾员上台表演。古斯塔夫微笑着，谦逊地摇了摇头，结果却引来了更加高亢的吟颂声。这会儿，屋子里几乎所有人都在吟颂着他的名字，甚至站在外面广场上的人好像也加入了呐喊的行列。最后，古斯塔夫只好无奈地朝鲍里斯笑了笑，站起身来。

作为最年迈的一位迎宾员，古斯塔夫比其他人年长好几岁，要爬上桌子似乎难度更大，但很多人伸出援手帮他。他一上桌子，便直起身子，冲观众微笑。那位模样紧张的迎宾员把盒子递给他，然后迅速下来。

打一开始，古斯塔夫的表演便与先前几位舞者的截然不同。一接到箱子，他并没有佯装它重得不得了，而是毫不费力地将它甩上肩头，还耸了耸肩膀。围观的人群哄堂大笑，我听到人们叫喊着："好样的，老古斯塔夫！""相信他！"他继续表演，满不在乎地耍着那盒子。这时，一个侍者穿过人群来到前面，把一只真正的手提箱抛上桌子。从他抛掷的动作和手提箱发出的巨大声响判断，它显然不是空的。箱子恰好落在古斯塔夫的双脚旁，人群中传来了低语声。接着，吟颂声重新响起，比之前更为急促。"古斯塔夫！古斯塔夫！古斯塔夫！"我看到鲍里斯小心翼翼，紧盯着外公的每一个动作，脸上写满了无比的自豪，他欢快地拍着手，也吟颂了起来。古斯塔夫看了看鲍里斯，再次冲他微笑了一下，接着伸手抓住了箱子的手柄。

古斯塔夫弓着腰，将手提箱提到臀部，我知道他并没有假装箱子很重。然后他慢慢直起身，纸箱仍放在肩上，他手中提着手提箱，双眼紧闭，脸上愁云满布。但似乎没人发现有什么不妥——很可能这是古斯塔夫在表演重头戏之前的特色动作——吟颂声、拍手声不绝于耳，震耳欲聋，盖过了尖锐的小提琴声。果然，下一刻，古斯塔夫又一次睁开眼，笑眯眯地面对众人。接着，他又将箱子举高了些，夹在胳膊下，保持着这个姿势——箱子在胳膊下，盒子在另一只肩膀上——开始舞动起来，双脚做出缓慢拖曳的动作。人群欢呼着，呐喊着，我听到门口有人在问："他现在干吗呢？我看不到。他在干吗呢？"

接着，古斯塔夫又将箱子举高了些，继续舞着，一只肩膀扛着箱子，另一只扛着盒子。箱子比盒子重得多，所以他的身体被迫使劲地侧向一边，但除此之外，他气定神闲，脚步轻盈。鲍里斯开心不已，欢喜地向他外公喊着什么，我听不清，而古斯塔夫歪扭了一下头以作应答，继而又激起了啧啧声和大笑声。

古斯塔夫继续舞着，这时我留意到身后出了些动静。有好一阵子，有人一直用手肘有节奏地猛戳我的后背，令我非常厌烦，但我本以为这只是因人群在互相推搡，以争取有利视角。但转过身，我却瞥见两位侍者正跪在地板上打包手提箱，尽管人群从各方推搡着。他们已经往箱子里塞了许多像是厨房用的木质砧板。一位侍者将砧板摆放得更密集些，而另一个则不耐烦地向咖啡馆后面示意着，愤怒地指着箱子里剩下的空间。接着，我看到更多的砧板传了过来，每次两三块，在人群中手手相传，递了过来。侍者们动作很快，将砧板塞了进去，直到那箱子看起来像要爆开似的。但更多的砧板——有时只是板子的破损残片——仍旧源源不断地递了过来，训练有素、心灵手巧的侍者们想办法将这些全部塞了进去。如果不是人群的推挤终于磨光了他们的耐性，或许他们还能继续往箱子里塞得更多。他们按下盖子，拉紧皮带，挤过我，将重重的箱子推到了餐桌上。

鲍里斯望了一眼新呈上的箱子，然后抬起头，犹豫地看了看古斯塔夫。他外公正在表演一种慢速曳步舞，与斗牛舞没什么不同。而此时，他正集中力气托着纸箱和手提箱，好像并没有留意到摆在他面前的新挑战。鲍里斯小心地看了看他外公，等待他看见第二只箱子的那一刻。显然，其他人也像他一样等待着，但他的外公装作熟视无睹，继续跳着舞。毫无疑问，这肯定是他的一个伎俩！ 几乎可以肯定，他外公正在吊观众胃口，但鲍里斯知道，外公随时会抬起那只重箱子，或许是在扔掉那空盒子之后。可是，不知何故，古斯塔夫继续无视那箱子，于是人们又喊又指。最后，古斯塔夫终于看见了，他的脸——夹在纸箱和第一只手提箱之间，仿佛成了夹心三明治——显得有些沮丧。鲍里斯周围的每个人都大笑着，拍得更起劲了。古斯塔夫继续缓慢旋转，但双眼紧盯着第二只手提箱，表情仍很为难。鲍里斯立刻意识到，外公的担忧不全是装出来的。然而，周围所有的人都在大笑着，这些人先前已经看过外公表演这老段子许多次了。于是，下一刻，鲍里斯也一同大笑着催促外公继续。男孩的叫声引起了古斯塔夫的注意，祖孙二人再次相视一笑。

接着，古斯塔夫从肩上卸下空箱子，趁着箱子慢慢滑下手臂，他近乎优雅而又轻蔑地将盒子轻轻丢进了人群中。人群再次爆发出一阵欢笑与喝彩声，空箱子越过观众的头顶向后传递，消失在房间深处。接着，古斯塔夫又低头看了看第二只箱子，把肩上的旧箱子托高些。他再次摆出了一副肃穆的表情，这一次毫无疑问全然是揶揄。鲍里斯和人群一起大笑。接着，古斯塔夫开始弯曲双膝。他行动非常缓慢，不知是因为身体欠佳还是出于表演技巧，直至他蹲伏在地，一侧肩膀仍扛着第一只箱子，伸出那只空手去抓脚边手提箱的手柄。稳稳地，慢慢地，随着持续的掌声，他站立起来，提起了那只更重的箱子。

此刻，古斯塔夫做出倾尽全力的样子——跟之前络腮胡迎宾员刚接到纸板箱时的样子差不多。鲍里斯看着他，心中充满了骄傲，眼睛不时地从外公身上移开，扭头看着周围推挤的人群满含钦佩的神情。甚至连吉卜赛乐师也闻风而动，使劲地弓起手肘暗暗地推搡，以便更清楚地一睹这副场景。一位小提琴手借此手段成功地挤到了前面，身子斜倚在桌子上方，腰部紧紧地压着桌沿，拉起了小提琴。

接着，古斯塔夫再次开始拖曳起双脚，他并没有试图将那只更重些的箱子举至肩膀，两只箱子的重量，特别是那只装满砧板的箱子，无疑让他的身体难以承载。这就意味着，他的脚步只是表面上看起来弹跳轻盈而已，尽管如此，他的表演还是引人入胜，逗得观众狂喜。“好样的，老古斯塔夫！”叫喊声再度响起。鲍里斯还不习惯这样称呼外公，尽管如此，他却也用尽全力叫喊着：“好样的，老古斯塔夫！ 好样的，老古斯塔夫！”

老迎宾员好像再次从众声中听到了鲍里斯的声音，虽然他这会儿不能扭头回应小男孩——他佯装专注于手提箱而无暇顾及——但他的动作有了一股新的活力。他又开始慢慢旋转，后背上的最后一丝萎靡也不见了。一时间，古斯塔夫看起来棒极了，就像矗立在桌面上的一尊雕像，一只箱子扛在肩膀上，另一只提在臀部，和着掌声还有音乐声缓缓旋转。接着，他好像一个踉跄，似要跌倒，但几乎立刻便恢复过来，人群惊叹一声“呼！”，这小小的变化引来了更多的笑声。

接着，鲍里斯听到身后有骚动声，他看见那两个侍者回来了，又在地上忙活着，他们把周围的人推到后面，以留出空间让他们工作。两人双膝跪地，抓着一只像高尔夫球袋似的巨大袋子，举止显得既暴躁又不耐烦——或许是讨厌周围人群推推挤挤，还总用膝盖顶撞着他们。鲍里斯回头望了望他外公，接着，他又看看身后，只见其中一人撑开袋口，仿佛要悄悄放进什么庞然大物。果然，另一人从人群里现身，倒退着，粗鲁地将人群推至一边，在地板上还拖着个什么物体。鲍里斯向后朝人群中间挤了挤，看见那是个机器部件。很难看清——人们的腿挡着——但那物体好像是个破旧引擎，像是从摩托车，或是从快艇上取下的。两位侍者正辛苦地将其装进高尔夫球袋，扯了扯已经紧绷的袋子，拉上了拉链。鲍里斯又抬起头，看到外公仍牢牢地控制着那两只箱子，没有意欲停下的迹象，况且，人们也还不想让他停下。这时，周围的人群动了动，两个侍者把高尔夫球袋抬上了桌面。

前面的人说来了个袋子，这消息一传到后面，一时间哗声四起。古斯塔夫并没有立刻注意到高尔夫袋，因为此时他正紧闭双眼，凝神聚气。但很快人群的催促声令他环顾四周。他盯着那高尔夫球袋，刹那间一脸严肃。然后他微笑，继续缓慢地旋转。像先前一样，他稍费了些力，将较轻的手提箱卸下肩膀，滑至手臂。在它缓缓落下之时，古斯塔夫使出浑身力气高举手臂，将手提箱举向人群。那箱子比空盒子要重上许多，弹至桌面，然后才跌落进前排迎宾员的臂中，整个轨迹算不上是条规整的弧线。手提箱如先前的纸箱一样消失在人群中，于是所有的目光又集中在了古斯塔夫身上，人们又开始吟颂他的名字，老人仔细地看着脚边的高尔夫球袋。此刻他只扛着一件物品，暂感轻松——虽然那箱子里装满了木砧板——仿佛他注入了新的活力。他拉长了脸，犹疑地冲高尔夫球袋摇摇头，却只激起了人群更多的催促声。“来吧，古斯塔夫，给他们看看！”鲍里斯听到身旁的迎宾员喊道。

接着，古斯塔夫将那只重箱子举至肩膀，而刚刚那肩膀上还扛着那只轻些的箱子。他故意闭着眼，单膝跪地，慢慢直起身子。他的腿颤抖了一两下，很快又站稳了，手提箱稳稳地扛在他肩上，他朝那只高尔夫球袋伸出了手。鲍里斯心头蓦地闪过一丝恐慌，大喊道：“不要！”但他的声音却被淹没在了四周人群的呼喊声、感叹声、吟颂声与欢笑声中。

“来吧，古斯塔夫！”挨着他的那个迎宾员大喊道，“让他们见识见识你的本事！给他们看看！”

“不要！不要！外公！外公！”

“好样的，老古斯塔夫！”许多声音喊道，“来吧，给他们瞧瞧你的本事！”

“外公！外公！”鲍里斯这会儿伸长了胳膊够着那桌子，以引起他外公的注意，但古斯塔夫仍神情严峻，聚精会神地紧紧盯着桌上高尔夫球袋的挎带。接着，年迈的迎宾员再度降低重心，沉重的行李箱压得他全身颤抖。他的手离脚下的挎带尚有段距离，就早早地伸了出去。屋内又是一阵紧张，人们感到，或许古斯塔夫是在挑战能力极限，试图完成一项壮举。尽管如此，气氛仍旧欢快，人们开心地吟颂着他的名字。

鲍里斯求助似的搜寻着周围大人们的脸庞，然后用力拉了拉身旁迎宾员的手臂。

“不！不！够了。外公表演得够多了！”

络腮胡迎宾员——就是他——惊讶地看着小男孩，然后大笑道：“别担心，别担心。你外公棒极了。他能做到的，而且还可以提更多。还可以提更多呢。他很棒的。”

“不！外公已经表演得够多了！”

但没有人在听，甚至连络腮胡迎宾员也没有，他只是安慰似的用一只胳膊搂着鲍里斯的肩膀。古斯塔夫此时几乎蹲伏在桌面上，指尖离高尔夫球袋的挎带只有一两英寸了。然后他一把抓住了它，身体仍蹲伏着，将挎带绕在空闲的肩膀上。他把挎带拉得近了些，然后再一次起身站立。鲍里斯大声呼喊，敲击桌面，终于使古斯塔夫注意到了他。他外公已开始站直双腿，但他停下了动作，两人对望了片刻。

“不。”鲍里斯摇头道，“不。外公已经表演得够多了。”

在这一片嘈杂声中，也许古斯塔夫听不见外孙的话语，但他好像非常明白外孙的心情。他即刻点了点头，脸上闪过一丝安慰的笑容，但接着又闭上了眼，凝神聚气。

“不！ 不！ 外公！”鲍里斯继续拉扯着络腮胡迎宾员的胳膊。

“怎么了？”络腮胡迎宾员问道，眼中已笑出了泪水。不等鲍里斯回答，他就又把注意力转回到古斯塔夫身上，比先前更大声地参与到呐喊声中去了。

古斯塔夫继续缓慢直起身。一次，两次，他的身体颤抖着，像要垮掉一样。他的脸颊异常的红，牙关紧咬，面部扭曲，颈肌突出。即使在这喧闹的嘈杂声中，都仿佛能听见年迈迎宾员的沉重呼吸声。然而，除了鲍里斯，无人察觉到这些。

“别担心，你外公棒极了！”络腮胡迎宾员说道，“这没什么！ 他每周都做！”

古斯塔夫继续一点一点地直起身，一侧肩膀挂着高尔夫球袋，另一侧扛着手提箱。终于，他完全站直了身子，脸颤抖着，却洋溢着胜利的表情。这会儿，有节奏的拍击声首次变成了疯狂的掌声和欢呼声。小提琴也应景拉出了缓慢、恢弘的终篇旋律。古斯塔夫缓慢旋转，双眼微睁，面部因痛苦与尊严交织而扭曲着。

“够了！ 外公！ 停下！ 停下！”

古斯塔夫继续旋转，执意将他的成就展现给屋里的每一双眼睛。突然，他体内像是有什么东西“啪”地折断了，人猛地停下，转瞬间便轻轻摇晃起来，如在微风中摇摆一般。但随后他又立即恢复过来，继续旋转。待回到最初直立的姿势后，他才开始将箱子从肩膀上卸下。他任其重重地砸落在桌面上——他判断，它太重了，扔到人群中难免会伤到某个观众——接着用脚把它推下桌沿，落入等待着的同事们张开的双臂中。

人群欢呼着，鼓着掌，其中几位唱起了歌——某种摇摆民谣，唱的是匈牙利歌词——吉卜赛乐师和着曲调演奏着。越来越多的人加入，很快整屋人都唱了起来。桌上，古斯塔夫卸下高尔夫球袋。它跌落在桌上，发出金属般的重响。这一次他没有试图将它推进人群，而是高举了一会儿双臂——即便这一动作似乎让他颇为费力——然后急忙从桌上下去了。无数双手伸出来帮他，鲍里斯看着外公安全着地。

这会儿，整屋人似乎都在专心歌唱。那歌谣带有甜蜜的怀旧情愫，人们边唱着边相继挽起手，一同摇摆。其中一名吉卜赛小提琴手爬上桌子，很快，第二位也紧随其后，他们两位一边演奏，一边随音乐适时地摇摆身体，引领着整屋子的人。

鲍里斯挤过人群，到了外公站着喘气的地方。奇怪的是，数秒之前古斯塔夫还是全场的焦点，这会儿却好像没一个人在意他们祖孙二人深情拥抱的场面。他们闭着眼，丝毫不向对方掩饰自己的如释重负。许久之后，古斯塔夫微笑地低头看着鲍里斯，而小男孩则继续紧紧地抱着外公，没有睁开双眼。

“鲍里斯，”古斯塔夫说道，“鲍里斯。有一件事你必须答应我。”

小男孩默不作声，只继续抱着外公。

“鲍里斯，听着。你是个乖孩子。如果有一天，我发生了什么事，如果我有什么不测，你就得接我的班。你看，你母亲还有父亲，都是好人，但有时他们也有过不去的坎。他们不像你我似的这样坚强。所以你看，假如我发生了什么事，我不在了，你得坚强。你得照顾好你母亲还有父亲，照管好这个家，别让它散了啊。”古斯塔夫从怀中放开鲍里斯，冲他微微一笑。“你得保证，好吗，鲍里斯？”

鲍里斯若有所思，然后郑重地点了点头。不一会儿，他们好像就淹没在人群中，看不见身影了。有人拉了拉我的袖子，请我挽起手，一同唱歌。

我环顾四周，看到另一个小提琴手加入到了桌上的两个人中，整屋子的人都围绕着他们旋转，齐声歌唱。更多的人拥进了咖啡馆，房子里严严实实填满了人。我还看见，大门依旧朝广场敞开着，门外的夜色中，人们也在摇摇摆摆，放声歌唱。我牵起一个壮硕男人的手——我猜想，应该是个迎宾员吧——另一手牵起一个大概从广场上进来的胖女人，发现自己也跟着他们在屋里转了起来。我不熟悉他们唱的这首歌，但很快我意识到，在场的大多数人也都不熟悉歌词，或者说根本不懂匈牙利语，只是唱着心中所想的隐约接近的歌词。比如，我左右的两位男女就在唱着完全不同的内容，但两人却丝毫没有尴尬或者犹豫。的确，只要留心一会儿，就会发现他们都在唱着毫无意义的词汇，但这好像并无大碍。没过多久，我亦沉湎于此情此景之中，开始唱了起来，胡编了些自以为听起来大概像匈牙利语的歌词。不知怎地，这一方法出奇的奏效——我渐渐发现这样的词语喷涌而出，让我倍感轻松愉悦——不久我也相当深情地唱了起来。

最后，大约二十分钟后，我看见人群终于慢慢退去。我还看到侍者们在清扫，把餐桌还至原位。然而，仍有相当多的人手挽着手绕着屋子转动，纵情歌唱着。吉卜赛乐师也依旧站在桌上，毫无停止演奏的迹象。我在同伴的推挤下正绕着屋子转圈，这时感觉有人拍了拍我，我转头一看，发现那人应该是我猜测的咖啡店店主，他正冲我微笑。他身材瘦高，由于我继续随众人摇摆，他便亲切地赶上我转圈的步伐，跳起了呈蹲伏姿势的曳步舞，令人想起格劳乔·马克斯[①]。

“瑞德先生，您看上去很累了。”他几乎是在我的耳边吼道，但在这一片歌声中我只能依稀听到他的话语。“您将要度过一个漫长而重要的夜晚。干吗不先休息会儿呢？我们有间舒适的后房，我太太已经在沙发上铺好了毛毯和垫子，还打开了煤气取暖器。您会感觉非常舒适的。您可以蜷身睡上一觉。房间很小，没错，就在正后面，但非常安静。没人会进来打扰您的，我们都保证。您会感觉非常舒服。真的，先生，您该在晚会真正开始前好好利用这点时间。请吧，这边请。您看起来太累了。”

我尽情唱过了歌，尽情玩乐了一番，也觉得足够了，而且，我意识到，自己确实已经非常疲倦，他的建议颇有道理。实际上，小憩一下的想法越来越吸引我。店主继续满面笑容地在我身后摇曳舞蹈，我开始深深地感激起他来，不只是为了这善意的邀请，也为他提供了这美妙咖啡馆的诸多设施，还感谢他对迎宾员们的慷慨豪爽——他们显然是不大被社会看重的一群人。我松开双臂，微笑着对左右两边的人道别。店主用一只手揽着我，引我向咖啡馆后面的一扇小门走去。

他领着我穿过一间暗室——我隐约看到一堆堆货物顶墙摞

---

① 美国电影演员（1890—1977）。

起——然后打开另一扇门，温暖的微光从门后透出。

“就是这儿，”店主说道，领我进去。“请在这沙发上休息一会儿吧。门关着，假如太暖和的话，就把取暖器调小一点，调至低档。别担心，这儿十分安全。”

那点炉火是屋里唯一的光亮。橘黄色的微光中，我辨出了沙发，上面有些霉味，却十分舒适，接着，不知不觉中，门关上了，只剩我独自一人。我爬上沙发（它的长度正好够我屈膝躺下），拉过店主妻子为我留下的毛毯，盖在了身上。

第 四 部

第二十八章

我惊醒过来，以为自己睡过头很久了。其实，我首先想到的是：现在已是清晨，我错过了整个晚间活动。然而，从沙发上坐起后，我看到了煤气炉的火光，除此之外，四周仍然一片漆黑。

我走到窗边，拉开窗帘，低头看到了一座狭窄的后院，被几只巨大的垃圾箱挤满。某处射出的昏暗光线照亮了小院，但我还是留意到，天空已经不全是黑蒙蒙的了，这让我的心里又打起鼓来，生怕黎明将至。我放开窗帘，走出房间，深深后悔自己接受了店主的邀请。

我走进那个小通间，先前我看到那儿有堆货物顶墙摞着。这会儿，房间中伸手不见五指，我摸索着走向门口，两次撞到了硬物。我终于走了出来，进入了咖啡馆大堂，不久前我们还都在这儿兴高采烈地跳舞唱歌呢。面向广场的窗户透进一些光亮，我隐约看到桌子上乱七八糟地摞着几把椅子。我从旁走过，来到正门前，透过玻璃嵌板向外望了望。

外面没有任何动静。孤独的街灯立在空空的广场中央，原来是它的光线照进了咖啡馆，而我再次留意到，天空中好像透出了清晨的第一缕曙光。我继续盯着外面的广场，心中越来越恼怒。我这才明白，我竟让这么多事情干扰了自己，耽误了我的首要任务，以至我人生中最关键一晚的大部分时光竟在昏睡中度过。接着，愤怒中又夹杂了一丝失望，一瞬间，我的眼泪差点掉了下来。

然而，在我继续注视夜空的同时，我开始怀疑那破晓的征兆也许只是自己的臆想罢了。的确，我细看一番，发现夜色依然深沉，此时有个念头一闪而过：现在时间相对尚早，开始惊恐实无必要。我知道，我仍有可能及时赶到音乐厅，亲眼见证大部分晚会活动，当然，我还要履行自己的责任。

在此期间，我一直心不在焉地摆弄着大门。这会儿我留意到了门闩的构造，于是将其一一松开，漫步走进广场。

从闷热的咖啡馆走出来，我感觉外面的空气格外清新，要不是赶时间，我准想在广场上逛一会儿，清理思绪。但现在，我则开始用心地寻找起音乐厅来。

随后的几分钟里，我匆匆穿过空荡的街道，走过一家家关门的咖啡馆和商店，却一直看不见那穹顶。街灯下的老城区风韵别致，但我走得越久，越难压抑那份恐慌感。我最好能遇到几辆夜间出租车，或者至少碰上几个从夜店里逛出来的人，这样我可以向他们问问路。但是，除了几只迷途的猫咪，我好像是方圆几里内唯一醒着的动物了。

我穿过一条电车轨道，发现自己走在运河堤岸上。水面上吹来一阵冷风，但四周仍无音乐厅的迹象，我不禁怀疑自己已经彻底迷路了。我决定拐进面前的一条狭窄的小路——这条小路转了个弯，弧度优美——这时，我听到了脚步声，看到一个女人从那小路上走来。

刚才我一直以为街上杳无人迹，并深以为然，所以一看到她，我就呆呆地愣在了原地。此外，我发觉她穿着飘逸的晚礼服，不由更加吃惊。那女人也停下脚步，可她好像认出了我，便又微笑着向我走来。她走进灯光中，我发现她已年近五十，或许甚至五十出头，稍显丰满，但仪态优雅。

“晚上好，夫人，”我说，“不知您可否帮我个忙。我在找音乐厅。我走的方向对吗？”

那女人径直朝我走来。她又莞尔一笑，说：

“不对，实际上，是在那边。我刚从那儿过来。我出来走走，想透透气，不过若您不反对，我很乐意带您去那儿，瑞德先生。”

“我非常乐意，夫人。但我不愿打断您散步。”

“不，不。我已经走了快一个小时了。也该回去了。我真应该等等，与其他客人一起到。但我却愚蠢地想，整个准备过程，我应该在那儿，怕万一需要我呢。当然，没什么需要我做的。瑞德先生，请原谅我，我还没有介绍我自己。我是克莉丝汀·霍夫曼。我丈夫是您下榻的酒店的经理。”

“很高兴遇见您，霍夫曼太太。您丈夫跟我讲了不少您的事情。”

这话一出口，我就后悔不迭。我飞快地瞄了霍夫曼太太一眼，但在这昏暗的光线下，根本看不清楚她的脸。

“这边走，瑞德先生，”她说，“路不远。”

我们走了起来，她晚礼服的袖子随风扬起。我咳嗽了一声，说：

“听您刚才所说，霍夫曼太太，音乐厅的活动还没有正式开始吧？客人也还没到齐？”

“客人？哦，不。我想，应该至少还要一个小时才会有宾客到呢。”

“啊。太好了。”

我们继续轻松地沿河岸走着，两人都时不时转头凝视水面上路灯的倒影。

“我想知道，瑞德先生，”她终于开口了，“我丈夫，他说起我的时候，是否给您留下了我……我十分冷漠的印象？我想问，他是否让您对我留有那样的印象呢？”

我轻笑一声。“他留给我最强烈的印象是，霍夫曼太太，他对您是极为倾心啊。”

她继续默默地走着。我不肯定她是否认可我的回答。过了一会，她说：

“我年轻时，瑞德先生，绝没人会想这样形容我。一个冷漠的人。没错，我还是个孩子的时候，一点都不冷漠。即便是现在，我也想不到自己是那样的人。”

我低声含糊地客套了几句。然后，我们离开运河，转入一条窄窄的小街，我终于看到音乐厅的圆顶在夜空中熠熠闪光。

“甚至这些日子以来，”霍夫曼太太在我身旁说道，“大清早，我就会做这些梦，总是在大清早，梦见的总是和……和温情有关。梦里没有太多内容，通常不过就是些零星琐事。比如说，可能我正看着儿子，斯蒂芬，看着他在花园里玩耍。我们曾经很亲近，瑞德先生，他小的时候。我会安慰他，同他一起分享他的小小喜悦。他小时候，我们是那么亲密。或者有时候，我会梦到我的丈夫。前天凌晨，我梦到我和丈夫在打开一个行李箱。我们在一间卧室里，在床上拆包。我们可能是在国外一间酒店的房间里，或者也许是在家里。总之，我们在一起打开这个行李箱……而在我们之间，这种感觉很舒服。我们就在那里，一起完成这件事。他拿出一样东西，然后我拿出一样东西。我们一直在聊天，也没聊什么特别的话题，只是一边拆包一边交谈。就是在前天凌晨，我做了这个梦。后来，我醒了，躺在那儿透过窗帘看着黎明降临，感到非常幸福。我对自己说，也许，很快，真的就会这样。甚至，就在那天晚些时候，我们会制造一个像那样的机会。当然，我们没必要去拆行李，而是其他什么的，那天晚些时候，我们会做些什么，总会有个机会。我这样告诉自己，又进入了梦乡，感到非常幸福。接着，清晨来临。很奇怪，瑞德先生，每次都是这样啊。白天一开始，这另外一种东西，这一股力量，就来掌控一切。不管我做什么，我们之间的一切都会背道而驰，不是我想要的。我奋起抗争过，瑞德先生，但这些年来我却节节失利。这就是……就是我身上发生的事。我丈夫非常努力地尝试，尝试帮助我，但没用。一到下楼用早餐时，所有梦中的一切，就消失得无影无踪了。”

人行道上停着几辆汽车，我们只得前后行走。霍夫曼太太走在我前头几步。等我又赶了上去，与她并肩齐行时，我问：

“您认为那是什么？ 您所提及的这一力量？”

她突然大笑起来。“我不想让它听起来这么不可思议，瑞德先生。当然，答案很明显，一切都跟克里斯托弗先生有关。我这么认为已经有段时间了。当然，我知道，我丈夫也这么认为。就像这城里的许多人一样，我本以为那只是件简单的事，有个更重要的人代替我们曾热爱的克里斯托弗先生就行了。但后来，我不那么肯定了。我开始认为可能与自己有关。我得了某种病。甚至可能是衰老的一个过程吧。毕竟，我们年事已高，身体的某些部分开始衰亡。也许我们的情感也在慢慢衰亡。您认为那可能吗，瑞德先生？ 我真的很害怕，很害怕那是真的。我们送别了克里斯托弗先生，结果却发现——至少我就是个特别的例子——什么都没有改变。”

我们又转过一个街角。人行道非常狭窄，我们走到了街中央。我感觉她在等我的回答，于是开口道：

“霍夫曼太太，在我看来，不管年老的过程如何，人都要振作精神，不管它是什么，都不要向它妥协，这是至关重要的。”

霍夫曼太太抬头凝望夜空，继续走了一会儿，没有回答。然后她说：“唉，这些清晨的美梦。白天一开始，却什么也没有发生，我就常常痛苦地自责。但是，我向您保证，我还没有放弃，瑞德先生。如果我放弃了，那我的生命就所剩无几了。我绝不放弃梦想。我仍期待终有一天能有个温馨亲近的家庭。不止那样，瑞德先生。您瞧，可能我这样想很傻，或许您能告诉我这是不是很傻。可是您瞧，我希望总有一天能抓住它，不管这东西是什么。我希望能抓住它，然后就无所谓了，这么多年来它一直困扰着我，现在它们都将被清除干净。我有预感，要抓住它只是一瞬间的事，即便是短短的一瞬间，只要恰逢其时。就像绳结突然断开，厚重的幕帘掉落在地，然后展现出一个全新的世界，一个充满阳光与温暖的世界。瑞德先生，您看起来很怀疑啊。我相信这些，是不是完全疯了？ 尽管过了这么多年，只要短短一瞬间，只要恰逢其时，就会改变所有一切？”

她以为我在怀疑她，其实根本不是那么回事。其实，在她说话的时候，我想起斯蒂芬即将表演的独奏，无疑，兴奋之情在我脸上明显地暴露无遗。我说道，口气或许有些急切：

“霍夫曼太太，我不想给您任何不切实际的希望。但是，可能——只是可能——您很快就会体验到某些东西，可能正好是这一刻，正好是您所说的那种。您可能不久就会遇到这一刻。某件事情会令您惊喜，迫使您重新评估一切，去更好更轻松地看待一切。这些阴郁的岁月确实会一扫而光。我不想给您不切实际的希望。我只是说有可能。这一刻甚至可能就在今晚来临，所以您得振作精神。”

我打住话头，猛然意识到我是在铤而走险。毕竟，斯蒂芬弹奏的片段虽然让我印象深刻，但我心里十分清楚，那年轻人在压力下很有可能会演砸。事实上，我越想就越后悔刚才暗示了那番话。不过，我看了一眼霍夫曼太太，却发现我的话既没让她吃惊，也没使她激动。过了一会儿，她说：

“您刚才看见我在街上闲逛，瑞德先生，我并非只是装作出来透透气的。我是在努力做好准备，因为您提及的这种可能性，自然而然我也想到了。像今晚这样的夜晚。是啊，许多事情都有可能发生。所以我在做准备。我不介意向您坦言，这会儿我有点害怕。因为，您瞧，在过去偶尔也有一些这样的时刻，但我却没牢牢地抓住它们，我力量不够啊。但谁又知道以后还会有多少这样的机会呢？所以，您瞧，瑞德先生，我在努力做好准备。啊，我们到了。这是大楼后面。从这个入口进去会到厨房。我带您去演员专用入口。但我还不能进去。我想我需要多透会儿气。”

“很高兴遇见您，霍夫曼太太。这个时候麻烦您带我过来，我十分感谢。我真心希望您今晚一切顺利。”

“谢谢，瑞德先生，您也是，我相信您还要考虑很多事情吧。很高兴遇见您。”

第二十九章

霍夫曼太太的身影消失在夜色中，我转身匆忙走向她所指的那扇大门，边走边对自己说，应该从刚刚经历的错误恐慌中充分吸取教训，重要的是，绝不能再让任何事干扰我完成眼前的重大任务。实际上，就在这一刻，在最终进入音乐厅之时，我突然间觉得一切都好像很简单了。事实就是，终于，过了这么多年，我将再次在父母面前演奏。那么，当务之急便是要保证我力尽所能，让自己的表演精彩绝伦，令人叹为观止。相比之下，问答环节倒成了次要之事。前几天所有的挫折和混乱都无关紧要了，只要我在今晚能很快达到这唯一的核心目标就行。

头顶上，唯一的一盏夜灯照射着宽大的白门，幽暗地发着光。我倾力打开门，踉跄了一下，走进了大楼。

尽管霍夫曼太太很自信，说这就是演员入口，但我的第一感觉是，自己竟是穿过了厨房走进来的。我走进了一条宽敞空荡的走廊，天花板上的荧光灯管发出刺眼的光亮。到处都是叫喊声、金属物体沉重的哐当碰撞声和水汽的嘶嘶声。我的正前方有辆送餐车，旁边站着两个穿制服的人，他们正在激烈争吵着，其中一人拿着一张展开来的长纸单，几乎垂到了脚面，他正不停地用手指戳着它。我想打断他们，问问在哪儿能找到霍夫曼——我现在关心的就是，在观众到来之前检查一下大厅和钢琴——但他们好像顾自争吵着，我便决定继续前行。

走廊缓缓地拐了个弯。我遇到了一大群人，可他们好像都很忙，还有些忧虑。他们大多穿着白色制服，一副惊慌失措的表情，要么急匆匆地走着，要么扛着重重的袋子，或是推着手推车。我不想拦住他们中的任何一个，于是继续沿着走廊走，以为最终会走到大厅的其他地方，找到化妆室——如果顺利的话，霍夫曼或是其他某个人就会带我去看设备。但接着，我意识到有人在背后叫着我的名字，我转过身，发现身后跑来一个男人。他看上去很眼熟，我认出他就是那个络腮胡迎宾员，今晚早些时候在咖啡馆时，就是他带头舞蹈的。

“瑞德先生，”他气喘吁吁地说道，“谢天谢地，我终于找到您了。这是我第三次跑遍整幢大楼了。他还顽强地挺着呢，我们都急着要送他去医院，而他还是坚持要在和您说过话之后再动身。求您了，这边走，先生。他还顽强地挺着呢，可是，但愿老天保佑哪。”

“谁在顽强地挺着？ 发生什么事了？”

“这边请，先生。如果您不介意，我们最好快点走。很抱歉，瑞德先生，我没有解释清楚原委。是古斯塔夫。他病了。我本人不在现场，但两个小伙子，威尔汉姆和休伯特，他们跟他一起干活，在帮忙准备，是他们传出来的话。当然，我一听说就赶紧过来了，还有其他所有的小伙子都是。显然，古斯塔夫一直干得好好的，但接着，他去了洗手间，很久都没有出来。这一点儿也不像古斯塔夫，于是威尔汉姆进去瞧了瞧。他进去的时候，先生，古斯塔夫好像正站在水槽边，垂着头。他那时候病得还没那么重，他告诉威尔汉姆他觉得有点头晕，就那一句话，叫他不要小题大做。威尔汉姆就是威尔汉姆，他不知道该怎么办，特别是古斯塔夫说不要小题大做，所以他去找了休伯特。休伯特看了一下，觉得古斯塔夫得躺下。所以他们一边一个扶着他，那时候他们才意识到他已经晕了过去，却仍然站立着，抓着水槽。他抓着水槽边沿，结结实实地抓着啊，威尔汉姆说，他们得把他的指头一个一个掰开。接着，古斯塔夫好像稍稍清醒了些，他们一人扶着他一只胳膊，才从那儿出来。而古斯塔夫，他又说他不想小题大做，说他没事，可以继续工作。但休伯特不听，把他安顿进了一间化妆室，一间没人的化妆室。”

他领着路，沿着走廊走着，步伐相当快，一直扭着头，但为了避让一辆手推车，便停了下来。

“真让人担心哪，”我说道，“这事到底是几时发生的？”

“我想肯定是几个小时之前了。他起先好像还没那么糟，而且坚持只需要几分钟喘口气。但休伯特很担心，就传出了话，我们很快就全赶到了这儿，我们每一个人。我们为他找了一个垫子躺下，还找了条毯子，但随后他好像越来越糟了，我们全都商量着，说他应该得到及时的救治。但古斯塔夫不听，突然铁了心说得跟您谈谈，先生。他非常固执，他说如果我们决定送他去医院他可以马上就去，但先要跟您谈谈。我们眼看着他情况越来越糟。但他已经失去理智了，先生，所以我们又出来找您。谢天谢地，我找到您了。就是那间，尽头的那间。”

在我的想象中，这条走廊绵延弯转，走起来没个完，但现在我看见它的尽头是一面米色的墙。墙壁前，最后一扇门半开着，络腮胡迎宾员停在了门口，小心翼翼地窥探着房间里面。然后向我示意了一下，我便跟着他进去了。

门口大概有十二个人，全部转身看着我们，接着快速让到两边。我猜他们是另外几位迎宾员，但我没有停下细看他们，我的目光被小房间另一侧古斯塔夫的身影吸引了。

他躺在瓷砖地面上，身下铺着一张垫子，身上盖着一条毯子。一位迎宾员蹲在他身边，轻轻地说着些什么，但一看见我便站了起来。接着，房间一下子就空了，门在我身后关上，只留下我和古斯塔夫。

小化妆室里没有家具，连张木头椅子都没有，也没有窗户，天花板附近的通风格栅一直在嗡嗡响，空气很不新鲜。地上又冷又硬，头顶的灯要么关掉了，要么不能用，只剩下化妆镜周围的几只灯泡成了我们唯一的光源。但我看得非常清楚，古斯塔夫的脸已呈现出奇怪的灰白色。他平躺着，非常安静，除了疼痛时不时袭来，让他只得将头向后更深地压进垫子里。我一进去，他就冲我微笑，却什么也没说，无疑是要留待我们独处时才会开口。这会儿，他声音微弱，却出奇镇静地说道：

“非常抱歉，先生，就这样把您拉来了。发生这样的事情，太令人烦忧啦，偏偏是今晚。刚好在您要帮我们大忙的时候啊。”

“是的，是的，”我飞快地说道，“但瞧瞧你。你感觉怎么样了啊？”我蹲在了他身边。

“我觉得不太好。而且很快，我想我得去医院了，做一下检查。”

又一阵疼痛袭来，老迎宾员打住话头，在垫子上静静地挣扎了一会儿，其间闭上了双眼。然后，他又睁开眼睛，开口说：

“我得跟您谈谈，先生。有件事我必须要跟您谈谈。”

“请允许我现在再向你保证一次，”我说道，“我一如既往地笃信于你们的事业。其实，我非常期待今晚能够向大家证明，你和你的同事们这些年一直遭受着不公正的待遇。我迫切要强调有许多误会……”

我意识到他在极力引起我的注意，于是停了下来。

“我一分钟都没有怀疑过，先生，”他停了一会儿，然后说道：“您是一诺千金的人。我非常感激您为我们仗义执言。但我想跟您聊聊别的事情。”他又顿了一下，毯子下又开始了一场默默的挣扎。

“真的，”我说，“如果你不赶紧去医院，是不是很不明智……”

“不，不。求您了。我一去医院，唉，一切可能就太迟了。您看，现在是时候了，我真的该跟她说说了。我是说索菲。我真的必须要跟她说说。我知道您今晚很忙，但您看，没有其他人知道啊。没有人知道我跟索菲之间的情况，关于我们的共识。我知道这个要求很过分，先生，但我想问，您能否去向她解释一切呢。没有其他人可以做这件事了。”

“很抱歉，”我一头雾水，“到底解释什么呢？”

“向她解释，先生。为何我们的共识……为何现在得结束了。说服她不容易，毕竟过了这么多年。但请您试试，让她明白为何我们现在得结束了。我知道这要求对您太过分了，但是，离您该上台的时间还有一会儿。正如我所说，您是唯一的知情人……”

又一阵疼痛吞噬了他，他的声音越来越小。我能感觉到他全身的肌肉在毯子下紧绷了起来，但这次他继续盯视着我，不知怎的，尽管他全身的骨架都在颤抖，他却一直睁着眼。等他的身体再次松弛下来后，我说：

“没错，离需要我出场的时间还有一会儿。好吧。我回去看看我能做些什么。我会想办法让她明白的。不管怎样，我会尽快带她来这儿。我们都希望你尽快痊愈，希望目前的情形不像你担忧的那样生死攸关……”

“拜托您了，先生。如果您能尽快带她来这儿的话，我会十分感激的。同时，我当然会竭尽全力支撑……”

“好的，好的，我这就出发。请耐心等待，我会尽快回来。”

我起身向门口走去。快出门时，我突然想到了一件事，于是转身，回到了地上的那个身影身边。

“鲍里斯，”我再次蹲下来对他说，“那鲍里斯呢？我是不是也应该带他过来？”

古斯塔夫抬头看着我，然后深深地吸了口气，闭上双眼。他许久都沉默不语，我便说：

“或许最好不要让他见到你这种……目前的这种状况。”

我觉得，我看到他轻微地点了点头，但古斯塔夫仍旧保持着沉默，紧闭双眼。

“毕竟，”我继续道，“他对你有种崇拜。或许你会想让他记住那样的你。”

这次，古斯塔夫更加明确地点了点头。

“我只是觉得该问问你，”我说道，又站起身。“好吧。我会只带索菲过来。不会太久的。”

我再次走到了门前——已经在扭门把手了——突然，他在我身后大喊道：

“瑞德先生！”

他的叫声出奇的响亮，而且声音中包含了一种特别的紧张感，我无法相信那出自古斯塔夫之口。然而，我回头看他时，他又闭上了双眼，显得非常平静。我担心地急忙又向他跑去。这时古斯塔夫睁开双眼，抬头看着我。

“您必须也带上鲍里斯，”他轻声说道，“他现在不小了。让他看看我现在这个样子。他得学会生活。直面生活。”

他又闭上双眼，表情僵硬了起来，我想他正在经受又一阵疼痛。但这次有些不同，我关切地低头看着，发现老人正在哭泣。我继续看了一会儿，不知如何是好。终于，我轻轻拍了拍他的肩膀。

“我会尽快。”我低声道。

我走出化妆室，挤在门旁的其他迎宾员全都扭头看着我，满脸焦急。我推开他们走过去，果断地说：

“请密切观察他，先生们。我得去完成一个紧急的请求，所以请原谅我离开一会儿。”

有人开始提问题，但我匆匆前行，没有停步。

我的计划是找到霍夫曼，坚持要他开车立刻送我到索菲的公寓。然而，我疾步在走廊上前行时，发现自己根本不知道到哪里去找酒店经理。此外，走廊也与我刚才同络腮胡迎宾员走过时大为不同了：仍有几辆送餐车在推来推去，但这会儿走廊里黑压压地挤满了人，想必他们是来访乐队的成员。我的两侧是长长的几排化妆室，许多门都开着，乐手们三三两两地站在一起，谈笑风生，在走廊对面相互叫喊。偶尔我会路过一扇关闭的门，门后传来乐器的声音，但整体而言，他们的情绪着实让我吃了一惊，都很轻浮。我正欲停下，问问其中一人我在哪儿能找到霍夫曼，突然，透过一间化妆室半开的门，我瞥见了那位酒店经理。我走上前，再往里推了推门。

霍夫曼正站在一面落地镜前，仔细地审视自己。他一袭晚装打扮，我留意到，他的脸上化着浓妆，一些粉末掉落到了他的肩膀和翻领上。他在喃喃地说着什么，目光一直没有离开镜中的影像。我继续在门口看着，他做了个奇怪的动作，突然间弯腰向前，僵硬地抬起一只手臂，胳膊肘向外突出，用拳重击自己的前额——一下，两下，三下。整个过程中，他的双眼没有离开过镜子，并且一直喃喃自语。接着，他站直身子，默默地看着自己。我突然意识到，他准备再次重复这整个动作，于是我飞快地清了清嗓子，说道：

“霍夫曼先生。”

他吃了一惊，盯视着我。

“打扰您了，”我说，“很抱歉。”

霍夫曼困惑地四下看了看，然后似乎又恢复了镇静。

“瑞德先生，”他微笑道，“您感觉如何？我相信您觉得这儿的一切都合您的意。”

“霍夫曼先生，出了件非常紧急的事情。我现在需要一辆车尽快送我去目的地。不知道能否立刻安排。”

“一辆车，瑞德先生？ 现在？”

“事情万分紧急。当然，我会及时返回，用充足的时间完成我各项应尽的职责。”

“是的，是的，当然。”霍夫曼隐约有些为难。“车应该没有问题。当然，瑞德先生，通常情况下，我还可以为您提供一位司机，或者，我荣幸之至，会亲自驾车送您。不幸的是，现在我的员工们手头上的工作都很多。至于我呢，还有许多事情要照管，还有几句不太重要的台词要排练。哈哈！ 您知道的，我今晚要做一个简短的发言。无疑，跟您的演讲相比，它微不足道，甚至还比不上我们的布罗茨基先生的呢。顺便说一句，他会晚些到，但是，我觉得我必须做好最充分的准备。是的，是的，布罗茨基先生会晚些到，没错，但这没什么好担心的。实际上，这是他的化妆间，我正要仔细核查呢。这化妆间好极了。我完全相信，他随时会来的。您知道的，瑞德先生，一直以来，我在亲自抓布罗茨基先生的……呃，恢复情况，能够亲眼见证此事是多么令人欣喜啊。如斯的动力，如斯的庄重！所以今晚，这至关重要的夜晚，我信心十足。哦，是的。信心十足！ 没错，若这个时候他又故态复萌的话，就简直不可想象了。那对这整座城市将会是个灾难！ 自然，对我本人亦是。当然，这点担心最无需挂齿了，然而，请原谅，我得说，对我而言，今晚，这至关重要的一夜，若他故态复萌的话，对我来说，就全完了。胜利在望的时刻，恰恰是我完结的时刻。令人羞耻的完结啊！ 我再无颜面对这城里的任何一人。我得躲起来了。哈！ 我在干什么啊，说这些不可能发生的事情？ 我对布罗茨基先生信心十足。他会来的。”

“是的，我肯定他会来的，霍夫曼先生，”我说道，“实际上，今晚整个庆典将会相当成功……”

“是的，是的，我知道！”他不耐烦地大喊道，“无需安慰我这一点！ 我甚至根本就不该提起这件事，毕竟离晚会开始还有充足的时间，要不是因为……因为今晚早些时候发生的事，我根本就不该提起。”

“发生什么事了？”

“是的，是的。啊，您还没听说吧。您怎么可能听说呢？没什么大不了的，先生。今晚早些时候，发生了一系列的事件，结果，几个小时前，我最后离开布罗茨基先生的时候，他呷了一小杯威士忌。不，不，先生！ 我明白您在想什么。不，不！ 他充分征询了我的意见。一番思量后，我动了怜悯之心，想想在这种特殊情况下，一小杯酒不会有什么害处。我完全充分地判断过了，先生。或许我错了，等着瞧吧。我个人认为我不会错的。当然，假若我的决定确实错了，那么这整个夜晚——噗呼！ ——从头至尾将会是场灾难！ 那样的话，我就得在藏匿中度过余生了。但事实是，先生，今晚的事情十分复杂，我不得不做出决定。不管怎样，结果就是，我留布罗茨基先生在自己家里，喝了一小杯威士忌。我自信他会就此打住的。我现在唯一的想法就是，或许该处理一下那个橱柜。但另一方面，我肯定，我是太过小心了。毕竟，布罗茨基先生已经有了如此的进步，完全可以信任他的，完全信任。”他刚才一直在拨弄着自己的蝴蝶领结，这会儿他转过身，对着镜子调整起来。

“霍夫曼先生，”我说，“到底发生了什么事？ 假如布罗茨基先生出事情了，或者发生了其他什么事，从而有可能彻底改变整个事态的话，那么您肯定应该立即告知我。相信您赞同我的话吧，霍夫曼先生。”

酒店经理大笑了一声。“瑞德先生，您完全想错了。您一点儿也不需要担心。瞧瞧，我担心了吗？ 不。我把全部的声誉都押在了今晚，难道我不够镇静，不够自信吗？ 告诉您吧，先生，您根本没什么可担心的。”

“霍夫曼先生，您刚才提到橱柜，是指什么？”

“橱柜？ 哦，就是我今晚在布罗茨基先生家发现的橱柜。您或许知道，他多年来都住在离北高速公路不远的一个旧农舍里。我之前当然去过很多次，但屋内有些乱——当然，布罗茨基先生有他自己规整东西的方式——我从未仔细看过他的住所。就是说，直到今晚，我才发现竟然还有酒品储备。他向我发誓已经完全忘记这事了。正值今晚临近，那时，我说，好吧，在这种情况下，鉴于与柯林斯小姐之间发生了烦心事等等，在这种特殊情况下，就只在这种情况下，只喝一小杯威士忌对他来说最好，只为稳定他的心神——您看，我是在权衡轻重之后才同意他的，尽管确实有点小冒险，是的。毕竟，先生，他为柯林斯小姐之事非常烦恼。就在那个时候，在我提议从车上取个小酒瓶来的时候，布罗茨基先生才想起，他还有一个橱柜没有清理。于是我们走进他的……呃，厨房，我猜应该是吧。过去几个月来，布罗茨基先生把那块地方修整得相当不错。他取得了稳步的进展，如今，这些物件根本没派上过用场，但当然啰，还缺窗户之类的东西。总之，他打开橱柜——实际上它是一侧倒放的——里面，呃，大概有一打旧瓶装的烈酒。大部分是威士忌。布罗茨基先生跟我一样惊讶。我得承认，我确实意识到了自己应该做些什么。我应该把那些瓶子拿走，或者把酒倾倒在地上。但是，先生，您也明白，那简直是侮辱啊，是对布罗茨基先生表现出的勇气与决心的一个极大侮辱。况且，今晚因为柯林斯小姐，他的自尊心已经承受了一次重大打击……”

“抱歉，霍夫曼先生，您反复说起柯林斯小姐，到底怎么了？”

“啊，柯林斯小姐。是的，呃，那是另外一回事了。那正是我为何凑巧去那儿，去布罗茨基先生农舍的原因。您看，瑞德先生，今晚我发现自己传达了一个最为悲伤的消息。没人会妒忌我担负了这么个任务的。其实，一段时间以来，我越来越感到不安，甚至在他们昨日在动物园相见之前就开始了。可以说，我是在替柯林斯小姐担心。谁会猜到，过了这么些年，他们的事竟然会进展得这么快？是的，是的，我很担心。柯林斯小姐是我最敬重的一位女士。我不忍心看到这个时候她的生活再次分崩离析。您看，瑞德先生，柯林斯小姐是个极具智慧的女人，整座城市都可以作证，但尽管如此——假若您住在这儿的话，我肯定您会认同的——她总还有些脆弱的地方。我们所有人都十分敬重她，许多人认为她的教诲弥足珍贵，但同时——我怎么说呢？——我们总是觉得想保护她。几个月来，随着布罗茨基先生变得……越来越正常，许多问题凸现了出来，我之前确实没有好好考虑过这些问题，呃，我说呀，我便开始担心起来。所以，先生，今晚在您排练完毕、我带您回去的路上，您碰巧无心提起柯林斯小姐同意了与布罗茨基先生的约见，甚至还清楚地表示说，布罗茨基先生当时就在圣彼得公墓等候她，您可以想象我当时的心情如何了。天哪，进展如此神速！我们的布罗茨基俨然就是瓦伦蒂诺再世啊！瑞德先生，我意识到我得做点什么。我不能允许柯林斯小姐重新堕入痛苦的生活之中，尤其那是因为我的缘故，不管是多么间接造成的。所以，今晚早些时候，最为仁慈的您准许我在街上放下您之后，我就趁机去柯林斯小姐的公寓看望她。看到我，她当然非常惊讶：过了这么多天，我偏偏在今晚亲自前去拜访她。换句话说，我的出现就能说明一切了。她立刻让我进门，我请她原谅我此次唐突的造访，原谅我不能以通常体贴、圆滑的方式来处理我想跟她谈论的这个难题。她当然非常理解。‘我知道，霍夫曼先生，’她说道，‘您今晚肯定承受着巨大的压力。’我们坐在她的前厅，我直奔主题。我告诉她，我听说了他们约定的会面。柯林斯小姐听到这话，垂下了双眼，就像一个年轻的小女生一样。接着，她怯懦地说道：‘是的，霍夫曼先生。您刚刚登门的时候，我还正在准备呢。已经一个小时了，我尝试了不同的装扮、不同的发式。我这个年纪了，是不是很滑稽啊？是的，霍夫曼先生，是真的。他今早来了，说服了我。我同意跟他见面。’她说了诸如此类的话。她喃喃低语，这位优雅的女士平常根本不这样讲话。于是我继续说下去。当然，我说得非常委婉。我巧妙地指出了可能的隐患。‘非常好，柯林斯小姐。’我用了这样的语句。由于时间有限，我就尽量小心。自然地，假若是在另一个夜晚，假若我们有时间客套幽默一番，寒暄几句，我敢说我可以做得更好，但也可能没什么不同。事实真相对她来说总是很难接受的。总之，我尽可能用最好的方式说了出来，我终于向她说出了真相。我对她说：‘柯林斯小姐，所有这些旧伤疤会再次揭开。它们会痛，会给您带来极大的痛苦，会打垮您，柯林斯小姐，在几星期之内，几天之内。您怎么能忘记呢？您怎么能让自己再重新经历一遍？之前经受的一切，那些羞辱，那巨大的创伤，全都会回来，而且会比之前更强烈。您在这么多年以来为自己建立一个全新的生活所做的一切，又将如何呢？’我对她说出这样的话——哦，告诉您吧，先生，这可不容易啊——我能看出她的内心在崩溃，即便她极力想维持表面上的镇静，我能看到所有的记忆再次浮上她的心头，过去的痛楚又开始了。不容易啊，先生，我可以告诉您，但我认为我有责任说下去。最后，她终于非常平静地说道：‘可是，霍夫曼先生，我已经答应他了。我已经答应今晚去见他。他指望我去啊。像今晚这样的大场面，他总是非常需要我。’我回答道：‘柯林斯小姐，当然他会失望，但我会尽最大努力亲自向他解释的。不管怎么说，就像您一样，他在内心深处肯定已经明白，这次约见是非常不明智的。过去的最好就让它过去吧。’就如同梦中一般，她看着窗外说道：‘但他肯定已经在那儿了。他会在那儿一直等的。’我回答道：‘我亲自去，柯林斯小姐。是的，我今晚非常忙，但我认为此事头等重要，我只有亲自去办才能放心。实际上，我现在立马就去，去公墓，告诉他这个情况。您可以放心，柯林斯小姐，我会尽一切努力安慰他的。我会劝他想想将来，想想今晚要面对的极其重要的挑战。’我就是这样对她说的，瑞德先生。虽然我得说，她一下子好像伤透了心，但她是位讲道理的女士，内心深处肯定明白我是对的，因为她非常亲切地碰了碰我的胳膊，说道：‘去找他。马上。尽最大努力吧。’于是我起身想离开，但马上意识到还有最后一项痛苦的任务有待完成。‘哦，还有，柯林斯小姐，’我对她说道，‘至于今晚的活动，鉴于目前的情况，我觉得您最好还是待在家中。’她点了点头，我看得出她快要哭了。‘毕竟，’我继续说，‘得顾及到他的感受。在目前的情况下，在这节骨眼上，您出现在音乐厅也许会对他有一定的影响。’她又点了点头，表示她完全理解。我向她致了歉，然后就出去了。尽管我有很多其他紧急的事情要做——比如熏咸肉，送面包——但我明白，当务之急是让布罗茨基先生安然跨过这最后一道出人意料的坎儿。于是我驱车去了公墓。我到达的时候，天已经黑了，我在坟墓间走了好一会儿才找到他，他坐在一座墓碑上，垂头丧气的。看到我走近，他疲惫地抬起头，对我说：‘你是来告诉我的吧。我知道。我知道她不会来的。’这使得我的任务简单多了，您也许会这样想，但告诉您吧，先生，一点也不容易啊，要传递这样的消息。我郑重其事地点了点头，说，是的，他说得没错，她不会来了。她已经想通了，改变主意了，而且她也已决定不出席今晚的音乐会。我知道多说无益。他看上去几欲发狂，顷刻间我移开目光，假装审视他所坐的那块墓碑旁边的一座坟墓。‘哦，老卡尔茨先生，’我对着树林说道，因为我知道布罗茨基先生正悄悄地抹眼泪。‘啊，老卡尔茨先生。他埋在这里多少年了？就仿佛昨日啊，但我知道，已经十四年了。他生前是多么寂寞啊。’我如此这般地说着，就是为了让布罗茨基先生哭出来啊。接着，我感觉他已抑制住了眼泪，便转身对着他，要他跟我一起回音乐厅做好准备。但他说不，时间还太早。在礼堂里逗留过久，他会太紧张的。我想他说得也没错，于是我提议载他回家。他答应了，于是我们离开公墓，下山到了车上。我们一路车行，上北高速路，这整个期间，他只是盯着窗外，什么都没说，眼中不时泪水盈盈。我那时才意识到，我们还未大功告成啊。一切不像几个小时前那样显得笃定了。但我仍然非常有信心，瑞德先生，就如同我现在这样。然后我们到了他的农舍。他翻新得很不错，很多房间都非常舒适。我们走进客厅，打开台灯，四下看了看，轻松地交谈了几句。我提议安排几个人过来，看看墙壁发霉的问题。他好像没听见，只是坐在椅子上，露出一副幽远的表情。接着，他说他想喝点酒，就一小杯。我告诉他这绝对不行。可他非常镇静地说，他需要喝杯酒，但并不像从前那样，不是那样的，那种饮法已一去不复返了，可他刚刚遭受了极度的失望，他的心在碎裂。他用了那样的词汇。他的心在碎裂，他说，但他知道今晚的活动还得仰仗他，他知道轻重。他知道自己得表现出众。他没有要求像从前那样喝酒。难道我真的瞧不出吗？ 我瞥了他一眼，看得出他说的是实话。我看到了一个伤心、失望却又有责任心的人。他越来越了解自己，比大部分男人曾希望做到的都要好得多。他说，在这场危机中，他需要的无非就是一小杯酒，让他摆脱这情感上的打击。为了满足即将到来的夜晚活动的需求，他需要稳定情绪。瑞德先生，我早些天已经多次听他说过要喝酒，但这次完全不同。我看得出来。我望向他双眼深处，说道：'布罗茨基先生，我能信任您吗？ 我车上还有一小瓶威士忌。假如我只给您一小杯，我能相信您会到此为止吗？ 就一小杯，再不喝了？'他全力对上我的目光，回答道：'不像从前那样了。我向你发誓。'于是我便出门走到车旁，天很黑，风中的树林发出一阵狂烈的呜咽声，我从车上取了一小瓶酒，拿了进去，这时他已离开了椅子。我走了进去，发现他在厨房里。那其实是间外屋，与农舍主屋相连，布罗茨基先生将其巧妙地改成了厨房。是的，就在那时，我发现他打开了那个侧倒在地的橱柜。他完全忘记了这里还有威士忌，发现我进去时，他这样说道。一瓶瓶的威士忌啊。他只拿出一瓶，打开它，衡量着，往酒杯里倒了一点儿。然后他直视我的眼睛，将剩下的酒倒在了地板上。他厨房的地面，我得说，大多是泥地，所以看似没弄得太乱。呃，他把酒全倒在了地上，随后我们回到主屋，他坐在椅子上，开始一口口地呷着威士忌。我仔细看着他，看得出他喝酒的样子不似从前了。他可以那样一小口一小口地呷……我知道自己做出了正确的决定。我告诉他我已离开太久，得回去了。熏肉还有面包需要有人监管。我站起身，不用开口，我们两个彼此都知道对方在想些什么。在想那个橱柜。布罗茨基先生直直地盯着我的眼睛，说道：'不像从前那样了。'对我来说，那就够了。若我坚持继续待下去，那就是对他的诋毁，甚至是侮辱。总之，如我所说，我看着他的面庞时胸有成竹。我毫不犹豫地离开了。只在最后几分钟，先生，一丝疑虑才在我脑海中掠过。但我很清醒，我也知道，那只不过是大事前的紧张而已。他很快就会来的，我肯定。我满怀信心，这整个夜晚必定会旗开得胜，会是个巨大的成功……"

"霍夫曼先生，"我说道，一丝不耐烦掠过心头，"假如您乐意让布罗茨基先生喝威士忌，呃，那是您的事。我不知道这是不是好主意，但您比我更了解情况。不管怎么说，请恕我提醒您，我这会儿也需要帮助，对吧？我跟您解释过了，我需要一辆车，越快越好。这事真的非常紧急，霍夫曼先生。"

"啊，是的，车。"霍夫曼若有所思地四下望了望，"最简单的办法，瑞德先生，就是您借用我的车。就停在外面，防火门那儿。"他指了指走廊远处，"唉，钥匙呢？喏，给您。方向盘稍微有点向左偏。我一直想修理，但太忙了。请吧，请您随意使用。我明早才会用。"

第三十章

我驾着霍夫曼的黑色大轿车出了停车场，开上一条蜿蜒的小路，小路两边是茂密的冷杉林。很显然，这条路不常有人走，路面坑坑洼洼，没有路灯，非常狭窄，两车交会时必须减速慢行。我小心翼翼地开着车，凝视着黑漆漆的前方，以防撞到什么障碍物或遇到急转弯。小路笔直起来，借着车头灯光，我发现自己正驶过一片森林。我加快速度，继续在黑暗中穿行了一会儿，接着，我透过树林瞥见左边有些光亮。我再次减速，这才意识到那是音乐厅的前部，富丽堂皇，华灯照亮了夜空。

现在音乐厅离我有些远，我的视角也有点偏斜，但我可以清楚地辨认出它那壮丽的大体外观。几排威严的石柱矗立在中央拱门两旁，高大的窗户直达巨大的圆形穹顶。我不知道宾客是否已经到达，于是干脆彻底熄火，摇低车窗，想看个清楚。但即便我从座位上直起身，还是被树木挡住了视线，丝毫看不到地平面上那建筑的情况。

接着，我继续盯着音乐厅看，脑海中突然闪过一个念头：可能就在这会儿，我父母即将到达。我忽然记起了霍夫曼那惟妙惟肖的描述，他们坐着马车，从黑暗中出现在众人艳羡的目光中。实际上，就在我倾身窗外之时，我仿佛能清楚地听到不远处马车经过的声音。我关掉汽车引擎，又听了听，把头再伸出去一些。接着我干脆下车，站在黑夜中屏息聆听。

风飕飕地在林间穿梭。接着我再次隐隐听到了先前那个微弱的声音：马蹄的嗒嗒声，有节奏的叮当声，木制车厢的嘎嘎声。随后这些声音渐渐隐没在树林的沙沙声中。我又继续听了一会儿，但是已经听不到任何声音了。最后我转身回到车中。

我感到无比平静——几乎是心若止水——站在外面小路上的时候还是这种感觉，但等我一旦重新启动车子，一股强烈的沮丧、恐惧和愤怒感便交织在一起涌上心头。我的父母这时刚刚抵达，而我却在这里，准备工作远未完成，甚至这会儿还要驱车离开音乐厅去办其他事情。我不明白自己怎么会让这样的事情发生。我穿越树林，继续前行，心里愈发感到愤怒，我决计无论如何一等手头的事情办完，就尽快赶回音乐厅。可接着我又突然想到，我其实不知道怎样去索菲的公寓，甚至不知道走这条森林小路是否方向对头。一阵无力感席卷而来，但我依然加速行驶，看着车灯照耀下的树林在我面前一路延展。

这时，我突然发现两个人影正站在前方招手。他们就直直地站在小路中间，我靠近时，他们虽挪到了一边，但还是继续打着遇急信号。我放慢速度，看到有五六个人聚在一起，在路边支了顶帐篷，围着个小小的便携火炉。我一开始以为他们都是流浪者，但随后我看到了一位穿着时髦的中年妇女，还有一位身着西装的灰发男人，正弯腰靠向我的窗户。在他们身后，其他几个人刚才一直围着火炉，坐在好似翻转过来的木板箱上，这会儿他们都站起身，朝我的车走了过来。我留意到，他们都举着个锡制野营杯。

我摇下窗户，那女人看着车里的我，说道：

“噢，你来了，我们真高兴。你看，我们的争论陷入了僵局，根本不能达成一致。总是很麻烦，对不对？需要行动的时候，我们从未达成过一致。”

“但无疑，”穿西装的灰发男人严肃地说道，“我们得尽快得出个结论。”

他们两人还未来得及说点别的什么，我看到他们身后有个人站了起来，正弯腰看着我，此人是我的老同学杰弗里·桑德斯。他也认出了我，便推开他人来到前面，拍了拍车门。

“啊，我正在想什么时候能再见到你呢，”他说道，“老实讲，我有些生气。你知道，你保证过要来喝杯茶，却又没有过来。不过，我认为现在不是说这个的时候。你还是依然故我啊，有点无礼，老朋友。别介意。你还是出来吧。”说罢，他打开车门站在一旁。我正要抗辩，他继续说道：“最好来喝杯咖啡吧。然后你可以加入我们的讨论。”

“坦白说，桑德斯，”我答道，“现在我不是很方便。”

“噢，来吧，老朋友。”他的声音中透出一丝不耐烦。“你知道，自从我们前晚遇到后，我就一直在回想你的很多事，回想起了我们在学校里的日子，所有种种。就像今天早上，我一醒来就想起了当年，你可能已经不记得了，那个时候，我们俩为低年级男孩子们的越野跑记分。我觉得该是六年级以下吧。你可能不记得了，但是今天早上躺在床上，我一直在想。我们就站在那个旷野对面的酒吧外等着，当时你正为某事而沮丧呢。来吧，出来吧，老朋友，我没法跟你这样对话。”他继续不耐烦地引我出来。“这就对了，好多了。”他那只空闲的手抓着我的手肘，另一只手端着他的锡制水杯，于是我不情愿地下了车。“是呀，我一直在想着那天的事。十月的一个雾蒙蒙的早晨，在英国，天气老是这样。我们站在那儿，闲站着，等待三年级学生喘着气从雾中跑出来，我记得你一个劲地说‘你可好啦，你一切可顺当呢’，真是可怜至极。所以，最后我对你说：‘你看，不光是你，老朋友。你不是世界上唯一有烦恼的人。’我开始跟你讲起我七八岁时的事情，我父母、我的小弟弟和我，我们全家去度假。我们去了英国海滨的一处旅游胜地，就像伯恩茅斯那样的地方。也许是怀特岛。天气晴朗，等等，可是你知道，总有些不对劲，我们就是相处得不好。当然，一家人度假出游，这是司空见惯的事，但当时我可不知道，那时我才七八岁。总之，事情就是不顺。一天下午，父亲气冲冲地走了。我是说突然就走了。我们正在海岸边看着什么，母亲正在向我们指着什么东西，突然间，他就走了。没有叫喊，什么都没，就只是走开了。我们不知道该怎么办，于是我们就跟着他走，母亲、小克里斯托弗和我，我们三人跟着他。跟得不是很近，总保持着三十码的距离，正好还能看到他。父亲继续走着，一路沿着海滨，爬上峭壁的小路，穿过沙滩小屋和所有晒日光浴的人。接着他朝小镇走去，路过网球场，穿过购物区。我们跟了他一个多小时。过了一会儿，我们开起了玩笑。我们说：‘看哪，他不再生气了。他只是在闹着玩！’或者我们说：‘他的头故意那样的，瞧瞧啊！’然后我们笑啊笑。如果你仔细看，就会相信，他是在做一个滑稽的步行表演。克里斯托弗那时还很小，我告诉他，父亲那样走路只是为了滑稽，克里斯托弗笑得合不拢嘴，好像那全然是个游戏。母亲也是，她大笑着说道：‘噢，孩子们，看你们老爸！’然后笑得更厉害了。于是我们继续那样走着，但只有我——你看，虽然当时我只有七八岁，但只有我明白：父亲不是真的在开玩笑。我知道他根本没有恢复过来，而且由于我们一直跟着他，或许他还越来越生气呢。或许他想坐到凳子上，或者去哪里喝杯咖啡，却不能如愿，全因为我们。你还记得这些吗？ 我那天全告诉你了。我曾一度看着母亲，因为我希望这一切尽快停止，而就在那时我才恍然大悟。我明白母亲已说服自己，让自己彻底地相信父亲做这一切是闹着玩的，而小克里斯托弗，他一直都想跑上前，你知道，直奔到父亲身后。我只得编造各种借口，一直呵呵大笑着说：'不行，那可不行。那不是游戏的一部分。我们必须保持远远的距离，否则就不行。'但我母亲，你看，她却说：'哦，是的！ 你为什么不去拉他的衬衣，看看在他逮到你以前，是否能跑回来！'我只得继续说，因为我是唯一明白的——你知道，我是唯一的明白人——我只得继续说：'不，不，我们等着。退后，退后。'我父亲看上去的确滑稽。远远看去，他的步伐很是奇怪。你看，老朋友，你为什么不坐下呢？ 你看起来疲乏极了，而且非常焦虑。来，坐下吧，帮我们决定。"

杰弗里·桑德斯指了指营帐附近一个倒翻过来的橙色木板箱。我确实感觉很疲惫，心想小憩一下、呷口咖啡之后，不管什么任务摆在面前总能更好地完成。我坐下，发现双膝在颤抖，便颤颤巍巍地坐到箱子上。人们怜悯地围拢过来。有个人端过来一杯咖啡，另有一人将一只手放在我背上，说道："放松。尽管放松。"

"谢谢，谢谢！"我说道，接过咖啡，尽管很烫，还是贪婪地饮了一大口。

穿西装的灰发男人蹲在我面前，直视着我的脸，非常温和地说道："我们必须做决定。您得帮帮我们。"

"决定？"

"是的。和布罗茨基先生有关。"

"啊，是的。"我端起锡杯又喝了几口，"噢，我明白了。看来重任现在全压在我身上了。"

"也不至于那么说。"灰发男人说道。

我又看了看他。他态度友好沉静，是个令人安心的人，但在这一刻，我可以看到他非常严肃。

"我也不至于会说责任全压在了你身上。只不过事已至此，我们大家都得负起责任。我个人的意见已明确表达，那就是它该截掉。"

"截掉？"

灰发男人庄重地点了点头。我看到了挂在他脖子上的听诊器，这才意识到他是个医生什么的。

"嗯，是的，"我说道，"得截掉。是的。"

这时我才开始扫视四周，吃惊地发现离车子不远的地面上有一大团金属。一个念头隐隐划过我的脑海，是我造成了这次事故，或许我卷入了某起事故，自己却还不知道。我站起身——立刻有几双手伸出来扶稳我——走向那团金属，发现那是一辆自行车的残骸。金属已扭曲变形，无可挽救了，而令我惊恐的是，我看到布罗茨基躺在其中。他背贴地面平躺在地上，双眼静静地看着我走近他。

"布罗茨基先生！"我盯着他喃喃道。

"啊。瑞德。"他说道，声音中几乎没有一丝痛苦，颇令我惊讶。

我转过身，对已经站到我身后的灰发男人说："我肯定这件事和我毫无关系。我不记得有任何事故发生。我只是开车……”

灰发男人会心地点了点头，示意我保持安静。接着，他拉着我走远了一点，低声说道：“几乎可以肯定，他企图自杀。他喝醉了。烂醉如泥。”

“啊。是吗。”

“我肯定他企图自杀。可现在，结果却是双腿被缠了进去。右腿基本上没有受到伤害。只是被卡住了。左腿也被卡住了。正是这条左腿让我很难办。情况很不妙。”

“不！”我说道，回头又看了一眼布罗茨基。他好像注意到了，冲着一片夜色说道：

“瑞德。你好。”

“您来之前我们已经讨论了一会儿，”灰发男人继续说道，“我觉得应该截掉。那样我们或许能救他一命。经过一番争论，在场的大部分人都赞同。不过，那边的两位女士反对，她们要多等一会儿，等救护车来。但我觉得这样做是在冒极大的风险。这是我的专业之见。”

“噢，是的。是的。我理解您的顾虑。”

“在我看来，左腿必须马上截掉。我是个外科医生，但不巧的是，我没带工具。没有止痛药，什么都没有。连阿司匹林都没有。您看，我下了班，只是出来到这儿走走，呼吸一下新鲜空气。就像这里的其他好心人一样。碰巧早些时候口袋里装了副听诊器，但其他什么都没有。但现在您来了，也许情况会有所改变。您车里有什么用品吗？”

“车里？ 呃，其实我也不清楚。您看，这车是借来的。”

“您是说是雇来的车？”

“不完全正确。是借来的。从熟人那里。”

“我明白了。”他神情严肃地看着地面，在暗自思忖。越过他的肩膀，我可以看到其他人在焦急地看着我们。接着这个外科医生开口道：

“也许您不妨查查后备厢。可能有什么可以帮到我们呢。有把锋利的器具，我就可以做这手术了。”

我想了想，说：“我很乐意去看看，但首先我想去跟布罗茨基先生说句话。您看，某种程度上说，我确实了解他，我真的应该先跟他说，在……在走这极端的一步之前。”

“很好，”外科医生说道，“但我觉得——我的专业意见——就是，我们已经浪费了很多时间。请尽快吧！”

我又走向布罗茨基，低头直视他的脸。

“布罗茨基先生……”我开口道，但他立刻插话进来。

“瑞德，帮帮我。我必须找到她。”

“找柯林斯小姐？ 我认为现在有其他事情需要考虑。”

“不，不。我必须和她谈谈。我很清楚。我现在非常清楚。我头脑很清醒。至于这场事故，我不知道，我在骑车，什么东西撞了我一下，一辆车吧，一辆轿车，谁知道呢？ 我肯定喝醉了，我不记得那个了，但是其他的我都记得。我现在明白了，明白了一切。是他！ 一直以来，他就想破坏！ 是他，全是他干的！”

“谁？ 霍夫曼？”

“他是个下三滥！ 下三滥！ 我以前不明白，但现在我全明白了。自从车子撞了我，不管是什么，一辆轿车，一辆卡车，自那之后我全明白了。今天晚上他来找我，非常同情我。我在公墓里等，等啊等。我的心跳得厉害。我等了这么多年。

你知道吗，瑞德？ 我等了很久。即使我喝醉了，我也在等。下个星期，我过去常说。下个星期，我就戒酒，去找她。我要约她在圣彼得公墓见面。年复一年，我都这样说。现在，我终于达成愿望了，等在那里。坐在皮尔·古斯塔森的坟墓上等待。过去，我有时会跟布鲁诺一起去坐坐的。我等着。十五分钟，半个小时，一个小时。接着，他来了。他碰了碰我，就在这儿，在我肩膀上。她改变主意了，他说，她不会来了，今晚甚至连音乐厅也不来了。他一如平常那样和善。我听他说，喝点威士忌吧，它会让你平静下来，这次例外。但我不能喝威士忌，我说，我怎么能喝威士忌呢？ 你疯了吗？ 不，喝点威士忌吧，他说，只喝一点，它能使你平静。我以为他是好意，现在我明白了，他从一开始就不想成事。他认为我成不了大器，永远成不了大器，因为我是……我就是一坨屎！ 他就是那么想的！ 我现在很清醒。我喝的酒足够醉死一匹马，但在那辆车撞了我之后，我清醒了。我现在非常清楚，一切都明白了。是他！ 他比我要低贱！ 我不会让他得逞。我会做到的！ 帮帮我，瑞德。我不会让他得逞的。我现在要去音乐厅了。我要展示给每个人。音乐已准备就绪，全在这儿，全在我脑子里。我会展示给每个人看。但她得来。我得跟她谈谈。帮帮我，瑞德。她一定得来，就坐在音乐厅里。然后她会记得的。他是个下三滥，但是我现在看清楚了。帮帮我，瑞德。”

“布罗茨基先生，”我打断他，“这里有位外科医生，他得为你做个手术，可能会有点疼。”

“帮帮我，瑞德。只要帮我找到她。你的车呢？ 你的车呢？ 带我去，带我去她那儿吧。她就在那个公寓里。我讨厌那地方。我真的讨厌，讨厌透了。我以前常常站在外面。带我去找她，瑞德。现在就带我去！”

“布罗茨基先生，您好像不知道您目前的状况。没有时间耽搁了。事实上，我答应这位外科医生会翻查一下后备厢。我一会儿就回来。”

“她害怕极了。但是还不太晚。我们可以养只动物。但现在没关系了，别介意动物了。只要到音乐厅去。这是我唯一的请求。只要到音乐厅去。我只请求这一件事。”

我离开布罗茨基，走到车边。打开后备厢，发现霍夫曼往里面乱七八糟地塞满了各种东西。有一把坏椅子，一双橡胶靴子，一沓塑料盒子。接着，我又找到一个手电筒，点亮它，照了照后备厢，在角落里发现了一把钢锯，看上去有点油腻腻的。我用一根手指滑过锯片，感觉锯齿还很锋利。我关上后备厢，向围着火炉聊天的其他人走去，走近时听到外科医生说：

“现在产科是一门沉闷的学科，不像我研修时那样了。”

“抱歉，”我说道，“我找到了这个。”

“噢，”外科医生转向我，说道，“谢谢。您已经跟布罗茨基先生谈过了？ 很好。”

突然间，我对自己无故卷入了整件事感到非常憎恶，于是我环顾这一圈脸庞，兴许有些暴怒地说道：

“难道这座城市就没有合适的应急预案以应对这样的突发事件吗？ 你们不是说叫了救护车吗？”

“一个小时前我们叫了一辆，”杰弗里 · 桑德斯开口道，“就在那个电话亭里打的。但不巧的是，今晚救护车短缺，全因为音乐厅的盛事。”

我看了看他指的地方，确实看到，在路对面远一些的地方，几乎是在漆黑的森林边缘，有一个公共电话亭。一看到它，我突然想起了正在处理的紧急事件，想到我不仅可以打电话给索菲，提前给她提个醒，而且还可以从她那里知道怎么去她公寓。

“请原谅，”我边说边离开。“我现在有个重要的电话要打。”

我朝树林走去，进了电话亭。在我搜遍口袋想要找几枚硬币时，我从玻璃嵌板望出去，看到外科医生慢慢朝仰卧的布罗茨基走去，钢锯巧妙地藏在身后。杰弗里·桑德斯和其他人不安地围成一圈，或低头望着锡茶杯，或盯着自己的双脚。接着，外科医生转过身来，跟他们讲了几句，其中两个男人，杰弗里·桑德斯和一个穿着褐色皮夹克的年轻人，硬着头皮走到他身旁。不一会儿，三个人就站在了布罗茨基面前，神情肃穆地低头看着他。

我转过头，拨通了索菲的电话。电话响了一会儿，然后索菲接起了电话，声音有些困乏，还稍稍有点警觉。我深吸了一口气。

“听着，”我说道，“你好像根本不知道我现在的压力有多大。你以为我这样容易吗？ 我的时间已经所剩无几了，还没能抽出空来审查一下音乐厅，人们却反而希望我去做这些事情。你以为今晚对我来说很容易吗？ 你意识到今晚的重要性了吗？ 我的父母，他们今晚会来。对！ 他们终于要来了，就在今晚！ 也许，他们现在就在那儿了！ 瞧瞧发生的事儿。他们放我去准备了吗？ 没有！ 他们要我干这干那。这个讨厌的问答环节就是一宗。他们竟然还用上了电子记分牌。你能相信吗？ 我该怎么办？ 他们这么自以为是，所有这些人都是。过了这么多个晚上，独独在今晚，他们到底要我干什么？ 但是，其他所有地方也都一样。他们什么都指望我。他们今晚可能会指责我，我不会奇怪。他们对我的回答不满意，就会唯我是问，那会置我于何地呢？我甚至可能撑不到钢琴演奏的环节。或者，他们开始指责我的时候，我父母可能就离开了……”

“听着，冷静点，”索菲说道，“没事的。他们绝不会指责你。你总说他们会指责你，但这些年来，到目前为止，没有人指责过你，一个都没有……”

“可是，难道你听不懂我在说什么吗？今晚非同寻常。我父母要来啊！如果他们今晚指责我的话，就会……就会……”

“他们不会指责你的，”索菲再次打断话头，“你每次都这样说。无论你在世界的哪个角落，你打电话来说的都是这同一番话。每逢你到了这一刻，就老是说，他们会指责我，会揭发我。而结果呢？几小时后你又打来，心平气和，自鸣得意。我问你怎么样了，而你听上去略显惊讶，嫌我竟旧话重提。‘噢，好得很。’你说。总是像那样，接着你会继续做其他事情，好像根本不值一提似的……”

“等一等。你什么意思？这是些什么电话？你知道我给你打这些电话有多麻烦吗？有时候，我都累疯了，但我仍旧设法在日程表上抽出点时间打电话，只是为了确认你一切都好。况且，多半是你，你把你的一肚子难题统统倒给了我。你暗示，我像你描述的那样说话，是什么意思？”

“这样深究下去毫无意义。我要说的是，今天晚上一切都会好好的……”

“你那样说倒是很轻巧。你就像其他所有人一样，就那么想当然。你以为我所要做的就是现身，然后其他一切就会自然而然地……”我突然记起古斯塔夫此刻正躺在那间没有家具的化妆室里的垫子上，愕然停住了话头。

“怎么了？”索菲问。

又过了一会儿，我稳定了一下自己的情绪，接着说：

“瞧，我本来想告诉你件事的。是个坏消息。我很抱歉。”

电话另一头，索菲沉默着。

“是你父亲，”我说道，“他病了。他现在在音乐厅。你必须马上赶来。”

我又停了一会，但索菲仍旧没有说话。

“他现在还挺得住，”又过了会儿，我继续说，“但你必须尽快赶来。鲍里斯也得一起来。其实，那正是我给你打电话的原因。我有辆车。现在我正在去接你们俩的路上。”

仿佛过了许久，电话那端依旧沉默。突然索菲开口道：

“昨晚的事我很对不起。我是说在卡文斯基画廊。”她顿了顿，我以为她又要沉默，但她接着说：“我很可悲。你不必装模作样。我知道我很可悲。我不知道怎么回事，只是不能控制那样的情况。我得要面对现实了。我永远不会是那种随你游遍一个城市又一个城市的人，陪你出席这所有的活动。我就是做不来。我很抱歉。”

“但那又有什么关系呢？”我轻柔地说道，“昨天画廊的事儿，我已经全忘了。谁在乎你给那样的人留下了什么印象？他们可差劲啦，每个都是。而你到目前为止是当晚在那儿的最美的女人。”

“我不敢相信，”她突然大笑道，“我现在是只老乌鸦了。”

“但你越老越美。”

“说什么呢！”她又笑了起来。“你怎么敢说出口呦！”

“对不起，”我也大笑起来，“我意思是你一点都没老。还没老到能让人看出来。”

“还没老到能让人看出来？！”

“我不知道……”我有些糊涂，又笑了起来。“也许你是看上去又憔悴又丑陋。我现在记不得了。”

索菲又一次爽朗大笑，接着又陷入沉默。再开口时，她的声音重新热切起来。“但是我真可悲。这样的话，我就不能跟你一起携手旅行了。”

“听着，我保证，以后我不会再游荡太久了。今晚，一切是否顺利，你不可能知晓。可能就是那样了。”

“还有，我很抱歉还没有找到合适的房子。我保证会尽快为我们找到。一个真正舒适的地方。”

我无法立刻回应她，于是两人都沉默了一会儿。接着我听见索菲说：

“你真的不介意吗？ 不介意我昨天那个样子？ 我总是那个样子？”

“一点都不介意。在那样的场合，你可以随意表现自己。做任何想做的事。不会有任何区别的。整个屋里所有的人加起来，都不及你啊。”

索菲一言未发。过了一会儿我接着说：

“我也有错。我的意思是，找房子这个事。让你一个人去找是不公平的。也许，从现在开始，假如今晚一切顺利，就能有所不同。我们可以一起去找。”

电话那端仍是沉默。一时间，我怀疑索菲是不是已经走开了。但接着她用飘渺朦胧的声音说道：

“我们一定会很快找到的，是不是？”

“那当然。我们一起去找。再加上鲍里斯。我们会找到的。”

“你会很快到的，对吗？ 来接我们去见爸爸？”

“是的，是的。我会尽快赶到。所以试着稳定一下情绪，你们两个都是。”

“是的，好吧。”她的声音听起来仍然很飘渺，一点不着急。“我马上叫醒鲍里斯。是的，好吧。”

我走出电话亭，竟真切地感觉天空已泛出黎明的迹象。我看到人群聚在布罗茨基周围，我走近了些，发现外科医生双膝跪地，正来回锯着。布罗茨基看上去正默默地接受这痛苦的折磨，但就在我刚走到车边时，他发出一声骇人的尖叫，响彻树林。

“现在我得走了。”我没有对着某个特别的人说，而且，他们的确好像没有听到，可是，当我关上车门发动引擎时，所有的脸庞都转向了我，表情惊恐。我还没关上车窗，杰弗里·桑德斯已经跑了过来。

“瞧瞧，”他生气地说，“瞧瞧。你现在还不能走。救出他后，我们得把他送到某个地方。我们需要你的车，你没看见吗？ 这是理所当然的常识啊！”

“听着，桑德斯，”我坚定地说，“我理解你们的难处。我很想给予更多的帮助，但我已经尽了全力。我还有自己的事情要操心。”

“你这人可真够典型的啊，老伙计，”他说，“真他妈典型。”

“哎，你一点也不懂。真的，桑德斯，你一点也不了解。我还担负了更多的责任，远远超出你的想象。听着，我只是没有按你的那种方式生活而已！”

我大声吼出了这最后一句话。我注意到，连外科医生都停下了手中的工作在望着我。我知道布罗茨基也暂时忘记了疼痛在盯着我。我感到很不自在，于是以比较缓和的口吻说道：

“对不起，但我有件非常紧急的事情要处理。等你们全弄完了，等布罗茨基的状况合适转往其他地方的时候，我肯定，救护车就会到了。总之，我很抱歉，但我没法再多等一分钟了。”

说罢，我立马摇上车窗，启动汽车，穿越树林重新上路了。

第三十一章

小路穿过树林，继续往前延伸。过了一会儿，树林终于渐渐稀疏，我瞥见远处闪烁着昏暗的晨光。接着，树林终于消失了，我进入了荒寥的城市街道。

在一处十字路口，我停下来等红灯。我静静地坐在那儿等着，视线内没有其他车辆。我环顾四周，慢慢地认出了自己前往的这块地方。我欣慰地发现，我现在离索菲的公寓很近了；没错，我敢肯定，正前方的这条街直达那儿。我还想起，公寓就在一家理发店的上面。红灯变绿后，我穿过了十字路口，沿着这条寂静的街道行驶，仔细辨认途经的一幢幢建筑。过了会，我看到前方远处有两个人影站在路边等候，便踩下了油门。

索菲和鲍里斯只穿着薄外套，在大清早的空气中好像已经冻僵了。他们跑向车，索菲俯下身，生气地叫喊道：

“你怎么花了这么长时间！ 是什么耽搁你了？ 花了这么长时间！”

还没等我回答，鲍里斯把一只手放在索菲的胳膊上，说道：

“没事的。我们会及时赶到的。没事的。”

我看了看小男孩。他拿了个大公文包，就像个医疗包，严肃中透出些许滑稽。然而他这样子却出奇的使人宽心，他好像已经成功地安抚住了母亲。

我本期望索菲坐在我身边，但她却和鲍里斯一起坐进了后座。

“真对不起，”我边说边发动车子，“这一带的路我不太熟。”

“现在谁跟他在一起？”索菲问道，声音又紧张起来。“有人在照顾他吗？”

“他和他的伙伴们在一起。他们都在陪着他。每个人。”

“看到了吧？”鲍里斯的声音再次轻轻地在身后响起。“我告诉过你的。别担心。一切都会好的。”

索菲重重地叹了口气，不过鲍里斯好像又一次成功地安抚了她。过了一会儿，我听到他说：

“他们在好好地照顾他。所以别担心。他们在好好地照顾他，是不是？”

这个问题显然是在问我的。我开始有些厌恶他自以为扮演的那个角色——而且我也不喜欢他们两个一起坐在后座，好像我是出租车司机似的——所以我决定不予回应。

接下来几分钟，我们一路沉默。又来到了十字路口，随后，我极力回忆回到林间小路上的路线。我们穿梭在空荡荡的城市街道上，突然索菲轻轻开口，声音勉强盖过引擎噪声：

“这是个警告。”

我不知道她是不是在跟我说话，正欲回头看她，这时，她继续轻柔地说道：

“鲍里斯，你在听吗？ 我们必须得面对了。这是个警告。你的外公，他老了。他得慢下来了。没必要试图否认。他得慢下来了。”

鲍里斯回答了些什么，但我听不到。

“我一直在考虑这个，已经有段时间了，”索菲继续说道，“我之前没和你说，是因为我知道你是多么……多么想念外公。但我考虑了一段时间。在这很久之前，早就有其他迹象了。现在发生了，我们不能再隐瞒了。他老了，必须得慢下来了。我已经有计划了，我之前从未告诉过你，但我早就在谋划了。我会跟霍夫曼先生谈谈，跟他好好谈谈你外公的将来。我都打听好了。我已经和帝国酒店的塞德梅尔先生说过了，也跟大使酒店的韦斯堡先生谈了谈。我之前从未和你说起，但我看得出你外公已经不像以前那样健壮了。所以我一直在搜寻。那是很平常的事情，某个人像你外公一样在一家酒店工作了这么长时间，到了某个阶段，安排他做一个稍稍不同的工作，很正常。在帝国酒店，有这么一个男人，比你外公还老得多，你一进大堂就可看到他。他以前是个大厨，当他老得再也干不动的时候，他们就做出了那样的决定。他穿着华丽的制服，坐在大堂一角，在摆着笔墨台的桃花心木大桌后面。塞德梅尔先生说这样效果奇好，说他价有所值。客人们，尤其是常客，走进大堂时如果没有看到那位老人坐在桌后，就会大发雷霆。这一安排让酒店独具风采。呃，我想我会和霍夫曼先生谈谈这事儿。你外公也可以干点类似的活呀。当然了，收入会减少，但他可以继续使用那小屋，他是那么喜欢它，还有可以用餐。也许他们能够给他设一张桌子，就像帝国酒店那样。不过，你外公他可能想站着。穿着特别的制服，站在大堂的某个地方。我的意思并不是这一切应该立刻安排好，但要趁不算太晚的时候。他已经不再年轻了。这次就是一个警告。我们不能隐瞒了。装聋作哑没有任何好处。”

索菲停顿片刻。此时我已把车开回森林边缘。破晓的天空已抹上了紫色。

“别担心，”鲍里斯说，“外公会好好的。”

我能听到索菲长吁了口气。接着，她说：

“到时候，他还会有更多的时间，不会太忙，你还能跟他一起在老城区度过更多的午后时光。或者你可能想跟他去其他任何地方。但他需要一件像样的外套。这不，我就带来了。是时候给他了。我已经留得够久了。”

一阵沙沙声响起，我瞥了一眼镜子，发现索菲手上正拿着那个软软的棕色包裹，里面装着她父亲的外套。此时，我不得不吸引她的注意力，问了问我们的路线，而她似乎第一次意识到了我的存在。她倾身向前，贴近我耳朵说道：

“对这种事情我早有心理准备。我很快就会和霍夫曼先生谈谈的。”

我低声说了些什么表示赞同，进入黑漆漆的森林时，我打开了前灯。

“别人，”索菲说道，“他们就能继续，好像世上还有大把时间似的。我可怎么也办不到。”

随后几分钟，她一直沉默无语，但我能感觉到她离我很近，而且不知何故，我发现自己竟期盼着能感受到她的手指随时抚摸我面庞的感觉。然后她轻轻地说：

“我还记得，母亲死后，生活变得多么孤寂啊。”

我又从镜中瞥了她一眼。她依旧身体前倾靠近我，但她的眼睛却盯视着车窗外不停后退的森林。

“别担心，”她柔柔地说，外套又弄出了一阵沙沙声。“我保证我们都会好的。我们三个都会好的。我保证。”

我把车停在了一个小停车场上，就在音乐厅的后面。对面就是一扇门，门上面的夜灯仍旧亮着。虽然那不是我之前进去的那扇，但我还是下了车，疾奔过去。我匆匆向后瞥了一眼，只见鲍里斯正扶他妈妈下车。他们轻快地向这栋建筑走去，他坚持用一只手护在她身后，另一只手抓着医生包，那包突兀地撞击着他的双腿。

穿过门，我们走进了一条长长的环形长廊，但几乎马上就得站立一边，给一辆两人推的餐车让路。温度好像比之前上升了好几度，此时有些闷得透不过气来，但接着我发现，附近有两位身着晚礼服的乐师在一道门处亲热地闲聊，便舒了口气，意识到我们和我之前离开古斯塔夫的地方已经不远了。

我带路沿走廊而行，走廊上挤满了越来越多的乐队成员，此时，他们大部分已经换上了演出服，但其间的气氛似乎仍然一派轻薄。较之前，他们越发隔着走廊大喊大笑，有一刻，我差点撞上了一个刚从化妆间出来的男人，那人摆弄着个大提琴，好像那是个吉他似的。接着有人说道：

“哦，是瑞德先生，是不是？我们之前见过的，您还记得我吗？”

四五个沿走廊另一头过来的男人停住脚步，朝我们观望。他们都身着盛装晚礼服，我立刻发现他们全都喝醉了。说话的男人正举着一束玫瑰花，朝我走过来，其间，他漫不经心地将那束花挥来挥去。

“前天晚上在电影院，”他说，“佩德森先生介绍我们认识的。您还好吧，先生？ 我朋友告诉我说，那天晚上我丢脸了，我该向您深深道歉。”

“噢，是的，”我认出了那人，说道，“您好吗？ 真高兴能再见到您。但不巧的是，我现在有非常紧急的……”

“我希望没有太无礼，”那醉酒的男人说道，直接走上前，脸几乎碰上了我。“我本意并无冒犯。”

听到这番话，他的同伴们纷纷窃笑起来。

“不，您一点没有冒犯，”我说道，“但现在，您必须得原谅我……”

“我们在寻找，”那醉酒男人说道，“那音乐大师呢。不，不，不是您，先生。我们自己的音乐大师。您看，我们给他送花了呢，以表我们对他的无上敬意。您知道哪儿能找到他吗，先生？”

“很遗憾，我不知道。我……我不认为这时候，你们会在这大楼里找到布罗茨基先生。”

“不会？ 难道他还没到？”那醉酒男人转向他的同伴们。“我们的音乐大师还没到呢。你们怎么看？”接着他对我说：“我们要送他花呢。”他又挥了挥那束花，几片花瓣飘落到了地上。“这是市议会对他表达的钟爱和敬意。还有歉意。当然啰。我们误解他太久了。”他的同伴们又发出了阵阵窃笑声。“还没到呢。我们敬爱的音乐大师。好吧，那样的话，我们最好就和这些音乐家再多消磨会儿时间吧。或者，或许我们还是回酒吧去。我们干吗去呢，朋友们？”

我看得出，在旁观望的索菲和鲍里斯越来越不耐烦了。

“不好意思。”我低声说道，走开了。在我们身后，那帮人爆发出更多含糊的大笑声，但我决计不再回头。

终于，周围安静了下来，接着，我们看到前方走廊尽头，迎宾员们都一起挤在化妆室的外面。索菲加快脚步，却在离那儿还有一小段路时停了下来。而那些迎宾员，他们留意到了我们的靠近，迅速让出了一条通道，其中一位——他身材瘦长，留一副八字胡，我在匈牙利咖啡馆见过他——向我们走了过来。他一脸踌躇不定，起先只是对我说。

“他还挺得住，先生。他还挺得住。”然后又转向索菲，垂下眼，低声道：“他还挺得住，索菲小姐。”

索菲没有回答，只是越过迎宾员们盯着化妆间稍稍半开的门。突然，她开了口，好像是为自己的到来辩白：

“我给他带了些东西。这儿，”她举高那个包裹，“我给他带了这个。”

有人通知了化妆室里的人，另外两个原本在里面的迎宾员来到门口。索菲没动，一时间，没人知道接下来该说什么或者做什么。接着，鲍里斯大步走到我们面前，他把那黑包提到了齐胸高的半空中。

“请吧，先生们，”他说，“请让开。这边，请。”

他挥了挥手，示意迎宾员们从门边挪开。站在门口的那两个人仍然没动，一脸茫然。鲍里斯不耐烦地冲他们比划了下。“先生们！ 这边请。”

鲍里斯清理出了门前相当大的一块地方，回头看了看母亲。索菲往前走了几步，又停了下来。她双眼紧盯着化妆间的门——那两个迎宾员将其半开着——露出一副担忧的表情。还是没人知道接下来做什么，又是鲍里斯打破了沉默。

“妈妈，请在这儿等一下。”说着，他转身走进了化妆室，消失了。

索菲明显松了口气。她又走近几步，倾身向前，冷漠地看了看，看是否能瞧见化妆室的里面。她发现鲍里斯合上了门，便直起身子，站立等候，就像在排队等待巴士，包裹垂挂在她交错的双臂上。

过了几分钟，鲍里斯又出来了，手里仍旧举着医疗包。他小心地关上了身后的门。

“外公说，我们来了他很高兴。”他看着母亲，静静地说，“他非常高兴。”

他继续抬头直视母亲的脸，我起先对他的这一举动甚感迷惑。接着，我意识到，他是在等待索菲给他句话，传回给古斯塔夫，果然，索菲想了想，说道：

“告诉他，我给他带了东西。一件礼物。我马上就进去给他。我……我只是在准备。”

鲍里斯再次进入化妆室消失了，索菲把大衣搁在一只胳膊上，开始抚平软软的褐色包裹上的褶皱。或许是发现了此举明显毫无意义，我突然想起了我安排的其他紧急事务，比如，我记起来了，我还得查看一下礼堂里的情况，而能办成此事的机会正分秒消逝。

“我马上就回来，”我对索菲说，“我得去处理点事情。”

她继续专注地弄着包裹，没有回答我。我正要大声地重复，接着，一想到这会引起人们对我过多的关注，我便改变了主意，悄悄地匆忙离开，去找霍夫曼了。

第三十二章

我在走廊上走了一会儿，突然看见前面一阵骚动。大约十二个人在互相推搡、喊叫、打着手势，我的第一个念头是，在这愈发紧张的气氛中，厨房员工之间爆发了一场争吵。但我发现整个人群正慢慢朝我靠拢过来，各式人等奇异地混杂其中。有些身着盛装晚礼服，而其他人——穿着厚风衣、雨衣，还有牛仔服——好像是直接从街上进来的。几位乐队成员也紧跟其后。

其中一个嗓门最大的人看上去颇为眼熟，我正要回想之前在哪儿见过他，突然，我听见他大叫道：

“布罗茨基先生，真的，我必须坚持！”

这时我认出，他就是之前在树林里遇见的那个灰发外科医生，而且我发现，没错，就在人群中央，那个正在慢慢前移、表情倔强坚决的人是布罗茨基，没错，是他。他显得十分苍白，脸上和脖子上的皮肤变成了白色，令人吃惊的是，竟都还皱了起来。

“但他说他没事的！ 你为何就不能让他决定？”一位身穿晚宴西装的中年男子回敬道。若干声音立即附和，却又遭到了齐声抗议回应。

这当儿，布罗茨基继续慢慢前行，无视周围的喧闹声。起先，他看起来好像被人群架在半空，但等他靠近了些，我才看到他拄着一根拐杖在独自行走。这拐杖有些特别，我不由得仔细一瞧，发现布罗茨基拄的其实是块烫衣板，垂直折起，夹在腋下。

我站在那儿看着这景象，人们一个接一个地留意到了我，都恭敬地沉默了下来，结果，人群走得越近，就越是安静。不过那个外科医生却继续喊道：

“布罗茨基先生！您的身体刚经历了一场严重的创伤。我真的必须坚持要您坐下休息！”

布罗茨基低头看着，专注地走着每一步，一时半会儿没看到我。接着，感觉到身边的人有了变化，他终于抬起了头。

“啊，瑞德，”他说，“你来啦。”

“布罗茨基先生。您现在感觉怎么样？”

“我很好。”他平静地说道。

此时人群稍稍站开了些，他更加自如地走完了与我之间剩下的那段距离。我夸奖他竟如此迅速地掌握了拄拐杖走路的本领时，他低头看了看烫衣板，仿佛这段时间来第一次想起了它的存在。

“带我来这儿的那人，”他说道，“碰巧有这个东西，在他货车的后备厢里。还不算太糟糕。很结实，我可以拄着它走得很好。唯一的麻烦，瑞德，就是有时候它会撑开。像这样。”

他摇了摇，果然，烫衣板滑落开来。他伸手一抓，没让微微张开的烫衣板撑得更大，但我看得出，即便如此小幅度的重复张合，也是件极其烦人的事情。

“我需要根细绳绑上这个，”布罗茨基有些难过地说，“或者类似那样的东西。但现在没时间了。”

我低头看了看他指的地方，不由得大吃一惊：他的左裤腿空荡荡的，在大腿下方处打成一个结。

“布罗茨基先生，”我迫使自己重新抬头，说道，“您现在的感觉一定不怎么好吧。您今晚还有力气指挥乐队吗？”

“是的，是的。我感觉好得很。我会指挥的，而且会……会非常棒的。一如我一直以来料想的那样。而且，到时她一定会看到，亲眼目睹，亲耳听到。这么些年了，我可不是个蠢蛋。这么些年来，我有这潜力，在等待时机。今晚她一定会看见我，瑞德。会非常棒的。”

“您指的是柯林斯小姐？可她会来吗？”

“她会来的，她会来。哦，是的，是的。他拼尽全力阻止她，让她害怕，但她会来的，哦，是的。我现在已经看透他的把戏了。瑞德，我去她公寓了，我走了很长一段路，很艰难，但最后这位先生路过，这位好人——”布罗茨基四下看了看人群，隐约朝某个人挥了挥手，“他路过，他有辆货车。我们去了她的公寓，我敲了敲门，敲了又敲。有个人，一个邻居，以为还像以前那样呢。您知道，我以前经常那样做，大晚上不停地敲门，他们最后叫来了警察。但我说，不，你这个笨蛋，我现在已经不再酗酒了。我出了车祸，现在清醒了，我看清了一切。我冲他，那个邻居，一个胖胖的老头，大喊道。我现在看清一切了，看穿了他一向的勾当，是的，我那样大喊了出来。接着，她来到门前，她，她来了，她听到了我对她邻居所说的话，我透过玻璃看见了她，不知如何是好，于是我抛开了邻居，开始对她说话。她听着，但她起先并没有开门，然后我说，瞧，我出了车祸，接着，她就开门了。那个裁缝在哪儿？他去哪儿了？ 他应该准备好我的外套了。”布罗茨基四下看了看，一个声音从人群后面传来：

“他马上就来，布罗茨基先生。实际上，他已经来了。”

一个小个男人带着把卷尺走了出来，开始为布罗茨基量身。

“这是什么？ 这是什么？”布罗茨基不耐烦地低语道。接着，他对我说：“我没有西装。他们准备了一套，送到了我家，他们这么说的。谁知道呢？ 我出了车祸，我不知道现在西装在哪儿。他们得给我弄套新的。一件西装，一件礼服衬衫，我今晚想要最好的。她会懂得我什么意思的，那么些年了。”

“布罗茨基先生，”我说道，“您一直在跟我说起柯林斯小姐。我是不是可以这样理解：您终究还是成功地说服她今晚过来了？”

“哦，她会来的。她答应了。她不会第二次违约。她没来公墓。我等了又等，但她压根就没来。不过那不是她的错。是他，那个酒店经理，是他让她害怕了。但我告诉她，现在害怕太迟了。我们一生都在害怕，但现在，我们得勇敢起来。起先她不听。你做了什么？ 她不停地问。她不是你平常见到的那副样子，她快要哭了，双手捂着脸，差点哭了，甚至不在乎邻居们是否全能听见。死寂的夜里，她说着，里奥，里奥——是的，她现在那么叫我了——里奥，你的腿怎么了？ 有血。我说，没什么，没关系，出了场车祸，但幸好有位医生经过，现在没事了。我告诉她，更重要的是，你今晚得来。不要听信那个酒店混蛋，那个……那个跑腿的！ 时间已经所剩无几了。

今晚她会看到我素来的心意。那么些年了，我可不是她所想的那个蠢蛋。她说她来不了，她还没准备好，此外，她说，所有那些伤口会再次裂开。我说别听那个跑腿的，那个酒店看门的，说那个太晚了。她指着我说，发生什么事了，你的腿，它在流血。我说，没关系，然后我冲她大喊道，没关系，难道你不明白吗，我得让你来！ 你得来！ 你得亲自来看看，你必须得来！ 然后，我看出她知道了我是多么的郑重其事。我看着她的双眼，看到了那双眼睛背后的变化，恐惧消失了，某些东西被激活了，我知道，我终于赢了，而那个酒店厕所清洁工输了。我对她说，轻轻地对她说：'那你会来喽？'她静静地点了点头，我知道我可以相信她。没有一丝怀疑，瑞德。她点了点头，我知道我能相信她，所以我转身离开了。我到了这儿，这位好人——他上哪儿了？ ——他用货车带我到了这儿。不过我本来想走来的，现在我没什么事了。"

"但布罗茨基先生，"我说道，"您肯定您状况良好，可以上台吗？ 毕竟，您刚遭遇了一场严重的车祸……"

我本无此意，但重提这一话题又引发了新一轮的喊叫。外科医生挤到前面，抬高嗓门，盖住其他人声，挥拳击掌，以示强调：

"布罗茨基先生，我坚持！ 您必须休息！ 即便只有几分钟。"

"我很好，我很好，别管我！"布罗茨基大喊一声，走了起来。接着，他转身对着我（我刚才一直没动弹）大叫道："要是你见到那个跑腿的，瑞德，告诉他我来了！ 告诉他。他以为我坚持不到现在，以为我是一坨狗屎！告诉他我来了。看他是不是中意了！"说着，他沿着走廊离开，争辩纷纷的人群尾随其后。

我继续朝相反的方向走，寻找着霍夫曼的踪影。现在已经没有几个乐队成员还站在走廊上，许多化妆室的门都关上了。我正想折返回去，更加仔细地窥视那些开着的门，这时，我突然瞥见了前方走廊上霍夫曼的身影。

他背对着我，低着头，慢慢踱着步子。虽然我离他很远，听不见他说的话，但显然他正在自顾自地排练着台词。我走近了些，他突然身体往前一倾。我以为他要摔倒了，但马上又意识到，他又在表演那奇怪的动作，我在布罗茨基化妆室的镜前见他表演过。他弯腰躬身，举起一只胳膊，胳膊肘向外突出，用拳头猛击前额。我走上前，站在他身后，咳嗽了一声。霍夫曼猛地一惊，直起身，转向了我。

“啊，瑞德先生。请别担心。我肯定布罗茨基先生随时会来的。”

“没错，霍夫曼先生。实际上，假如您刚刚是在排练向观众致歉的演说，告诉布罗茨基先生不能现身的话，我高兴地通知您不需要了。布罗茨基先生现在已经来了。”我指了指走廊那头。“他刚刚到。”

霍夫曼看上去大吃一惊，一时间完全僵住了。接着他镇静下来，说道：

“啊。好啊。真让人松了口气啊。但是，当然，我一直……一直满怀信心。”他大笑着，迅速地扫视了一下走廊那头，仿佛希望瞥见布罗茨基。接着，他又笑了笑，说：“呃，我最好去看看他。”

“霍夫曼先生，在那之前，您若能告知我父母最新的消息，我将感激不尽。我相信他们现在已经安全抵达大楼了吧？

您那个用马车送他们的主意——我相信，刚才我驾车经过大楼前面时已经听到声音了——我相信它已经达到您所希望的效果了吧？”

“您的父母？”霍夫曼再次显出迷惑的神情。接着，他将一只手放在我的肩膀上，说：“啊，是的。您的父母。让我想想。”

“霍夫曼先生，我一直拜托您和您的同事照顾好我的父母。他们两位身体都不太好……”

“当然，当然。请不必担心。只是，要顾全这么多事情，而布罗茨基先生又有些迟了，尽管您告诉我他现在已经来了……哈哈……”他声音越来越小，再次向走廊那头瞥了一眼。我冷冰冰地问道：

“霍夫曼先生，我父母此刻身在何处？您知道吗？”

“啊。目前这一刻，老实说，我确实不知……但我向您保证，他们由最能干的人照顾着呢。当然，我非常希望能亲自监管今晚活动的方方面面，但您得理解……哈哈。斯达特曼小姐，她应该确切地知道您父母在哪儿。我指派她密切留意您父母的情况。这倒并不是说他们与我们在一起会有照顾不周之虞。恰恰相反，我倒是得要求斯达特曼小姐小心留意，不要因为各方热情款待而累坏了他们……”

“霍夫曼先生，我理解您不知道这一刻他们在哪儿。那么，斯达特曼小姐在哪儿?”

“哦，我肯定她在这里的什么地方。瑞德先生，我们一起走一走，去看看布罗茨基先生怎么样了。我敢肯定，您很快会在路上遇见斯达特曼小姐的。她甚至可能已经在办公室里了。不管怎样，先生，”他突然摆出了个更威严的姿态，“我们站在这儿也是无济于事。”

我们一起向走廊那头走去。这当儿，霍夫曼似乎完全恢复了镇静，他微笑着说：

“现在我们可以肯定一切都将非常顺利。先生，您好像很清楚自己在做什么。布罗茨基先生也来了，现在一切都确定了。一切都会按计划进行。一个美好的夜晚将展现在我们大家面前。”

接着，他变换了一下脚步，我发现他正盯着我们前方的什么东西。顺着他的目光，我看到斯蒂芬站在走廊中间，一脸担忧。年轻人看到了我们，快速向我们走来。

“晚上好，瑞德先生。”说完，他压低声音对霍夫曼说道：“父亲，或许我们可以谈谈。”

“我们很忙，斯蒂芬。布罗茨基先生刚到。”

“是的，我听说了。但您看，父亲，是跟母亲有关的。”

“啊。你母亲。”

“她还在门厅，而我再过十五分钟就该上场了。我刚刚看到她，她正在门厅徘徊呢，我告诉她我很快就上场了，她却说：‘呃，亲爱的，我得处理些事情。我会尽力赶去的，至少赶上表演结尾，但我得先处理些事情。’她是那么说的，可她看起来没那么忙啊。真的，但是，时间一到，您和母亲就该双双落座了啊。我还有不到十五分钟就上场了。”

“是的，是的，我一会儿就到。而你母亲，我肯定，不管她在做什么，她都会尽快干完的。为什么这么担忧呢？回你的化妆室准备一下吧。”

“可母亲在门厅要干什么啊？她只是站在那儿，谁碰巧经过就跟谁聊天。很快，就会只剩她一人在那儿了。人们现在都就座了。”

“我想，她只是想在坐下来看晚会前活动活动，伸伸腿脚吧。现在，斯蒂芬，冷静下来。你得给整个晚会开个好头。我们全都指望你了。”

年轻人想了想，接着好像突然记起了我。

“您真是太好了，瑞德先生，”他笑道，“您的鼓励无比宝贵。”

“您的鼓励？”霍夫曼吃惊地看着我。

“哦，是的，”斯蒂芬说道，“瑞德先生非常慷慨。他抽时间听我练琴，还给了我多年来最大的鼓励。”

霍夫曼来回打量着我们，一丝惊疑的微笑挂在唇间。然后，他对我说：

“您花时间听斯蒂芬弹琴了？ 听他？”

“我确实听了。我之前曾经想告诉您，霍夫曼先生。您的儿子相当有天赋，而且，不管今晚发生其他什么事，我相信他的表演肯定会引起轰动。”

“真的，您真的这么认为？ 但事实是，先生，斯蒂芬呢，他……他……”霍夫曼好像变得很困惑，他轻笑一声，拍了拍他儿子的后背。“那么，斯蒂芬，你可能会一鸣惊人吧。”

“我希望如此，父亲。但母亲还在门厅。或许她在等您呐。我是说，那总是很尴尬的，一个女人在这样的场合一人独坐。或许就是那样的吧。只要您一进去坐定了，她可能就会来与您会合的。只是我现在马上就要上场了。”

“好的，斯蒂芬，我会处理的。别担心。现在你回化妆室，去准备一下。我和瑞德先生还有些事情要先处理下。”

斯蒂芬看起来仍旧不甚开心，我们离开了他，继续前行。

“我该提醒您，霍夫曼先生，”我们又沿着走廊走了一会儿，我说道，“您可能会发现，布罗茨基先生的态度变得带些敌意，对……呃，对您。”

“对我？”霍夫曼一脸惊讶。

“就是说，我刚刚看见他的时候，他正在表达对您的某种恼怒之情呢。他好像有些牢骚。我想我应该让您知道。”

霍夫曼低声说了些什么，我听不清。接着，我们继续沿着走廊慢慢转了个弯，布罗茨基的化妆室——一小群人正在门外徘徊——出现在面前。酒店经理放慢脚步，然后停了下来。

“瑞德先生，我一直在想刚才斯蒂芬说的那番话。转念一想，我觉得最好去看看我妻子。确定她没事儿。毕竟，这样一个夜晚会让人很紧张，您明白吧。”

“当然。”

“那么请您原谅。我想，先生，不知可否请您去看看布罗茨基先生是否一切安好。我自己呢，是的，真的，”他看了看手表，“就座时间到了。斯蒂芬说得很对。”

霍夫曼轻笑一声，匆匆向我们来时的方向走去了。

我等他走出视线之外，然后朝布罗茨基门口周围的人群走去。一些人好像只是好奇地站在那儿，而另一些则压低声音在热切争论。灰发外科医生在房门旁徘徊，向一个乐队成员强调着什么，恼怒地冲化妆室里面反复挥手。我吃惊地发现，那扇门是大开着的，我靠近时，之前见到的那个小个子裁缝探出头来，喊道：“布罗茨基先生想要一把剪刀。一把大剪刀！”一个人急匆匆地离开，裁缝又消失在里面。我挤过人群，看向屋内。

布罗茨基背对着门口坐着，正对着镜子审视自己。他穿着一件小礼服，裁缝正在拉扯着礼服的两个肩膀。他还穿了件礼服衬衫，但还没系领结。

“啊，瑞德，”他看到了我镜中的身影，说，“进来，进来。您要知道，我很久没有穿这样的衣服了。”

他的口气听上去比我刚才遇见他时镇静多了，这时我想起了他在公墓里对哀悼者表现出威严气势的那一刻。

“好了，布罗茨基先生，”裁缝说道，站直身子，他们两人对着镜子端详了礼服一会儿。随后，布罗茨基摇了摇头。

“不，不，还得再紧些。”他说道，“这儿，还有这儿。布料太多了。”

“稍等片刻即可，布罗茨基先生。”裁缝匆匆脱下礼服，经过我身旁时，飞快地鞠了一躬，消失在门外。

布罗茨基继续看着镜中的自己，若有所思地摸着自己的翼形衣领。接着，他拿起一把梳子，梳了梳头发——我发现他的头发已抹上了光泽明亮的定型水。

“您现在感觉如何？”我走近了些，问道。

“很好。”他慢腾腾地说道，继续打理着头发。“我现在感觉很好。”

“您的腿呢？ 您肯定您能带着这么严重的伤表演吗？”

“我的腿，没事儿。”他放下梳子，打量了一下效果。“不像看起来的那么糟。现在我好得很。”

布罗茨基说这话的时候，我从镜子里看到外科医生——刚才他一直在房门旁——迈步走进房间，一副忍无可忍的表情。但还没等后者开口，布罗茨基就有些狂怒地对着镜子喊道：

“我现在好得很！ 伤口不算什么！”

外科医生退回到门口，却继续愤怒地盯着布罗茨基的后背。

“但是布罗茨基先生，”我低声说道，“您失去了一条腿。那可绝不是件小事啊。”

“我是失去了一条腿，没错。”布罗茨基又打理起头发来，“但那是多年前的事了，瑞德。许多年前的事了。或许那时我还是个孩子。那么久远的事，我都不太记得了。那个笨蛋医生，他没有发现。我是被卷进了自行车里，但那只是条假腿，卷进去的是那条假腿。那个笨蛋甚至没发现。还称自己是个外科医生！ 我这一生就是那感觉，瑞德，一直没有那条腿。距现在多久了？ 等你到这把年纪，就开始忘记了。你甚至根本不会介意了。一个伤口，就变得像个老朋友一样。当然，它时不时会烦烦你，但我已经与它生活了这么久。一定是在我还是个孩子的时候发生的。可能是一起铁路事故吧。在乌克兰的某个地方。或许是大雪天。谁知道呢？ 现在没关系了。感觉就像我这一生都是如此。就一条腿。不算太坏。还过得去。那个笨蛋医生，他锯掉了我的木腿。是的，有血，它还在流血，我需要剪刀，瑞德。我已经派人去拿了。不，不，不是为了伤口。裤腿，我的意思是这只裤腿。我怎么能在指挥时让这只裤腿像这样空荡荡地甩来甩去呢？ 但是那个笨蛋医生，那个医院实习生，他锯掉了木腿，那我现在能怎么办呢？我得——”他用手指模仿剪刀状，比划着，在膝盖正上方的布料处横剪一刀，“我得做点什么。使它尽量漂亮些。那个笨蛋，他不只毁了我的木腿，还擦伤了我的残肢。我有好多年不曾这样流血了。真是个笨蛋，表情还那么严肃。他以为自己是个非常重要的人呢，锯掉了我的木腿，伤到了我的残肢尾端。难怪一直流血。到处都是血。但我多年前就没这条腿了。很久以前了，那就是我现在的感觉。我用了一生的时间去适应它。但现在，那个笨蛋用了锯子，害得它又流血了。”他低头看了看，用鞋子把什么东西抹到了地板上。“我派人去拿剪刀了。我得表现出最佳状态，瑞德。我不是个贪慕虚荣的人。我这样做不是因为我虚荣。但一个人在这种时候必须看起来体面才行。她今晚会看到我，在我们的余生，她将会牢记今晚。还有这个乐队，是个好乐队。来，我给你看看。”他伸手向前，对着灯光，举起一根指挥棒。“是根好指挥棒。有种特别的感觉，你能分辨的。它使得一切与众不同，你知道的。对我来说，对我来说，时机一直很重要。时机必须恰到好处。”他盯着指挥棒。“过了这么久，但我不怕。我今晚会展示给他们看的。我绝不妥协。我会一直拿着它的。像你说的，瑞德。马克斯·萨特勒。但那个家伙，他真是个白痴！ 那个笨蛋！ 那条医院的看门狗！”

这最后几句话，布罗茨基是略带享受地冲着镜子大喊出来的，我看到那位外科医生——刚才他一直从门外观望着，满脸震惊的表情——窘迫地退出了人们的视线。

外科医生终于走了，布罗茨基第一次表现出了紧张。他闭上双眼，斜倚在椅子一侧，喘着粗气。可是，过了一会儿，一个男人冲进房间，递上一把剪刀。

“啊，终于拿来了。”布罗茨基接过剪刀。随后，等那人一走，他便把剪刀放在镜子前的架子上，想站起来。他扶着椅子背，想把自己撑起来，然后伸出一只手，去够镜子旁靠墙放置的烫衣板。我上前一步想去帮他，但他却在无人辅助下惊人灵敏地够到了烫衣板，往胳膊下面一夹。

“您看，”他说道，忧伤地低头看着空荡荡的裤腿。“我得在这儿动些手脚。”

“想让我叫回裁缝吗？”

“不，不。那家伙，他可不知道该怎么做。我自己来。”

布罗茨基继续低头看着空荡荡的裤腿。我注视着他，突然想起还有其他各种急事等待我去处理，尤其是我得回到索菲和鲍里斯那里，探询古斯塔夫的最新情况。甚至还有这种可能：关于古斯塔夫的某个关键决定，还要拖到等我回去了才能做出。我咳嗽了一声，说道：

“如果您不介意，布罗茨基先生，我得离开了。”

布罗茨基仍旧低头看着裤腿。“今晚一定是个美妙的夜晚，瑞德。”他轻声说道，“她会看到的。她最后会看到的。”

第三十三章

古斯塔夫所在的化妆室外面，景象与我离开之时并无太大变化。迎宾员们或许移步到了离门口更远的地方，这会儿聚在走廊的另一头围成了一圈，小声开着会。然而，索菲还站在差不多我之前看到的位置，盯着微微开着的大门，包裹折合着挂在胳膊上。其中一个迎宾员发现我靠近，便向我走过来，压低声音道：

“他还坚持得住，先生。不过约瑟夫已经去请医生了。我们决定不能再耽搁了。”

我点了点头，接着向索菲投去一瞥，轻声问道：“她还没进去？”

“还没有，先生。但我肯定索菲小姐很快就会进去的。”

我们两个人注视了她一会儿。

“那鲍里斯呢？”我问道。

“哦，他已经进去过好几次了，先生。”

“好几次了？”

“哦，没错。刚刚他又进去了。”

我又点了点头，随后走向索菲。她没发觉我回来了，我轻碰了下她的肩膀，她吓了一跳。随即她大笑道：

“他在里面呢。爸爸。”

“嗯。”

她稍稍调整了一下姿势，倾身一侧，想透过门口看得更清楚些。

“你不打算给他外套了吗？”我问道。

索菲低头看了看外套，说道：“哦，是的。对，没错。我正打算给他呢……”她的声音逐渐小了下去，身子又偏向了一侧。随后，她喊道：

“鲍里斯？ 鲍里斯！ 你出来一下。”

过了一会儿，鲍里斯走了出来，面色镇定，小心地关上了身后的门。

“怎么样？”索菲询问道。

鲍里斯匆匆瞥了我一眼，然后转向他的母亲，说道：

“外公说他觉得很抱歉。他说要转告他很抱歉。”

“就这些？ 他总共就说了这些？”

有那么一会儿，小男孩的脸上掠过了一丝犹豫。随后他安慰地说道：“我再进去。他还会再说些什么的。”

“可是他刚刚跟你说的就只有这些？ 就只是说他很抱歉？”

“别担心，我会再进去。”

“等一下。”索菲开始撕下大衣外面的包装。“把这个拿去给你外公。给他，看看大小是不是合适。告诉他，我随时可以改的。”

她任由撕下的包装落在地上，高举起一件深褐色的外套。鲍里斯毫无怨言地接了过去，重新回到了化妆间。也许是因为这件外套的缘故——它被笨重地放置在小男孩的臂弯中——鲍里斯只半合上了身后的门，低语声随即传到了走廊里。索菲没有挪动地方，但我看得出她正紧张地捕捉一言半语。我们身后，迎宾员们依旧恭敬地与我们保持一段距离，但此刻他们也分明在焦急地注视着房门。

过了好一会儿，鲍里斯又一次走了出来。

“外公说谢谢你，”他对索菲说道，“他现在很开心。他说他非常高兴。”

“他就说了这些？”

“他说他很开心。他以前并不舒服，但现在有了大衣，他说那对他意义非凡。”鲍里斯朝身后望了一眼，然后转回头看着他母亲。“他说收到这件大衣他非常开心。”

“他就说了这些？ 没有……没有说是不是合身？ 没有说他是不是喜欢那颜色？”

由于我此时只顾着盯着索菲看，并没有清楚地看到鲍里斯接下来做了什么。我的感觉是，他没做什么异常的举动，只是停顿了一会儿，思索着如何回答母亲的询问，但索菲突然喊道：

“你为什么要那么做？”

小男孩一脸困惑地盯着他母亲。

“你为什么要那么做？ 你知道我什么意思。像这样！ 就像这样！”她抓住鲍里斯的肩膀，开始猛摇起来。“就像他外公！”她转向我，说道，“他在模仿！”接着，她又朝着正在一旁警觉观望的迎宾员们喊道：“他外公！ 就是从他身上遗传的。你们看到他肩膀那样了吗？ 那么自以为是，那么自鸣得意。你们都看见了吧？ 真像他的外公啊！”她怒视着鲍里斯，继续猛烈地摇晃着。“哦，所以，你就以为你很了不起了，是不是？ 是不是？”

鲍里斯挣脱开来，踉跄着向后退了几步。

“你看没看见？”索菲问我道，“他总是那样。就像他外公。”

鲍里斯又走远几步，随后蹲下身，从地上捡起那个他随身携带的黑色医疗包，把它抱起护在胸前。我以为他要痛哭流涕了，然而最后他还是控制住了自己。

“别担心……”他开口道，然后又停了下来，把胸前的黑包略微举高了一些。“不用担心。我会……我会……”他放弃了，环顾四周。隔壁房间的门离他很近，小男孩快速转身，钻进去，消失了，砰的一声关上了身后的门。

“你疯了么？”我对索菲说道，“他已经够心烦的了。”

索菲继续沉默了一会儿，随后叹了口气，走到了鲍里斯消失的那扇门前。她敲了敲门，走了进去。

我听到鲍里斯说了些什么，虽然索菲没有关门，但我还是听不清他的话。

“对不起，”我听到索菲说，“我不是有意的。”

鲍里斯又说了些什么，我听不清。

“不，不，没关系，”索菲轻声说，“你做得很好了。”片刻停顿后，她又继续说道：“我现在得去跟你外公谈谈。我得走了。”

鲍里斯又说了些什么。

“是的，好吧，”索菲说，“我会让他进来和你一起等着。”

这次，小男孩说了很长一段话。

“不，他不会的。”没过一会儿，索菲就打断了他的话。

“他会对你很好的。不，我保证。他一定会的。我会让他进来。但我现在得去跟你外公谈谈了。在医生来之前。”

索菲走出屋子，关上了门。接着，她走近我，非常小声地说道：

“请进去跟他一起等等吧。他很烦乱。我得去跟爸爸谈谈。”之后，还没等我行动，她就把一只手放在我的胳膊上，说道：“请再对他和蔼起来吧。就像以前那样。他是多么怀念从前啊。”

“我很抱歉，我不知道你指的是什么。假如他很烦乱的话，那是因为你……”

“求求你了，”索菲说道，“也许都是因为我的错，才发生了这一切，但请到此为止吧，求你进去陪他坐坐吧。”

“我当然会进去陪他，”我冷冷地说道，“有何不可呢？你最好还是去你父亲那儿吧。刚才的话他可能全都听到了。”

我走进鲍里斯隐入的那个房间，惊讶地发现它跟我在走廊里看到的其他化妆室都不一样。事实上，它更像一间教室，里面整齐地摆放着一排排小桌椅，前边还有一块大黑板。这里很宽敞，灯光昏暗，到处都是厚重的黑影。鲍里斯坐在靠近后面的一张桌子旁，我进去的时候，他匆匆抬眼瞥了我一下。我一言未发，环视四周。

黑板上有一团潦草的字迹，我隐约觉得是鲍里斯干的。随后，我继续在空荡荡的桌旁走动，打量着钉在墙上的表格和地图，这时男孩重重地叹了一口气。我瞥了他一眼，发现他把那个黑包放在了膝盖上，正费力地从里面掏什么东西。最终，他拿出了一本巨大的书，放在面前的桌子上。

我转过身，继续在屋子里转悠。当我再次看他的时候，他正在飞快地浏览书页，脸上露出崇敬的神情。我知道他又在看那本杂务手册了。我一点也不觉恼怒，回头看着一张警告溶剂滥用危害的海报。接着，鲍里斯在我身后说道：

“我真的很喜欢这本书。里面什么都有。”

他说这些话时仿佛是在自言自语，但此时我已走到离他坐着的位置很远的地方，他就不得不抬高了嗓门，显得挺不自然。我不打算回答他，继续在屋子里面转悠着。

过了一会儿，鲍里斯再次重重地叹了口气。

“妈妈有时候总是这么焦虑。”他说道。

我还是觉得他对我讲话的口气不甚得体，所以我没回答。况且，当我最终转向他的时候，他假装自己正在专心看书。我又走进屋子的另一个角落，发现墙上钉着一大张纸，上面写着“失物招领”。上边有一长串用各种笔迹书写的条目，一栏日期，一栏丢失物品，一栏物主姓名。不知何故，我发现这单子非常有趣，又继续细细地研究了一会儿。近顶端的条目好像是匆忙中写上去的——一支钢笔，一枚棋子，一个钱包。接着，从下半张开始，条目开始越来越滑稽了。有人号称自己丢了“三百万美元”。还有一个条目竟然是“成吉思汗”丢了“亚洲大陆”。

“我真的很喜欢这本书，”鲍里斯在我身后说道，“它告诉你了所有事情。”

突然间，我一下子失去了耐心，快步走向他，一掌重重地拍在他面前的桌子上。

“瞧，你为什么老是读这个？”我质问道，“你母亲怎么跟你说的？ 她告诉你这是个很棒的礼物，我猜。其实，不是。她是那样告诉你的？ 说这是个极棒的礼物？ 说我精心为你选的？看看吧！看看吧！”我试图把被他紧紧抓住的那本书扯过来，但他死拽着，两只胳膊放在上面护着。“这不过是一本没用的、别人想扔掉的手册。你以为这样的书，这种东西，能教你所有的事？”

我仍试图把书从他身下拉出来，但鲍里斯倾身趴到桌子上，用身体保护着那本书。同时，他一直保持着令人不安的沉默。我又去扯，决心要把那东西从他身边永远地拿走。

“听着，这是个没用的礼物。一丁点儿用都没有。没有思想，没有感情，里面什么都没有。事后回想，就是每页上面写满了字，而你却以为这是我给你的绝棒礼物！给我，给我！”

也许是害怕书会被撕破，鲍里斯突然抬起双臂，我发现自己提着一页封皮，把这本书拎了起来。他还是没吭声，我觉得我的突然爆发有些愚蠢。我看了看那本在我手中悬空垂着的书，接着把它扔进了房间远处的一角。书碰到一张桌子上，落在了暗影中。我马上觉得平静了很多，深吸了口气。接着，我再看他的时候，鲍里斯僵硬地坐着，目光盯着书掉落的地方。他随后站起身，急着想找回它。可他还没走到一半，索菲急切的喊声便从走廊里面传来：

“鲍里斯，过来一下。就来一会儿。”

鲍里斯犹豫了一阵，又看了一眼书掉落的地方，接着出了房间。

“鲍里斯，”我听见索菲在外面说道，“去问问外公他现在感觉怎么样。再问问他外套需不需要改动。底下的扣子可能有问题。如果他经常站在桥上，风一吹它就会飘来飘去。去问一下他，但别待在里面谈太久。就问问他，然后直接出来。”

我回到走廊时，鲍里斯已消失在古斯塔夫的化妆室里，而映入我眼帘的是我所熟悉的景象：索菲紧张地站在那儿，眼睛盯着门；后面不远处，迎宾员们一脸焦虑地观望着。然而，索菲的脸上掠过一丝绝望，这表情是我之前没有注意到的。我心里突然对她涌起一阵怜惜之情。我走向她，用一只胳膊挽着她的肩膀。

“这对我们所有人来说都是个艰难的时刻，”我轻柔地说道，“非常艰难的时刻。”

我将她拉近，但她突然甩开我，继续盯着门口。她的反抗让我大吃一惊，我生气地对她说：

“瞧，这种时候我们所有人都应该互相支持。”

索菲没有回答，这时鲍里斯再次走出了化妆室。

“外公说，外套正合他意，而且因为是妈妈送给他的，所以他尤其喜欢。”

索菲恼怒地喊了一声：“但他到底需不需要我把衣服改一下？ 他为什么就是不告诉我？ 医生马上就来了。”

“他说……他说他很喜欢这件外套。非常喜欢。”

“问问他底下的扣子。如果他还继续要迎风站在桥上，就得适当地往上挪挪。”

鲍里斯想了想，点了点头，又回到了化妆室里。

“你瞧，”我对索菲说道，“你好像不明白我现在压力有多大。你没意识到我很快就该上台了吗？ 我得回答事关这个社会未来走向的复杂问题。还会有块电子记分板。你知道这意味着什么吗？ 你关心的就只有那些扣子等等之类的事。你就没意识到我现在承受的压力吗？”

索菲转向我，一脸沮丧，似乎想要跟我说些什么，但就在这时鲍里斯又出现了。这次，鲍里斯表情凝重地看着他妈妈的脸，却什么也没说。

“怎么样，他说什么了？”索菲问道。

“他说他很喜欢这件外套。他说，那让他想起了妈妈您小时候穿的那件外套。差不多的颜色。他说那上面曾有一头熊的图案。妈妈您过去穿过的外套。”

“我到底需不需要改衣服？！ 他为什么不直接回答呢？医生马上就要到了！”

“你好像不明白，”我打断了她的话，“外面那些人都指望着我呢。会有块记分板，所有那些东西。他们想让我在答完每个问题之后就到舞台边鞠躬。我的压力很大啊！ 你好像不……”

我停了下来，意识到古斯塔夫正在喊着什么。鲍里斯立即转身进了化妆室，我和索菲站在那里等他出来，感觉时间过了好久。终于，小男孩又走了出来，却没有看我们两人，而是大步走了过去，停在了迎宾员们的面前。

“先生们，请。”他做了个引领的动作。“外公请你们大家都进去。他现在想跟大家在一起。”

鲍里斯开始在前面带路，迎宾员们只犹豫了片刻，随后便紧紧跟上。他们列队走过我们面前，其中有几位还向索菲咕哝着说了一两句尴尬的话。

最后一位迎宾员走进去后，我向房间里窥探，却仍然看不到古斯塔夫，因为迎宾员们都挤在了门口。房中立刻传出三四个人的讲话声，我正想靠近点，这时索菲突然从我身边擦过，进了化妆室。屋内一阵骚动，讲话声戛然而止。

我大步走到门口。迎宾员们已让出一条过道让索菲通过，这下我看清楚了，古斯塔夫躺在垫子上，那件褐色外套盖住他的上半身，外套下边是那条灰色毛毯，我对那条毛毯还有印象。没有枕头，很明显，他连抬起头的力气都没有了，但此时，他看着他的女儿，眼角挂着一丝轻柔的微笑。

索菲停在了距古斯塔夫所躺之处两三步远的地方。她背对着我，所以我无法看到她的表情，但她好像在低头望着他。一阵沉默之后，索菲说道：

“您还记得您来学校的那天吗？您给我送泳具的那次？我落在家里了，一整个早上都很焦急，想着我该怎么办。后来，您拿着那个蓝色的运动包来了，有细绳背带的那个。您直接进了教室。您还记得么，爸爸？”

“有了这件外套，我就会很暖和了，”古斯塔夫说道，“这正是我一直以来想要的。”

“当时，您只有半个小时的休息时间，所以您从酒店一路跑来。您带着那个蓝色运动包走进了教室。”

“我一直为你骄傲。”

“那天早上，我一直都在担心，不知道自己该怎么办。”

“这件外套很不错。瞧这衣领。再看看这一圈，全是真皮的呢。”

“抱歉，”我身边的一个声音说，我转身发现一个戴着眼镜、背了个医用包的年轻人正想挤过去，紧随其后的是另一个迎宾员，我在匈牙利咖啡厅见过他。他们两人进到房间，那位年轻医生急忙来到古斯塔夫旁边跪了下来，开始检查。

索菲默默地盯着医生。随后，好像觉得现在该轮到其他人让父亲留心了，她向后退了几步。鲍里斯走到她身边，一时间，他们两人几乎紧贴着对方站立着，但索菲似乎没有注意到小男孩，而是继续盯视着医生弓起的背部。

就在这时，我突然又想起，演出之前我还有许多事情要做。我又想到，既然医生已经到了，这正是我溜走的大好时机。我悄悄地退回到走廊里，正打算离开去找霍夫曼，这时听到身后有动静，感觉有人粗暴地抓住了我的胳膊。

“你要去哪儿？”索菲气愤地小声问道。

“对不起，但你显然不明白。我现在还有很多事情要做。会有电子记分板什么的。还有非常多的事情指望着我呢。”我一边说，一边试图将胳膊从她紧握的手中挣脱出来。

“那鲍里斯呢？ 他需要你在这儿。我们俩都需要你。”

“你听着，你显然不懂！ 我的父母，你不懂么？ 我的父母随时会到！ 我还有一大堆事情要做！ 你不知道，你显然根本就不懂！”我终于挣脱了她。“听着，我会回来的，”我匆匆离开，一边还回过头安慰她，“我会尽快赶回来的。”

第三十四章

我沿着走廊继续疾步而行，突然发觉有几个人靠着墙站成一排。一眼望过去，我看到他们都穿着厨房工装，在等待轮到自己爬进一个黑色小壁橱。我心下越发奇怪，于是放慢脚步，最后转身朝他们走了过去。

我这会儿看清了，那壁橱又高又窄，像个杂物橱，钉在墙上，离地面约有半米。我碎步上前，从排队人的举止判断，那壁橱里应该有个小便器，或者是一个喷泉式饮水器。但等我靠近才看到，一个男人站在台阶顶端，弯腰向前，屁股撅得老高，好像在壁橱里翻找什么。与此同时，排队的人打着手势，不耐烦地叫喊着，让他快点结束换下一个。终于，那男人从壁橱里出来，小心地看着身后最高一级台阶，这时，队伍中有人发出一声惊呼，朝我指了指。所有人扭过头来，大家纷纷给我让路，队伍自动解散了。那个刚从壁橱中出来的人迅速下来，向我鞠了个躬，然后用手指向壁橱，做了个“请”的动作。

“谢谢，”我说，“但是好像别人都在排队等候啊。”

一阵抗议声骤然响起，几只手几乎将我推上了短短的台阶。

窄窄的壁橱门已自动关上，我推开它——它朝里面打开，而我站在最高一级台阶上，险些因此失去平衡——惊奇地发现，我正站在一处制高点上俯视礼堂。壁橱的整个后部都没有了，我觉得，假若我足够大胆，只要稍稍探出身子伸长手臂，便可碰到音乐厅的天花板。那景象当然壮观，但这整个布置让我觉得既愚蠢又危险。那壁橱居然是向前倾斜的，定然会怂恿粗心的观众向其边缘处趔趄而去。同时，在齐腰高度，只系有一根细绳，防止观者一头栽到观众席中。我看不出这壁橱的存在有何显见的理由，除非它或许是某个系统的一部分，可供大厅上空悬挂像旗子之类的东西。

我小心地移动着双脚，直到完全站在了壁橱里，然后紧紧抓着门框，向下望去。

大概四分之三的坐席都已经满了，但是，灯光依旧明亮，人们在聊着天或者相互打着招呼。一些人冲着远排的人挥手，另一些人则挤在过道上谈笑。这当儿，更多的人从两扇主大门入内。乐池里一排排闪亮的乐谱架泛着光芒，舞台上的帷幕已经拉开，一架开着琴盖的三角钢琴孤零零地在台上等候着。当我看着眼皮底下的这件乐器时——我马上就要用它来完成这场最为重要的演奏——我突然意识到，这可能就是我对演出条件所能做的最近距离的检查了，一想到这个，我对自己到这座城市以来的整个时间安排再次感到失望。

接着，我看到斯蒂芬·霍夫曼从侧厢走上了舞台。没有报幕，甚至连灯光都没有丝毫暗下来。更有甚者，斯蒂芬的举止毫无喜庆之感。他神情专注，快速走到钢琴边，连眼都没朝观众瞥一下。所以，也难怪，音乐厅里大部分人只是稍稍好奇了一下，便继续谈天说地了。当然，他一弹奏起《玻璃激情》那激情四溢的开篇时，人们有些许的惊讶，但即便那样，大部分人马上便断定这位年轻人只是在试琴或是在调试扩音系统。接着，仅几个小节之后，好像有什么东西吸引了斯蒂芬的注意，他的演奏完全失去了激情，就仿佛有人突然拔了插头。他的目光跟随着什么东西在人群中移动，到了最后，他干脆撇开了头，不看钢琴，但手却仍在弹奏。那时我才看到，他在盯视着两个身影离开观众席，我再向前倾了倾身子，恰好看到霍夫曼和妻子走出礼堂，消失在了视线中。

斯蒂芬全然停止了弹奏，坐在高脚凳上，直直转过身来，盯着他父母的背影。这一举止好像消除了人们仅剩的疑虑：斯蒂芬是在调音试调。的确，一时间，他好像是在等待大厅另一侧的技师给他信号，因此，当他从琴凳上站起来并大步走下舞台时，并没有人留意他。

直到走进侧厢，他才任由愤怒吞噬了他。而另一方面，意识到自己只弹奏了几个小节便弃甲而去，一时间他竟有种恍若隔世之感，还没来得及再细想，他便匆匆走下木头台阶，穿过后台的一道道门。

他出现在了走廊上，到处都是忙碌奔跑的舞台工作人员和餐饮员。斯蒂芬朝大厅走去，他希望在那儿能找到他父母，但还没等他走远，便发现自己的父亲正心事重重地独自向他走来。这位酒店经理并没有发现斯蒂芬，于是他们俩差点相撞。接着他停了下来，吃惊地盯着儿子。

“怎么？你没在演奏？”

“父亲，你和母亲为何那样离开？母亲现在在哪儿？她觉得不舒服吗？”

“你母亲。”霍夫曼沉重地叹了口气，“你母亲觉着，她这时离开是对的。当然，我送了送她，而且……呃，我说实话吧，斯蒂芬。这样说吧。我往往同意她的观点。我不排斥那一想法。你那样看我，斯蒂芬。是的，我知道，我让你失望了。我答应过你，你会有这一机会的，这一在全城面前、在我们的亲朋好友面前弹奏的机会和平台。是的，是的，我答应过你。或许是你自己向我要求的，或许是在我心烦意乱的时候，你恰好逮住了我，谁知道是怎么回事呢？ 这个不重要。重要的是，我同意了，我答应了，我不想再去说它了，唉，好啦，是我的错。不过，斯蒂芬，你得尽量理解我们做父母的心情。多么难过啊，亲眼目睹……”

“我要跟母亲谈谈。”斯蒂芬说道，抬步想要走开。刹那间，霍夫曼显得很惊恐，但接着他非常粗暴地抓住儿子的胳膊，同时不自然地笑了笑。

“你不能那么做，斯蒂芬。我的意思是，你看，你母亲去了洗手间。哈哈。不管怎么说，我觉得你得让她把自己的事情办完。但斯蒂芬，你都做了什么呢？ 你现在应该在弹奏啊。啊，但说不定这样反而最好呢。几个难堪的问题而已，不过那样罢了。”

“父亲，我正要回去弹奏呢。请您入座。还有，请劝母亲回来吧。”

“斯蒂芬啊斯蒂芬。”霍夫曼摇了摇头，将一只手搭在儿子肩上，“我想让你知道，我和你母亲都非常看重你。我们都非常为你骄傲啊。但你这想法，你这梦寐一生的想法。我是说……我是说你的音乐之梦。我，还有你母亲，我们都不忍心告诉你。自然地，我们是想让你怀抱梦想。但这个。这——”他指了指礼堂的方向，“这一切统统是个可怕的错误。我们绝不该让事情发展到这等地步。你看，斯蒂芬，你的演奏的确非常引人入胜。自成一体，极其纯熟。一直以来，我们都很喜欢听你在家里弹奏。但音乐，严肃音乐，今晚这种水平的音乐……那可是另外一回事哟。不，不，别打断我，我想跟你说些事情，一些我早就应该告诉你的事情。你看，这是市音乐厅。听众们，音乐会的听众们，他们可不像是坐在客厅里倾心聆听你演奏的亲朋好友。他们是正儿八经的音乐会听众，他们听惯了专业水准的演奏。斯蒂芬，我该怎么说呢？”

“父亲，”斯蒂芬打断道，“您不知道。我已经刻苦练习了。我所要弹奏的曲子，尽管是匆忙之选，然而，我已经用功练习了，您只要来，就会看到……”

“斯蒂芬啊斯蒂芬……”霍夫曼再次摇了摇头。“若这只是用功练习的问题就好了。若只是那样就好了。但我们中的一些人，不是天生奇才。我们没有那种天分，我们得承认，得妥协。偏偏这时候得跟你说这些，太糟糕了，怂恿了你这么久。希望你能原谅我们，你母亲，还有我，我们心软了这么久。但我们看得出，那给你带来了多大的欢乐，我们不忍心哪。但那不是借口，我知道。这太糟了，此时此刻，我的心在为你流血啊，真的。我希望你能原谅我们。让你到今天这步境地，我们犯了个大错。让你上台，面对整个城市的人。我，还有你母亲，我们太爱你了，看不下去呀。眼睁睁地看着我们亲爱的儿子成了大家的笑柄……我们受不了啊。好了，我都说出来了，都跟你和盘托出了。很残忍呐，但我终于告诉你了。我本以为我可以做到，可以安坐在一片傻笑和窃笑之中。但那一刻真的来临时，你母亲却发现她做不到，我也做不到。怎么了？你为什么不听我说？你不知道这让我有多痛苦吗？这么坦白相告不容易啊，即便是对自己的儿子……”

“父亲，求您了，我求您。就来听听吧，哪怕只是几分钟，然后您自己决定要不要继续。还有母亲。求您了，求您了，劝劝母亲吧。到时候你们就知道了，你们一定会……”

“斯蒂芬，你该回到台上去了。你的名字都印在了节目单上。你已经现身过一次。你至少总得有始有终吧。让大家看到你至少已尽力了。好了，那就是我的忠告。千万别在意他们，别管他们的窃笑。即便他们开怀大笑，就好像舞台上演的是一出滑稽哑剧，而非一支庄严深邃的乐曲，即便是那样，你也要记住，至少你母亲跟父亲为你勇敢坚持到底而骄傲啊。是的，你现在得上台去了，要坚持到底啊，斯蒂芬。不过你得原谅我们，我们只是太爱你了，所以无法亲眼目睹你的演奏。其实，斯蒂芬，我觉得这样做会伤透你母亲的心。现在，你得去了，没多少时间了。去吧，去吧，快去吧。”

霍夫曼转过身，一只手扶着额头，好像感到头昏脑涨，天旋地转，他这样走了几步，然后突然挺直了身子，又回头看了看儿子。

“斯蒂芬，”他严厉地说，“你该回到舞台上去了。”

斯蒂芬继续盯了他父亲一会儿，终于认识到自己的请求已然无望，于是转身沿走廊走去。

斯蒂芬又穿过了一连串后台门，心中五味杂陈。他没能劝服父母回到座位上，自然沮丧无比。此外，他能感觉到内心深处那缠人的恐惧苏醒了——即，他父亲所言属实，他确是一场巨大欺骗的受害者。不过，他一走近侧厢，自信心便很快又回来了，同时，随之而来的是那咄咄逼人的冲动，他要看看自己究竟有多大能耐。

斯蒂芬回到了舞台上，发现灯光稍暗了些。但是，礼堂远没有全黑，而且，许多宾客仍站在那里。他还能看见，在大厅各个角落，当有人弓身走过一排就座时，一波波的人群便站立起来。年轻人在钢琴前坐定，而周围的噪音只稍稍有所降低，在他等待情绪稳定之时，喧闹声依旧持续。忽然，一如之前，他冷峻的双手准确无误地落下，奏起了《玻璃激情》的开篇，唤起了一种介乎震惊与兴奋之间的情愫。

短短的序曲行进到一半时，观众们明显安静了许多。他弹奏完第一乐章后，整个礼堂已经完全安静下来。站在过道上聊天的人仍旧站着，但好像全都僵住了，双眼紧盯着舞台。那些已经落座的人专注地看着，听着。一小群人聚在一个入口处，最后一批缓慢入场的人停在了半路上。斯蒂芬开始弹奏第二乐章时，技师立即关掉了观众席的照明灯，我再也看不清观众席了。但毫无疑问，人们受到的震撼将继续笼罩大厅。无可否认，有此反应的一大原因是，观众们吃惊地发现，正如他们目睹的那般，他们自己的年轻一代中竟有人能达到如此高的水准。除却专业技巧，斯蒂芬的弹奏中还有着某种奇谲的力度，让人无法忽视。此外，我感觉，在场的许多人对今晚这一意外的开场吃惊之余，还将其视为一种预兆。假如这只是前奏的话，那余下的节目将会如何呢？ 今晚究竟会不会是本市的一个转折点呢？ 在我下方这许许多多吃惊的面孔背后，这些好像都是不言而喻的疑问。

斯蒂芬用一个怅惘又略具反讽的尾音圆满地结束了他的演奏。完毕后，众人沉默了一两秒钟，然后大厅里爆发出热烈的掌声，年轻人一跃而起，向大家致谢。他显然很高兴，尽管父母没能到场见证这一胜利让他倍感沮丧，但他绝不允许这份情绪表现在脸上。在持续的掌声中，他向观众鞠了几个躬，然后便匆匆退场，或许是突然想到自己的表演仅仅是整台晚会小小的一部分吧。

热烈的掌声噼里啪啦地持续了一会儿，然后慢慢平息，变成了兴奋的低语声。这时，人们还没来得及彼此交换感想，一个满头银发、表情严肃的人就从侧厢里走了出来。他慢慢地、自命不凡地朝前方的演讲台走去，此时我认出，他就是我到达那一晚主持表彰布罗茨基晚宴的那个人。

礼堂里很快便静了下来，但足足有三十秒钟，这位满脸严肃的人一言未发，只是略带厌恶地看着观众们。最后，他终于不耐烦地吸了口气，说：

"我虽然希望你们今晚都过得很开心，但我仍得提醒你们，我们在这儿相聚，并不是来看歌舞表演的。非常重要的问题还在后面等着我们呢。可别搞错了。事关我们未来的问题，事关我们整个城市认同的问题。"

随后的几分钟时间里，满脸严肃的男子继续迂腐地反复重申着这一点，偶尔停顿片刻，怒目皱眉，审视整个大厅。我渐渐失去了兴趣，想起后面排队的人还等着用这个壁橱，于是决定让其他人上来看吧。但是，正当我想退出那狭窄的空间时，我发现那满脸严肃的人已转到了一个新话题上——其实，他此刻正在介绍某人登台亮相。

这位被引介的人士，似乎不仅是"整个城市图书馆系统的柱石"，而且拥有"一叶知秋"的本领。那满脸严肃的男子最后一次鄙夷地盯视着观众，然后咕哝出了一个人的名字，昂首阔步地走开了。礼堂爆发出雷鸣般的掌声，这掌声显然是送给那满脸严肃的男子，而非他所介绍的那个人的。确实，后者大概又过了一分钟才出现，而他一亮相，人们只是犹犹豫豫地向他致意。

那男子个头小小，干净利落，秃着头，留着一副八字须。他带了个文件夹上台，将它放在了讲台上。接着，他取出几页纸，开始摆弄起来，其间从未抬头向观众们致意。大厅内掀起一阵不安。我再次好奇起来，心想排队的人不会介意再多等会儿，于是重新小心翼翼地趴在壁橱近边缘处。

秃头男子终于说话了，由于嘴巴靠话筒太近，他的声音嗡嗡颤动着。

“今晚，我想向大家分别展示我三个时期的代表作品。这些诗歌，我大多已在阿黛尔咖啡馆朗诵过，你们会觉得很熟悉，但我相信，你们一定不会反对我在这一庄严场合再诵读一遍。还有，现在我告诉各位，到结束时会有个小小的惊喜。我相信它会给你们带来不小的欢乐。”

接着，他继续翻弄纸张，这时人群中传来窃窃私语声。秃头男子终于下定了决心，对着麦克风大声地咳嗽了几声，众人又安静了下来。

好几首诗都押韵，而且相对较短。有关于市公园鱼儿的诗，暴风雪的诗，回忆童年破窗的诗——全都以奇怪的、高亢咒符似的音调被朗诵出来。我的注意力游离了几分钟，接着，我发现正下方某处一些观众开始交谈了起来，说话声清晰可辨。

此刻，那些声音还比较低沉，然而，当我用心去听时，它们好像越来越放开了胆。最终——当秃头男子在朗诵一首有关他母亲这些年所养的几只猫咪的长诗时——那噪音渐渐传入了我耳中，变成了大型聚会中人们多少带着正常音调的声音。我克服了小心翼翼之感，挪到了壁橱的最边缘，双手紧紧抓着木框，向下望去。

那谈话声的确是由坐在我正下方的一群人发出的，但其中涉及的人数比我料想的要少些。有七八个人已然决定，不再留心聆听诗歌吟诵，这会儿正开心地互相攀谈着，其中有几位为了说话已完全转过身去。我正欲细看一下这群人，突然瞥见柯林斯小姐就坐在后面几排的地方。

她身着第一次晚宴上穿的那件精致黑色晚礼服，披肩也仍旧围在肩上。她正同情地看着那秃头男子，头微微歪向一边，一根手指抵着下巴。我又凝望了她一会儿，但她神情一片宁静安详。

我将视线转回到正下方那吵闹的人群上，发现这会儿他们正在传发扑克牌。这时我才意识到，这群人中的核心人物包括了我第一天晚上在电影院遇见的那帮醉汉，而且就在刚才，我还在走廊上撞见过他们。

纸牌游戏越玩越喧闹，他们发出了阵阵欢呼声。人们纷纷投来了不满的目光，然而，渐渐地，大厅里越来越多的人开始说起话来，尽管声音有所克制。

秃头男子好像毫无察觉，继续热切地朗诵着，一首又一首。大约二十分钟后，他停了下来，这是自他登上舞台后的首次停顿。他拢了拢纸张，说道：

“现在开始第二阶段。你们有些人已经知道了，我的第二阶段缘自一场重要的事件。那一事件让我无法再沿用迄今为止使用过的工具创作。也就是说，我发现我的妻子不忠。”

他低下头，仿佛一想起这事仍令他悲痛欲绝。就在这时，我下方的那群人中有个人喊道：

“这么说来，他过去显然一直错用了工具！”

他的同伴们哄然大笑，然后，另一个人喊道：

“拙匠总怪工具差。”

“看来他妻子也是这样。”第一个声音道。

这番对话显然是想让尽可能多的人听到，果然引得众人哧哧窃笑。秃头男子在台上到底听到了多少并不清楚，但他停了下来，并没有看向那些起哄者，而是又摆弄起手中的纸来。他本来打算多说几句，多介绍一下他的第二阶段，但现在放弃了这一念头，又开始背诵起他的作品来。

他的第二阶段与第一阶段并无明显不同，而观众的骚动不安却有增无减。就这样，又过了几分钟，一名醉汉喊了句什么，但我没听清，不过大厅里许多人放声大笑起来。秃头男子仿佛头一次意识到，他正在失去对观众的控制，一句话只背了一半便抬起头来，站在那里冲着灯光眨眼，好像受到了什么惊吓。显然，他可以选择立即放弃舞台，而更体面的选择是，在离开之前再朗诵三四首诗。然而，他却选择了另一条解决之道。他慌慌张张地又朗读起来，也许是想尽快结束这既定的节目吧。结果，他读得支离破碎，七零八落，同时也助长了他死对头的气焰，此刻他们发现他已被逼得慌不择路了。越来越多的人——不再只是我下方的人群——开始七嘴八舌起来，引起了满堂哄笑。

最后，秃头男子试图重新掌控局面。他把文件夹放在一边，一声不吭，用乞求的目光盯着观众席。刚才一直大笑的人们此时安静了下来——或许是出于好奇，或许是出于懊悔吧。秃头男子终于开口了，他的声音中有了些许威严。

“我答应过，要给你们一个小惊喜，”他说，“惊喜来了。一首新诗。我一个星期之前刚完成的。特意为今晚这一重要场合所作。题目就叫《征服者布罗茨基》。请允许我朗诵。”

此人又开始摆弄起纸张，但这次观众都保持安静。他前倾身体，开始朗诵。念了开头几行之后，他飞快地抬头看了看，吃惊地发现大厅仍旧一片安静。他继续朗读，自信心渐渐高涨，没多久便高傲地挥起双手，强调起某些重点语句。

我本以为这是一首泛泛描绘布罗茨基的诗作，但很快我就明白，此诗只关涉布罗茨基与酒精的一次次交锋。开头的几节将布罗茨基与几位神话英雄做了比较，于是，便有了布罗茨基面对入侵的敌军，站在小山顶上猛掷长矛的形象，有了布罗茨基勇抓海蛇的形象，有了布罗茨基被锁链绑在岩石上的形象。观众们继续崇敬地甚至肃穆地聆听着。我看了一眼柯林斯小姐，但没发现她表情有何明显变化。她一如之前，饶有兴趣却又超然地观察着那诗人，一根手指抵在下巴一侧。

几分钟之后，诗歌兀然转向。它放弃了神话背景，转而着力描绘最近发生在布罗茨基身上的几起真实事件——据我猜测，这些事件广为流传，已演化成当地传奇。当然，我对大部分指涉的事件一无所知，但我看得出，他在力图重估并夸大布罗茨基在每起事件中的作用。从文学角度看，我认为这部分诗歌较之前几节大有进步，但介绍如此具体且耳熟能详的内容反而打破了秃头男子在观众中已然建立起的威信。他一提到“公交车候车亭悲剧”，下面便又有人开始窃笑，当他提及布罗茨基“寡不敌众，战败负伤”、“最终被迫投降，躲在电话亭后”时，更多的窃笑声传开了，而当光头男说到“在校园远足中展现出无畏勇气”时，整个大厅爆发出了不约而同的阵阵笑声。

至此我已明白，这秃头男子已经没救了。最后的几小节主要赞颂布罗茨基重新找回了清醒，几乎每行每句都会引发阵阵大笑。我又看了看柯林斯小姐，看到她的手指快速地捋着下巴，除此之外，她一如之前那般镇定。在阵阵大笑与起哄声中，光头男子的声音几乎难以闻见，他终于结束了朗诵，愤怒地聚拢纸张，大步走下舞台。一部分观众或许觉得刚才太过分了，便慷慨地鼓起掌来。

接下来几分钟，舞台空无一人，很快，观众们便扯着嗓子说起话来。我审视着下方的一张张面孔，颇有兴致地发现，虽然很多人相互交换着愉快的目光，但相当一部分人看起来很愤怒，正严厉地指着大厅里的其他人。这时，灯光又打在了舞台上，霍夫曼出现了。

酒店经理一脸暴怒，仪态全无，急匆匆走上讲台。

“女士们，先生们，拜托了！”人群安静了下来，他喊道，“拜托了！我请你们记得今晚的重要性。用冯·温特斯坦先生的话说，我们不是来观看歌舞表演的！”

这严厉的训斥并没有得到某些人的接受，一阵讥讽的“嘀嘀”声从我下方的人群中响起。但霍夫曼继续道：

“特别是，我吃惊地发现，你们许多人对布罗茨基先生仍抱有如此愚蠢而过时的看法。且不论齐格勒先生诗歌中许多其他的优点，其核心论点，即，布罗茨基先生已永远战胜了曾经荼毒他的一切恶魔，就无可置疑。齐格勒先生雄辩地阐述此点时，刚才那些嘲笑他的人，我相信，很快——是的，马上！——就会自惭形秽。是的，自惭形秽！一如一分钟之前，我替这座城市自惭形秽一样。”

Richmond Hill Public Library
Check OUT Receipt

User ID: 22971004419814

Item ID: 32971014292043
Title: Yang guang xia de ri zi : Kafuka zui hou na yi ni
Date due: August 29, 2019 11:59 PM

Item ID: 32972000427163
Title: Wu tian = Five Days
Date due: August 29, 2019 11:59 PM

Item ID: 32972001135963
Title: Wu ke wei jie = The unconsoled
Date due: August 29, 2019 11:59 PM

Total checkouts for session: 3
Total checkouts:3

Richmond Hill Public Library
Proudly Enriching your Connections, Choices and Community.

说这话的时候，他猛捶讲台，而令人吃惊的是，很多观众竟自以为是地报以热烈掌声。霍夫曼显然松了口气，但显然不知如何回应此种欢迎，就尴尬地鞠了几躬。接着，还没等掌声完全退去，他就镇定了下来，对着麦克风大声宣布道：

“布罗茨基先生不愧为我们这儿的一位俊杰啊！是我们年轻人精神与文化的源泉，是我们这些年长一辈的掌灯人，是我们这座城市黑暗历史篇章中的迷失与凄惨之人的指路明灯。布罗茨基先生当之无愧啊！请大家看着我！我用名誉、用我的信誉来担保我此刻对你们所说的话！但我何需说这些呢？很快，你们就会亲眼所见，亲耳所闻了。我绝非想做这样的介绍，也对不得已而为之深表遗憾。那么就让我们别再耽误时间了。允许我请出我们最尊敬的贵宾——斯图加特·内格尔基金会管弦乐团。今晚的指挥是我们自己独一无二的——里奥·布罗茨基先生！”

霍夫曼退至侧厢，一轮掌声响起。接下来几分钟悄然无息，接着，乐池亮起了灯光，乐师们鱼贯而出。又是一轮掌声，随后乐队成员循位入席，调试乐器，摆好乐谱架，此时一片寂静，寂静中透着紧张。甚至连我下方吵闹的人群，也好像明白接下来的表演十分严肃——他们已收起了扑克牌，正襟危坐，紧盯前方。

乐队终于安顿下来，灯光打在了近舞台侧厢的一片区域。又过了一分钟，全然无息，接着，后台传来了一阵撞击声。那声音愈来愈响，布罗茨基最后终于走进了灯光中。他停在那儿，也许让观众们有时间注意到他的亮相吧。

当然，在场的许多人都很难认出他来。他身着晚礼服西装，配一件鲜亮的白衬衫，头发梳得光溜溜的，可谓一表人才。然而，无可否认的是，他仍旧用那寒碜的烫衣板作拐杖，未免有煞风景。还有，他走向指挥台时，每走一步，烫衣板便“吧嗒”响一下。我留意到了他在那只空荡荡的裤腿上所做的手脚。我完全能够理解，他不希望那裤料来回摆动。但是，布罗茨基并没有在裤腿残根处打结，反而在膝盖下方一两寸处剪出了波纹状的裤边。我知道，完全雅观的办法是不可能有的，但是，在我看来，这条裤边也太夸张了，可能只会引得人们格外关注他的伤残。

然而，在他继续穿过舞台时，我好像明白自己可能完全想错了。尽管我一直盼望人群发现布罗茨基的状况后会倒吸一口气，但那一时刻却始终未曾到来。其实，就目前情势判断，观众好像根本没留意到他少了条腿，而是继续静静地期待着他走上指挥台。

可能是因为累了，也可能是因为紧张，他现在走路不像我早些时候在走廊里看见的那么顺畅。他步履如此蹒跚，我突然觉得，倘若还是无人注意到他的伤势，人家必定怀疑他喝醉酒了。离指挥台只有几码远了，他却突然停了下来，低着头愤愤地看着烫衣板——我发现它又一次开始撑开了。他晃了晃它，接着又走了起来。他坚持走了几步后，烫衣板上的什么东西散了开来。正当他将全身重量压在烫衣板上时，它终于散架了。布罗茨基连同烫衣板狠狠地摔倒在地。

观众对此事的反应甚为奇异。我本以为众人会大声惊呼，可他们却不以为然地静默了几秒钟。接着，一阵低语声传遍礼堂，人们齐声“嗯嗯”着，好像面对这种种令人泄气的迹象，大家都不再妄下结论了。无独有偶，那三位上台协助布罗茨基的舞台工作人员也是一副磨磨蹭蹭的样子，甚至流露出一丝厌恶。总之，他们还未来得及到他身边，此时躺在地板上一直跟烫衣板较劲的布罗茨基便愤怒地冲他们大喊，叫他们滚开。那三个人立马站定，不无迷惑地看着布罗茨基。

布罗茨基继续在地板上挣扎了一会儿。他时而好像要站起来，时而又想将绞进烫衣板里的衣服弄出来。有一阵子，他突然连声咒骂起来，可能是针对那烫衣板的吧，而扬声器将其清清楚楚地播放了出来。我又瞟了一眼柯林斯小姐，发现她这会儿坐在那里，身子前倾着。然而，随着布罗茨基继续挣扎，她又慢慢靠回座位，手指再次抵着下巴。

布罗茨基终于有了突破。他成功地将展开的烫衣板竖了起来，然后骨碌一下站起身。他骄傲地单腿站立，双手抓着烫衣板，双肘推出，好像准备攀爬上去。他狠狠地扫了一眼那三个舞台工作人员，他们退回侧厢后，他便将目光转向观众。

“我知道，我知道，”他说，尽管声音不大，但舞台前方的一排话筒好像照单全收了，大家都听见了。“我知道你们所有人在想什么。唉，你们错了。”

他垂下双眼，重新陷入尴尬。接着，他稍稍挺直了身子，用手抚摸那块烫衣板的棉衬表面，仿佛这会儿才想起烫衣板原先的用途。最后，他再次看向观众，说道：

“把你们脑中的这些想法全部抛开吧。那，”他冲地板甩了下头，“只是个不幸的意外。仅此而已。”

又一阵低语声掠过礼堂，然后大家再次安静下来。

接下来，布罗茨基继续在烫衣板上靠了一会儿，一动未动，紧盯着指挥台。我意识到，他正在估量到指挥台的距离，没错，接着，他开始行动了。他举起整个烫衣板架，猛砸到地上，就好像它是个助行架，然后拖着仅剩的一条腿跟上。起先，观众们似乎吃惊不小，但随着布罗茨基稳稳地向前移动，某些人就觉得自己是在观赏杂技动作，于是便鼓起掌来。很快，大厅里所有的人都接收到了这一讯息，就这样，伴着潮水般的掌声，布罗茨基一步步地向指挥台进发，完成了余下的征程。

一到达目的地，布罗茨基便立马放开烫衣板，一把抓住指挥台上的半圆形栏杆，悠然就位。他小心翼翼地将身子靠在栏杆上，然后拿起指挥棒。

此刻，为烫衣板动作而响起的掌声已渐渐平息，观众席再次恢复了噤声期待的气氛。乐师们也微微紧张地看着布罗茨基。然而，布罗茨基好像在回味多年后重掌乐队指挥棒的感受，他时而微笑，时而目光灼灼。终于，他将指挥棒扬至半空。乐师们刚摆好姿态，布罗茨基却又改变了主意，放下指挥棒，转向观众。他和气地柔声笑道：

“你们都以为我是个大酒鬼。现在就让我们来瞧瞧，我还有没有别的什么能耐。”

最近的麦克风离他也有一段距离，因此只有一小部分观众听见了他的话。总之，紧接着，他又举起了指挥棒，整个乐队立刻投身于穆勒里的《垂直》那刺耳的开篇音符之中。

我倒没觉得如此开篇有什么特别奇异的，但这显然出乎观众们的意料。许多人都从座位上惊跳而起，而随着这拉长的不协和和弦延续到第六、七小节的时候，我看到有些人的脸上呈现出几近恐慌的神情。甚至连一些乐师也焦急地看了看指挥，而后又看看乐谱。但布罗茨基仍在稳步调升乐曲的强度，始终保持他那夸张的慢节拍。演奏到第十二小节时，音符突然爆发，而后戛然而止。观众们轻轻地叹了口气，音乐立即又激昂起来。

布罗茨基不时地用那只空闲的手稳住自己，但这时候他已深深地沉醉了，似乎只需象征性的支撑便能保持平衡。他摇晃着肢体，尽情地在空中甩动双臂。在第一章的头几节，我发现一些乐队成员愧疚地看着观众，仿佛在说：“是啊，真的，他就是叫我们这么演奏的！”但接着，渐渐地，乐师们也沉浸在布罗茨基的幻境之中。起先，是小提琴师们入了迷，接着，我看到越来越多的乐师沉醉在自己的演奏中。当布罗茨基引领他们进入忧郁的第二乐章时，整个乐团似乎都被他折服了。此时此刻，观众也一改先前的不安，定定地坐在那儿。

布罗茨基利用第二乐章较为松散的形式，将其推至空前奇异的境地，而我呢，尽管我熟知穆勒里乐曲的每一细节，却也渐渐入迷了。他几乎全然无视曲子的外在结构——即作曲家向装点作品表面的音调与旋律的倾斜——而恰恰侧重于隐藏在外壳下的独特的生命形态。所有这一切略显龌龊，近乎于裸露癖，表明布罗茨基自己对他正在揭示的事物本质深感窘迫，却又无法抵挡向纵深挺进的冲动。结果，这既令人胆怯又扣人心弦。

我又仔细看了看下方的人群。毫无疑问，这群狭隘观众的情感已被布罗茨基所俘获，我发现待会儿的问答环节也许不会像我原先担心的那般棘手了。显然，假若布罗茨基凭这场表演让观众心悦诚服，那么我如何回答问题就变得远没有那么重要了。我的任务实质上就成了支持一下观众们业已认可的东西而已——这样，纵然我调查得不够充分，但凭我说上几句得体婉转、幽默诙谐的话，便可全身而退。但另一方面，假若布罗茨基让观众心烦意乱，犹豫不决，那么，不论我的地位和经验如何，都会有一大堆的工作等着我去做。观众席上仍充满了焦躁不安，我想起第三乐章那愤慨激昂的情绪，不知布罗茨基到时会指挥成什么样子。

就在这时，头一次，我突然想到在观众中搜寻我的父母。几乎是同时，一个念头在我脑中一闪而过：在无数次细看人群时我都没有注意到他们，因而此刻在我下方发现他们的可能性就不大了。不过，我还是往前倾了倾身子，几乎是不顾一切地瞪大眼睛扫视了一遍礼堂。无论我如何伸长脖颈，大厅里某些地方我还是看不见，于是我意识到自己迟早得下到礼堂。然而，即使我还是没法找到父母，我至少可以找到霍夫曼或者斯达特曼小姐，问问我父母到底在哪里。不管怎样，我知道我再也耽搁不起更多时间，不能继续站在眼前的这个有利位置看演出了，于是我小心翼翼地转过身，走出了壁橱。

又一次出现在小楼梯的顶端时，我发现下面的队伍已排得老长，至少有二十个人在等待。每个排队的人刚才都在兴奋地交谈着，现在一看见我，他们就闭了口。我把壁橱占用了这么长时间，自己感觉非常内疚，走下梯子时，我含含糊糊地低声说了声抱歉，然后趁下一个排队的人开始急切地朝壁橱入口攀爬时，匆匆地沿着走廊离开了。

走廊较之前安静多了，主要是由于餐饮服务员的活动暂停了下来。沿着走廊每走几码，我就能撞见一辆静止的推车，上面满载着货物，有时候，穿着工装的男人们会靠在上面，吸着烟，拿着泡沫塑料杯子喝东西。我终于停下脚步，问了其中一个人，到达礼堂最快的路线该怎么走，他只朝我的身后的一扇门指了指。我谢过他，拉开门，看到了下面灯光昏暗的楼梯间。

我下了至少五段楼梯。接着，我推开沉重的弹簧双开门，发现自己走进了一个洞穴般幽暗的后台区。借着微弱的灯光，我看到有几块矩形背景画板靠在墙边，上面画着一栋城堡式的房屋，月色下的天空，森林。我头顶上是呈十字形交叉的钢索。此刻，我已经可以清晰地听到乐团演奏了，我朝乐声走去，一路上尽力避开一个个盒状的障碍物体。最后，我慢慢走上了几级木头台阶，这时我意识到，自己已经站在了侧厢里。我正欲转身——原本我希望悄悄出现在近前排座位的某处——突然，乐声中的某种东西，一种之前未曾有过的疑惑填满了我的耳朵，迫使我停在了那里。

我站在那儿听了大约一分钟，然后上前一步，透过眼前厚重的折叠垂幕东张西望起来。当然，做这一切时我十分小心——自然，我希望无论如何要避免人群看到我的脸而鼓起掌来——然而，我却发现自己从一个很偏的角度注视着布罗茨基和乐队，而观众们却根本看不见我。

可以看出，我在楼里转悠的这段时间里，情况已经发生了很大变化。我觉得布罗茨基走得太远了，因为，那一通常标志着指挥与乐师相互疏离的技巧炫示已经渗进了乐队的演奏中。乐师们——我现在能从近处看到他们了——脸上都挂着一副怀疑、忧虑甚至厌恶的表情。接下来，随着我的眼睛渐渐适应了耀眼的舞台灯光，我把目光由乐队转向观众。我只能看见前面几排，但显然大家都在彼此交换焦虑的目光，不安地咳嗽着，不住地摇头。就在我观察的时候，一位女士起身离开了。然而，布罗茨基继续激情豪迈地指挥着，甚至好像渴望推波助澜。随后，我看到两位大提琴手交换了下眼神，摇了摇头。这显然是个谋反的信号，而布罗茨基无疑是注意到了。这会儿，他的指挥透出一股狂躁的气象，乐声转而危险地向乖僻反常的领地挺进。

直至此时，我仍旧未能看清布罗茨基的表情——我大致只能看见他的背影——但随着他旋身扭体愈发明显，我终于比较完整地瞥见了他的脸。这时我才意识到，还有其他某种因素在影响着布罗茨基的行为。我再次端详他——他的身体紧紧和着某个节拍，不由自主地扭动着——发现他处于极度的痛苦中，他这样痛不欲生或许已经有一段时间了。我一意识这点，种种迹象就清楚无误了。他其实只是在拼命坚持而已，他的脸扭曲着，不仅是因为激情，还有其他原因啊！

我觉得自己有义务做点什么，就立刻估量了一下情势。布罗茨基还得再指挥一个中上等难度的乐章，另加那错综复杂的尾曲。他之前营造起来的美好印象被快速地磨蚀掉了。观众随时都可能再次翻脸。我越想，就越觉得应该叫停这表演，我不知道是不是现在就该走上舞台，立马叫停。的确，也许我是大厅里唯一一个可以这么做而又不让观众感到大难临头的人。

但接下来，我并没有行动，而是在想到底应该怎样去干涉。我该走上去挥手示意暂停吗？ 那样不仅会显得冒昧，而且会让人觉出我的不满——这会给人留下恶劣的印象。或许，更好的方法是，等到行板乐曲开始后，我再非常谦逊地走上台去，恭敬有礼地对布罗茨基和乐队微笑，踩着音乐的节拍款款入场，好像事先早被安排好了似的。毫无疑问，观众会热烈鼓掌，这时候我就可以——一直面带微笑——先为布罗茨基拍手，再为乐师们鼓掌。但愿那时候布罗茨基会冷静沉着地“慢慢结束”音乐，并朝观众频频鞠躬。我一出现在台上，观众们就不大可能找布罗茨基的麻烦了。说实在的，在我的率先带领下——我会继续鼓掌微笑，仿佛布罗茨基刚才的表演绝对美轮美奂——观众们可能会回忆起他先前那部分的表演，而使他重获他们的支持。这时布罗茨基就可以恭恭敬敬地鞠上几个躬，然后转身离开，而我呢，在众目睽睽下亲切地扶他走下指挥台，或许再把他那块烫衣板折好递给他，好让他再当拐杖使。然后我可能会领着他走向侧厢，频频回望观众，鼓励他们继续鼓掌等等。只要我一切判断绝对正确的话，事情就可以得到完美解决。

但就在这时，又发生了一件早就可能会发生的事情。布罗茨基的指挥棒在空中画了个大大的弧线，而几乎与此同时，另一只手向空中猛击。就这样，他好像失控了似的向空中蹦了几英寸，然后摔倒在舞台前方，带倒了指挥台的扶手、烫衣板、乐谱、乐谱架等所有东西。

我本以为大家会冲过去帮他，但他摔倒时众人只是倒吸了一口气，随后抽气声便渐渐消失，人们陷入了令人尴尬的沉默。接下来，布罗茨基仍然面部朝下，一动不动地趴在地上，这时，一阵低低的喧闹声又向礼堂的四面八方传开。终于，一位小提琴手把乐器放在一边，朝布罗茨基走去。还有其他一些人——舞台工作人员，乐师——马上一一跟上，但他们向那个匍匐倒地的人围聚过去时仍有些犹豫，仿佛害怕他会对他们的发现完全不以为然。

刚才我一直在犹豫，不知道我的现身会造成什么结果。现在我缓过神来，急忙冲上舞台，加入到帮助布罗茨基的队伍中。我走近时，小提琴手大叫一声，跪倒在地，焦急地检查起布罗茨基。接着，他抬头看着我们，惊恐地低语道："天哪，他失去了一条腿！ 他坚持了这么久才晕倒，真是个奇迹！"

大家惊讶不已，我们围聚过来的十多个人互相交换了下眼色。不知何故，大家都有种明显的感觉，他失去一条腿的消息绝不能泄露出去，于是我们围聚得更紧了，以挡住观众们的视线。离布罗茨基最近的几个人在低声商榷是否要把他抬下舞台。接着，有人示意了一下，幕布开始合了起来。很快人们就发现，布罗茨基正好躺在幕布的轨线上，于是，当幕布过来时，几只胳膊伸了出来，半拖半拽地将他拉离了舞台前方。

这一拉一拽让布罗茨基稍稍清醒了一点，那位小提琴手把他的身体翻转过来，让他平躺在地上。布罗茨基睁开了眼睛，搜寻的目光扫过每张脸庞。然后，他迷迷糊糊地说：

“她在哪儿？ 她为什么不抱着我？”

众人又交换了下眼神。接着，有人低声说：

“柯林斯小姐。他说的一定是柯林斯小姐。”

他话音刚落，一阵轻咳声从我们背后传来，我们转身发现柯林斯小姐就站在幕布内。她看起来依然沉着淡定，礼貌而关切地看着我们。只有那交叉于胸前的双臂，比平常略高，才显示出她内心的纷乱。

“她在哪儿？”布罗茨基又迷迷糊糊地问了一遍。然后他突然轻轻地唱起歌来。

小提琴手抬头看着我们说：“他喝醉了？ 浑身都是酒味。”

布罗茨基停止了歌唱，闭上眼睛问道：“她在哪儿？ 她为什么不来？”

这一次，柯林斯小姐回了话，声音虽然不大，但从幕布那边传来却很清晰：“我在这儿，里奥。”

她的口吻近乎温柔，可是，当大家赶忙让出一条道来时，她并没有动。然而，她一看到地上的人，脸上终于浮现出痛苦的神情。布罗茨基仍然紧闭双眼，又开始哼哼起来。

接着，他睁开双眼，小心地四下看了看。他的目光首先看向幕布——或许是在寻找观众——随后，发现幕布拉上了，他又审视了一下低头看着他的一张张脸庞。最后，他看向了柯林斯小姐。

“我们拥抱吧，”他说，“让大家看看。幕布……”一番挣扎，他稍稍抬起了身子，喊道：“准备好再次拉开幕布！”接着，他轻柔地对柯林斯小姐说：“过来抱我。拥抱我。然后让他们拉开幕布。让全世界见证我们。”他又渐渐倒了下去，直至平躺在地上。“过来吧，”他低声道。

柯林斯小姐欲言又止。她看了看幕布，一丝惊恐在眼中闪现。

“让他们看看，”布罗茨基说，“让他们看看我们最后在一起了。让他们看看我们一生都彼此相爱。让他们看看吧。幕布拉开时，让他们看看吧。”

柯林斯小姐继续盯着布罗茨基，最后终于走向了他。大家小心地让开，有几位甚至干脆将目光转向了别处。快到他身边时，她停了下来，声音微微颤抖地说道：

“我们握个手吧。”

“不，不。一切都结束了。我们好好拥抱一下。让他们看看。”

柯林斯小姐犹豫片刻，然后径直走到他身边，跪了下来。我看到她的双眼噙满了泪水。

“亲爱的，”布罗茨基柔声道，“再抱抱我吧。我的伤口正疼得厉害。”

突然间，柯林斯小姐抽回了已经伸出的手，站起身来。她冷冷地低头看着布罗茨基，接着迅速地朝幕布走了回去。

布罗茨基好像没有发现她已隐退。他这会儿正盯着天花板，双臂张开，仿佛期盼着柯林斯小姐从天而降。

“你在哪儿？”他说，“让他们看看。拉开幕布的时候。让他们看看，我们最后还是在一起了。你在哪儿？”

“我不会来了，里奥。不管你现在去哪儿，你都得自己去了。”

布罗茨基一定是意识到了她语气的转变，因为他虽然仍旧盯着天花板，双臂却已垂了下来。

“伤口，你的伤口，”柯林斯小姐轻轻地说，“老是你的伤口。”她的脸扭曲变形，模样丑陋。“哦，我恨透了你！我恨你浪费了我的生命！我永远，永远都不会原谅你！你的伤口，你那愚蠢的小伤口！那才是你的真爱，里奥，那伤口，它才是你一生唯一的挚爱！即使我们努力尝试，即便我们重头再来，我也知道会有怎样的未来。你的音乐也是这样，不会有丝毫的不同。即便他们今晚接受了你，即便你在这座城市成了大名人，你也会统统毁掉的，你会毁掉一切，就像从前那样，把一切都毁于一旦。而这都是因为你那个伤口。我也好，音乐也罢，对你来说，我们不过就是你寻求慰藉的情妇罢了。你总是会回到你唯一的真爱那儿去。重回那个伤口！你知道我为何如此气愤吗？里奥，你在听我说吗？你的那个伤口，一点都不特别，根本没什么特别之处。仅仅在这座城市，我就知道有许多人的伤口比你的要严重得多。可人家却坚韧不拔，每个人都是，都有着比你强不知多少倍的勇气。他们继续生活。他们成了有价值的人。而你呢，里奥，看看你自己。总是抚慰你那伤口。你在听吗？ 听我说，我要你仔仔细细、一字一句地听我讲！ 你现在只有那个伤口了。我曾经想把一切都给你，但你却不感兴趣，你不可能再拥有我了。你浪费了我多少生命啊！我恨死你了！ 你听到我说的话了吗，里奥？ 看看你自己！看看你现在都成什么样子了？ 好吧，我来告诉你。你现在是要去往恐怖之地。一个漆黑而孤独的地方，而我是不会跟你去的。你自个儿去吧！ 跟你那愚蠢的小伤口一块儿去吧！”

布罗茨基一直在空中缓缓地晃着一只手。这会儿，趁她停下来的工夫，他说：

“我也许……我也许会再次成为指挥家。刚才的音乐，我倒下之前的音乐。还是蛮好的。你听见了吗？ 我也许会再次成为指挥家……”

“里奥，你在听我说吗？ 你永远都不会成为一个名副其实的指挥家。即便在以前，你也根本不是。你永远都不能为本城的市民服务，即便他们想要你这么做。因为你毫不关心他们的人生。就是这么回事啊！ 你的音乐永远只会关乎那个愚蠢的小伤口，永远不会有任何别的东西，永远不会有任何深刻的内涵，对其他任何人不会有任何价值。至少，我可以说，我已尽了我的绵薄之力。我已尽心尽力地帮助了这里不幸的人们。而你呢，看看你吧！ 你只关心你那伤口！ 这就是为什么即便在过去你也不是个名副其实的音乐家。而你现在也绝对成不了货真价实的音乐家。里奥，你在听我说吗？ 我想让你听听这话。你永远都不过是在滥竽充数。你这个懦夫，不负责任的骗子……”

这时，一个满脸通红的胖子突然穿过幕布冲了进来。

“您的烫衣板，布罗茨基先生！”他把那东西高举在身前，兴高采烈地喊道。话音刚落，他便感到气氛不对头，连忙退了回去。

柯林斯小姐看了看这位新的闯入者，最后看了布罗茨基一眼，接着就从幕布间的空隙跑了出去。

布罗茨基的脸仍然冲着天花板，不过眼睛却又闭上了。我挤上前，跪在他身边，听了听他的心跳。

“我们的水手们，”他低声道，“我们的水手们。我们喝醉了的水手们。他们在哪儿？ 你们在哪儿？ 你们在哪儿？”

“是我，”我说，“我是瑞德。布罗茨基先生，我们必须马上找人来帮您。”

“瑞德。”他张开双眼，抬头看着我。“瑞德。也许那是真的。她说的那番话。”

“别担心，布罗茨基先生。您的音乐气势磅礴，特别是头两个乐章……”

“不，不，瑞德。我指的不是这个。现在那已经无所谓了。我是指她说的另一件事。说我要独自一人去，去一个漆黑、孤独的地方。或许那是真的。”突然，他从地上抬起头，直视我的双眼，一把紧紧地抓住了我的胳膊。“我不想去，瑞德，”他低声说道，“我不想去那儿。”

“布罗茨基先生，我会想办法把她劝回来的。我说过，特别是头两个乐章展现出了极大的创新性。她肯定是个通情达理的人。请原谅，我去去就来。”

我将胳膊从他手里挣脱开来，赶紧穿过舞台幕布走了出去。

第三十五章

我吃惊地发现，礼堂里已经大变样了。灯光已重新打开，观众席上几乎一名观众都没有。多达三分之二的客人已经离去，剩下的人大多站在过道里聊天。然而，我没有在此久留，因为我看到柯林斯小姐正沿着中央过道朝出口走去。我跳下舞台，急忙穿过人群，在她身后追赶，她刚到出口时，我便赶了上去，向她喊道：

"柯林斯小姐！请等一下！"

我们距离不远，她能听到我的叫喊。她转过身，看到了我，然后狠狠地瞪了我一眼。我吃了一惊，在过道上走了一半便驻足不前。突然间，我想要赶上她并与她谈谈的决心顿然消退，不知怎的，自已竟尴尬地低头看着双脚。终于，我又抬起了头，发现她已然离开了。

我继续待在原地站了一会儿，心想自己是不是太愚蠢了，竟让她这么轻易地走掉了。但接着，我的注意力渐渐被周围的各种谈话声吸引了，特别是站在我右边的一群人——六七个颇为年长的老者——我听到其中一人说道：

"听舒斯特太太说，那家伙今儿个一整天就没清醒过。唉，不管他再怎么有才干，如何要求我们去尊敬他那样的人？

他给我们的孩子树立了怎样的榜样啊？ 不，不，太过分了。”

“在伯爵夫人家的晚宴上，”一位妇女说，“他肯定就喝了个大醉。他们耍了聪明才瞒天过海。”

“对不起，”我插话道，“你们对此事一无所知。我向你们保证，你们的消息极不准确。”

我以为单凭我的出现便能让他们大吃一惊，说不出话来。但他们欣然看了看我，仿佛我只是问了问他们是否介意我加入他们的谈话，然后便继续聊了起来。

“没人再想恭维克里斯托弗了，”第一个人说道，“刚刚那场演出，唉，就像你说的，简直乏味透了。”

“简直伤风败俗。没错。简直伤风败俗啊。”

“请原谅，”我这次更为强硬地打断道，“我碰巧专心聆听了布罗茨基先生在倒下之前的演奏，我个人的判断与你们的不同。依我看，他的表现富有挑战性，前所未有，可谓非常接近曲子的内在世界。”

我冷冷地瞪了他们一眼。他们又开心地看了看我，其中几位还礼貌地笑了笑，好像我刚开了个玩笑。接着，第一个人说道：

“没人在袒护克里斯托弗。我们现在都已经看透他了。但听到刚刚那样的表演，确实让人脑子里想起很多事情。”

“显然，”另一个男人说道，“布罗茨基认为马克斯·萨特勒没错。是的，实际上他一天到晚都在那么说。没错，他是在醉酒恍惚中说的，但那人总是醉醺醺的，我们也能几近了解他的想法了。马克斯·萨特勒。这倒不难解释我们刚刚听到的一切了。”

“克里斯托弗至少有种结构感。你能掌握的某种体系。”

“先生们，”我对他们喊道，“你们真讨厌！”

他们甚至没有扭头看我，我生气地离开了他们。

我回到过道，周围每个人好像都在谈论他们刚刚见到的情景。我发现许多人纯粹是出于需要讲述一场经历而在夸夸其谈，就像他们在一场火灾或者意外之后可能会做的那样。走到礼堂前面的时候，我看见有两个女人在哭，还有一个女人在安慰她们说：“没关系，现在都结束了。现在都结束了。”大厅的这块区域弥漫着一股咖啡的香味，许多人紧握杯碟，喝着咖啡，好像在稳定自己的情绪。

就在那时，我突然想起，自己应该回到上面一层，去看看古斯塔夫怎么样了。于是，我挤过人群，穿过一处紧急出口，离开了礼堂。

我发现自己身在一条静悄悄、空荡荡的走廊里。与楼上的那条走廊相仿，这条走廊同样逐渐弯转延展，但它明显是供宾客使用的。地毯十分厚实，灯光柔和而温暖，墙壁上挂着镶金叶框的油画。我没料到走廊里竟然空无一人，一时间，我站在原地犹豫了起来，不知该走哪条路。接着，就在我开始抬步之时，我听到身后有一个声音喊道：

“瑞德先生！”

我转身看到霍夫曼站在走廊远处向我挥臂。他又叫了我一声，但不知何故，他依然牢牢地停在原处，所以无奈之下我只好折了回去。

“霍夫曼先生，”我边走边说，“刚才发生的事真是太不幸了。”

“一场灾难。一场十足的灾难。”

“真的是太不幸了。但霍夫曼先生，您千万不要太灰心。

为保证今晚成功，您已经竭尽所能了。我不妨指出，我还没有出场呢。我向您保证，我会尽力让晚会重回掌控之中。实际上，先生，我在想，我们能不能取消原计划中的问答部分。鉴于所发生的事情，我建议我只做个演讲，讲些合宜切题的话。比方说，我会建议大家牢记布罗茨基先生在病倒之前赋予这场非凡演出的意义，还有我们应努力忠实于那演出的精神，诸如此类的话。自然啰，我会讲得简短些。然后，我也许会为布罗茨基先生，要不就是为了纪念他，献上我的独奏，全看他那时的情形了……”

“瑞德先生，”霍夫曼郑重地说道，这时我才意识到他一直没在听。他神情专注，一直在看着我，好像仅仅是为了寻找插话的机会。“瑞德先生，有件事情我想跟您提一下。一件小事。”

“哦，什么事，霍夫曼先生？”

“小事一桩，至少对您来说吧。但对我，对我的妻子，却意义重大。”突然，他猛地向后甩了下胳膊，面容因为狂怒而扭曲起来。我以为他要打我，但我马上意识到，他是在指向身后走廊远处的一个地方。柔和的灯光下，我看到一个女人的侧影，她背对着我们，斜身靠在一处壁龛里。壁龛上有面镜子，她的头又几乎贴着镜玻璃，所以她的影子倾斜着映入其中。我看向那身影时，霍夫曼或许觉得他头一个手势没能让我明白，于是又一次猛地向后甩了甩胳膊。接着，他说道：

“我说的是，先生，我妻子的剪报册。”

“您妻子的剪报册。啊，是的。是的，她太客气了……但是，霍夫曼先生，现在不是时候……”

“瑞德先生，您还记得您答应过会看看的吧。而且我们约好了，出于对您的考虑，先生，我不会在您不方便的时间里打扰您，我们约好了——您不记得了吗，先生？——我们约好了个暗号的。您觉得准备好来看剪报册的时候，就会给我个暗号。您还记得吗，先生？”

“当然，霍夫曼先生。我本来十分愿意……”

“我一直在细心观察，瑞德先生。只要我看到您在酒店周围溜达，走过门廊，喝着咖啡，我就会想：‘啊，他好像有点空闲了。或许现在就是时候了。’我等着暗号，我细致观察，但结果怎么样呢？呸！现在，您到此地的访问即将结束，再过几个小时，您就要坐飞机去赫尔辛基，去赶赴下一个约定了！有很多次，先生，我以为自己可能错过了，我以为我转了一下身，等转回来时误将您打暗号结束时的动作当成了其他动作。当然，如果是那样的话，如果您已多次发出暗号，是我太愚钝而没能接收到，那么，我自然会毫无保留、厚着脸皮、低三下四地向您道歉，向您卑躬屈膝。但是我认为，先生，您没有发出过这样的暗号。换句话说，先生，您对待……对待……”他回头看了看走廊远处的身影，压低声音道，“您看不起我的妻子。瞧，剪报册！”

直到这时，我才发现他正抱着两大本册子。他把册子举到我面前。

“给您，先生。我妻子为您辉煌的事业而奉献的成果。她多么崇拜您啊。您看得出来吧。看看这一页页剪报册！”他使劲打开其中一本，而将另一本夹在胳膊下。“瞧，先生。甚至还有从不知名的杂志上剪下的小剪报。顺便提到的您的事情。您看，先生，她多么热爱您啊！瞧这儿，先生！还有这儿和这儿！而您甚至抽不出时间浏览一下这些册子。我现在该怎么对她说？”他又指了指走廊远处的那个身影。

“我很抱歉，”我开口道，“我非常抱歉。但您看，我在这儿的时间好像非常混乱。我本来十分愿意……”这时我意识到，在这个越来越混乱的夜晚，我至少得保持一个清醒的头脑。我稍停片刻，然后以命令的口吻说道：“霍夫曼先生，或许您的妻子听到我亲口说出诚挚的道歉，会更容易接受。很高兴今晚早些时间见到了她。或许您现在可领我过去，我们很快便能解决这件事了。接着，当然，我真的该上台了，讲几句有关布罗茨基先生的话，然后表演独奏。我父母尤其会不耐烦的。”

听到这番话，霍夫曼好像有点困惑。过了一会儿，他试图重新点燃之前的愤怒，说道：“看看这一页页剪报册，先生！看看吧！”但怒火已经熄灭，他有些窘迫地看着我。“那，我们走吧，”他低声道，声音中有种惊人的挫败感。“我们走吧。”

他又停了一会儿，我感觉他脑海中正翻腾着某些遥远的回忆。接着，他毅然决然地走向妻子，我跟在他身后几步。

我们走近时，霍夫曼太太转过身。我停在了几步开外，她越过丈夫直直地看向了我，说道：

“很高兴又见到您了，瑞德先生。不幸的是，今晚好像不如我们希望的那般顺利啊。”

“很遗憾啊，”我说道，“好像是不太顺利。”然后我上前一步，补充道：“此外，夫人，事情一件接着一件，我好像忽视了原本非常期待想做的许多事情。”

我期望她对此暗示有所回应，但她只是饶有兴致地盯着我，等着我继续。这时，霍夫曼清了清嗓子，说道：

“亲爱的，我……我知道你的心愿。”

他温柔一笑，举起了剪报册，一手拿着一本。

霍夫曼太太惊恐地看着他。“把剪报册给我，”她厉声道，“你没权利！ 给我。”

“亲爱的……”霍夫曼咯咯一笑，目光落在了双脚上。

霍夫曼太太仍旧伸着手，表情狂怒。酒店经理先递给她一本，然后是另一本。他妻子把每一本都迅速瞄了一眼以核实无误，接着，她尴尬地不知所措起来。

“亲爱的，”霍夫曼喃喃道，“我只是以为不会有什么坏处……”他的声音越说越小，然后他又笑了笑。

霍夫曼太太冷冷地看了他一眼，接着转身对我说道：“很抱歉，瑞德先生，我丈夫竟然觉得有必要用这等小事烦扰您。祝您晚安。”

她将册子塞进腋下，走开了。但是，她还没走出几步，霍夫曼突然惊呼道：

“小事？ 不，不！ 不是小事！ 科斯敏斯基的册子也不是。斯蒂凡·哈利尔的册子也不是。不是小事。但愿它们是。但愿我能相信它们是！”

他妻子停下脚步，但没有转身，我和霍夫曼盯着她的背影，她静静地站在走廊昏暗的灯光中。然后，霍夫曼朝她走了几步。

“今晚。一团糟。为什么假装那不关己事？ 为什么继续容忍我？ 年复一年，失误连连。青年节之后，你对我的耐心肯定已经荡然无存了。但不，你继续容忍我。接着是展览周。你仍然容忍我。你仍然给了我一次机会。好吧，我求过你，我知道。我求你再给我一次机会。你不忍心拒绝我。总之，你给了我今晚这个机会。而我该怎么表现呢？ 今晚一团糟。我们的儿子，我们唯一的儿子，在全市最尊贵的市民面前，成了笑料。那是我的错，是的，我知道。是我在鼓励他。甚至在最后一刻，我知道应该制止他，但我没有勇气。我让他坚持到最后。相信我，亲爱的，我从未想过要这样啊！ 从一开始，我就对自己说，我明天会告诉他，等明天，有更多时间了，我们好好谈谈。明天，明天，我一直拖了下去。是的，我承认我软弱。甚至今晚，我刚才说，再过几分钟，我就告诉他，可是不，不，我做不到啊，他就继续了。是的，我们的斯蒂芬，他登台亮相，在世人面前，弹奏了钢琴！ 让人捧腹的笑料！啊，但愿只有这一半耻辱就好了！ 每个人，整个城市，都知道是谁负责今晚的节目。整个城市都知道谁负责布罗茨基先生的恢复。好啊，好啊，我不否认，我失败了，我没能让他恢复。他是个醉鬼，我从一开始就应该看出那毫无用处。今晚，我们说话之时，一切都在崩溃。甚至是瑞德先生，甚至他，现在也无法挽救这局面。他只是让我们更尴尬而已。世界上最好的钢琴家，我请他来干什么？ 参加这场丢脸的晚会？ 为何我会允许自己笨拙的双手贴近音乐、艺术、文化这样神圣的东西？ 你，来自一个才华横溢的家庭，你可以嫁给任何人。你却犯了如此的错误。一场悲剧啊！ 但对你来说，还不算太晚。你依然楚楚动人。你为何还要再等？ 你还需要什么证明？ 离开我吧，离开我。找一个配得上你的人。找个科斯敏斯基，哈利尔，瑞德，莱昂哈特吧。你怎么会犯这样的错误呢？ 离开我吧，我求你了，离开我！ 你明白做你的监狱长有多么可恨吗？ 不，更糟呢，我是你脚踝上的那条锁链！ 离开我，离开我！”突然间，霍夫曼弯腰向前，拳击前额，上演了今晚我之前见他排练过的那个动作。“我亲爱的，我亲爱的，离开我吧。我的地位已无望了。过了今晚，我的矫饰终于要结束了。他们全都会知道了，连城里最小的孩子都会知道了。从今晚起，他们无论何时看到我在为事业而奔走，他们都知道我一无所有。没有才华，没有悟性，没有技巧。离开我吧，离开我。我什么都不是，就是头牛，一头牛，一头牛！”

他又做了一遍那个动作，重捶前额，手肘怪异地突起。接着，他跪了下来，开始抽泣。

“一团糟啊！”他哭泣着喃喃道，“全都糟透了啊！”

此时，霍夫曼太太转过身，小心地看着她丈夫。她眼神柔和，几近渴望，好像没因丈夫这突然间的情绪爆发而有一丝惊讶。她犹豫地迈出了一步，接着又是一步，朝着霍夫曼佝偻的身体走了过去。接着，慢慢地，她伸出一只手，仿佛是要轻抚他的头顶。这只手在霍夫曼的上方停留片刻，没有触碰头部，接着便抽了回去。下一刻，她急忙转身，消失在走廊深处。

霍夫曼继续抽泣着，显然未察觉妻子的任何动作。我看了他一会儿，不知如何是好。接着，我突然意识到，现在我必须上场演出了。我心潮澎湃，想起到现在为止我还没能在这幢大楼的任何一个角落发现我父母的踪迹。刚才我对霍夫曼还近乎怜悯，但现在这种感觉突然变了，我走近他，对着他的耳朵大喊道：

“霍夫曼先生，也许你已经把今晚弄得一团糟了，但我不想被你拖下水。我要去表演。我要竭尽全力为活动恢复秩序。但首先，霍夫曼先生，我想知道我的父母到底怎么了？”

霍夫曼抬起头，发现妻子已经离他而去，略感吃惊。然后，他有些气恼地注视着我，站起身来。

“您想知道什么，先生？”他疲惫地问道。

“我的父母，霍夫曼先生。他们在哪儿？您向我保证过，你们会好好照料他们的。但之前我找过，他们不在观众席。我现在要上台了，希望我父母已安顿好。所以现在，先生，我必须请你回答我。他们在哪儿？”

“您的父母，先生。”霍夫曼深吸了口气，一只手疲倦地捋了捋头发。“您得问斯达特曼小姐。她直接负责照顾他们。我只管活动的大框架。您看，既然我在那方面已经彻底失败了，您就别指望我能回答您的问题了……”

“是的，是的，是的。”我越发不耐烦起来，“那么，斯达特曼小姐在哪儿？”

霍夫曼叹了口气，朝我身后指了指。我转过身，看到身后有一扇门。

“她在那里面？”我厉声问道。

霍夫曼点了点头，接着，他蹒跚着走向那处装了镜子的壁龛（他妻子刚才一直站在那儿），看着自己的影像。

我猛地敲了敲那扇门。没有回应。我向霍夫曼投去了责备的一瞥。这会儿他弓身伏在了壁龛的壁架上。我正想对他发泄更多的愤怒，突然，我听到里面传出了一个人声，喊我进去。我最后看了一眼霍夫曼弓起的身子，随即打开了门。

第三十六章

我发现自己身在一间宽敞的现代化办公室里，和这幢大楼里我所看到过的任何房间都不同。它是一座附属建筑，看上去完全由玻璃搭建而成。房间里没有灯光，我看到黎明终于来临。片片柔和的晨曦映射在一摞摞摇摇欲坠的纸堆、文件柜和散落在桌上的号码簿与文件夹上。办公室里共有三张桌子，但此时只有斯达特曼小姐一人在里面。

她好像很忙，而且，房间里光线很暗淡，难以自如地阅读或写作，而她居然把灯都关了，我觉得很奇怪。我只能猜测她只是暂时关掉而已，以欣赏远方树后日出的景色。事实上，我进去的时候，她正坐在桌旁，手拿电话听筒，两眼透过巨大的玻璃窗格空洞地凝望着外面。

“早上好，瑞德先生。”她转过身来和我打招呼，“我一会儿就好。”然后她继续对着话筒说道：“是的，五分钟左右。香肠也是。几分钟后就该开始煎了。还有水果。现在应该准备好了。”

“斯达特曼女士，”我走到她的桌前，“有些事情比何时该煎香肠更急迫。”

她飞快地抬起头，向我扫了一眼，再次说道：“我一会儿就好，瑞德先生。”接着她继续对着听筒说话，并开始记下什么东西。

“斯达特曼小姐，”我的口气生硬起来，“我得请你挂断电话听我说。”

“等一下，”斯特曼女士对电话那头的人说，“有人在我这儿，我得招待下。马上回你电话。”说着她挂断了电话，盯视着我。“怎么了，瑞德先生？”

“斯达特曼小姐，”我说，“我们初次见面时，您就向我保证会把与我此次访问相关的方方面面全告知我。您会全方位地向我通告我的日程安排以及我需承担的各种事务。我相信您是个可以信赖的人。但是很抱歉，我觉得您大大辜负了我的期望。”

“瑞德先生，我不知您这番偏激之论缘于何故。您有什么特别不高兴的事情吗？”

“我对每件事都不高兴，斯达特曼小姐。我没有得到我所需要的重要信息。也没人告知我我的日程在最后一分钟做了变更。在关键时刻，我也没有得到支持或帮助。结果呢，我未能按照自己的意愿为此行任务做好准备。但是，尽管如此，我仍打算一会儿就上台，尽力为你们挽救那将要成为灾难的夜晚。但是，在我做这些之前，我想问您一个简单的问题。我父母在哪里？ 他们之前就坐着马车过来了。而我刚才在礼堂里找他们的时候，却没有看到他们。我没有看到他们坐在包厢或前面的贵宾席上。所以我想再次问您，斯达特曼小姐，他们在哪儿？ 为什么他们没有像您承诺的那样得到细致的照料？”

斯达特曼小姐仔细地端详着晨光中的我，然后叹了一口气。

“瑞德先生，我本来一直打算要跟您说说这件事。几个月前，当您告诉我们您父母想来拜访我们城市的时候，我们大家都非常高兴。每个人都是发自内心的高兴。但是我必须提醒您，瑞德先生，我们是从您，仅仅是从您这儿听说他们打算来此地的。这么说吧，在过去的三天里，特别是今天，我已尽我所能想去查明他们到底在哪里。我三番五次地给机场、火车站、公交公司和本城的每一座酒店打电话，但仍没有发现他们的踪迹。没有人听说过他们，也没有人见到他们。现在，瑞德先生，我得问问您了。您确定他们会来这个城市吗？”

她正说着的时候，一连串疑问在我脑中掠过，我突然感觉内心里有什么东西开始崩溃。为了掩饰我的不安，我转过身，面向晨曦。

“嗯，”我终于开口了，“我当时是非常确定他们这次会来的。”

“您当时是很确定。”斯达特曼用一种苛责的目光盯视着我，显然刚才我大大刺激了她的职业自豪感。“难道您不知道，瑞德先生，为了恭候您父母的到来，这里的每个人都操透了心，费尽了神？医疗安排，殷勤款待，马匹车辆？本地几位女士花了几周的时间排练了一个节目，来给您的父母在逗留期间解解闷。现在您却说，您当时非常确定他们会来。”

“那是自然，”我笑道，“当时我要是不能十分确定，我也是绝不想给大家添麻烦的。但事实是——”我不禁又大笑一声，“事实是，我当时确定这次他们终于要来了。当然啰，我认为他们这次一定会来，也不是毫无道理吧？毕竟，我现在处于事业的巅峰。我还能再继续这样旅行多久呢？当然，如果我给任何人添了不必要的麻烦，我深感抱歉，但可以肯定不会出现这种情况。他们一定在这儿的某个地方。况且，我听到他们了。我把车停在树林里的时候，我听到他们来了，听到了马车声。他们一定在这儿，一定在，这不是毫无道理的……”

我瘫倒在附近的一张椅子上，意识到自己开始抽泣。这时，我突然想到我父母来这城市的可能性是多么渺茫。我实在想不明白，自己怎么会对此事如此自信，居然还先后向霍夫曼和斯达特曼小姐讨要解释。我又继续抽泣了一会儿，然后发现斯达特曼小姐正站在我面前。

“瑞德先生，瑞德先生。”她轻柔地重复道。我抑制住眼泪，她和蔼地说：“瑞德先生。也许这里还没有人曾向您提起过这件事。但曾经有一次，那是好几年前了，您父母确实来过这座城市。”

我停止抽泣，抬头望着她。她冲我一笑，接着慢慢走向玻璃窗，再次凝视外面的晨光。

“他们一定是一起来度假的，”她说，目光依旧停在远处。“他们乘火车过来，在城里待了两三天。照我说，那是几年前的事情了，那时您还没有像现在这么声名显赫，但是，您也绝非无名之辈，所以呢，有个人，也许是他们住的酒店里的人，问他们是否和您有关系。您知道，他们这么问是因为他们的名字和他们是英国人。于是这件事就这么传开了，说这对和蔼、年迈的英国夫妇是您的父母。那时虽没有今天这般兴师动众，但他们着实被照顾得很周到。几年后，当您名声远扬时，人们想起了这件事，想起了您父母曾来过这里。我本人对他们的到访没有很多记忆，因为当时我还太小。不过我记得人们在谈论这件事。”

我仔细盯着她的后背。“斯达特曼小姐，您不会是为了安慰我才告诉我这些的吧？”

“不，不，全是真的。谁都可以证实我说的话。正如我所说，我当时只是个小孩，但这儿有很多人都可以告诉您这些。另外，这一切都被完好地记录在案。”

“那他们看上去开心吗？ 他们有没有一起欢笑，有没有享受度假？”

“我保证他们很开心，瑞德先生。大家都这么说，他们乐在其中。事实上，每个人都记得他们是非常开心的一对。彼此体贴，情投意合。”

“但……但我想问的是，斯达特曼女士，他们有没有得到很好的照顾？ 我想问的这个……”

“他们当然得到了很好的照料。而且他们很开心。在此逗留期间，他们一直都很开心。”

“您怎么记得这些的？ 您不是说您那时候还是个小孩吗？”

“我所说的是每个人都记得的东西。”

“如果您说的是真的，那为什么在我来这儿的这段时间里没有人跟我提起过呢？”

斯达特曼小姐犹豫片刻，再次转向树林和晨曦。“我不知道，”她轻声说，摇了摇头。“我不知道为何会这样。但您说得对。人们没有像你想象的那样大谈特谈。但是这也没错啊，我向您保证。我从儿时就记得非常清楚。”

外面开始传来鸟儿的鸣叫声和歌唱声。斯达特曼小姐继续盯着远方的树木，也许童年时的其他记忆正在她脑海里浮现。我朝她望了一会，然后说：

“您说他们在这里受到了款待。”

“嗯，是的，”斯达特曼小姐几乎耳语道，双眼依旧盯着远方。“我肯定他们受到了款待。那一定是个春天，这儿的春天可美了。还有老城区，您已亲眼目睹它有多么迷人。过往的普通人会给他们指点一些地方。历史建筑、工艺品博物馆、桥梁。无论哪儿，假如他们想停下来喝杯咖啡，用些点心，却又不知道要点些什么——或许是因为语言的问题吧——服务员会非常热情地帮忙。噢，是的，他们一定非常享受在这里的时光。”

“可是你说他们是坐火车来的。有人帮他们拿行李吗？

“火车站的搬运工会立刻帮他们的。把所有行李搬到出租车上，然后出租车司机会看管行李。把您父母送达酒店，就那样。我相信他们甚至都不用考虑行李的事儿。”

“酒店？ 是哪家酒店？”

“一家非常舒适的酒店，瑞德先生。那个时候最好的酒店之一。他们一定非常喜欢那里。享受在那里的每分每秒。”

“我希望酒店离主干道不是很近。我母亲历来讨厌交通噪音。”

“那时候，当然，交通并不像现在这样是个大问题。我记得小时候我经常跟伙伴们在居民区的街上跳绳或者打球。毫无疑问，今天的孩子们可不行啦！ 噢，是的，我以前常那样，有时一玩就是几个小时。不过回到您的问题，瑞德先生，”斯达特曼小姐转向我，面带怅惘的微笑，“您父母那时住的酒店远离交通要道。是家田园式的酒店。它现在已不复存在，但如果您愿意，我可以给您看张照片。您想看吗？ 您父母住的那家酒店？”

“非常想看，斯达特曼小姐。”

她又笑了笑，穿过房间，走向桌边。我以为她想打开一个抽屉，但在最后一刻她改变方向，走向办公室的后墙。她举起一只手，拉住一根粗线，开始往下拉一幅像挂图似的东西。我马上发现那不是挂图，而是一幅彩色大照片。她继续往下拉，几乎拉至地面，滚轴发出“咔哒”一声，紧紧卡住了。她走回写字台，打开阅读台灯，将光束导向那幅照片。

接下来的一段时间里，我们俩静静地看着眼前的这幅照片。酒店看上去像是一座缩小版的童话城堡，由上世纪的疯狂国王建造而成。它矗立在一处陡峭峡谷的边缘，峡谷覆满蕨草和春花。照片是在一个风和日丽的日子从山谷背面拍摄的，构图明快悦目，很适合做成明信片或日历。

“我相信您父母当时就住在这个房间。”我听到斯达特曼小姐说。她不知从哪儿弄来了一根指示棒，指了指酒店一座角楼上的一扇窗户。“您看，他们可以看到很美的风景。”

“是的，没错。”

斯达特曼将指示棒朝下指，但我继续盯着那窗户，努力想象窗外的景象。特别是我母亲，她一定会喜欢这样的景致。即使是在艰难的日子里，即使她需要长期卧床，她依旧会因这样的景色而深感欣慰。她会看着微风吹过峡谷，拂动蕨草和树上的绿叶，树木盘根交错地沿远处山谷的斜坡攀援而上。她也一定会喜欢眼前广阔的天空。我注意到照片中最前面——右边一角，横穿底部——有一截山路，很有可能摄影师就是从这儿拍摄的。几乎可以确定，我母亲会从她的房间里看到这条山路。这样她就可以一窥远处那转瞬流逝的当地生活。奇特的车子或杂货车会从中经过，甚至也许是一辆二轮马车；有时是一辆拖拉机，或者是几个徒步远足的孩子。这些景象必定会让她无比开心。

最后，当我继续看着窗户的时候，我又开始哭了，并不像刚才那样无法抑制，但泪水盈满了我的眼眶，流下脸颊。斯达特曼小姐注意到了我的眼泪，但这次她好像觉得没有必要制止。她朝我微微一笑，然后转回那幅照片。

突然，房门上响起了一下敲门声，我被吓了一跳。斯达特曼小姐也愣了一下，说了声“抱歉，瑞德先生”，然后径直朝门口走去。

我转过身，看到一位身着白色制服的男子走了进来，身后拉着一辆餐车。他将车子放在门槛的中间，顶开那道门，然后望着窗外的晨光。

“今天是个好天气，”他说，依次冲我们微微一笑。“您的早餐，小姐。要把它放在那张桌子上吗？”

“早餐？”斯特曼小姐一脸茫然。“应该是再过半个小时送过来的嘛。”

“冯·温特斯坦先生吩咐现在开始供应早餐，小姐。我觉得他是对的。一般人都在这个时间用早餐。”

“噢。”斯达特曼小姐依然一脸困惑，她回头朝我看了一眼，仿佛在寻求帮助。随后她问那位男子：“外面的一切……都好吗？”

“现在一切都好，小姐。当然，布罗茨基先生晕倒之后，有过一阵恐慌，但现在大家都很开心，很享受。您看，冯·温特斯坦先生刚才在门厅做了一场精彩的演讲，他说这座城市有辉煌的历史文化遗产，值得我们引以为傲。他提到在过去的岁月中我们取得了许多成就，指出了其他城市所面临的糟糕问题，而那些问题在我们这里都根本无需担忧。这也是我们所需要的，小姐。很遗憾您没有在场聆听。听了那演讲，我们大家都为自己和我们的城市感到高兴，现在人人都怡然自得。瞧，那儿有几个人。”他指了指窗外，果然，外面微弱的灯光中，依稀可以见到几个人影小心翼翼地端着盘子缓慢地走过草地，在寻找地方坐下。

“抱歉，”我边说边站了起来，“我得去表演了。要迟到了。斯达特曼小姐，谢谢您的好意，谢谢这一切。但现在请原谅我的离开。”

还没等她回应，我便匆匆挤过早餐车，奔向走廊。

第三十七章

一道苍白的晨光渗入这条幽暗的走廊。我朝那处镶着镜面的壁龛望去（刚才我就是在那里离开霍夫曼的），但他已经不在了。我朝礼堂方向快步走去，一路经过那些镶着金框的油画，途中遇到了另一位推着早餐车的侍者，当时他在俯身敲一扇门，但是，除了他以外，走廊里空无一人。

我继续匆匆赶路，四处寻找那个紧急出口，原先我正是从那里进入这条走廊的。此时此刻，我心中有股相当强烈的冲动，想着手开始演出。我突然意识到，无论我经历了怎样的失望，都无法减少我对大家的责任，为了看我坐在他们面前演奏钢琴，他们已经等待了好几星期。换句话说，今晚至少应以我惯常的水准演奏，这是我的职责所在。达不到这一点——我突然有种强烈的预感——就势必打开一扇奇怪的大门，把我带入黑暗未知的空间。

过了一会儿，走廊变得陌生起来。墙纸变成了深蓝色，签名照替代了油画，我意识到我已错过了那扇门。我发觉自己正朝着另一扇外观更加结实的大门走去，上面写着“舞台”的字样，于是，我决定由此进入。

在黑暗中摸索了几秒之后，我发现自己又一次来到了侧厢。我看见钢琴放在空旷的舞台中央，一两盏灯从上方投下昏暗的光亮。我还看到幕布依旧拉着，于是悄悄走上了舞台。

我俯视了一下布罗茨基早前躺过的地方，但现在已看不到任何痕迹。然后我又回头扫了一眼钢琴，不知如何是好。假如我就这样坐在凳子上开始演奏，技师们也许就会心有灵犀，拉开幕布，打开聚光灯。然而，也还有可能——谁也说不准到底发生了什么——技师们早就离岗，幕布根本不会打开。更何况，我上一次见到观众的时候，他们就站在一边心神不定地在聊天。我当机立断，最好就是走出帷幕，通告众人，给大家——观众和技师——做好相应准备的机会。我在脑海中迅速排练了几句台词，然后毫不迟疑地走向褶皱空隙处，拉开了厚重的帷幕。

我已经对礼堂可能的混乱做好了心理准备，但映入眼帘的一幕还是让我大吃一惊。不仅观众完全消失不见，所有的坐席也都不复存在。我突然想到，这座大厅也许有某种装置，只要拉动机关，全部座椅就会遁入地板，这样礼堂的面积就翻了一番，可用作舞池或其他场地。但我随即想起了这座建筑的建造年代，觉得这完全不可能。我只能猜想，这些曾经堆叠放置的座椅，现在都已悉数清除，以防火灾。总之，在我眼前的是一个巨大、昏暗、空旷的场地。没有任何灯光，却随处可见天花板上的大块长方形挡板都已被卸走，一束束惨白的日光直接洒落在地板上。

我透过混浊的光线凝望，感觉可以辨认出有些人影还在大厅后部。他们好像站成一圈在开会——或许他们是舞台工作人员，在完成清理工作——接着，我听到了其中一人大步走离某处的脚步声。

我站在舞台边，思考着接下来怎么办。我想，我在斯达特曼小姐的办公室里呆的时间比想象的要长得多——可能长达一个小时了吧——很明显，观众已经放弃希望，认为我不会出现了。然而，如果发份通告，几分钟之内客人们就可以重聚在礼堂，而且即使座位已不翼而飞，我也不觉有任何理由不能上演一场称心如意的独奏。不过，我倒不清楚人们都到哪里去了，而且我意识到，我得首先找到霍夫曼或者现在的负责人，讨论下一步行动。

我爬下舞台，穿过大厅。还没走到一半，我就感觉自己迷失在黑暗中，于是我稍稍改变了方向，朝离我最近的那束光走去。正走着，一个身影从我眼前掠过。

“噢，抱歉，”面前的人说道，“请您原谅。”

我听出了斯蒂芬的声音，回答道：“你好！呃，至少你还在这儿。”

“噢，瑞德先生。对不起，我没有看见您。”他听起来既疲惫又沮丧。

“你真的应该更加高兴才对，”我对他说道，“你的演出很精彩。观众们都被打动了。”

“是啊。是的，我觉得他们确实给了我很大的支持。”

“那么，祝贺你啦！一番辛劳之后，一定很满足吧。”

“是啊，我想是的。”

我们开始在黑暗中相伴而行。此时，天花板上倾泻而下的日光让人更难辨别方向，但斯蒂芬却好像熟门熟路。

“您知道，瑞德先生，”他说，“我十分感谢您。您一直以来都给了我巨大的鼓励。可是，我今晚没有达到目标。反正没达到我自己的水准。当然，观众给了我热烈的掌声，但那是因为他们没有料到会有如此奇特的事情。不过，说真的，我知道自己还有很长的一段路要走。我父母是对的。”

“你父母？ 天哪，你不应该担心他们。”

“不，不是这样，瑞德先生，您不明白。我父母，您看，他们的标准可高啦。今晚来的人，他们都很友善，但说真的，他们对这些事情知之甚少。他们看到一位当地小伙有一定的演奏水平就非常兴奋。但我希望以真正的标准来衡量自己。而我知道，我父母也是如此。瑞德先生，我已经决定了。我要走出去。我要到更大的地方去，师从像鲁伯金和佩鲁齐这样的大师。我现在意识到，在这里，我永远达不到我想要的水平，在这座城市不行。看看他们，在一场十分平常的《玻璃激情》演奏结束后，看看他们鼓掌的样子吧。基本上就可以这么概括。我以前不明白，但我想您可以称我是小池塘里的一条大鱼吧。我该出去一下。出去看看我到底能做出什么成绩。”

我们继续走着，脚步声在礼堂中回荡。我接过他的话头：

“或许那倒是个明智的决定。其实，我肯定你是对的。到一个更大的城市，接受更大的挑战，我确信这对你大有好处。不过你必须慎重选择要师从谁。如果你愿意，我倒可以思量一下，看看能有啥法子。”

“瑞德先生，若那样，我将终身感激。是的，我得看看自己究竟有多大能耐。然后，某一天，我将重新回到这里，大显身手。好好给他们展示该怎样真正演奏《玻璃激情》。”他笑了笑，但那笑声还是十分不悦。

“你是个有才华的年轻人。你有锦绣前程。真的该振奋精神才对啊。”

“我也是这样想。我觉得我只是有点胆怯。直到今晚我才意识到，眼前有多大一座山峰等待我去攀登。您也许觉得这十分可笑，但您知道吗，我直到今天才明白。生活在这样一个地方，影响不言自明啊。你的思想格局会很小。是的，我以为今晚会大功告成呢！ 您看，此前我的想法是多么荒唐。我父母十分正确。我还需要学习很多的东西。”

“你父母？ 听着，我的建议是，眼下你得彻底忘掉父母的要求。我不妨说，我真的不理解他们怎么能……”

“啊，我们到了。这边走。”我们来到一个门口，斯蒂芬此刻拉开一块门帘。“它正是从这里通过的。”

“不好意思，是什么通过这里？”

“暖房。噢，或许您没听说过这个暖房。它其实挺有名的。在大厅建成一百年后落成，但现在几乎已经和它齐名了。那是大家去吃早饭的地方。”

我们来到一条走廊里，走廊一侧是长长的一排窗户。透过较近的一扇窗户，我可以望见清晨淡蓝色的天空。

“顺便问一句，”我们又开始往前走了起来，这时我说道，“不知布罗茨基先生怎么样了。他是否健康。他……是不是去世了？”

“布罗茨基先生？ 喔，没有啊，他会好起来的，我相信。他们把他送到某个地方去了。实际上，我听说他们把他送到了圣尼古拉斯专科医院。”

“圣尼古拉斯专科医院？”

“那是个收容穷苦人的地方。刚才大家在暖房里还在议论呢，都说，这下好了，那正是他该去的地方，在那儿，人们知道怎样处理他这样的问题。说实话，我有些震惊。事实上——我私下告诉您吧，瑞德先生——正是那一切促使我下了决心。

我指的是离开此地这件事。在我看来，布罗茨基先生今晚的演出是许多许多年来在这音乐厅里最为曼妙动听的。当然它也是我的音乐欣赏史上最精彩的演出了。但是，您看到了实际情形。他们不喜欢这种音乐，这种音乐把他们吓了一跳。这大大超出了他们的料想。他那样倒下了，他们着实安心了许多。现在他们意识到想要别的东西。一些不那么极端的东西。”

“也许是某种与克里斯托弗先生相差不大的东西。”

斯蒂芬想了想。“有一点点区别。至少是个新的名字。他们现在意识到克里斯托弗不怎么样。他们确实想要更好的东西。但……但不是那样的。”

透过窗户，我看见了外面宽阔的草坪，太阳从远处的那排树木上方冉冉升起。

“你觉得布罗茨基先生现在怎么样了？”我问道。

“布罗茨基先生？噢，他会回到一直以来的那个老样子。我想，以酒度日吧。他们肯定不会轻易允许他改变，今晚以后肯定不会。正如我所说，他们把他送到了圣尼古拉斯专科医院。我在这里长大，瑞德先生，从许多方面讲，我依然热爱这座城市。但是，现在我渴望离开。”

“也许我该尽力说些什么吧。我的意思是，跟暖房里的人说上几句。说说布罗茨基先生，让他们正确看待他。”

斯蒂芬思虑了一会儿，摇了摇头。

“不必，瑞德先生。”

“但是我必须说，我跟你一样，也不喜欢这样。你根本不知道。我讲上几句话……”

“我并不这样认为，瑞德先生。他们现在甚至不会听您的了。自布罗茨基先生的那场演出之后，他们就不会再听您的了。那使他们想起了他们所恐惧的一切。况且，暖房里没有任何麦克风，甚至连个讲台都没有。嘈杂声此起彼伏，没人听得见您说的话。您看，暖房很大，几乎赶上礼堂那么大。从一个角落到另一个角落，肯定得有……呃，即使你保持绝对笔直的对角线，将一路上所有的桌子以及落座的宾客推到一边，距离至少仍有五十米。您将看到，那是一个很大的地方。我要是您，瑞德先生，我现在就会很轻松地享用我的早餐。毕竟，您还得考虑赫尔辛基之行呢。”

暖房果真很大，此时正沐浴在晨光中。人们在愉快交谈着，有些围坐在桌旁，有些站成一群。我看到人们正在喝咖啡或果汁，吃着盘中或碗中的食物。我们从人群中走过时，新鲜的蛋卷、鱼糕以及咸肉的香味儿依次扑鼻而来。我看见侍者端着餐盘和咖啡壶来回穿梭。在我周围，人们欢声笑语，互致问候，我突然觉得这整个气氛颇像是一场重聚联欢会。可是，这些人却是时常相互见面的。显然，今晚的活动使他们得以深刻地重估自我以及他们的社团，而最终的氛围——不管出于什么原因——显得颇为喜庆。

我现在明白了，斯蒂芬是对的，我想给这群人讲话实在是没有意义，更别提请他们回到礼堂去听我的独奏了。我突然感到又累又饿，就决定坐下来吃点早餐。然而，我环顾四周，却没有看见一张空椅子。而且，我转身后发现斯蒂芬已不在我身旁，而是在跟我们刚刚路过的一桌人攀谈。我看着他们向他热情问候，隐隐期待他能把我介绍给大家。但是，他好像沉浸在交谈中，很快也露出一副开心的样子。

我决定不管他，自己继续前行。我想早晚会有一个侍者发现我，会端着盘子和咖啡快步向我走来，也许还会帮我找到个座位。可是，尽管确实有个侍者好几次匆匆朝我走来，但他每次都从我身旁而过，我只能眼睁睁看着他为其他人服务。

过了一会儿，我发现自己正站在距离暖房正门很近的地方。有人已经打开大门，许多宾客纷纷拥向草坪。我走了出去，外面寒气袭人。但是，这里也一样，人们聚在一起交谈，喝着咖啡或者吃着东西。一些人已经面向朝阳，另一些人则四处闲逛，伸展双腿。有群人甚至坐在了湿漉漉的草地上，盘子和咖啡壶摊在四周，好像在野餐似的。

我看见不远处的草地上有一辆餐车，一位侍者正弯腰忙碌着。我越发饿了，于是向餐车走去，我正要拍那侍者的肩膀，他突然转过身，匆匆从我身边跑开，臂膊上压着三只大盘子——我瞥了一眼，只见上面放着鸡蛋、香肠、蘑菇和番茄。我眼睁睁地看着他匆忙离开，于是决定就在原地等他回来。

在等他的时候，我观察了一下周围的景致，发现自己完全不必担心能否应对这个城市的各种要求。一如往昔，事实已经充分证明，我有足够的经验和直觉帮自己渡过难关。当然，对今晚，我是感到有些失望，但是，进一步思考以后，我就明白了这种感觉不合时宜。毕竟，假如一个社会无须受外人的指引即可达至某种平衡，那是再好不过了。

过了几分钟，侍者还是没有回来——这期间，餐车上的热罐子散发出各种诱人的香味，撩得我垂涎欲滴——我当机立断，自己动手也未尝不可。我拿了个餐盘，正弯腰在下面几层寻找器皿，突然意识到有几个人站在我的身后。我转过身，看到了迎宾员们。

我认出来了，上次围聚在古斯塔夫病床边的这十几个人，现在全出现在了我的面前。我转身时，有几位垂下了眼睛，但还有几个继续逼视着我。

“我的天哪，”我极力想掩饰自己亲手取用早餐的意图。“我的天哪，怎么了？不用说，我本来是想去探问古斯塔夫的境况的。我以为他已经去医院了。那就是说，他被照料得很好。我当然正准备去看他……”他们脸上流露出悲伤的神情，我打住了话头。

络腮胡迎宾员走上前，不自在地咳嗽了一声。“他半个小时前刚刚去世了，先生。这些年，他一直生活坎坷，但身体都很健康，所以对他的死我们都很意外。太意外了。”

“我很难过。”听到这消息，我真的很难过。“真的很难过。非常感激你们，感激大家专程来告诉我。正如你们所知，我认识他才几天，但他一直对我很好，帮我拿包呀，等等。”

我看到络腮胡迎宾员的同伴们都正看着他，怂恿他再说些什么。他深吸了一口气。

“当然，瑞德先生，”他说，“我们来这里找您，是因为我们知道您想尽快知道这消息。可是，”他突然垂下目光，“可是，您看，先生，在他去世前，古斯塔夫，他一直想知道。一直想知道您是不是做过了演讲。就是，就是您将代表我们做的那个简短的演讲，先生。直到最后，他都非常想听到这消息。”

此时，所有迎宾员都垂下了双眼，静静等待我的回答。

“啊，”我说道，“这么说来，你们到现在还不知道礼堂里发生了什么喽。”

“我们刚才一直守在古斯塔夫身边，先生，”胡子迎宾员说道，“他刚刚才被抬走。您得原谅我们，瑞德先生。您做演讲的时候，我们都不在，这十分失礼，特别承蒙您还记得您那小小的承诺……”

“哎，”我礼貌地打断他，“很多事情都没能按计划进行。我很吃惊你们到现在还未听说，不过我觉得，正如你们所说，在这样的情况下……”我停顿片刻，做了个深呼吸，然后更加坚定地说：“我很抱歉，但事实上，许多事情，包括我为了你们准备的这一场演说，都没能按原计划进行。”

“先生，那么您是说……”络腮胡迎宾员的声音越来越低，其他迎宾员刚才一直盯视着我，这会儿他们一个个又垂下了目光。接着，站在人群后面的一个人近乎愤怒地大喊起来：

“古斯塔夫一直在问。直到最后都在问‘瑞德先生有消息了吗？’他一直都在这样问！”

几位同伴很快让他镇静了下来，随后是一阵长长的沉默。最后，始终低头看着草坪的络腮胡迎宾员开口道：

“那没关系。我们会一如既往，继续努力。事实上，我们将尽更大的努力。我们绝不让古斯塔夫失望。他始终是我们的精神支柱，尽管现在他离世了，但一切都不会变。我们得艰苦奋斗，我们一直都这样，我们知道的，将来也不会更加轻松。但我们不会降低标准，一点都不会。我们会铭记古斯塔夫，我们会坚持不懈。当然，您的演说，先生，如果可能的话，一定会……一定有助于我们，这是无可置疑的。但当然啰，如果那时您不方便……”

“哎，”我渐渐失去了耐心，“你们很快就会知道到底发生什么事了。真的，我很吃惊，你们都不大关心公共大事。还有，你们似乎都不知道我过的是一种什么样的生活，不知道我得承担多大的责任。即使是现在，我站在这里和你们讲话，我还得考虑后面的赫尔辛基之行。所以，如果万事都不如你们所愿，那我深感抱歉。可是，你们无权像现在这样来纠缠我……”

我慢慢收起了话头。在我右边的远处，有一条小径从音乐大厅通往周边的树林。有那么一会儿，我留意到人们从大楼里涌出来，消失在树林后——也许，他们想趁天亮前赶回家，再休息上一两个小时。这时我认出了索菲和鲍里斯，他们果断地沿着小径前行。小男孩再次一手搂着妈妈，但除此之外，漫不经心的旁观者不会注意到他们的痛苦。我试图一窥他们脸上的表情，但他们离得太远了，很快他们也消失在了树林后。

“很抱歉，”我转过身，更加轻柔地说道，“但请你们原谅。”

“我们绝不降低标准。”络腮胡迎宾员静静地说，他仍然盯视着地面。“总有一天，我们能做到的。您看着吧。”

“请原谅。”

我正要离开，侍者就匆匆赶回来了，他推开老人们，走到餐车旁。我想起餐盘还被我藏在身后，便一把递给了他。

“今天早上的服务简直太不像话了。”我冷冷地说道，然后快步离开。

第三十八章

林间是一条笔直的小路，我可以清楚地看到小路尽头那扇高高的铁门。索菲和鲍里斯已经走得很远，我虽极力追赶了几分钟，却仍未能缩短我们之间的距离。各种各样的阻碍无法令我加快脚步。走在我前面的是一小群年轻人，每当我想超过他们的时候，他们就稍稍加快脚步，或者分散开来把整条小路占了。最后，当我看到远处索菲和鲍里斯已经快要到街上了的时候，我再也不管会给他们留下什么印象，冲过前面这群人狂奔起来。

此后，我一路稳步小跑，但当索菲和鲍里斯经过那扇门的时候，我还是跟他们相隔很远。等我到达那扇门时，我已气喘吁吁，不得不停下来喘口气。

穿过大门便是靠近城市中心的林荫大道。清晨的阳光照亮了对面的人行道。商店都还没有开门，街上走着一些去上班的人。我看到左边一些人正排着队要上电车，索菲和鲍里斯排在最后。我再次奔跑起来，但电车必定比我想象的要远得多，因为尽管我步履飞快，但一直到整支队伍都已经上了车我才赶到，而此时电车正要开动。于是我只能疯狂地挥手，才成功拦下司机，拼命挤上了车。

电车颠簸前行，我摇摇晃晃地在中间过道上走着。我跑得上气不接下气，只隐隐注意到车厢有一半满。我走到车厢后部，瘫倒在一个座位上，这时我才记起，我一定已经从索菲和鲍里斯身边走过了。我喘着粗气，侧身靠向一边，回头沿通道看去。

车厢被中间的出口处明显分成两部分。前半节车厢里是面对面的长长两排座位，我看到索菲和鲍里斯同坐在向阳的一侧，离司机不远。中间的出口处站着几位乘客，他们抓着拉手吊环，遮住了我的视线，我只得又向中间过道倾斜身子。这时，坐在我对面的那位先生——后半节车厢里的座位是设置成两张面对面的——拍了下大腿，说道：

“看样子，今天又是个大晴天。”

他穿着一件短拉链夹克，看起来既朴素又整洁，我猜他可能是一个技工——也许是个电工吧。我飞快地朝他笑了笑，他便开始讲他和同事前几天在里面工作的一幢大楼。我并不怎么专心地听他讲着，偶尔冲他笑笑，作些表示同意的回应。与此同时，由于更多的人站起来挤到了出口处，我就更难看清索菲和鲍里斯了。

电车停了，乘客们下了车，我的视野顿时清晰起来。鲍里斯看起来还是像往常一样镇静，他把一只手搭在索菲的肩上，满腹狐疑地盯着其他乘客，好像他们对他母亲构成了威胁。我依旧看不清索菲的表情，只能看到隔几秒钟她就恼怒地挥挥手，可能在赶一只在她旁边乱飞的虫子。

我正想再次调整姿势，突然发觉那个电工不知怎的说起了他的父母。他告诉我，他的父母都已经八十多了，虽然他尽量每天都去看他们一次，但由于现在的这份工作，他越来越难做到这样了。我突然想起了什么，打断他道：

“抱歉，不过说起父母，好像我的父母很多年前来过这座城市。只是来旅游观光的，您知道。距今已经好多年了吧。只是，告诉我这件事的那个人当时也只是个小孩，也记不大清了。所以我在想，既然我们谈起了父母——当然，我不是有意冒犯，您现在大概已经五十来岁了吧——不知您本人是否还记得他们来访过。”

“很有可能，”那个电工说道，“但是你得先描述一下他们。”

“嗯，我母亲个子很高，一头及肩黑发，鹰钩鼻，看上去颇为严厉，甚至无意严厉时也如此。”

电工想了一会儿，看着窗外掠过的城市风光。“嗯，”他点了点头，说道，“嗯，我想我记得那样一位女士。只有几天时间而已。四处观光，诸如此类的事情。”

“对。那么您想起来了？”

“嗯。她看上去非常和蔼。噢，那至少是十三四年前的事了。可能比那还要长。”

我激动地点点头。“这就跟斯达特曼小姐告诉我的对上号了。对，那就是我的母亲。告诉我，她在这儿过得好吗？”

电工仔细想了想，说：“我记得，她好像很喜欢这儿，对。事实上——”他好像看出了我脸上的关切，“事实上，我肯定她过得很好。”他向前倾了倾身，很有礼貌地拍了拍我的膝盖。“我非常肯定她在这儿很开心。呃，只要稍微想一想就知道。她一定很开心，是不是？”

“我想是的。”说着我把头扭向窗外。阳光照进了整个车厢内部。“我想是的，只是……”我深深叹了口气，“我只是希望我当时就知道。希望那时有人想到过告诉我。那我父亲呢？他看上去开心吗？”

“你父亲，嗯……”电工交叉起双臂，微微皱眉。

“他那时候一定特别瘦，”我说道，“头发花白，穿一件他最喜欢的夹克，粗花呢的，浅绿色，肘上有一块皮革补丁。”

电工继续回忆着，最后他摇了摇头，说道：“对不起，我不记得您父亲了。”

“那不可能。斯达特曼小姐很肯定地告诉我，他们是一起来的。”

“我肯定她说得没错。只是我自己记不起您的父亲了。您的母亲我记得，但您的父亲……”他又摇了摇头。

“可是，那太荒谬了！我母亲一个人来这里干什么？”

“我不是说您父亲没有和您母亲在一起。只是我记不起他了。听我说，别这么难过。要是我知道这会让您如此不安，我就不这么坦率了。我的记性很差，大家都这么说。就在昨天，我在小舅子家里吃午饭时，还把自己的工具箱忘在那儿了呢。我又浪费了四十分钟回去拿。我的工具箱啊！”他笑了笑，“您看，我的记性实在很差。像这样重要的事情，我是最不值得信任的一个人。我肯定您父亲一定跟您母亲在一起，尤其是如果别人也这样说的话。真的，我是最不可以信赖的人。”

但此时我已经扭过头，不再看他，开始再次看向车厢前部，鲍里斯终于控制不住他的情绪了。他扑进妈妈的怀里，肩膀随着抽泣不由自主地抖动。突然，我觉得好像没有比走向他更重要的事了。于是，我匆忙向电工说了句“对不起”，起身向车厢前部走去。

就在我快要走到他们身边时，电车突然一个急转弯，我不得不抓住车的横杆才没有摔倒。当我再看他们时，发现他们还是没有注意到我在靠近他们，尽管此时我正站在离他们很近的地方。他们依然紧紧相拥，闭着双眼。片片阳光洒在他们的胳膊和肩膀上。此时此刻，他们沉浸在自己的天地中，彼此安慰，仿佛连我都无法侵扰。我继续注视着他们，尽管他们显得痛苦不堪，但我的心中浮起一种奇怪的嫉妒感。我又向他们靠近了些，直至几乎可以感受到他们真切的拥抱。

索菲终于睁开了眼睛。她面无表情地看着我，小男孩继续靠在她的怀中哭泣。

“我很难过，”我终于开口了，“我对这一切很难过。我刚刚才听说了你父亲的事。当然，我一听说就赶来了……”

她脸上的表情阻止了我继续说下去。又过了一会儿，她还是对我很冷漠。最后她疲惫地说道：

“走开。你一直都徘徊在我们爱的门外。现在，看看你吧。你也同样无法走入我们的悲痛中。别管我们。你走吧。”

鲍里斯离开他母亲的怀抱，转身看着我，然后对母亲说：“不，不。我们要在一起。”

索菲摇了摇头。“不，没用的。随他去吧，鲍里斯。让他去闯荡世界，贡献他的专长和才智。他需要那么做。咱们放手让他去吧。”

鲍里斯困惑地看着我，然后又看看他妈妈。也许他是想要说些什么，但这时索菲站了起来。

“快点，鲍里斯。我们得在这儿下车了。鲍里斯，快点。”

电车正慢慢停下来，乘客们陆续从座位上站起身。一些人从我身边穿过，索菲和鲍里斯也挤过去了。我抓着横杆，看见鲍里斯沿中间的过道朝出口走去。就在那时他回头看看我，我听见他说：

“我们一定要在一起。一定要。”

然后我看见站在他后面的索菲，她怪异而冷漠地盯着我，我听到她说：

“他永远不会成为我们的一员。你得明白，鲍里斯。他永远不会像一个真正的父亲那样爱你。”

更多的人从我身边走过。我举起手。

“鲍里斯！”我喊道。

鲍里斯在人群中踌躇，再一次回头看我。

“鲍里斯！那次公共汽车之行，你还记得吗？那次乘公共汽车去人工湖。你还记得那有多好吗？车上每个人对我们都多友好啊。他们送给我们小礼物，一路歌唱。你还记得吗，鲍里斯？”

乘客们现在已经开始下车。鲍里斯最后看了我一眼，便从我的视线中消失了。更多的人从我身边走过，电车再一次开动了。

过了一会儿，我转身回到自己的座位上，再一次坐在了那个电工对面。他满脸堆笑。我发现他倾身向前，拍了拍我的肩膀，我这才意识到自己正在抽泣。

“听着，”他说道，“一切事情当时看来总是很糟糕。但是，一旦过去，就不会那么糟了。振作起来吧。”他继续说着这些空洞的话语，而我则一直抽泣不止。接着我听到他说：“来，来吃点早餐吧。像我们一样吃点东西。你一定会感觉好一点的。来吧。去吃点东西。”

我抬头看了看他，看见他的膝盖上有一只盘子，盘子上有一个吃了一半的羊角面包和一小块黄油。他的膝盖上全是面包屑。

“啊，”我挺直身子，恢复了镇静，说道，“你从哪儿拿的这个？”

电工指了指我肩膀后面。我转过身，看到一群乘客站在电车的正后方，那里有自助餐供应。我同时又发现，整个后半节车厢都非常拥挤，我们周围所有的乘客都在吃喝。与很多人的早餐相比，电工的早餐可谓简单素净。此刻我可以看到，人们从盛着鸡蛋、培根、西红柿、香肠的大盘子中间走过。

“来，”电工再一次说道，“去给你自己拿些早餐，然后我们来谈谈你所有的坎坷。或者如果你愿意的话，我们可以忘了这一切，聊聊你喜欢的事，只要能让你振作起来，什么都行。足球啊，电影呀，任何你喜欢的事情。但是，你现在要做的第一件事就是去吃点早餐。你好像已经好久没吃东西了。”

“你说得很对，”我说，“现在我想起来了，我是好久没吃东西了。但请你先告诉我，这辆电车是要去哪里呀？我得回我住的酒店打包行李。你知道，我今天早上要乘飞机去赫尔辛基，必须马上先回酒店。”

“噢，这辆电车几乎可以载你到这座城市的任何一个地方。这就是我们所说的早间环线。还有夜间环线。电车一天两趟，环城走完全线。噢，是的，你可以乘这辆车到任何地方。晚上也一样，但是晚上的气氛会很不一样。噢，是的，这是一辆很不可思议的电车。”

“太好了。那么，请原谅我，我会接受你的建议，吃点早餐。其实，你说得很对。甚至单单想想这个就让我感觉好多了。”

“这种精气神才对嘛。”说完，电工拿起羊角面包向我致意。

我站起身，走向车厢后部。各种香味扑鼻而来。很多人在那儿就餐，但是越过他们的肩膀，我看到在电车后窗的下面摆放着一个大大的半圆形自助餐台。那儿的食物几乎应有尽有：炒鸡蛋，煎蛋，一系列冷盘肉和腊肠，爆炒土豆，蘑菇，熟番茄，还有一大盘鲱鱼卷和其他鱼类配品，两大篮羊角面包和不同种类的卷饼，一大玻璃碗的新鲜水果，很多壶咖啡和果汁。围在自助餐台前的每个人好像都在争先恐后地想拿取食物，但气氛显得非常亲切友好，人们互相传递食物，开心地攀谈着。

我拿了一只盘子，抬起头，透过后车窗看着渐行渐远的城市街道，感觉精神更加昂扬。毕竟，事情没有那么糟糕。不管这个城市带来了怎样的失望，我来到这儿无疑受到了极大的欢迎——就像我去过的其他任何地方一样。此刻，就在这儿，在我的访问即将结束之际，面前有一顿令人无比难忘的自助早餐，我想吃什么几乎就有什么，羊角面包看上去尤其可口诱人。的确，从周围乘客们狼吞虎咽的吃相来看，这些食物显然品质上乘，非常新鲜。可以说，我的目光所及之处，每样食物看上去无不诱人之至。

我开始动手，每样都拿了一点。这期间，我浮想联翩：我已经回到了座位上，与电工愉快地交谈，一边满口吃着食物，一边看着窗外清晨的街道。从很多方面来讲，此时此刻电工是我攀谈的理想人选。他明显很善良热心，但同时又谨慎而不冒昧。这会儿我看到他还在吃着他的羊角面包，显然不急着下车。实际上，他看上去好像准备在那儿坐很久。而且，电车在走着环线，如果我们两个相谈甚欢，他就会推迟下车，直到电车又整整绕了一圈后才下。同样，自助餐台也显然会在这儿再保留一段时间，这样我们就可以随时中止交谈去续添食物。我甚至可以看到我们不断地劝对方多吃一点儿。“来！ 再来一根腊肠！ 快，把盘子给我，我给你盛。”我们会继续坐在那儿，边吃边聊，畅谈足球或其他任何爱好。窗外，太阳越升越高，照亮了一条条街道和我们这一边的车厢。只有当我们把能吃下的都吃了，把可能聊的都聊了之后，电工才可能会看一眼手表，叹口气说，我酒店的那一站绕了一圈又要到了。我也叹了口气，不情不愿地站起身，掸了掸大腿上的面包屑。我们会握手，互道日安——他也会告诉我，他马上也得下车了——然后我离开，加入到围聚在下车处的那群兴高采烈的乘客中。接着，电车停靠，我也许会向电工最后挥挥手，然后下车，确信我可以很自信很骄傲地期盼赫尔辛基之行。

我在杯里倒满咖啡，差点溢出来。然后，我用一只手小心地握着杯子，另一只手端着装满了丰盛食物的盘子，开始朝座位走去。

译后记

如果没有移民作家，那么整个英国当代文坛也许会大大失色，我们也无法读到众多风格迥异、多姿多彩的作品。崛起于二十世纪八十年代的石黑一雄，在英语文学界享有崇高的声望，与奈保尔、拉什迪并称“英国文坛移民三雄”。在三十多年的创作生涯中，他虽然并不多产，一共只发表了六部长篇小说和一部短篇小说集，但他的每部作品几乎都精雕细琢，堪称精品。六部小说中，除处女作《远山淡影》外，其余五部皆进入英国最重要的文学奖——布克奖——的决选名单，1989年他凭《长日留痕》一举折桂，其他作品也获得过大大小小的奖项。

石黑一雄一直把自己的小说创作视为一种国际文化的传播载体，他雄心勃勃地致力于创作一种能够把各种民族和文化背景融合一起的“国际文学题材”，他本人也以“国际主义作家”自诩。他曾在多次访谈中表示，自己希望成为一位国际化小说家。“所谓国际化小说是指这样一种作品：它包含了对于世界上各种不同文化背景的人们都具有重要意义的生活景象。它可以涉及乘坐喷气式飞机穿梭往来于世界各大洲之间的人物，然而他们又可以同样从容地稳固立足于一个小小的地方……这个世界已经变得日益国际化，这是毫无疑问的事实。

在过去，对于任何政治、商业、社会变革模式和文艺方面的问题，完全可以进行高水平的讨论而毋庸参照任何国际相关因素。然而，我们现在早已超越了这个历史阶段。如果小说能够作为一种重要的文学形式进入下一个世纪，那是因为作家们已经成功地把它塑造成为一种令人信服的国际化文学载体。我的雄心壮志就是要为它作出贡献。”生于日本，长在英国，石黑一雄穿梭于英日两种文化之间，对于这两种文化驾轻就熟，特殊的生活背景使得他的作品交织着日本文学和英国文学两种传统特质。读他的小说，既能感受到日本文学中淡雅朴素的距离美，又能体会到英国人隐忍克制的性格。他的小说还秉承了东西方小说的一些特点。例如，他对一些日常的微小细节的描写受到了契诃夫的影响；他恰到好处地把握人物的心理，则得益于他对陀思妥耶夫斯基的喜爱；他在小说中对人物心理及回忆的描述颇具意识流大师普鲁斯特的风范；他简洁干净且深藏不露的语言风格又让人想起了海明威。与此同时，它们又包含着日本文学特有的“物哀”之情。“物哀”并非简单的悲哀，悲哀只是“物哀”的一种情绪，而这种情绪所包含的同情，意味着对他人悲哀的共鸣，对世相的共鸣，对在历史大浪中命如浮萍的小人物的命运的悲戚共鸣。

《无法慰藉》是一部颇具实验性质的小说。它与前三部作品风格迥异：卡夫卡式的叙事，大量的超现实主义描写，变幻莫测的场景，走马灯式的人物，使读者仿佛置身于主人公瑞德的梦境之中。评论界对小说的评价褒贬不一。

小说基本上由第一人称叙述，讲述钢琴演奏家瑞德应邀来到中欧一座不知名的城市，以期通过钢琴独奏会的形式帮助这里的人们解决某种无法言状的危机，重新找回这座城市的文化重心。但随着故事的发展，读者很快就发现，瑞德不仅没能帮助他人，自己反而如跌入兔子洞的爱丽丝，深陷困境，无可慰藉。

小说共分四部分，描摹了瑞德在这座中欧城市四天三夜的离奇经历。石黑一雄的笔触从一开始的舒缓柔和到后来的荒诞迷离再到最后的几近恐怖，为读者揭开了这座貌似平和安宁，实则危机重重的城市的神秘面纱，带我们窥探了困在这个城市中的形形色色人物的人生百态。

如果把整部小说比作一幅画，把阅读过程视为赏析此画的话，一开始我们看到的只是舒缓柔和的画面一角，如书中主人公一样，全然不觉等待着我们的将是什么。第一部分描写瑞德为参加几天后的“周四之夜”演奏，拖着疲惫不堪的身躯来到霍夫曼的酒店，浑然不知在接下来的几天这个酒店会成为他的梦魇。从来到这个城市、下榻酒店的那一刻起，瑞德每到一处，每碰到一个人，都会收到五花八门或大或小的怪异请求，就是这些请求，在事情刚刚要迈入正轨的时候，同时将他拽向不同的方向：酒店迎宾员古斯塔夫希望他能同他的女儿交谈，帮她排解心结；酒店经理霍夫曼希望他能抽时间看看他妻子的剪报本；霍夫曼的儿子斯蒂芬希望他能帮他指导一首曲子；古斯塔夫的女儿索菲想要他陪她一起去找房子；索菲的儿子鲍里斯希望他们能一起去他们的旧公寓取心爱的玩具，不会说“不”的瑞德身陷这各种各样的“小忙”中，被搞得焦头烂额，无法自拔。

到了紧接着的第二部分，画面主体开始显现。鬼使神差般，瑞德过去生活中的人物，从儿时的玩伴到幼年的同学，从相亲至爱的妻儿到一墙之隔的邻居，全都在这个本应陌生的城市冒了出来，只有他在这个最熟悉的“陌生”城市步履蹒跚，茫然找不着北。而这一切无疑向读者传达了这样一个信息：对瑞德而言，这座不知名的中欧城市，绝非如他所言般“陌生”；而对这座城市而言，瑞德也绝不仅仅是个“外来者”。随着这些人物的出现，瑞德的生活也开始浮出水面：自小遭遇家庭不和，缺乏父母关心，导致他即使长大成人，功成名就之后，内心深处依旧极度缺乏父母肯定，自信不足。小时候的遭遇加上长期漂泊，居无定所，使他生活中除了工作，别无其他，朋友疏离，亲人淡漠。他无法替儿时密友出头，也无法在聚会上支持家人，甚至不认识自家的旧公寓。最令读者大跌眼镜的是，古斯塔夫的女儿索菲和外孙鲍里斯竟然是瑞德疏远已久的妻儿，而他“第一次”在老城广场咖啡店见他们时，竟然把他们当做陌生人！这也就使得第二部分结束时，索菲和鲍里斯期盼已久的全家福晚餐以失败告终，瑞德尴尬离开他们的公寓，回到下榻的酒店。

到了第三部分，画面继续展开，画中迷离神秘的元素开始清晰可感。石黑一雄的笔调明显变得荒诞梦幻起来，读者置身文字之中，宛如坠入梦境。先是霍夫曼给瑞德找的疑似卫生间的练琴房，然后是神秘的荒地葬礼，接着是没来由的一堵高墙阻隔道路，最后以一组同样荒诞的迎宾员之舞结束。与此同时，围绕着主人公瑞德，其他两位重要人物酒店经理霍夫曼和前钢琴家、街市酒鬼布罗茨基的重头戏也开始上演，霍夫曼貌似名利双收、琴瑟和谐的日子背后是长期以来的夫妻感情淡漠；而布罗茨基则是长期沦为笑柄，身心俱疲，同分居多年的妻子柯林斯小姐重归于好的机会也是希望渺茫。

小说的第四部分，也是最后一部分，整幅画面全然展现在读者面前。随着全城准备许久、翘首以待的“周四之夜”的来临，前面暗涌的各种困境冲突全都显现，达到高潮：古斯塔夫因为迎宾员之舞运动过度，含恨离世，既没能同女儿索菲达成谅解，为她解开心结，也没能盼到瑞德在致辞中为迎宾员这一群体的荣誉呐喊；一心想要戒除酒瘾，东山再起，赢回美人心的布罗茨基再次与威士忌亲密接触，醉酒中被瑞德开车撞倒，并由一庸医做主切掉一条大腿，强忍着剧痛上台表演，却功败垂成，依旧没能赢得柯林斯小姐的谅解，破镜重圆；多年来在妻子面前长期自卑的霍夫曼不仅给布罗茨基递上那杯致命的威士忌，亲手毁掉自己苦心经营的成果，经过最后的剪报本事件之后，更是全面崩溃，一团混乱；而作为整个“周四之夜”的压轴人物，瑞德竟然没有机会登台演奏，而刚刚略有好转的同索菲和鲍里斯的关系也随着索菲的拒绝再次宣告破裂。至此，石黑一雄带我们走完了这漫长的四天三夜的“崩溃之旅”，小说开篇存在的问题依然存在，小城里处在困境中的人们依然在苦苦挣扎：所有人都心心念念的“周四之夜”终于以全面失败落下帷幕，瑞德没能为这座城市解决危机，也没能修复与家人朋友的关系；布罗茨基没有梦想成真，霍夫曼也没能盼来奇迹，真正获得幸福。

读罢全篇，我们不禁要问，石黑一雄用如此多的篇幅为我们讲述这样一个略带荒诞的故事，到底用意何在？《无可慰藉》的故事表面上讲的是一个小城的人生百态，透过纸页，我们却看到了作者对当代人的生存状态的深刻思考。如同小说中的瑞德及其他所有人一样，行走在当代社会，我们的心灵全都带着自己的伤口，被困在各自形形色色的大泡泡中，无法与人沟通，也无法从外界获得帮助与慰藉。

这一主题无论是在小说形式还是故事内容上全都得到了印证。从形式上来说，小说以瑞德最初到达酒店为源头触点，据此一环套一环向外发散：一个故事的终结，必然意味着下一个故事的开始，整部小说也就成了一个神秘的故事世界，读者置身其中，宛如困于文字的迷宫，茫然不知出口所在。另一方面，从内容上来说，以瑞德为代表，故事中几乎所有人物都是怆然行走在这个花花世界，既无力帮助他人，也无法获得他人的帮助：瑞德陷在各种各样的“小忙”中无力脱身，霍夫曼和克莉丝汀被囚于失衡婚姻中，布罗茨基沉溺酒精，古斯塔夫直到离世也没有同索菲握手言欢，索菲受制于冷漠婚姻，柯林斯小姐对感情的再次尝试宣告失败，重归之前的困境，鲍里斯重新陷入缺乏父爱的境地，斯蒂芬再次体验无法令父母满意的苦果。就连故事中的次要人物也没能幸免：瑞德的儿时密友菲奥娜没有等来朋友为她出头说话，继续在小区过着遭人孤立、独来独往的生活，瑞德的小学同学杰弗里·桑德斯没有等来老同学的大驾光临，继续在异乡过着孤苦无依、穷困潦倒的生活。这一个个名字，一个个故事，一颗颗受伤的心灵，仿佛都是作者对当代人的生存现状敲下的一记记警钟。身处一个科技爆炸、沟通无限的世界，我们感受到的，却是史无前例的孤独无助。在全世界都可以社交起来的时候，我们却无法用最原始的方式获得真正有效的沟通。

石黑一雄是一位深具“怜悯心”的作家。从《远山淡影》开始，他的小说一直都在探索普通人在不可抗拒的环境下的生存状态。作为一个当代寓言，《无可慰藉》促使读者在日常琐碎的生活中思考人生，思考本真的存在。阅罢全书，掩卷沉思，透过荒诞不经的故事外表，俨然可以看见作者对当代社会人类生存状态的声声拷问：你的心灵被困住了吗？

郭国良

2012年12月于浙江大学港湾家园

图书在版编目(CIP)数据

无可慰藉/(英)石黑一雄著;郭国良,李杨译.
—上海:上海译文出版社,2013.4(2017.10重印)
(石黑一雄作品)
书名原文:The Unconsoled
ISBN 978-7-5327-6057-2

Ⅰ.①无… Ⅱ.①石…②郭… ③李… Ⅲ.①长篇小说-英国-现代 Ⅳ.①I561.45

中国版本图书馆 CIP 数据核字(2012)第 304745 号

Kazuo Ishiguro
THE UNCONSOLED
Copyright © Kazuo Ishiguro 1995
Chinese Translation Copyright © Shanghai Translation Publishing House, 2013
All rights reserved.

图字:09-2009-402 号

无可慰藉
[英]石黑一雄/著 郭国良 李杨/译
责任编辑/管舒宁 装帧设计/张志全工作室

上海世纪出版股份有限公司
译文出版社出版
网址:www.yiwen.com.cn
上海世纪出版股份有限公司发行中心发行
200001 上海福建中路 193 号 www.ewen.co
山东鸿杰印务集团有限公司印刷

开本 787×1092 1/32 印张 19.5 插页 4 字数 350,000
2013 年 4 月第 1 版 2017 年 10 月第 2 次印刷
印数:8,001—78,000 册
ISBN 978-7-5327-6057-2/I・3596
定价:58.00 元

本书中文简体字专有出版权归本社独家所有,非经本社同意不得连载、摘编或复制
如有质量问题,请与承印厂质量科联系。T:0533-8510898